# DE LEGE KAMER

Van Sophie Hannah verschenen eerder:

*Kleine meid*
*Gevarenzone*
*Moederziel*
*De andere helft leeft*

SOPHIE HANNAH

# De lege kamer

 DE KERN

Oorspronkelijke titel: *A Room Swept White*
Oorspronkelijke uitgever:
Hodder & Stoughton, an Hachette UK company
Copyright © 2010 by Sophie Hannah
The right of Sophie Hannah to be identified as the author of this work
has been asserted by her in accordance with the Copyright, Designs and
Patents Act 1988
Copyright © 2011 voor deze uitgave:
Uitgeverij De Kern, een imprint van De Fontein|Tirion,
onderdeel van VBK|media, Utrecht
'Anchorage' (*Ankerplaats*) door Fiona Sampson, uit *Common Prayer* (© 2007),
overgenomen met toestemming van Carcanet Press Ltd., vert. Anna Livestro
'The Microbe' (*De Microbe*) door Hilaire Belloc, uit *More Beasts for Worse
Children* (© Hilaire Belloc 1912), overgenomen met toestemming van PFD
(www.pfd.co.uk) namens The Estate of Hilaire Belloc, vert. Anna Livestro
Vertaling: Anna Livestro
Omslagontwerp: De Weijer Design BNO bv
Omslagillustratie: IQ Images
Auteursfoto omslag: Mark Mather
Opmaak binnenwerk: ZetSpiegel, Best
ISBN 978 90 325 1303 0
NUR 305

www.defonteintirion.nl

Voor Anne Grey, aan wie ik
– los van veel andere onschatbare wijsheden –
het volgende motto te danken heb:
'Je moet dingen nooit persoonlijk opvatten,
zelfs niet als je naam erbij staat.'
Deze opdracht vormt de uitzondering
op deze verder zeer verstandige regel.

# Ray Hines

## Transcript van interview 1, 12 februari 2009

(Het eerste gedeelte van het interview – duur: plusminus vijf minuten – is niet op band vastgelegd. R.H. stond mij pas toe de tape te starten zodra ik ophield te vragen naar de details van haar zaak. Ik heb het gesprek toen op H.Y. gebracht, omdat ik dacht dat ze dan meer vrijuit zou spreken.)

R.H.: Ik heb Helen Yardley slechts één keer ontmoet. Wat wil je dat ik over haar zeg? Ik dacht dat je het over mij wilde hebben.

L.N.: Dat wil ik ook, heel graag. Maar jij leek daar zelf niet zo'n zin in te hebben.

[*Stilte*]

L.N.: Ik ben niet op zoek naar iets specifieks over Helen. Ik probeer niet...

R.H.: Ik heb haar één keer ontmoet. Een paar dagen voor haar hoger beroep diende. Iedereen wilde dat ze vrijkwam. Niet alleen de vrouwen. Ook al het personeel. Niemand geloofde dat ze schuldig was. Dat was jouw werk.

L.N.: Ik heb daarin maar een kleine rol gespeeld. Er waren...

R.H.: Jij was het gezicht naar buiten toe, en naar jou werd geluisterd. Ze hebben me gezegd dat jij mij ook vrij kunt krijgen. Mijn advocaten, en bijna iedereen die ik hierbinnen heb ontmoet. En dat heb je ook gedaan. Dankzij jou, en dankzij het tij heb ik het relatief gemakkelijk gehad, in Durham en in Geddham Hall, op een paar kleine incidentjes met een stel gekken na.

L.N.: Het tij?

R.H.: Tegen de tijd dat ik werd veroordeeld was de publieke opinie aan het omslaan. Al jouw harde werk begon zijn vruchten af te werpen. Als mijn zaak een jaar later was voorgekomen, was ik vrijgesproken.

L.N.: Net als Sarah, bedoel je?

[*Stilte*]

R.H.: Ik heb het niet over Sarah Jaggard, nee.

L.N.: Zij stond terecht in 2005. Een jaar nadat jij terechtstond. Zij werd vrijgesproken.

R.H.: Ik heb het niet over haar. Ik heb het over mijzelf, en het hypothetische geval dat mijn zaak een jaar later zou zijn voorgekomen.

[*Stilte*]

L.N.: Wat is er? Waarom lach je?

R.H.: De groepsidentiteit is belangrijk voor je. Net als voor Helen Yardley.

L.N.: Vertel.

R.H.: Wij. De vrouwen voor wie jij actie hebt gevoerd. Jij noemt ze 'Helen' en 'Sarah' alsof dat mijn vriendinnen zijn. Maar ik weet bijna niets van ze. Van allebei niet. En dat wat ik wel weet, zegt me dat wij helemaal niets met elkaar gemeen hebben, los van dat ene. Helen Yardley's man is haar altijd blijven steunen, en heeft nooit getwijfeld aan haar onschuld. Dat is een van de dingen die wij niet met elkaar gemeen hebben.

L.N.: Heb je sinds je vrij bent nog contact gehad met Angus?

[*Lange stilte*]

L.N.: Het is vast heel zwaar voor je om hierover te praten. Zullen we het niet liever weer over Helen en Sarah hebben? Zij kennen jou ook niet, maar toch, door mijn gesprekken met hen allebei kan ik je zeggen dat zo zich heel sterk bij je betrokken voelen. Om dat wat jij 'dat ene' noemt.

[*Stilte*]

L.N.: Ray, je bent uniek. Jouw tragedie is iets wat alleen jou aanging. Dat weet ik wel. Ik wil niets afdoen aan jouw recht om een individu te zijn. Ik hoop dat je dat begrijpt. Ik zeg alleen dat...

R.H.: Sarah Jaggard werd vrijgesproken. Ze werd ervan beschuldigd dat ze een kind had vermoord, niet haar eigen. Met haar heb ik zelfs nog minder gemeen dan met Helen Yardley.

[*Stilte*]

L.N.: Ray, als je bedoelt dat jij Helen en Sarah weleens hebt gehaat, zou ik dat volkomen begrijpen. Ze zouden het *zelf* ook begrijpen.

R.H.: Waarom zou ik twee vrouwen haten die ik helemaal niet ken?

L.N.: Sarah werd vrijgesproken. Goed, ze heeft haar proces moeten doorstaan, maar de uitspraak was 'niet schuldig'. En dat had in jouw geval ook de uitkomst moeten zijn. In de tussentijd zat je vast, zonder te weten of je ooit nog vrij zou komen. Dus als jij haar dat kwalijk zou nemen – als je, tijdens zwarte momenten, stiekem zou wensen dat het voor haar anders had uitgepakt – dan is dat volkomen normaal. En Helen – je zegt het zelf al, iedereen wist dat die onschuldig was. Haar hoger beroep zou dienen toen jij net in Geddham Hall aankwam. En toen je hoorde dat zij naar huis ging, en jij niet, zul je haar allicht ook gehaat hebben. Dat zou niemand je kwalijk nemen.

R.H.: Ik ben blij dat je dit allemaal opneemt. Want ik wil dit heel duidelijk stellen, officieel, dat ik de gevoelens die jij mij nu toedicht nooit heb gehad.

L.N.: Ik dicht jou helemaal niets...

R.H.: Ik voelde helemaal geen wrok toen Sarah werd vrijgesproken. Ik wilde niet dat Helen Yardley's hoger beroep zou mislukken. Dat heb ik nooit gewild, nog geen fractie van een seconde. Laat dat volkomen duidelijk zijn. Ik zou nooit willen dat iemand zou worden veroordeeld voor een misdaad die hij niet had gepleegd. Ik zou nooit willen dat iemand niet in hoger beroep mocht gaan als ze niet dat had gedaan waar ze voor veroordeeld was.

[*Stilte*]

R.H.: Ik wist dat het oordeel in hoger beroep in haar voordeel uitviel toen ik ineens overal gejuich hoorde. Alle meiden hadden als in trance voor de televisie zitten wachten. De cipiers ook.

L.N.: Jij niet, dan?

R.H.: Ik hoefde het niet te zien. Ik wist al dat Helen Yardley naar huis zou gaan. Heeft zij jou soms wijsgemaakt dat ik jaloers op haar was?

L.N.: Nee. Helen heeft zich altijd alleen maar in positieve zin over jou...

R.H.: Die ene keer dat ik haar heb ontmoet, was geen kwestie van toeval. Ze kwam mij opzoeken. Ze wilde met me praten voor haar zaak in beroep zou dienen, voor het geval ze niet meer terug zou komen naar Geddham. Ze zei precies wat jij net zei, dat het heel vanzelfsprekend was dat ik jaloers op haar zou zijn en dat het voor mij niet te verkroppen moest zijn als zij vrijkwam en dat ze mij dat niet kwalijk nam maar dat ze wilde dat ik wist dat mijn tijd ook nog wel zou komen: dat ik ook in hoger beroep zou gaan, en dat ik dan zou winnen. Dat ik vrij zou komen. Ze noemde jouw naam. Dat jij haar had geholpen, zei ze, en dat je mij ook graag wilde helpen. Daar twijfelde ik niet aan. Wie weleens van jou heeft gehoord, twijfelt niet aan jouw toewijding aan deze zaken – en wie kent jou tegenwoordig niet?

[*Stilte*]

L.N.: Dan is Helen misschien toch jouw vriendin?

R.H.: Als een vriendin iemand is die het beste met je voorheeft, dan wel. Ze is lid van GOOV, en ze heeft actie gevoerd om mij vrij te krijgen. Ik begrijp het alleen niet. Ze was vrij. Waarom heeft ze dan niet weer gewoon haar leven opgepakt?

L.N.: Zou jij dat zelf hebben gedaan?

R.H.: Dat probeer ik wel. Er is dan wel niet zo veel over van mijn leven, maar ik zou wel graag opnieuw willen beginnen.

L.N.: Natuurlijk wil Helen ook gewoon haar leven weer oppakken. Maar aangezien ze het slachtoffer is geworden van verschrikkelijk onrecht, en ze weet dat jij in hetzelfde schuitje zit, jij en nog zoveel anderen... Dorne Llewellyn zit ook nog steeds in de gevangenis.

R.H.: Moet je horen, ik wil verder niet over anderen praten, oké? Ik heb geen zin om bij jouw clubje van onrechtslachtoffers te horen. Ik ben alleen, en dat is helemaal niet erg als je er eenmaal aan gewend bent, en als ik er ooit voor kies om niet meer alleen te zijn, dan wil ik dat dat ook echt mijn eigen keuze is. Ik wil me helemaal niet bezighouden met andere vrouwen. Dat is ook beter voor me. Jij hebt je eigen doel – laat mij daarbuiten.

[*Stilte*]

R.H.: Ik wil je feestje niet bederven maar gerechtigheid en onrecht? Die bestaan niet.

[*Stilte*]

R.H.: Nou, dat is toch zeker zo? Dat lijkt me overduidelijk.

L.N.: Ik geloof heel sterk dat ze allebei wel degelijk bestaan. Het ene probeer ik te voorkomen en het andere probeer ik te bewerkstelligen. Daar heb ik mijn levenswerk van gemaakt.

R.H.: Gerechtigheid is een leuk idee, maar meer niet. We hebben het verzonnen – wij mensen – omdat we graag zouden willen dat er zoiets bestaat, maar in feite bestaat het niet. Moet je horen... even voor je dictafoon: ik hou een onderzetter in de lucht. Wat denk je dat er gebeurt als ik die loslaat?

L.N.: Dan valt hij op de grond.

[*Geluid van onderzetter die op de grond valt*]

R.H.: Vanwege de zwaartekracht. Wij geloven dat de zwaartekracht bestaat; en daar hebben we ook gelijk in. Als ik die onderzetter oppak, en die daar, en die daar ook, en als ik ze dan allemaal loslaat, vallen ze op de grond. Maar stel dat er maar eentje valt en de rest op ooghoogte blijft zweven, of naar het plafond vliegt? Stel dat jij dat nu zou zien gebeuren? Zou je nog steeds in de zwaartekracht geloven als dingen alleen maar *soms* op de grond vielen?

L.N.: Ik begrijp wat je wil zeggen, maar...

R.H.: Soms overkomt een goed mens iets goeds. En een slecht mens iets slechts. Maar dat is een kwestie van toeval – pure, willekeurige samenloop van omstandigheden. En andersom geldt hetzelfde – als een goed mens iets slechts overkomt.

L.N.: Maar dat is precies wat ik onrecht noem – als het systeem goede mensen behandelt alsof ze slecht zijn.

R.H.: Gerechtigheid is een sprookje, net als de Kerstman.

L.N.: Ray, we hebben een heel rechtsstelsel dat bedoeld is om...

R.H.: ...ervoor te zorgen dat recht geschiedt. Ik weet het. En toen ik klein was zat ik op schoot bij een man met een rood pak en een witte baard en die gaf me dan een cadeautje. Maar dat was allemaal maar fantasie. Een fantasie waar mensen zich beter door voelen. Alleen, het werkt niet – ze voelen zich juist slechter als die illusie uiteenspat. Daarom probeer ik mezelf te zien als iemand die belachelijk veel pech heeft gehad, in plaats van als slachtoffer van een rechterlijke dwaling. Waarom zou ik mezelf kwellen door te geloven dat er een of andere geweldige goede kracht aan het werk is in de wereld, maar dat die mij nu toevallig net niet kon helpen, of links heeft laten liggen? Nee, bedankt. En mensen? Die plegen geen onrechtvaardige daden ten dienste van tegengestelde kwade krachten. Ze rommelen maar wat aan, ze doen hun best – en dat is meestal niet goed genoeg – en in sommige gevallen doen ze niet eens hun best, en heeft hun gedrag repercussies voor andere mensen, en... Mijn punt is, het leven is chaotisch en maakt geen onderscheid. Dingen gebeuren gewoon, zonder reden.

[*Stilte*]

R.H.: Jij kunt dat idee van gerechtigheid beter links laten liggen en je in plaats daarvan op de waarheid concentreren.

L.N.: Geloof je wel in de waarheid?

R.H.: Absoluut. De waarheid bestaat altijd, ook al geloven mensen in de leugen. De waarheid is dat ik mijn kindjes niet heb vermoord. Ik hield van ze, meer dan jij je ooit zou kunnen voorstellen, en ik heb hun geen van beiden ooit ook maar iets aangedaan.

L.N.: Dat weet ik toch, Ray. En nu weet de rest dat ook allemaal.

R.H.: De waarheid is dat Helen en Paul Yardley mensen zijn die al hun tijd en energie steken in het helpen van vreemden, en dat Sarah Jaggard en haar man – hoe heet hij ook alweer...

L.N.: Glen.

R.H.: Dat die misschien ook zo zijn. Maar ik niet. En het maakt ook niet uit, want jij hebt hun al gevraagd om jou bij je programma te helpen. Je zit er niet op te wachten dat ik de boel ontregel met wat ik allemaal denk dat niet in jouw straatje te pas komt.

L.N.: Jij ontregelt niets. Integendeel. Jouw verhaal...

R.H.: Mijn verhaal zal jouw verhaal vertroebelen. Ik ben een drugsverslaafde die voor de rechter heeft gelogen of al loog voordat ik terechtstond – kies maar. Jouw gemiddelde keurige kijker zal helemaal opgewonden zijn van verontwaardiging over Helen Yardley – die respectabele, gelukkig getrouwde oppasmoeder, aanbeden door haar oppaskindjes en hun ouders, door iedereen die haar kende – en dan kom je bij mij, en dan raak je je publiek kwijt. Want veel mensen geloven nog altijd dat ik het heb gedaan.

L.N.: En daarom is het juist zo belangrijk dat jij wel meewerkt aan het programma en dat je de waarheid vertelt: dat je niet hebt gelogen, niet in de rechtbank en ook niet daarbuiten. Dat je getraumatiseerd was en dat je geheugen je in de steek liet, want dat gebeurt met mensen die onder zo'n enorme emotionele druk staan. Vertel de waarheid in deze context, Ray – in de context van mijn film – en de mensen zullen je geloven. Dat beloof ik je.

R.H.: Ik kan dit niet. Ik kan me hier niet in laten meezuigen. Zet dat ding uit.

L.N.: Maar, Ray –

R.H.: Zet uit.

www.telegraph.co.uk, woensdag 7 oktober 2009, 09.22 GMT
verslag door Rahila Yunis

## Onterecht veroordeelde moeder dood aangetroffen in woning

Helen Yardley, de oppasmoeder uit Culver Valley die ten onrechte was veroordeeld voor de moord op haar twee jonge zoontjes, werd maandag dood aangetroffen in haar woning in Spilling. Mevrouw Yardley, 38, werd gevonden door haar man Paul, een veertigjarige dakdekker, toen deze begin van de avond thuiskwam van zijn werk. De dood wordt als 'verdacht' aangemerkt. Commissaris Roger Barrow van de regionale politie in Culver Valley zei: 'Ons onderzoek is gaande, en bevindt zich in een pril stadium, maar de familie van mevrouw Yardley en het publiek mogen ervan uitgaan dat wij alle middelen inzetten bij dit onderzoek. Helen en Paul Yardley hebben al veel ondraaglijk leed te verstouwen gehad. Het is van het grootste belang dat we deze tragedie discreet en doeltreffend kunnen aanpakken.'

Mevrouw Yardley werd in november 1996 veroordeeld voor de moord op haar zoons Morgan, in 1992, en Rowan, in 1995. De jongetjes stierven in de leeftijd van veertien en zestien weken. Mevrouw Yardley werd schuldig bevonden met een jurymeerderheid van elf tegen één en werd veroordeeld tot tweemaal levenslang. In juni 1996 bracht mevrouw Yardley, thuis op borgtocht in afwachting van de rechtszaak, dochter Paige ter wereld, die bij een pleeggezin werd ondergebracht en later werd geadopteerd. In een interview in oktober 1997, op de dag dat hij de beslissing van de rechter in deze adoptiezaak vernam, zei Paul Yardley: 'Helen en ik zijn hier kapot van, en dan druk ik me nog zacht uit. We hebben twee kinderen verloren aan wiegendood, en we zijn nu ook onze lieve dochter kwijt aan een systeem dat rouwende gezinnen vervolgt en hun kinderen van hen afpakt. Wat zijn dit voor monsters die de levens verwoesten van onschuldige mensen die zich keurig aan de regels houden? Ze trekken zich geen moer aan van ons, of van de waarheid.'

De commissie voor de Herziening van Strafzaken, de commissie die is belast met de analyse van mogelijke rechterlijke dwalingen, verwees in 2004 de zaak van mevrouw Yardley naar het Hof voor beroep, nadat een actiegroep de integriteit van dr. Judith Duffy aan de kaak had gesteld. Zij was een van de getuige-deskundigen tijdens de rechtszaak. In februari 2005 werd mevrouw Yardley vrijgelaten nadat de drie rechters van het Hof haar veroordeling hadden vernietigd. Ze heeft altijd volgehouden dat zij onschuldig was. 'Haar man heeft haar gedurende deze hele verschrikkelijke zaak bijgestaan, en zette zich vierentwintig uur per dag in, elke dag weer,' aldus een bron rond de familie, 'om de naam van zijn vrouw te zuiveren.' Hij werd daarin bijgestaan door familie, vrienden en veel van de ouders van kinderen op wie mevrouw Yardley had gepast.

Journaliste en schrijfster Gaynor Mundy, 43, die met mevrouw Yardley werkte aan haar in 2007 verschenen autobiografie *Niets dan liefde*, zei: 'Iedereen die Helen kende, wist dat ze onschuldig was. Ze was een vriendelijke, lieve vrouw die nooit iemand kwaad zou doen.'

Televisieproducent en journalist Laurie Nattrass speelde een belangrijke rol in de actie voor de vrijspraak van mevrouw Yardley. Gisteravond zei hij: 'Ik heb geen woorden om te beschrijven hoe verdrietig en hoe kwaad ik ben. Helen is gisteren overleden, maar ze is dertien jaar geleden al van haar leven beroofd, toen ze schuldig werd bevonden aan misdaden die zij niet had gepleegd: het doden van haar twee geliefde zoontjes. En omdat de staat nog niet tevreden was met de kwelling die hij haar al had aangedaan, heeft hij toen Helen ook nog van haar toekomst beroofd door haar enige overlevende kind te kidnappen – anders kan ik het niet noemen!'

Nattrass, 45, Creative Director bij Binary Star, een mediabedrijf in Soho, heeft reeds veel prijzen gewonnen voor zijn documentaires over rechterlijke dwalingen. Hij zei: 'De afgelopen zeven jaar heb ik negentig procent van mijn tijd gestoken in het actievoeren voor vrouwen zoals Helen, en heb ik uitgezocht wat er nu precies zo vreselijk misliep in zo veel zaken.'

De heer Nattrass ontmoette mevrouw Yardley voor het eerst toen hij haar in 2002 opzocht in de vrouwengevangenis Geddham Hall in Cambridgeshire. Ze richtten samen de actiegroep GOOV op (Gerechtigheid voor Onschuldige Ouders en Verzorgers), voorheen GOM. De heer Nattrass zei: 'We hadden het oorspronkelijk GOM genoemd: Gerechtigheid voor Onschuldige Moeders, maar het werd al snel duidelijk dat ook vaders en babysitters ten onrechte werden beschuldigd en veroordeeld. Helen en ik wilden iedereen helpen van wie het leven op deze manier was verwoest. Er moest iets gebeuren. Het was niet acceptabel dat onschuldige mensen werden beschuldigd telkens als een kind om onverklaarbare redenen overleed. Helen zette zich hier met evenveel hartstocht voor in als ik. Ze werkte onvermoeibaar om andere slachtoffers van onrecht te helpen, eerst vanuit de gevangenis, en toen ze later vrijkwam ging ze ermee door. Sarah Jaggard en Ray Hines zijn slechts twee van de vrouwen die hun vrijheid aan Helen te danken hebben. En haar goede werk zal worden voortgezet.'

In juli 2005 werd de dertigjarige kapster Sarah Jaggard uit Wolverhampton vrijgesproken van de moord op Beatrice Furniss, het dochtertje van een vriend, dat een half jaar oud was toen ze overleed terwijl mevrouw Jaggard op haar paste. De heer Nattrass zei hierover: 'Sarahs vrijspraak was het teken waarop ik heb gewacht: dat het publiek bij zinnen begint te komen. Dat men niet langer bereid is om zich door wraakzuchtige politiemensen en advocaten en corrupte artsen op heksenjacht te laten sturen.'

Gisteren zei mevrouw Jaggard: 'Ik kan niet geloven dat Helen dood is. Ik zal nooit vergeten wat ze voor mij heeft gedaan, hoe ze voor me heeft gevochten en hoe ze altijd achter me is blijven staan. Zelfs in de gevangenis, toen ze nog niet wist of ze zelf ooit vrij zou komen, nam ze de tijd om brieven te schrijven om mij te steunen aan wie ook maar wilde luisteren. Mijn hart gaat uit naar Paul en de familie.'

Rachel Hines, een 42-jarige fysiotherapeute uit Notting Hill, Londen, zag haar veroordeling vernietigd worden in hoger beroep nadat ze vier jaar in de gevangenis had gezeten voor het vermeende doden van haar zoontje en dochtertje. Julian Lance, de advocaat van mevrouw Hines, zei: 'Zonder Helen Yardley en GOOV zou de zaak niet eens in hoger beroep zijn voorgekomen. We hadden de informatie niet die daarvoor nodig was. Maar GOOV heeft die voor ons gevonden. Helens dood is een onvoorstelbare klap voor iedereen die haar kende, en een groot verlies.' Mevrouw Hines was niet bereikbaar voor commentaar.

Dr. Judith Duffy, een forensisch patholoog op het gebied van kindergeneeskunde uit Ealing, Londen, was getuige à charge in de zaken van mevrouw Yardley, mevrouw Jaggard en mevrouw Hines. Zij wordt momenteel onderzocht door het medisch tuchtcollege, en volgende maand zal een zaak tegen haar dienen. Laurie Nattrass hierover: 'Judith Duffy heeft tientallen, zo niet honderden gezinnen ondraaglijk leed aangedaan, en daar moet een eind aan komen. Ik hoop dat zij door het medisch tuchtcollege uit haar ambt zal worden ontheven.' De heer Nattrass werkt momenteel aan een documentaire over de rechterlijke dwalingen waaraan dr. Duffy naar zijn mening schuldig is.

# Deel een

# 1

## Woensdag 7 oktober 2009

Ik kijk naar de getallen als Laurie belt, getallen die me niets zeggen. Mijn eerste gedachte toen ik de kaart uit de envelop trok en vier rijen met getallen zag staan, was aan een sudoku, een spel dat ik nog nooit heb gespeeld en dat ik waarschijnlijk ook nooit zal spelen, omdat ik een hekel heb aan alles wat met rekenen te maken heeft. Waarom zou iemand mij een sudoku sturen? Simpel: dat zou niemand doen. Maar wat is dit dan?

'Fliss?' vraagt Laurie, met zijn mond te dicht bij de telefoon. Als ik niet meteen antwoord, sist hij nogmaals mijn naam. Hij klinkt als een krankzinnige hijger – en daardoor weet ik dat dit dringend is. Als het niet dringend is, houdt hij de telefoon altijd veel te ver van zich af en klinkt hij als een robot aan het andere eind van een tunnel.

'Hoi, Laurie.' Ik gebruik de vreemde kaart om het haar uit mijn gezicht te vegen, draai me om en kijk uit het raam links van me. Door de condens, die nooit verdwijnt, hoe vaak je die ook wegveegt, zie ik hem zitten, aan de andere kant van de piepkleine binnenplaats en door het raam tegenover me, voorovergebogen aan zijn bureau, zijn ogen verborgen achter een gordijn van warrige blonde krullen.

Zijn bril is van zijn neus gezakt, en zijn stropdas, die hij heeft afgedaan, ligt voor hem uitgespreid als een krant. Ik steek mijn tong naar hem uit en maak een nog veel grover gebaar met mijn vingers, in de wetenschap dat ik dat rustig kan doen. In de twee jaar dat ik nu met Laurie werk heb ik hem nog nooit uit het raam zien kijken, zelfs niet als ik in zijn kantoortje stond, naar de andere kant van het binnenplaatsje wees en zei: 'Kijk, daar staat mijn bureau, dat met die pot handcrème en de fotolijstjes en de plant.' Menselijke wezens hebben graag dat soort accessoires om zich heen, had ik nog willen toevoegen, maar ik hield me in.

Bij Laurie ligt nooit iets op zijn bureau, behalve zijn computer, zijn BlackBerry en zijn werk – een rommeltje van papieren en dossiermappen, piepkleine dictafoonbandjes – en de afgedankte stropdassen die zich als platte, veelkleurige slangen over elk oppervlak in het kantoor hadden gedrapeerd. Hij heeft een dikke nek die ernstig allergisch is voor dassen. Ik snap niet waarom hij überhaupt nog de moeite neemt er eentje om te doen; hij is nog geen paar tellen op kantoor, of de das gaat alweer af. Naast zijn bureau staat een grote globe op een metalen koepel als voetstuk. Als hij hard nadenkt over iets, of boos is, of opgewonden, geeft hij daar een zwieperd tegen. Aan de muren van zijn kantoor hangen, naast alle bewijsstukken van hoe slim en succesvol en humaan hij is – diploma's, foto's waarop hij prijzen in ontvangst neemt en waarop hij eruitziet als bij een diploma-uitreiking op een school voor Hulken, maar wel altijd met die schitterende minzame glimlach op zijn tronie. Daarnaast hangen posters van planeten, individueel en in groepen: Jupiter in zijn eentje, Jupiter vanuit een andere hoek naast Saturnus. Op een plank staan ook een driedimensionaal model van het zonnestelsel en vier of vijf dikke boeken met beduimelde kaften over de ruimte. Ik heb Tamsin weleens gevraagd of ze enig idee had waarom hij zo in astronomie geïnteresseerd is. Ze grinnikte en zei: 'Misschien voelt hij zich wel eenzaam in ons sterrenstelsel.'

Ik ken elk detail van Lauries kantoor uit mijn hoofd; hij roept me voortdurend bij zich en stelt me dan vragen waarop ik het antwoord onmogelijk kan weten. Als ik bij hem ben gebeurt het weleens dat hij alweer is vergeten waar hij me voor nodig had. Hij is twee keer in mijn kantoortje geweest. Een keer per ongeluk, en een keer toen hij op zoek was naar Tamsin.

'Je moet hier komen,' zegt hij. 'Wat ben je aan het doen? Heb je het druk?'

*Beweeg je hoofd negentig graden naar rechts en je ziet wat ik doe, weirdo. Ik zit hier naar jou te staren, en naar hoe raar je precies bent.*

Ineens krijg ik een idee. Ik begrijp niets van de getallen op de kaart die ik vastheb. Ik begrijp niets van Laurie. 'Heb jij me deze getallen soms gestuurd?' vraag ik hem.

'Wat voor getallen?'

'Zestien getallen op een kaartje. Vier rijen van vier.'

'Wat voor getallen?' vraagt hij nog abrupter dan net.

Wil hij nou dat ik ze voor hem oplees? 'Twee, een, vier, negen...'

'Ik heb jou helemaal geen getallen gestuurd.'

Ik sta met mijn mond vol tanden, zoals zo vaak als ik met Laurie praat. Hij heeft de gewoonte om iets te zeggen en je het gevoel te geven dat hij precies het tegenovergestelde bedoelt. Daarom, ook al zegt hij dat hij me geen getallen heeft gestuurd, heb ik het gevoel dat als ik zou zeggen: 'Drie, zes, acht, zeven', in plaats van 'Twee, een, vier, negen', hij misschien had gezegd: 'Ja, dat was ik inderdaad.'

'Gooi maar in de prullenbak, wat het ook mag zijn, en kom zo snel mogelijk hierheen.' Hij gooit de hoorn erop voor ik iets kan antwoorden.

Ik draai heen en weer met mijn stoel en kijk naar hem. Een beetje normaal mens zou nu toch zeker even uit het raam kijken om te zien of ik gehoorzaam ben, wat niet het geval is: ik gooi de kaart niet weg, en ik spring niet op. Dat zou Laurie allemaal kunnen zien als hij zijn hoofd mijn kant op zou bewegen, maar dat doet hij niet. In plaats daarvan trekt hij de boord van zijn overhemd open alsof hij geen lucht krijgt, en staart naar de dichte deur van zijn kantoortje tot ik naar binnen kom. Hij wil dat dat gebeurt, en dus verwacht hij dat het zal gebeuren.

Ik kan mijn ogen niet van hem afhouden, hoewel me dat op basis van alleen zijn fysiek prima zou moeten lukken. Zoals Tamsin het ooit uitdrukte, heeft hij nogal veel weg van het monster van Frankenstein. Lauries aantrekkingskracht zit hem niet in zijn uiterlijk; het zit hem erin dat hij een vleesgeworden legende is. En stel je eens voor hoe het moet zijn om een legende aan te raken. Stel je eens voor...

Ik slaak een zucht, sta op en bots op weg naar buiten tegen Tamsin op. Ze draagt een zwarte coltrui, een piepklein wit corduroy rokje, een zwarte panty en kniehoge witte laarzen. Als iets niet zwart dan wel wit is, trekt Tamsin het niet aan. Ze kwam ooit in een blauwe jurk met een motiefje op het werk, en voelde zich toen de hele dag onzeker. Het experiment werd nooit meer herhaald. 'Laurie moet je hebben,' zegt ze en ze kijkt gespannen. 'Nu, zei hij. En Raffi moet mij hebben. De sfeer staat me helemaal niet aan vandaag. Er is iets mis.'

Het was mij nog niet opgevallen. Er zijn veel dingen op kantoor die aan mij voorbijgaan tegenwoordig, omdat ik nog maar op één ding let.

'Ik neem aan dat het iets te maken heeft met de dood van Helen Yardley,' zegt Tamsin. 'Ze is vermoord, geloof ik. Niemand heeft me nog iets verteld, maar er zijn vanochtend twee agenten bij Laurie geweest. Van de recherche. Dus geen uniformen.'

'Vermoord?' Ik voel me meteen schuldig, en word dan kwaad op mezelf. Ik heb haar niet vermoord. Ik heb niets met haar te maken. Haar dood gaat mij verder niet aan.

Ik heb haar een keer ontmoet, een paar maanden geleden. Toen heb ik kort met haar gesproken en een kop koffie voor haar gemaakt. Ze kwam voor Laurie en hij had zijn gebruikelijke verdwijntruc gedaan, omdat hij dacht dat het woensdag was in plaats van maandag, of mei in plaats van juni – ik weet niet meer waarom hij er niet was terwijl hij er wel had moeten zijn. Het is geen prettige gedachte dat een vrouw die ik heb ontmoet en met wie ik heb gepraat misschien vermoord is. Ik vond het toen, op dat moment, al zo vreemd dat ik iemand ontmoette die voor moord in de gevangenis had gezeten, vooral iemand die zo vriendelijk en normaal leek. Het is gewoon maar een vrouw die Helen heet, heb ik mezelf toen voorgehouden, en om de een of andere reden voelde ik me er zo vreselijk onder dat ik meteen weg wilde van kantoor. Ik heb de hele weg naar huis gehuild.

*Laat haar dood alsjeblieft niets te maken hebben met de reden waarom Laurie me bij zich heeft geroepen.*

'Weet jij iets van sudoku?' roep ik Tamsin na.

Ze draait zich om. 'Niet meer dan ik daarover zou willen weten. Hoezo?'

'Gaat dat om cijfers in een vierkant?'

'Ja, het is net een kruiswoordpuzzel, maar dan met getallen in plaats van letters. Tenminste, dat dacht ik. Maar misschien zijn het ook wel allemaal lege vakjes die je dan moet invullen. Vraag het maar aan iemand met een bloementapijt en een huis dat ruikt naar luchtverfrisser.' Ze zwaait en loopt naar Raffi's kantoor, en roept over haar schouder: 'En een pop met een pleerol onder haar rok.'

Maya leunt uit haar kantoor, en houdt de deurposten met beide handen vast alsof ze hoopt dat ze de sterke rooklucht met haar lichaam kan tegenhouden. 'Wisten jullie dat die gehaakte pleerol-dingen heel gewild zijn momenteel?' vraagt ze. Dit is de eerste keer sinds ik haar ken dat ze niet glimlacht, probeert me te knuffelen of op mijn rug te kloppen of 'schatje' tegen me zegt. Heb ik soms iets misdaan? Maya is de managing director van Binary Star, hoewel ze liever heeft dat we haar de 'sjef' noemen – zo noemt ze zichzelf in elk geval wel, en telkens als ze het zegt, giechelt ze erbij. Maar eigenlijk staat ze op de derde plaats van de pikorde binnen het bedrijf. Laurie, als Creative Director, is oppermachtig, en wordt op de voet gevolgd door Raffi, de Financial Director. Zij laten Maya rustig haar gang gaan, en laten haar zo geloven dat zij de baas is.

'Wat heb je daar?' Ze knikt naar de kaart in mijn hand.

Ik kijk er nog eens naar, en lees voor de negenentwintigste keer cijfer voor cijfer.

| 2 | 1 | 4 | 9 |
| 7 | 8 | 0 | 3 |
| 4 | 0 | 9 | 8 |
| 0 | 6 | 2 | 0 |

Vakjes, zei Tamsin. Maar er staan geen vakjes, dus kan het geen sudoku zijn, ook al hadden er best vakjes om de cijfers heen kunnen staan. Het is net of de lijntjes zijn uitgegumd toen de getallen waren ingevuld.

'Geen idee,' zeg ik tegen Maya. Ik laat haar de kaart verder niet zien. Ze is altijd zo overdreven vriendelijk, vooral tegen de lagere wezens binnen Binary Star, zoals ik, maar in feite is ze alleen geïnteresseerd in zichzelf. Ze stelt altijd precies de juiste vragen – heel hard, zodat iedereen kan horen hoe aardig ze toch is – maar als je de moeite neemt om antwoord te geven, knippert ze wezenloos met haar ogen, alsof je haar ter plekke een coma hebt bezorgd met je saaiheid. En uit de veelvuldige blikken over haar schouder kan ik opmaken dat ze dolgraag terug wil naar haar brandende sigaret, waarschijnlijk de tiende van de dertig die ze er vandaag door zal jassen.

Als Laurie langs haar kantoortje loopt, roept hij soms ineens: 'Longkanker!' De rest van ons doet net alsof we Maya's verhaal geloven en dat ze inderdaad jaren geleden is gestopt met roken. De legende luidt dat ze ooit in tranen uitbarstte en deed alsof de rookwolken die uit haar kamer dampten niet van een sigaret kwamen, maar van een kop heel hete thee.

'Ik weet hoe ze het doet,' zei Tamsin laatst. 'Ze heeft haar peuk en haar asbak in de onderste la van haar bureau staan. Als ze een trek wil nemen, steekt ze haar *hele hoofd* in de la...' Aangezien ik haar theorie niet serieus nam, zei ze: 'Wat nou? Die onderste la is twee keer zo groot als de bovenste twee – daar past makkelijk een mensenhoofd in, hoor. Ik daag je uit om een keer haar kantoor binnen te glippen en...'

'Ja, tuurlijk,' viel ik haar toen in de rede. 'Tuurlijk ga ik carrièrezelfmoord plegen door mijn neus in het bureau van mijn directeur te steken.'

'Joh, dat kun jij best flikken,' zei Tamsin. 'Jij bent toch haar baby? Maya heeft een onderdanenfetisj. Ze vindt alles prachtig wat jij doet.'

Maya had een keer, waar ik bij was en zonder een spoor van ironie, gezegd dat ik de 'baby van de familie was, hier bij Binary Star'. Vanaf toen ben ik me zorgen gaan maken of ze mij als producent wel helemaal serieus neemt. Inmiddels weet ik dat dat niet het geval is. *'Who cares?'* kreunt Tamsin als ik dat ter sprake breng. 'Mensen nemen dat veel te serieus, serieus genomen worden.'

Maya is al snel haar interesse in mij kwijt en trekt zich terug in haar rookhol zonder zelfs maar een 'Dag snoetje!' Best. Ik heb er niet om gevraagd dat zij haar gefrustreerde moederlijke neigingen op mij loslaat. Ik loop snel door de gang naar Lauries kantoor. Ik klop aan en loop tegelijk binnen, en zie hoe hij zijn globe rond de as laat draaien met zijn rechtervoet. Hij stopt en kijkt me met knippe-rende ogen aan, alsof hij niet meer precies weet wie ik ben. In zijn hoofd heeft hij het gesprek waarin hij mijn instemming met iets zocht, allang gevoerd, en misschien ben ik allang met pensioen of dood – misschien heeft Lauries brein hem al zo ver de toekomst in getransporteerd dat hij me helemaal niet eens meer kent.

'Tamsin zegt dat Helen Yardley is vermoord.' *Ja, da's een goeie, Fliss. Lekker zelf beginnen over iets waar je het helemaal niet over wil hebben.*

'Iemand heeft haar doodgeschoten,' zegt Laurie uitdrukkingsloos. Hij geeft de globe nog eens een schop met zijn voet, harder dit keer, zodat hij sneller ronddraait.

'Ik vind het echt heel erg,' zeg ik. 'Dit is nog veel erger... Dan als ze een natuurlijke dood was gestorven, bedoel ik. Voor jou.' Terwijl ik dit allemaal zeg, besef ik dat ik geen idee heb hoe ik hem moet condoleren, en ik weet ook niet wat voor soort verlies hij eigenlijk heeft geleden. Laurie sprak Helen Yardley elke dag, vaak meerdere keren per dag. Ik weet hoeveel GOOV voor hem betekent, maar ik heb geen idee of hij ook om Helen persoonlijk gaf, of hij haar alleen zag als medeactievoerder of dat er meer tussen hen was.

'Het was geen natuurlijke dood. Ze was pas achtendertig.' De woede in zijn blik heeft zijn stem nog niet bereikt. Hij klinkt alsof hij regels opzegt die hij uit zijn hoofd heeft geleerd. 'Degene die haar heeft vermoord – die is maar deels verantwoordelijk voor haar dood. Ze is vermoord door een hele reeks mensen. Door Judith Duffy, om te beginnen.'

Ik weet niet wat ik moet zeggen, en dus leg ik de kaart op zijn bu-reau. 'Iemand heeft me dit gestuurd. Hij kwam vanochtend in een bijpassend envelop. Er zat geen briefje bij om het uit te leggen of zo, en ook geen afzender.'

'Dus op de envelop stonden ook getallen?' Wonder boven wonder lijkt dit Lauries interesse te wekken.

'Nee...'

'Maar je zei "bijpassend"?'

'Hij zag er duur uit – crèmekleurig en een beetje ribbelig, net als die kaart. Hij was geadresseerd aan "Fliss Benson", dus moet het wel van iemand komen die mij kent.'

'Hoezo moet dat?' wil Laurie weten.

'Omdat er anders "Felicity Benson" had gestaan.'

Hij knijpt zijn ogen halfdicht. 'Heet jij dan Felicity?'

Die naam staat op de aftiteling van alle programma's die ik produceer, en op mijn cv en de sollicitatiebrief die Laurie gezien moet hebben toen ik solliciteerde bij Binary Star. Gezien en weer vergeten. Er komt een dag dat Laurie me het gevoel geeft dat ik onzichtbaar ben, dat ik niet besta.

Ik doe wat ik altijd doe als ik in zijn kantoor ben en de kans bestaat dat ik in tranen uitbarst: ik staar naar het miniatuurzonnestelsel op zijn plank en ga in mijn hoofd de planeten na: *Mercurius, Aarde, Venus, Mars...*

Laurie pakt de kaart op en mompelt iets onverstaanbaars terwijl hij hem in de richting van de prullenmand in de hoek van de kamer mikt. Hij suist langs mijn oren en mist me op een haar na. 'Het is gewoon reclame,' zegt hij. 'Een of andere *marketingteaser*, weer een boom verspild.'

'Maar hij is handgeschreven,' zeg ik.

'Genoeg over die kaart,' blaft Laurie. 'Ik heb iets belangrijkers met je te bespreken.' En dan, alsof hij me nu pas voor het eerst niet, grijnst hij en zegt: 'Je gaat heel veel van mij houden.'

Ik val bijna op mijn knieën van schrik. Hij heeft het in mijn bijzijn nog nooit gehad over 'houden van'. Dat kan ik met de hand op het hart zweren. Tamsin en ik hebben wel gespeculeerd of hij überhaupt wel weet wat liefde is – of hij het bestaan ervan erkent.

*Je gaat heel veel van mij houden.* Ik neem aan dat hij dat niet letterlijk bedoelt. Dat hij niet denkt dat ik hier in katzwijm ga vallen voor hem en dat we woest de liefde gaan bedrijven zonder acht te slaan op het enorme raam waardoor iedereen aan de andere kant van de binnenplaats ons kan zien, omdat hij daar nu eenmaal nooit rekening mee houdt, en ik te bang ben om hem erop te wijzen... *Nee. Hou eens op met deze onzin*. Ik breek de gedachte af voor hij verder postvat, uit angst dat ik ga lachen of gillen, en dat ik me dan nader moet verklaren.

'Wat zou jij ervan zeggen om rijk te worden?' vraagt Laurie aan me.

Voor een deel vind ik het zo uitputtend om met Laurie te praten omdat ik nooit het goede antwoord weet. Er zijn namelijk altijd goede en foute antwoorden – hij is erg zwart-wit – maar hij geeft je nooit een hint en hij is verontrustend onvoorspelbaar over alles, behalve wat hij noemt: 'De heksenjacht op wiegendoodmoeders'. Wat dat betreft zijn zijn meningen onveranderlijk, maar dat is dan ook het enige onderwerp waarbij dat zo is. Het zal wel iets te maken hebben met zijn briljante, originele geest, en het maakt het leven krankzinnig moeilijk voor iemand die hem stiekem naar de mond zou willen praten terwijl ze tegelijk wil doen of ze het allemaal zelf verzint, alsof ze honderd procent integer is, en het haar geen biet kan schelen wat de rest van de wereld over haar denkt. Hoewel, de rest van de wereld. Waarschijnlijk hebben we het hier niet over een enorme groep mensen. Waarschijnlijk ben ik de enige die zich hiervoor interesseert.

'Ik zou best graag in goeden doen zijn, ja,' zeg ik uiteindelijk. 'Rijk weet ik niet, hoor. Hoeveel geld heeft een mens nodig – nou, veel meer dan ik nu heb, maar veel minder dan... nou ja...' Ik klets uit mijn nek omdat ik hier totaal niet op ben voorbereid. Ik heb hier nog nooit over nagedacht. Ik woon in een donker souterrain met een heel laag plafond in Kilburn, onder mensen die een houten vloer hebben zodat alles lekker hard doorklinkt, omdat vloerbedekking natuurlijk niet kan voor mensen van hun kleinburgerlijke niveau, en die de hele avond door hun kamer stuiteren op pogosticks, als je op het lawaai mag afgaan. Ik heb totaal geen buitenruimte, hoewel ik wel een prachtig uitzicht heb op het onberispelijke gazon van de pogospringers en hun grote verscheidenheid aan rozenstruikjes, en ik kan het me niet veroorloven om iets aan het vochtprobleem in mijn huis te doen, hoewel dat nog even hard nodig is als vier jaar geleden, toen ik het kocht. Gek genoeg is rijkdom niet iets waar ik vaak bij stilsta.

'Dus ik denk dat ik wel graag rijk*achtig* zou willen zijn,' zeg ik. 'Zolang ik mijn geld maar niet verdien met iets dubieus, zoals mensensmokkel.' Ik speel mijn antwoord nog eens af in mijn hoofd, in de hoop dat het ambitieus was, maar dat er ook in doorklonk dat ik zo mijn principes heb.

'Stel dat je mijn werk zou kunnen doen, en dat je daarbij verdient wat ik verdien?' vraagt Laurie.

'Ik kan helemaal jouw werk niet doen...'

'Dat kun je wel. En dat ga je ook doen. Ik ga weg bij dit bedrijf. Vanaf maandag ben jij mij: Creative Director en Executive Producer. Ik verdien hier honderdveertigduizend pond. Dus dat verdien jij ook, vanaf maandag.'

'*Wat?* Laurie, ik...'

'Nou, misschien niet officieel al per maandag, dus die loonsverhoging laat wellicht nog even op zich wachten, maar je gaat wel aan de slag per maandag...'

'Laurie, doe eens even rustig!' Ik heb hem nog nooit een commando naar zijn hoofd geslingerd. 'Sorry,' mompel ik. Door de shock was ik even vergeten wie hij ook weer is, en wie ik ook weer ben. Laurie Nattrass wordt niet toegeschreeuwd door types als ik. *Vanaf maandag ben jij mij.* Het is vast een geintje. Of hij is de weg kwijt. Iemand die zo warrig is als hij raakt vast snel de weg kwijt. 'Dit slaat nergens op,' zeg ik. Ik, de Creative Director van Binary Star? Ik ben de slechtst betaalde producent binnen het bedrijf. Tamsin verdient aanzienlijk meer dan ik, omdat ze Lauries researcher is. Ik maak programma's waar niemand respect voor heeft behalve ikzelf, over oorlogvoerende buren en slecht functionerende maagbandjes – onderwerpen die niet alleen mij boeien, maar ook miljoenen kijkers. Dat is ook de reden waarom het mij niet kan schelen dat mijn collega's mij zien als een lichtgewicht te midden van al die ernstige politieke documentairemakers. Raffi noemt mijn werk 'gebakken lucht'.

Dit moet dus wel een geintje zijn. Een val. Wat moet ik nu zeggen: 'O ja, héél graag!' en sta ik dan voor paal terwijl Laurie van zijn stoel valt van het lachen? 'Wat is er aan de hand?' snauw ik.

Hij zucht diep. 'Ik ga naar Hammerhead. Ze hebben me een heel goed aanbod gedaan, ongeveer even goed als het aanbod dat ik jou nu doe. Hoewel het mij niet om het geld gaat. Het is gewoon tijd dat ik ergens anders ga werken.'

'Maar... je kunt toch niet weg?' vraag ik, en ik voel me leeg bij de gedachte. 'En de film dan?' Hij gaat toch zeker niet weg zonder die film af te maken; dat *kan* toch helemaal niet? Zelfs een ondoorgrondelijk type als Laurie laat nu en dan weleens doorschemeren wat voor hem echt belangrijk is. En tenzij de hints die ik heb opgepikt door iemand zijn rondgebazuind om mij zand in de ogen te strooien – en ik zou niet weten waarom, want de meeste hints heb ik van Laurie zelf – is er maar één ding waardoor zijn hart niet meer zestig maar honderdtwintig keer per minuut gaat slaan, en dat is de film die hij maakt over de drie wiegendoodzaken: Helen Yardley, Sarah Jaggard en Rachel Hines.

Bij Binary Star noemen we het allemaal 'de film', alsof dat de enige film is waar het bedrijf zich druk om hoeft te maken, de enige film die we maken of die we ooit zullen maken. Laurie werkt er al sinds het begin der tijden aan. Hij wil per se dat het helemaal perfect wordt en hij blijft steeds maar van gedachte veranderen wat betreft de opzet. Het wordt een documentaire van twee uur, en de BBC heeft tegen Laurie gezegd dat hij zelf mag kiezen op welk tijdstip hij hem wil laten uitzenden, en dat is ongehoord. Tenminste, zoiets is ongehoord voor iedereen behalve Laurie Nattrass, die in de televisiewereld een soort godheid is. Als hij een vijf uur durende film zou willen maken waar ze zowel het nieuws van zes uur als dat van tien uur voor zouden moeten schrappen, dan zouden de hoge piefen bij de BBC waarschijnlijk nog zijn hielen likken en zeggen: 'Natuurlijk, uwe hoogheid!'

'Jij gaat de film maken,' zegt hij tegen me met het volle vertrouwen van iemand die een bezoek heeft gebracht aan de toekomst en die al weet wat er staat te gebeuren. 'Ik heb alle betrokkenen een e-mail gestuurd om hen te informeren dat jij het van me overneemt.'

Nee. Dit kan hij toch niet maken?

'Ik heb hun jouw contactgegevens gestuurd, werk en privé...'

Ik wil hier niets mee te maken hebben. Ik trek dit niet. Ik doe mijn mond open om te protesteren, maar dan herinner ik me dat Laurie niets weet van mijn... enfin, niemand hier weet er iets van. Ik weiger om het als een geheim te zien, en ik weiger dus ook om me hier schuldig over te voelen. Ik heb niets misdaan. Dit kan dus geen straf zijn.

'Je kunt op de volledige steun van Maya en Raffi rekenen.' Laurie staat op, loopt naar een toren van dossierdozen tegen de muur. 'Hier zit alle informatie in die je nodig hebt. Je hoeft ze nu niet mee te slepen naar jouw kantoor, want vanaf maandag is dit jouw kantoor.'

'Laurie...'

'Jij gaat aan de film werken, en verder nergens anders aan. Laat je nergens door afleiden, al helemaal niet door al die smeerlapperij. Ik zit bij Hammerhead, maar ik ben beschikbaar voor jou wanneer je maar...'

'Laurie, stop! Welke smeerlapperij? Heb je het over de politie? Tamsin zei dat je vanochtend met hen hebt gesproken...'

'Ze wilden weten wanneer ik Helen voor het laatst heb gezien. Of ze vijanden had. "Nou, wat dacht je van het hele *fucking* rechtssysteem, en vergeet jezelf niet", zei ik.' Voor ik de kans krijg hem eraan te herinneren dat Helens veroordeling is vernietigd in hoger beroep door datzelfde rechtssysteem, zegt hij: 'Ze vroegen me naar de film. Ik zei hun dat jij daar vanaf maandag verantwoordelijk voor bent.'

'Dus dat heb je tegen hen gezegd voor je het aan mij hebt gevraagd?' Mijn stem begint hoog te piepen. Mijn maag krimpt ineen, en stuurt golfjes misselijkheid naar mijn keel. Een paar seconden lang durf ik mijn mond niet te openen. 'Je hebt iedereen gemaild om te zeggen dat ik... Wanneer dan? Wanneer heb je dat gedaan? En wie is iedereen?' Ik druk mijn nagels in mijn handpalmen en raak helemaal in paniek. Dit kan niet; dit klopt niet.

Laurie tikt tegen de bovenste doos. 'Alle namen en contactpersonen die je nodig hebt zitten hierin. Ik heb geen tijd om het allemaal met je door te lopen, maar het meeste wijst zich vanzelf. Als er weer rechercheurs langskomen dan ben jij bezig met een documentaire over een arts die systematisch heeft gezorgd dat het recht zijn beloop niet kon hebben, en over drie vrouwen wier levens zij wilde verwoesten. En verder niets over het onderzoek naar Helens dood. Dat kunnen ze je niet verbieden.'

'Wil de politie dan niet dat de film wordt gemaakt?' Bij alles wat Laurie tegen me zegt voel ik me alleen nog maar beroerder. Het is nog erger dan anders.

'Dat hebben ze nog niet met zoveel woorden gezegd, maar dat komt nog wel. Ze komt ongetwijfeld met een verhaal dat je hun onderzoek niet mag verstoren...'

'Maar ik heb... Laurie, ik wil jouw baan helemaal niet! Ik wil die film niet maken.' Ter verduidelijking zeg ik: 'Ik zeg nee.' Zo, dat is beter. Nu heb ik de zaak weer onder controle.

'O nee?' Hij doet een stap naar achteren en monstert me: een rebels specimen. Voorheen anders wel meegaand, zal hij denken, dus wat is hier misgegaan? Hij schiet in de lach. 'Dus jij zegt nee tegen een salaris dat drie keer zo hoog is als wat je nu verdient, en tegen een promotie waarmee je jezelf meteen op de kaart zet? Ben jij zo dom?'

Hij kan me niet dwingen – onmogelijk. Er zijn dingen waartoe een mens een ander kan dwingen. Maar een documentaire maken is niet een van die dingen. Ik focus me op die gedachte om kalm te blijven. 'Ik heb nog nooit iets van deze omvang geproduceerd,' zeg ik. 'Het is veel te hoog gegrepen voor mij. Wil jij de politie dan niet helpen met hun onderzoek naar wat er met Helen is gebeurd?'

'De recherche van Culver Valley zou nog geen fucking tennisbal kunnen vinden op Wimbledon.'

'Ik snap het niet,' zeg ik. 'Als jij naar Hammerhead gaat, waarom neem je de film dan niet mee?'

'Omdat de BBC de opdracht aan Binary Star heeft gegeven,' zegt Laurie schouderophalend. 'Dat is de prijs die ik moet betalen voor mijn vertrek. Ik raak de film kwijt.' Hij leunt voorover. 'De enige manier waarop ik hem niet helemaal verlies is door hem aan jou te geven en er met jou aan te werken. Achter de schermen. Ik heb jou nodig, Fliss. Jij krijgt alle lof, en het salaris...'

'Waarom ik? Tamsin heeft er toch met jou aan gewerkt? Dat mens is een wandelende onrechtencyclopedie – ze kent alle details. Waarom probeer je haar deze promotie niet door de strot te duwen?'

Ik realiseer me dat Laurie me heeft zitten betuttelen. *Wat zou jij ervan zeggen om rijk te worden*? Hij zit altijd te klagen dat hij de hypotheek op zijn vier verdiepingen tellende herenhuis in Kensington nauwelijks bij elkaar krijgt. Laurie komt uit een puissant rijke familie. Ik durf er mijn hele bezit om te verwedden – en dat is beduidend minder dan het zijne – dat hij zijn salaris bij Binary Star hooguit acceptabel vindt, maar niets bijzonders. Het aanbod van Hammerhead dat hij niet kon afslaan is ongetwijfeld zo aanzienlijk dat hij de honderdveertigduizend die hij hier verdient in zijn holle kies stopt. Maar het is een bedrag waar boerenkinkels als ik slechts van kunnen dromen... Dan dringt het tot me door dat Laurie dat misschien niet eens denkt, maar dat het wel waar is, dus misschien is het niet aardig als ik zout leg op deze slak.

'Tamsin is een researcher, geen producent,' zegt hij. 'Hoor eens, dit heb je niet van mij, oké?'

Eerst denk ik nog dat hij het heeft over iets wat hij me net al heeft gezegd, over de promotie die ik niet wil. Dan realiseer ik me dat hij zit te wachten op een knikje van mij voor hij verder kan praten. Dus knik ik.

'Tamsin wordt ontslagen. Raffi is het haar nu aan het vertellen.'

'*Wat?* Je maakt een geintje. Dit is een geintje, toch?'

Laurie schudt zijn hoofd.

'Maar ze kunnen haar toch niet aan de kant zetten! Dat kan toch niet...'

'Binnen de hele sector vallen ontslagen. Iedereen moet de broekriem aanhalen, en vet wegsnijden waar dat kan.'

'En wie heeft dit dan besloten? Is erover gestemd?' Ik kan gewoon niet geloven dat Binary Star mij zou willen houden en Tamsin wil dumpen. Zij heeft bakken meer ervaring dan ik en in tegenstelling tot mij zeurt zij Raffi niet de kop gek om een vochtvreetmachine voor in haar kantoor.

'Ga zitten,' zegt Laurie ongeduldig. 'Ik word nerveus van je. Tamsin is een voor de hand liggende keuze. Ze verdient veel te veel in verhouding tot wat ze oplevert, binnen het huidige economische klimaat. Volgens Raffi kunnen we voor de helft van het geld iemand krijgen die net van de universiteit komt. En hij heeft gelijk.'

'Dit kan echt niet,' flap ik eruit.

'Als je je nu eens even niet meer druk maakt over Tamsin en je mij eens wat dankbaarheid betoont?'

'Wat?' Is dit nu de grote voorvechter van rechtvaardigheid die dit tegen me zei?

'Denk jij dat Maya jou wil betalen wat ze mij betaalt?' Laurie grinnikt. 'Ik heb haar voorgelegd wat haar keuzes zijn. Ik zei: "Als het budget ruimte heeft voor mij, dan heeft het budget ruimte voor Fliss." Ze weet dat de film zonder mijn medewerking niet gemaakt kan worden, althans niet door Binary Star. Ray Hines, Sarah en Glen Jaggard, Paul Yardley, alle juristen en advocaten, de parlementsleden en artsen die nu uit mijn hand eten – één woord van mij, en ze zijn allemaal weg. Het hele project valt in duigen. Dan hoef ik alleen maar een poos op mijn handen te zitten, en dan teken ik een nieuw contract met de BBC als baas van Hammerhead.'

'Dus je hebt Maya *gechanteerd* om mij promotie te geven?' Daarom was ze een stuk minder amechtig dan anders toen ik haar op de gang tegenkwam. 'Nou, het spijt me donders, maar er is geen sprake van dat ik...'

'Ik wil dat deze documentaire er komt!' Laurie verheft zijn stem tot een niveau dat voor schreeuwen door kan gaan. 'Ik probeer iets goeds te toen, voor iedereen! Binary Star houdt de film, jij krijgt een salaris dat aantrekkelijk genoeg is om met je luie kont uit je stoel te komen en aan het werk te gaan...'

'En wat krijg jij?' Ik sta te wankelen op mijn benen. Ik zou wel willen zitten, maar dat doe ik niet, niet nu Laurie mij heeft verordonneerd om te gaan zitten. *Niet nu hij net een rotopmerking over mijn kont heeft gemaakt.*

'Ik krijg jouw volledige medewerking,' zegt hij zo stil dat ik me afvraag of ik me zijn uitbarsting van daarnet maar heb ingebeeld. 'Ik ben nog steeds de baas, onofficieel, maar dat is iets wat strikt tussen jou en mij blijft.'

'Aha,' zeg ik met een benepen stemmetje. 'Dus je zit niet alleen Maya te chanteren, maar mij ook.'

Laurie valt kreunend in zijn stoel. 'Jou koop ik om. Laten we er in elk geval het correcte werkwoord aan hangen.' Hij lacht. 'Fok, wat heb ik jou verkeerd ingeschat! Ik dacht dat jij heel rationeel was.'

Ik bijt op mijn lip en probeer deze ontboezeming op me in te laten werken: dat Laurie überhaupt een idee bezigt over wat voor mens ik ben. Dat houdt dus in dat hij over mij heeft nagedacht, al is het maar een paar seconden. Dat moet wel.

'Je verdient een kans,' zegt hij verveeld, alsof het maar vermoeiend is om mij te moeten overtuigen. 'Ik heb besloten om jou die kans te geven.'

'Jij wil dus de touwtjes in handen houden, ook al ben je weg. En je hebt mij uitgekozen omdat je dacht dat je mij lekker makkelijk kon kneden.' Hopelijk is hij onder de indruk van hoe kalm ik ben. Aan de buitenkant tenminste. Ik had in geen miljoen jaar kunnen verzinnen dat ik Laurie Nattrass ooit zou beschuldigen van heel nare dingen in zijn eigen kantoor. Waar ben ik in godsnaam mee bezig? Hoeveel onschuldige burgers heeft hij al uit hun cel weten te bevrijden terwijl ik op de bank zat met roddelbladen of naar foute televisieprogramma's zat te schelden? En als ik nu de hele situatie volledig verkeerd heb ingeschat en ik zelf dus fout zit?

Laurie zit onderuitgezakt in zijn stoel. Langzaam schudt hij zijn hoofd. 'Nou goed. Dus jij wil geen uitvoerend producent zijn van de documentaire die alle denkbare prijzen gaat binnenhalen? Jij wil geen Creative Director zijn? Dan kun je Maya nu dolblij maken door haar te zeggen dat jij deze deal niet ziet zitten. Dan zul je trouwens wel het greintje respect dat ze nog voor je had in moeten leveren.'

'Deze *deal*?' En of ik verdomme goed zit. 'Je bedoelt de deal waar ik niets vanaf wist, en die over mijn leven en mijn carrière gaat?'

'Jij krijgt van je leven geen aanbod meer,' sneert Laurie. 'Niet hier bij Binary Star en ook niet ergens anders. Hoelang denk je dat het duurt voor je gezellig samen met Tamsin naar de sociale dienst mag?'

*Mercurius, Aarde, Venus, Mars, Jupiter, Saturnus, Neptunus, Uranus, Pluto.*

'Ik vind het niet prettig dat ik honderdduizend pond per jaar meer ga verdienen terwijl mijn vriendin haar baan kwijtraakt,' zeg ik zo emotieloos mogelijk. 'Uiteraard zou ik graag meer gaan verdienen, maar ik wil graag ook rustig kunnen slapen 's nachts.'

'Jij rustig slapen? Laat me niet lachen!'

Ik haal diep adem en zeg: 'Ik weet niet wat jij je allemaal over mij in je hoofd haalt, maar je slaat de plank volledig mis.' Dan voel ik me een oplichter omdat ik nu net doe of ik zoiets heb als een sociaal geweten, terwijl ik maar door één ding echt uit mijn slaap word gehouden, en dat zijn liefdeszaken, of...

Of niets. Ik mag daar nu niet aan denken, anders ga ik huilen en flap ik het hele verhaal er nog uit tegen Laurie. *Dat* zou pas gênant zijn.

*Hoe intens zou hij me haten als hij het zou weten?*

'Jezus,' mompelt hij. 'Sorry, oké? Ik dacht dat ik jou een gunst deed.

*Wat zou er gebeuren als ik nu ja zei? Ik zou ja kunnen zeggen.* Nee, dat kan niet. Godsamme, wat is er mis met mij? Ik ben in paniek, en verdrietig over Tamsin, en dat heeft allebei geen gunstige invloed op

37

mijn hersens. In mijn huidige staat is het waarschijnlijk goed om zo weinig mogelijk te zeggen.

Laurie draait zijn stoel om zodat ik hem niet meer kan aankijken. 'Ik heb tegen het bestuur gezegd dat jij waard bent wat ik denk dat jij waard bent,' zegt hij uitgestreken. 'Ze werden eerst gek, maar toen heb ik een geloofwaardig verhaal opgehangen en dus zijn ze nu om. Weet je wel wat dat betekent?'

Een geloofwaardig verhaal? *Jullie doen wat ik zeg of die film is verleden tijd* – dus dat vindt hij een geloofwaardig verhaal? Hij neemt niet eens de moeite om het een beetje leuk in te kleden. Dus dat geeft wel aan hoe weinig respect hij voor me heeft.

Zonder mijn reactie af te wachten, zegt hij: 'Dat houdt dus in dat jij vanaf nu officieel honderdveertigduizend pond per jaar waard bent. Zie jezelf als een aandeel op de financiële markt. Jouw waarde is zojuist fors gestegen. Als jij nu tegen Maya zegt dat je past, als jij zegt: "O ja, ik wil dolgraag meer verdienen, maar niet zo veel meer, want zo goed ben ik nou ook weer niet, dus kunnen we er wat vanaf doen?" – dan keldert je aandeel ongenadig.' Hij draait weer terug en kijkt me aan. 'Dan ben je niets meer waard,' zegt hij met klem, alsof ik zijn punt misschien heb gemist.

Nu is het genoeg: mijn grens is bereikt. Ik draai me om en loop weg. Laurie roept of loopt me niet achterna. Wat denkt hij dat ik doe? Dat ik de promotie en het geld pak? Dat ik ontslag neem? Dat ik me in de plee opsluit en een potje ga janken? Voelt hij zich totaal niet schuldig over wat hij me heeft aangedaan?

*Wat kan het mij verdomme schelen wat hij allemaal denkt?*

Ik marcheer terug naar mijn kantoor, ram de deur achter me dicht, gris de klamme handdoek van de verwarming en veeg het condens weg tot mijn arm pijn doet. Een paar minuten later is het raam nog steeds drijfnat, en is mijn trui dat inmiddels ook. Het enige wat ik heb bereikt is het vocht verplaatsen van het raam naar mijn kleding. Waarom is niemand er ooit opgekomen om een eind aan de droogte in de wereld te maken door alle condens te verzamelen? Alleen mijn raam al zou een fors deel van Afrika kunnen irrigeren. Dat lijkt me echt iets voor Bob Geldof. Laat ik maar kwaad zijn op Bob Geldof, want op Laurie kan ik mijn woede niet koelen. Ergens in mijn bureau ligt een getypt document waarop ik mezelf de opdracht geef, onder andere, om nooit kwaad te worden op Laurie.

Ik heb er vaak naar gestaard toen ik het pas van Tamsin had gekregen. Ik vond het hilarisch, en des te hilarischer toen ze me vertelde dat ze elke vrouw die bij Binary Star kwam werken een kopie gaf. Ongeveer een jaar geleden had ik er genoeg van, en heb ik het in mijn bureau gepropt, onder het bloemetjespapier waarmee degene voor mij de laden van het bureau had bekleed.

Het heeft geen zin om net te doen of ik niet meer weet in welke la ik het toen heb gestopt. Ik weet het namelijk precies, ook al doe ik al twaalf maanden of ik gek ben. Ik trek de stapel papier en de bloemetjesbekleding uit de la, en daar ligt het, met de bedrukte kant naar beneden. Ik zet me schrap, pak het op, en draai het om.

De in hoofdletters afgedrukte titel luidt: TAMSINS ZEVEN GEBODEN, met als schuingedrukte ondertitel: *In verband met Laurie Nattrass altijd in het achterhoofd te houden.*

De lijst ziet er als volgt uit:

1   Het ligt niet aan jou. Het ligt aan hem.

2   Verwacht niets van hem, ofwel: je kunt alles van hem verwachten.

3   Accepteer dat wat je toch niet kunt veranderen. Verspil je tijd niet en word niet kwaad.

4   Onthou dat hij een reputatie heeft als 'briljant maar lastig' louter omdat hij een man is. Als hij evenveel talent had maar een vrouw was geweest en hij zich precies zo gedroeg als nu, dan zouden we hem uitmaken voor gestoorde feeks en zou geen headhunter zich zo voor hem uitsloven.

5   Doe niet net of hij eigenlijk heel diepzinnig is. Ga er maar gewoon van uit dat hij precies zo is als hij zich voordoet.

6   Laat je geen rad voor ogen draaien door zijn macht. Sommige mensen zijn op een goede manier machtig, in die zin dat zij an-

deren zelfvertrouwen geven en hun het gevoel geven dat de wereld voor hen openligt. Hij is dat niet. Als je te dicht bij hem in de buurt komt zul je merken: hoe meer macht hij krijgt, des te machtelozer word jij. Pas op voor gevoelens van hulpeloosheid en de groeiende overtuiging dat jij maar een waardeloos stuk vreten bent.

7 En wat je verder ook doet: WORD NOOIT VERLIEFD OP HEM.

Volgens minstens een van Tamsins geboden ben ik hopeloos het schip in gegaan.

# 2

## 07/10/2009

'Ongebruikelijk is het zeker,' zei inspecteur Sam Kombothekra. 'Maar verdacht, nee. Hoezo verdacht?' Als hij het moeilijk vond om iedereen fair te behandelen, dan wist Sam dat goed te verbergen.

Hij was met rechercheur Simon Waterhouse op weg naar de tweede briefing van die dag. Die was waarschijnlijk allang begonnen. Sam liep net iets te hard, en deed alsof hij er helemaal niet mee zat om een paar minuten te laat te komen.

Maar Simon wist wel beter. Te laat komen behoorde tot die omvangrijke verzameling zaken waar hoofdinspecteur Giles Proust ontstemd over raakte. Proust stond ook wel bekend als de Sneeuwman, vanwege zijn regelmatige lawines van afkeuring die voelbaar als blokken ijs op je neerdaalden, en die zich al even moeilijk lieten afschudden. Het had Simon heel wat jaren gekost, maar hij was er nu toch in geslaagd om zich af te sluiten voor Prousts verketteringen: de meningen van de hoofdinspecteur deden hem niets meer. Sam was pas veel later aan de recherche van Culver Valley toegevoegd en hij had nog een lange weg te gaan.

Het crisiscentrum zat bomvol toen zij daar binnenkwamen, en ze konden nergens meer zitten, zelfs nauwelijks nog ergens staan. Simon en Sam moesten zich met de deuropening tevredenstellen. Tussen alle lijven en over de hoofden van tientallen rechercheurs, van wie de meesten van de bureaus uit Silsford en Rawndesley kwamen, zag Simon de slanke, onbeweeglijke gestalte van Proust vooraan staan. Hij keek net hun kant op, maar Simon zag dat het de Sneeuwman niet ontging dat hij en Sam zo laat waren. Een licht opgetrokken wenkbrauw, een klein trekje van de kaak – meer was er niet voor nodig om dat kenbaar te maken. Passieve agressiviteit was toch alleen iets voor vrouwen? Proust was het allebei: passief agressief en agressief agressief. Hij kon bogen op een vrij compleet repertoire aan onhebbelijkheden.

Uit het geroezemoes in de zaal viel op te maken dat ze niets hadden gemist; de vergadering was nog niet begonnen. 'Waarom nu?' Simon richtte zijn vraag aan Sam, maar sprak zo hard dat zijn stem boven de mompelende menigte en het onregelmatige getrommel van voeten tegen tafelpoten uit klonk. Hij was nog altijd achterdochtig. Des te meer omdat hem was verteld dat er geen specifieke aanleiding was. 'Twee briefings op één dag? Alsof dit de eerste moord is waar we ooit aan hebben gewerkt. Zelfs met de meervoudige moorden die we in het verleden hebben gehad, heeft hij zijn neus nauwelijks buiten zijn hok gestoken, behalve dan om te meieren tegen jou of Charlie, wie er ook maar de leiding had. En nu leidt hij ineens elke...'

'Helen Yardley is de eerste... nou ja, celebrity is niet het juiste woord, maar je begrijpt wat ik bedoel,' zei Sam.

Simon lachte. 'Dus jij denkt dat de Sneeuwman graag met zijn wortelneus en zijn kooloogjes in de krant wil? Hij haat...'

'Geen keus,' viel Sam hem weer in de rede. 'Bij een zaak als deze komt hij hoe dan ook in de publiciteit, dus dan is het maar beter als hij de zaak strak in de hand houdt. Als hoofdinspecteur krijgt hij aandacht van de nationale pers, dus hij moet nu wel.'

Simon besloot om het er verder bij te laten. Hij zag wel dat Sam, die normaal de hoffelijkheid zelve was, hem nooit liet uitspreken als het om Proust ging. Charlie, Simons verloofde en voormalige baas, schreef dat toe aan het feit dat Sam hechtte aan professionaliteit: men roddelt niet over de grote baas. Simon vermoedde zelf dat het eerder te maken had met het behoud van zelfrespect. Zelfs iemand met het geduld en het hiërarchiebewustzijn van Sam trok het gehakketak van de Sneeuwman nauwelijks. Ontkenning was zijn manier om ermee om te gaan, maar dat werd hem bijna onmogelijk gemaakt door Simons voortdurende ontleding van Prousts despotisme.

Uiteindelijk was het toch een kwestie van smaak. Sam deed liever net alsof hij en zijn team niet dag in dag uit verrot gescholden werden door een narcistische megalomaan zonder dat hij daar iets tegen in kon brengen, terwijl Simon al lang geleden had besloten dat hij er alleen maar tegen kon als hij zich voortdurend voor ogen hield wat er allemaal aan de hand was en hoe erg het precies was, zodat hij nooit het risico liep dat hij dit allemaal voor normaal zou houden. Hij was de onofficiële archivaris van Prousts weerzinwekkende persoonlijkheid. Hij verheugde zich tegenwoordig al bijna op de beledigende uitbarstingen van de hoofdinspecteur; want elke uitbarsting was nog meer bewijs dat Simon hem terecht al zijn goede wil en het voordeel van de twijfel ontzegde.

'Bij Proust denk jij altijd dat hij een of ander duister onderliggend motief heeft, wat hij ook doet, zelfs al sleept hij zakken graan door de woestijn voor slachtoffers van hongersnoden,' had Charlie hem gisteravond pestend toegevoegd. 'Het zit er bij jou zo ingeramd dat je alles aan hem haat, dat het een pavlovreflex is geworden – hij moet wel iets in zijn schild voeren, ook al weet je nog niet wat het is.'

Ze heeft waarschijnlijk gelijk, dacht Simon. Sam had waarschijnlijk ook gelijk: Proust kon zich met geen mogelijkheid uit de schijnwerpers houden in deze zaak. Hij moest zich laten zien en hij moest net doen of het hem wat kon schelen, en dat deed hij dan ook met verve, terwijl hij heimelijk de dagen telde tot hij zijn bezigheden van alledag weer op kon pakken: bijna niets doen.

'Hij voelt zich natuurlijk verantwoordelijk, zoals wij allemaal,' zei Sam. 'Los van zijn professionele overwegingen moet je een hart van steen hebben om niet alle registers open te trekken bij een zaak als deze. Ik weet dat het wat vroeg is en dat er geen bewijs is dat deze moord iets te maken heeft met de reden waarom we Helen Yardley allemaal kennen, maar... je moet je toch afvragen of ze nu dood zou zijn als wij ons nooit met haar hadden bemoeid.'

*Wij*. Tegen de tijd dat Simon erachter was wat Sam bedoelde, bonkte Proust met zijn 'Liefste opa van de wereld'-mok tegen de muur om de aandacht van de aanwezigen te trekken. *Van storm naar stilte in minder dan drie seconden.* Die lui uit Silsford en Rawndesley leerden snel. Simon had zijn best gedaan iedereen gisteren te waarschuwen. Het bleek dat ze zijn tip geen van allen nodig hadden; de bloedstollende verhalen over de genadeloosheid van de Sneeuwman deden kennelijk allang de ronde op beide bureaus.

'Rechercheurs, agenten, wij hebben een moordwapen,' zei Proust. 'Dat wil zeggen, we hebben het wapen nog niet, maar we weten wat het is, en dat wil zeggen dat we een stap dichter bij het vinden van het moordwapen zijn.'

Dat waagde Simon te betwijfelen. Hij liet geen enkele opmerking van de hoofdinspecteur passeren zonder rigoureuze analyse. Alles werd in twijfel getrokken, al gebeurde dat meestal stilzwijgend. Was dit of dat wel echt een feit, of was het alleen een dogmatisch geuite mening vermomd als de enige echte waarheid? Simon zag er de ironie wel van in. Dankzij de permanente *closed mind* van de Sneeuwman was hij vastbesloten zelf een *open mind* te houden.

'Helen Yardley werd doodgeschoten met een Beretta M9 9 mm,' ging Proust verder. 'Geen omgebouwde Baikal izh, zoals de technische recherche ons maandag vertelde, en ook geen 9 mm Makarov politiewapen, zoals ze ons dinsdag voorhielden. En aangezien het nu woensdag is, hebben we geen andere keuze dan deze derde mogelijkheid te geloven.'

Een kwaad kijkende Rick Leckenby stond op. 'Meneer, u heeft me eerder gedwongen te speculeren voor ik...'

'Agent Leckenby, nu u toch staat, kunt u ons vast iets meer vertellen over het wapen waar vandaag uw keuze op viel?'

Leckenby draaide zich om en keek de zaal in. 'De Beretta M9 9 mm behoort tot de standaardwapenrusting van het Amerikaanse leger, en het is al sinds de jaren tachtig in omloop, dus dat houdt in dat het uit Irak afkomstig kan zijn, of uit de eerste Golfoorlog of uit wat voor ander gebied dan ook waar de afgelopen vijfentwintig jaar oorlog is gevoerd. Dus afhankelijk van hoelang het wapen inmiddels hier in het land is, maakt dat de traceerbaarheid niet gemakkelijker.'

'Dus we zijn op zoek naar iedereen die banden heeft met het Amerikaanse leger?'

'Of het Britse,' zei rechercheur Chris Gibbs. 'Het kan best zijn dat een Brit het wapen van een yank heeft gekregen, en het mee terug heeft genomen.'

'Nee, meneer, dat is juist het punt dat ik probeer te maken,' zei Leckenby tegen Proust. 'Ik bedoel te zeggen dat er niet eens reden is om aan te nemen dat de dader banden met een leger heeft. Als het in 1990 of zo het land binnen is gekomen, dan is de kans groot dat het al een hele serie eigenaren heeft gekend. Wat ik dus zou zeggen is...'

'Vertel ons nou eens niet wat u zou zeggen, agent – zeg het maar gewoon.'

'Het wapen dat nu populair is op straat en dat in bijna de helft van alle schietpartijen wordt gebruikt, is het Baikal IZH gaspistool. Dat koop je in Oost-Europa, bouwt het om en dan heb je een heel doeltreffend wapen voor de korte afstand. Mijn eerste gedachte op de plaats delict, aangezien mevrouw Yardley van dichtbij onder schot was genomen, en aangezien we tegenwoordig voornamelijk Baikals tegenkomen, en op basis van de hoeveelheid residu op de muren en op het lichaam en de vloerbedekking eromheen, was de kans groot dat we hier te maken hadden met een Baikal. Pas nadat we de kogel uit haar hoofd hadden verwijderd en we de kans hadden die te onderzoeken, konden we die verbinden aan de Beretta M9 9 mm.'

'En dat betekent wat?' vroeg Proust.

'Dat hoeft niets te betekenen,' zei Leckenby. 'In theorie kan iedereen aan beide wapens komen, de Baikal en de Beretta. Maar mijn gevoel zegt me dat gewone straatcriminelen geen Beretta M9 9 mm gebruiken. Dat doen ze gewoon niet. Dus... wat betreft de moordenaar: het is niet erg waarschijnlijk dat hij bij een *gang* hoort of een bekende van de politie is.'

'Hij of zij,' riep een agente van Rawndesley.

'Als het moordwapen tot de standaarduitrusting van het Amerikaanse leger behoort, dan gaan we op zoek naar iemand met banden met het Amerikaanse leger, en, zoals rechercheur Gibbs al zo snugger opmerkte, naar mensen met banden met ons eigen leger,' zei Proust. Als hij zo langzaam en nadrukkelijk sprak, was het de bedoeling dat jij inzag dat hij erg zijn best deed om de dam om zijn walging niet te laten barsten. 'U hebt geen idee hoeveel mensen dat wapen in handen hebben gehad. Wapens zijn denkelijk net als auto's – sommige worden elke drie jaar doorverkocht, en andere worden een leven lang trouw verzorgd door een steeds ouder dametje. Zoiets?'

'Ik geloof het wel, meneer,' zei Leckenby.

'Uitstekend. Zorg ervoor dat u morgenochtend een compleet verslag hebt over de Beretta M9, inclusief kleurenfoto's, en dat iedereen een kopie heeft,' commandeerde de Sneeuwman. 'Tenminste, als u niet alweer van gedachte bent veranderd en ineens van mening bent dat het moordwapen een opgevoerde proppenschieter was. De teams die verantwoordelijk zijn voor de ondervragingen moeten hun werk overdoen. Ga maar weer terug naar wie jullie inmiddels allemaal hebben gesproken – Helen Yardley's vrienden, familieleden, buren et cetera – en zoek uit of er banden bestaan met het leger. Mensen die de beelden van de straatcamera's onderzoeken – zoek naar auto's met een Amerikaans kenteken of een militair kenteken, of beide. Of – en ik mag hopen dat dit vanzelf spreekt – van iedereen die de Yardleys persoonlijk kent. Die camerabeelden zullen een berg werk betekenen, aangezien de twee camera's in de buurt van Bengeo Street op het drukste stuk van Rawndesley Road gericht staan, maar gelukkig hebben we goede getuigen – ik vertel daar dadelijk meer over – dus vooralsnog geven we prioriteit aan de beelden van maandagochtend tussen 7.45 en 8.15, en maandagmiddag tussen 5 en 6 uur voor wat betreft de camera bij de bioscoop. En voor die bij de ingang van Market Place zijn de tijden net iets anders: 7.30 tot 8 uur 's ochtends en 5.15 tot 6.25 's middags. We zijn vooral geïnteresseerd in auto's die in de richting van Bengeo Street rijden op een van beide vroege opnames, en die terugrijden tijdens de latere opnames.'

De rechercheur die de leiding gaf aan het camerateam, David

Prescott van bureau Rawndesley, stak zijn hand op en zei: 'Veel van de mensen die tijdens de spits over Rawndesley Road rijden zijn mensen die Helen Yardley heeft gekend. Ze was immers oppasmoeder. Hoeveel kinderen heeft zij onder haar hoede gehad van wie de ouders in Spilling of Silsford woonden en in Rawndesley werkten?'

'Ik vraag uw team ook niet om mensen alleen op basis van de camerabeelden op te pakken, rechercheur. Ik zeg alleen dat dit een mogelijk vertrekpunt is voor het onderzoek.'

'Ja, meneer.'

'We weten niet eens zeker of de moordenaar met de auto of te voet Bengeo Street in is gegaan,' zei Proust. 'Als hij te voet was, kwam hij misschien uit Turton Street of Hopelea Street.'

'Of misschien was hij wel op de fiets,' zei rechercheur Colin Sellers.

'Ja, of hij is uit de lucht komen vallen, recht in de voortuin van de Yardleys,' bitste de Sneeuwman. 'Rechercheur Prescott, geef uw agenten de opdracht om zich pas op de camerabeelden te storten als we alle heteluchtballonleveranciers in Culver Valley hebben gesproken.'

De stilte in de ruimte was dik als stroop.

Weer eentje voor de archieven, dacht Simon. De moordenaar kon wel te voet of met de auto zijn gekomen, maar het idee dat hij per fiets naar de plaats delict was gekomen was belachelijk en vergezocht, omdat Giles Proust zelf nooit op een fiets zat. Derhalve was het een verachtelijk idee, waar men het verder niet meer over mocht hebben.

'Dus, wat betreft de getuigen,' zei de hoofdinspecteur ijzig. 'Mevrouw Stella White woont op Bengeo Street nummer 16 – dat is recht tegenover nummer 9, het huis van de Yardleys – en ze zag een man het pad oplopen naar de voordeur van de Yardleys. Dat was maandagochtend, om 8.20 uur. Ze heeft niet gezien of hij uit een auto was gestapt – ze zag hem pas voor het eerst toen hij al op weg was naar de voordeur. Mevrouw White was bezig haar zoontje Dillon in de auto te zetten om met hem naar school te rijden, maar ze kon ons wel een algemeen signalement geven: een man tussen de vijfendertig en de vijftig, met donker haar, donkere kleding waaronder een overjas, nette kleding was het, ook al droeg de man geen pak. Hij had niets in zijn handen, zei ze, hoewel een Beretta M9 9 mm gemakkelijk in een grote jaszak past.'

Aan zo'n signalement had je evenveel als aan helemaal geen signalement, dacht Simon. Als ze ook maar een beetje leek op de meeste andere getuigen, dan zou mevrouw White als je het haar morgen nog eens vroeg zeggen dat zijn haar misschien toch niet zo donker was, en dat die overjas toch misschien eerder een badjas was.

'Tegen de tijd dat mevrouw White wegreed, was er geen spoor meer van de man. Ze zegt dat dit alles zo kort duurde, dat hij nergens anders kon zijn dan binnen op nummer 9. We weten dat er niet is ingebroken, dus, heeft Helen Yardley hem binnengelaten? En zo ja, was dat omdat ze hem kende, of zei hij iets wat dusdanig plausibel klonk dat hij zichzelf naar binnen heeft kunnen kletsen toen ze eenmaal opendeed? Was hij haar minnaar, was het familie, verkocht hij dubbele beglazing? Dat moeten we allemaal uit zien te vinden.'

'Heeft mevrouw White gezien of gehoord dat Helen Yardley de voordeur opendeed?' vroeg iemand.

'Ze denkt van wel, maar ze weet het niet zeker,' zei Proust. 'Goed, op Bengeo Street nummer 11 hebben we de drieëntachtigjarige mevrouw Beryl Murie die, ondanks haar slechte gehoor, om 5 uur 's middags een hard geluid heeft gehoord dat heel goed een pistoolschot kan zijn geweest. Ze zei dat het klonk als vuurwerk, maar je kunt je vergissen als je niet bekend bent met het geluid van een schot uit een Beretta M9 9 mm, en ik ga ervan uit dat oude pianolerassen dat inderdaad niet zijn. Mejuffrouw Murie was wel heel precies over het tijdstip, omdat ze naar de radio luisterde en het nieuws van vijf uur net was begonnen toen ze dat harde geluid hoorde. Ze zei dat ze ervan was geschrokken. Ze zei ook dat het klonk alsof het uit Helen Yardley's huis kwam. Dus, aannemende dat wij een man hebben die om 8.20 uur 's ochtends het huis binnen trad en dat het fatale schot werd gelost om 5 uur 's middags, is nu de vraag: wat is er in de tussentijd gebeurd? We kunnen er niet van uitgaan dat de man die mevrouw White heeft gezien de moordenaar is, maar totdat we hem hebben gevonden en hebben kunnen vaststellen dat dit niet het geval is, moeten we aannemen dat hij het zou kunnen zijn. Inspecteur Kombothekra?

'Nog geen geluk, meneer,' riep Sam van achter uit de zaal.

Proust knikte grimmig. 'Als er nog een dag voorbijgaat en wij Meneer het Ochtendbezoek niet vinden en elimineren, durf ik er iets om te verwedden dat hij onze man is. En als hij dat is, en hij dus acht uur lang in Helen Yardley's huis was voor hij haar doodschoot, wat gebeurde er dan in die tijd? Waarom heeft hij haar niet direct vermoord? Ze is niet verkracht of gemarteld. Los van het schot door haar achterhoofd was ze niet gewond. Dus was hij daar om met haar te praten, met de gedachte dat hij haar misschien wel maar misschien ook niet zou omleggen, afhankelijk van de uitkomst van hun gesprek?'

Simon stak zijn hand op. Proust deed eerst een paar seconden of hij hem niet zag, maar knikte toen in zijn richting.

'Moeten we niet ook nagaan of het pistool van de Yardleys zelf was? We kunnen er toch niet automatisch van uitgaan dat die man het bij zich had? Misschien was dat ding daar al in huis. Gegeven de voorgeschiedenis van de Yardleys...'

'De Yardleys zijn bij ons niet bekend wegens illegaal wapenbezit,' kapte de Sneeuwman hem af. 'Het is een smalle grens tussen het onderzoeken van alle redelijke mogelijkheden en het verspillen van mankracht en middelen aan flauwekul die wij hebben verheven tot de status van hypothese omdat we zo graag egalitair willen zijn. Iedereen in deze zaal doet er goed aan dat in zijn oren te knopen. Dit onderzoek loopt inmiddels achtenveertig uur, en we hebben nog geen verdachte – en jullie weten allemaal wat dat betekent. We hebben alibi's van alle vrienden, familie en bekenden van Helen Yardley en hen hebben we allemaal al uitgesloten. Dit begint dus te lijken op een moord door een onbekende, en dat is voor ons zo ongeveer het ergste wat er is, en des te meer reden om al onze energie in de juiste dingen te steken.'

'Je had gelijk om dit aan te kaarten,' mompelde Sam tegen Simon.

'Het is beter om er even naar te kijken en het dan terzijde te schuiven dan om er helemaal niet bij stil te staan.'

'Paul Yardley kwam om 6.10 uur 's middags thuis van zijn werk, vond het lichaam van zijn vrouw en belde de politie,' zei Proust. 'Hij trof verder niemand anders aan in huis; ook de agenten die als eerste ter plaatse waren hebben niemand anders aangetroffen. Ergens tussen 5 en 6.10 uur 's middags heeft de moordenaar het huis aan Bengeo Street verlaten. Iemand moet hem hebben gezien. Jullie weten wat dit inhoudt: huis-aan-huis heeft nu de allerhoogste prioriteit, en laten we dan het onderzoeksgebied verder uitbreiden. Als iemand me een nieuwe straal kan geven?'

De Sneeuwman liep naar het bord waar de opgeblazen foto's van de plaats delict hingen. 'Hier is de ingangswond,' zei hij met een vinger wijzend naar een foto van de achterkant van Helen Yardley's hoofd. 'Kijk naar de schroeiplekken. Het pistool was dusdanig dichtbij dat het haar misschien wel heeft geraakt. Uit de positie van het lichaam kunnen we opmaken dat het zeer wel mogelijk is dat ze in een hoek van de kamer heeft gestaan, met haar gezicht naar de muur en dat ze daar is doodgeschoten. Als je van dichtbij een 9 mm kogel in je hoofd krijgt, draai je je niet om. Maar er hangt niets aan de muur waar ze naast is gevallen, dus wat deed ze daar? Waar keek ze naar? Heeft hij haar daar neergezet omdat dat het enige stuk van de kamer is dat je vanuit het raam niet kunt zien? Of stond ze daar om een andere reden, en kwam hij achter haar staan in de wetenschap dat zij het pistool zo niet kon zien?'

Simon had dit niet allemaal meegekregen. Hij zat nog te denken aan wat Sam tegen hem zei. 'Het is beter om er even naar te kijken en het dan *terzijde te schuiven*,' had hij achter zijn vuist gemompeld zodat Proust het niet zou zien. 'Waarom is het minder waarschijnlijk dat de Yardleys een wapen hadden dan die donkerharige man die we nergens kunnen vinden?'

Sam zuchtte niet, maar zo te zien had hij daar wel behoefte aan. Hij schudde zijn hoofd om aan te geven dat hij zich nu niet aan een antwoord durfde te wagen. Simon bedacht dat Sam het waarschijnlijk een heel stuk makkelijker zou vinden om voor de Sneeuwman te werken als hij niet ook met Simon hoefde te werken.

*Ga in de hoek staan. Met je gezicht naar de muur.* Simon dacht er- over om te wijzen op de symboliek hierachter – een leraar die een kind straft – maar hij zag ervan af. Dit was zo'n dag dat iedereen het niet met hem eens was, wat hij ook zei. En dan kreeg hij met de hele wereld ruzie, zoals zo vaak. Moord door een onbekende? Nee. Proust zat ernaast. Collectieve verantwoordelijkheid van de politie voor de dood van Helen Yardley omdat elf van de twaalf burgers uit de jury haar schuldig bevonden? *Rot toch op.*

'Hoever zijn we met het sporenonderzoek?' vroeg Proust.

Rechercheur Klair Williamson stond op. 'Vingerafdrukken lever- den geen match op met onze database. Wel veel vingerafdrukken van vrienden en familie, en ook heel veel nog niet geïdentificeerde vingerafdrukken, maar dat valt te verwachten. We hebben bij ieder- een onderzoek verricht naar kruitsporen, maar dat heeft tot dus- verre nog niets opgeleverd.'

'Viel te voorspellen,' zei Proust. 'Kruitsporen gaan snel verloren. Als onze moordenaar dat weet, zal hij zich heel grondig hebben ge- wassen. Hoe dan ook, ik hoef jullie niet te vertellen dat het een grote fout zou zijn om deze invalshoek te snel te laten vallen. Doe dan ook je uiterste best om alle forensische sporen te bewaren. Dus blijf met wattenstaafjes in de weer tot ik zeg dat jullie ermee op mogen hou- den, en noteer de namen van iedereen die tegensputtert.'

'Ja, meneer,' zei Williamson.

'Verder willen we de namen van iedereen die onsmakelijk gedrag heeft vertoond, dus blijf doorgraven in de e-mails, brieven, wat je verder ook maar kunt vinden – hetzij aan GOOV dan wel aan Helen Yardley persoonlijk gericht. Zij kende onze moordenaar misschien niet, maar dat wil niet zeggen dat hij niet door haar geobsedeerd kan zijn geweest.'

Simon hoorde instemmend gegrom; kennelijk sprak dit idee de mensen aan. Hem niet. Waarom wees niemand op dat wat zo voor de hand lag? Dit was niet een simpel gevalletje van hetzij-dan wel:

hetzij iemand die het slachtoffer goed kende, dan wel een volkomen onbekende, niet in deze zaak. Er was nog een derde mogelijkheid. Hij was toch zeker niet de enige die dat had bedacht?

'Dus, dan gaan we nu over tot het meest onverklaarbare aspect van deze moord,' zei de Sneeuwman. 'De kaart die uit de rokzak van Helen Yardley stak.' Hij wees met zijn hoofd in de richting van de foto op het bord. 'Haar vingerafdrukken zijn op die kaart gevonden, en die van iemand die we niet kunnen identificeren. Waarschijnlijk heeft de moordenaar hem in haar zak gestopt nadat hij haar had neergeschoten, en heeft hij de bovenste helft zichtbaar gelaten om aandacht te trekken. Het is ook waarschijnlijk dat de zestien getallen op deze kaart een bepaalde betekenis hebben voor de moordenaar. Iemand daar een nieuwe gedachte over?'

Overal schuddende hoofden.

'Goed, enfin, we wachten op nieuws van de Inlichtingendienst.'

En werd druk gekreund en gefluisterd. 'Tijdverspilling.'

'Kunnen we niet iemand van de wiskundefaculteit van een of andere universiteit halen die iets weet over codes?' opperde Proust. 'En dan heb ik het over een fatsoenlijke universiteit. Niet een of andere hbo-opleiding of iemand met een certificaat van de Pizza Hut.'

Er werd buitenproportioneel enthousiast gereageerd op deze suggestie. Simon vroeg zich af of tirannen ooit stilstonden bij de verrukking waarmee al hun uitspraken werden begroet. De zestien getallen spookten al de hele dag door zijn hoofd: 2, 1, 4, 9... Of misschien was het 21, 49, of misschien moest je wel onderaan beginnen en het achterstevoren lezen: 0, 2, 6...

'En als laatste redmiddel hebben we altijd nog de media,' zei Proust. 'We laten hen die zestien getallen afdrukken en dan zien we wel wat er gebeurt.'

'Dan hangt elke gek in Culver Valley aan de lijn om te vertellen dat hij de getallen doorkreeg van een buitenaardse loterij,' zei Colin Sellers.

Proust glimlachte. Een paar mensen waagden het te grinniken. Simon drukte een golf van woede de kop in. Als hij ook maar even de indruk kreeg dat de hoofdinspecteur een beetje blij leek, kreeg

Simon zin om iemand in elkaar te rammen. Gelukkig waren zulke momenten schaars.

'En een profiler?' riep iemand. *Nog iemand die vindt dat de Sneeuwman geen vrolijkheid verdient en die weet hoe hij er direct een eind aan moet maken.*

Simon wachtte tot Proust weer vriesdampen uit zou slaan, maar tot zijn verrassing zei hij: 'Als we de komende vierentwintig uur niet verder komen met de kaart zal ik de hulp van een profiler inroepen. In de tussentijd, terwijl we wachten op nieuws van de teams van de Inlichtingendienst, moeten wij het saaie werk opknappen: welke winkels verkopen dit soort kaarten? Uit wat voor pen komt de inkt die hier is gebruikt? *Nou?*' brulde hij plotseling. Er trok een collectieve huivering door de zaal.

'Meneer, daar zijn we nog mee bezig,' zei de pechvogel uit Silsford die de opdracht had om dit uit te zoeken. 'Ik zal er achteraan gaan.'

'Ja, doe dat, rechercheur. Ik wil van iedereen tweehonderdvijftig procent inzet. En vergeet de Gouden Regels niet. Wat waren die ook weer, rechercheur Gibbs?'

'Neem niets voor lief, geloof niemand, controleer alles,' mompelde Chris Gibbs, en zijn gezicht kleurde rood. Meestal was Simon degene die door de Sneeuwman voor paal werd gezet te midden van zijn collega's. Waarom werd hij dit keer gespaard?

'Onze mysterieuze bezoeker van Bengeo Street nummer 9 kan een vals spoor blijken, dus laten we niet op één paard wedden,' zei Proust. 'Zoals iemand al opmerkte kan de dader ook een vrouw zijn. Ik wil graag dat jullie je hersens laten werken, vierentwintig uur per dag. Ik hoef jullie niet te vertellen waarom dat juist in deze zaak zo belangrijk is.'

'O nee?' mompelde Simon. Sam stond naast hem te knikken. En toch was datgene waardoor Helen Yardley anders was dan andere slachtoffers nauwelijks genoemd, vanochtend niet en nu ook niet.

'We zijn nu achtenveertig uur bezig,' zei de Sneeuwman. 'Als we niet snel met een resultaat komen, wordt dit halve team weggesaneerd, en dat is nog maar het begin. Jullie moeten allemaal terug naar jullie eigen bureau – en ik weet zeker dat de mensen uit Rawndesley dat graag zouden voorkomen. Goed, dat was het voor vandaag. Inspecteur Kombothekra, rechercheur Waterhouse, ik zie jullie zo in mijn kantoor.'

Simon was absoluut niet in de stemming om te horen wat Proust van hem wilde. 'Waarom geldt de gouden regel "neem niets voor lief" niet als het om het wapen gaat?' vroeg hij zodra hij de deur achter zich dicht had gesmeten. Dit keer zuchtte Sam wel. 'Waarom staat het al vast dat Paul of Helen Yardley zelf geen Beretta M9 9 mm in bezit had en die donkerharige man die we maar niet kunnen vinden wel?'

'Inspecteur Kombothekra, wilt u even aan rechercheur Waterhouse uitleggen waarom de kans groter is dat de moordenaar een wapen meenam naar dit feestje dan dat het slachtoffer er zelf eentje verstrekte?'

'De Yardleys hebben strijd geleverd om hun enige overlevende kind bij zich te mogen houden en die strijd hebben ze verloren. Ga maar na wat dat met hen gedaan heeft. U hebt zelf een dochter...'

'Als je haar naam noemt, ruk ik je tong er met wortel en al uit, Waterhouse. Mijn dochter heeft hier niets mee te maken.'

*Je moest eens weten wat Colin Sellers allemaal over haar te melden heeft, al jarenlang, en wat hij allemaal met haar diverse lichaamsdelen zou willen doen.* Simon waagde nog maar een poging: 'Paige Yardley woont nog geen vijf kilometer bij het huis in Bengeo Street vandaan, bij nieuwe ouders die haar een andere naam hebben gegeven en die niemand van haar biologische familie bij haar laten. Als ik Helen of Paul Yardley was, en ik verkeerde in die situatie – als iemand mijn kind had gestolen en diegene het recht aan zijn kant had, nog boven op al het andere dat mij was aangedaan – dan zou ik misschien ook een blaffer aanschaffen. Als ik in de rechtbank hulpeloos had moeten toezien hoe mijn vrouw tot tweemaal levenslang werd veroordeeld voor misdaden waaraan zij absoluut niet schuldig was...'

'U hebt uw punt gemaakt,' zei Proust.

'Ik heb mijn punt maar ten dele gemaakt en de rest maak ik hierbij: Helen Yardley heeft negen jaar achter de tralies gezeten. Als ze niet schuldig was, zou het kunnen dat ze wraak wilde nemen zodra ze op vrije voeten was. En zelf als...'

'Genoeg!'

Simon dook weg omdat er iets langs zijn hoofd scheerde. Prousts 'Liefste opa'-beker raakte de hoek van een archiefkast en spatte uiteen. Sam bukte zich om de scherven op te rapen. 'Laat liggen!' blafte de Sneeuwman. 'Doe die bovenste la eens open. Daar liggen twee exemplaren in van Helen Yardley's boek. Neem er zelf eentje en geef het andere aan Waterhouse.'

Het lukte Simon alleen zijn mond te houden door zichzelf te beloven dat hij nu zou doen wat hij al jaren geleden had moeten doen: een officiële klacht indienen. Hij zou het morgenochtend meteen doen. Proust zou dan natuurlijk met beschuldigingen aan zijn adres komen: dat hij geen respect toonde, sarcastisch was en ongehoorzaam. *Allemaal waar.* Niemand zou voor Simon opkomen, behalve Charlie, en die zou het ook alleen maar doen vanwege haar persoonlijke gevoelens voor hem, niet omdat ze het niet eens was met hoe Proust hem afschilderde: als de levende nachtmerrie voor zijn direct leidinggevenden.

Sam gaf hem een exemplaar van *Niets dan liefde*, geschreven door Helen Yardley en Gaynor Mundy. Simon had Mundy eerder die dag nog ondervraagd. Zij vertelde hem dat Helen het boek grotendeels zelf had geschreven en dat de samenwerking helemaal super was geweest. Het boek had een wit omslag, met een foto van een paar gebreide babysokjes in het midden. Er staken gele strookjes uit het boek: Post-its. Simon keek naar Sams boek, daar zaten ook zulke strookjes in.

'Laten we opnieuw beginnen,' zei de Sneeuwman en hij gaf elk woord een flinke kwak geduld mee bij zo veel provocatie. *Niet vragen om een nieuwe kans; de ander bedelven onder overdreven goedgunstigheid.* 'Ik heb jullie hier gevraagd omdat jullie mijn beste rechercheurs zijn – los van persoonlijkheidsstoornissen, Waterhouse. Ik moet zeker weten dat ik op jullie kan rekenen.'

'Uiteraard, meneer,' zei Sam.

'Op ons rekenen voor wat?' vroeg Simon. Dat 'meneer' kreeg hij er maar zo heel af en toe uit. En tegenwoordig lukte het zelfs nauwelijks nog.

'Ik wil dat jullie allebei dat boek lezen,' zei Proust. 'Ik heb het zelf al gelezen, en ik geloof niet dat er iets in staat wat we niet al wisten, maar misschien zien jullie iets wat ik heb gemist. De delen die ik heb gemarkeerd zijn delen waarin ik bij naam word genoemd. Ik heb Helen Yardley drie dagen na de dood van haar tweede kind gearresteerd, en haar beschuldigd van de moord op beide kinderen. Ik heb getuigd tijdens haar rechtszaak. Ik was inspecteur in die tijd. Hoofdinspecteur Barrow was mijn baas.'

Niet naar Sam kijken en verder geen enkele reactie tonen, kostte Simon al zijn wilskracht.

'Wat mij betreft hoeft verder niemand dat boek te lezen behalve jullie twee. Tijdens de briefing van morgenochtend wil ik wel iedereen inlichten over mijn... betrokkenheid. Ook al is die verder niet van belang voor deze zaak, ik wil er toch graag open over zijn.'

Niet van belang? Dat was zeker een geintje. Was het soms een test?

'Ik zal de rol van hoofdinspecteur Barrow erbuiten laten. Zijn naam komt ook niet voor in het boek.'

Had Barrow Proust de opdracht gegeven zijn naam erbuiten te laten? Hadden die twee achter de schermen ruzie gehad over wat er wel en niet mocht worden verteld? De Sneeuwman had zijn haat jegens Barrow nooit onder stoelen of banken gestoken, maar die haat was in de loop der jaren zo naadloos overgegaan in zijn antipathie voor alle andere mensen dat Simon zich nooit had afgevraagd wat er precies had gespeeld tussen die twee.

'Jullie weten natuurlijk dat een inspecteur die iemand van moord beschuldigd heeft geen leiding kan geven aan het onderzoek naar de moord op diezelfde persoon in de functie van hoofdinspecteur. De politietop en Barrow wilden mij dan ook niet als leidinggevende in deze zaak – en zie, ik ben toch de leidinggevende van het onderzoek naar de moord op Helen Yardley. Toe maar, Waterhouse. Je hebt een vraag, zo te zien.'

'Misschien begrijp ik het verkeerd, maar zegt u nu dat Barrow en de rest van de politietop niet willen dat hun naam wordt verbonden aan het feit dat Helen Yardley in de gevangenis is beland?' Simon hield zich in en vroeg niet of Proust had gedreigd om hun aandeel in deze rechterlijke dwaling bekend te maken als zij het onderzoek naar de moord op Helen Yardley aan een ander zouden toewijzen.

'De hoofdcommissaris en de adjunct-hoofdcommissaris waren niet bij de zaak betrokken,' zei Proust. 'Maar als direct leidinggevenden van hoofdinspecteur Barrow hebben ze wel het beste met hem voor, en met de politie in Culver Valley in algemene zin.'

Sam Kombothekra schraapte zijn keel maar zei niets.

'Dus...' begon Simon.

'Voor zover jouw hypothese van toepassing is op hoofdinspecteur Barrow, Waterhouse, *zou ik zeggen*, om met agent Leckenby te spreken, dat jij het vrij aardig begrijpt.'

'Wat...? O.' Simon had hem door, net op tijd.

'Dus willen jullie dat boek allebei lezen?' vroeg Proust. 'Het is geen bevel. Ik vraag het als gunst, aan mij persoonlijk.'

'Ja, meneer,' zei Sam.

Simon had *Niets dan liefde* die ochtend al besteld via Amazon.com nadat hij met Gaynor Mundy had gesproken. Hij zou zijn eigen exemplaar lezen, omdat hij dat wilde – niet omdat het hem werd gevraagd. Een *gunst*. Hij had liever een bevel gekregen. Gunsten verleende je aan vrienden. En de Sneeuwman was geen vriend.

'Morgenochtend wil ik jullie allebei naast me hebben staan bij de briefing en de taakverdeling, dus zorg dat je er vroeg bent,' zei Proust, die meer op zijn gemak leek omdat hij weer grip op de zaak had. 'Ik wil dat iedereen ziet dat ik kan rekenen op jullie volledige steun als ik aankondig dat iedereen die van nu af aan iets zegt als "Waar rook is, is vuur" of "Dat ze haar vrij hebben gelaten wil nog niet zeggen dat ze echt onschuldig was" formeel berispt zal worden, waar of hoe die opmerking ook wordt geplaatst – als geintje, of zelfs maar als er alcohol in het spel is. Elke agent die midden in de nacht, in zijn eigen slaapkamer, met zijn hoofd onder de dekens iets dergelijks waagt te fluisteren, zal dat nog lang betreuren. Van nu af aan zijn jullie mijn ogen en oren. Als jullie iemand zoiets horen zeggen, rapporteren jullie dat aan mij, of je het nu uit de mond van je beste vriend hebt horen rollen of van iemand die je niet kent. Als jullie lucht krijgen van dit soort foute attitudes wil ik dat horen.'

Simon kon niet geloven dat Sam stond te knikken.

'Ik weet dat ik op jullie kan rekenen, en daar ben ik jullie dankbaar voor,' zei Proust kortaf. 'Waterhouse. Verder nog punten die je wilde aansnijden nu ik mijn zegje heb gedaan?'

Simon had nog meer dan genoeg punten – punten die hij ook had willen aansnijden – waar dit onderzoek aan mank ging, volgens hem, maar hij wilde eerst nadenken over wat hij net had gehoord voor hij iets wilde zeggen in aanwezigheid van de Sneeuwman. *Jij kunt nergens op rekenen, zakkenwasser.*

'Goed, dan zijn we klaar voor vandaag,' zei Proust, want hij kon zeggen wat hij wilde.

# 3

## Woensdag 7 oktober 2009

Het is precies de schop onder mijn kont die ik nodig had – zo zie ik het,' zegt Tamsin terwijl ze een slok neemt van haar negende gintonic van deze avond. 'Het moet goed zijn, zo'n verstoring van vaste gewoontes, voor een controlfreak zoals ik.' Ze spreekt inmiddels met een dubbele tong. Haar bovenlip glijdt steeds uit over haar onderlip, als een gladde zool over sneeuw.

Ik zou even naar de plee kunnen glippen, Joe bellen en vragen of hij haar op komt halen, maar als ik haar onbewaakt achterlaat, klampt ze nog een wildvreemde vent aan, en er zitten hier minstens twee aan de bar van het type dat een met chloroform doordrenkte zakdoek bij de hand heeft. De Grand Old Duke of York is de enige pub op loopafstand van kantoor waar gegarandeerd niemand van Binary Star komt, en dat is de reden waarom we het slechte bier en de griezelige einzelgängers hebben getrotseerd. Alles liever dan Maya, Raffi of Laurie tegen het lijf lopen in de French House.

'Mijn leven is al veel te lang veel te safe,' zegt Tamsin beslist. 'Ik moet eens wat meer risico's nemen.' Ik weet genoeg: die ga ik echt niet in haar eentje met de metro naar huis sturen. Ik zal moeten wachten tot ze van haar stokje gaat voor ik Joe kan bellen. Ik geef het nog een kwartier, een halfuur, hooguit. 'Er zijn nooit eens verrassingen – weet je wat ik bedoel? Om zeven uur uit bed, de douche in, twee sneetjes Weetabix en een fruitsmoothie als ontbijt, naar de metro lopen, om halfnegen op kantoor, de hele dag Laurie achter zijn kont zitten, proberen om hem... te ontcijferen tot ik er doodmoe van word, om acht uur thuis, eten met Joe, om halftien op de bank kruipen voor weer een aflevering uit een of andere dvd-box, en dan om elf uur naar bed. Waar is de sprankeling gebleven? Waar is de dyna... diannn...'

'Dynamiek?' opper ik.

'Kijk, nou ligt er tenminste echt een uitdaging voor me: geen baan meer!' Ze probeert er vrolijk onder te klinken. 'Geen inkomen! Ik zal een manier moeten verzinnen om een dak boven ons hoofd te houden.'

'Trekt Joe de hypotheek niet in zijn eentje?' vraag ik, en ik voel me vreselijk. 'Tijdelijk, tot je wat anders hebt gevonden?'

'Nee, maar we kunnen zijn studeerkamer verhuren aan iemand die het geen probleem vindt om door onze slaapkamer te sluipen als hij 's nachts moet plassen,' zegt Tamsin opgewekt. 'Misschien worden we wel vrienden. En wanneer heb ik voor het laatst nieuwe vrienden gemaakt?'

'Toen je mij ontmoette.' Ik probeer de gin-tonic uit haar greep te bevrijden. 'Geef mij die nou maar. Dan bestel ik een sinaasappelsap voor je.'

Haar handen grijpen het glas stevig vast. 'Jij bent ook een controlfreak,' zegt ze beschuldigend. 'Wij allebei. *Go with the flow:* dat moeten wij eens leren!'

'De flow? Ik ben bang dat die straks de vorm aanneemt van een golf braaksel. Als ik Joe nou eens even bel, dan kan hij...'

'Néé.' Tamsin klopt op mijn hand. 'Er is echt níéts aan het handje. Ik ben dolgelukkig met deze kans om het eens over een andere boeg te gooien. Misschien ga ik wel blauw of rood dragen, in plaats van altijd maar zwart en wit. Hé – weet je wat ik morgen doe?'

'Sterven aan alcoholvergiftiging?'

'Ik ga naar een tentoonstelling. Er is vast wel iets goeds in de National Portrait Gallery, of het Hayward. En weet je wat jij doet als ik daar dan ben?' Ze laat een keiharde boer. 'Dan ga jij naar Maya's kantoortje en dan zeg je: "Doe mij die dikbetaalde baan toch maar." Als jij je schuldig voelt dat je te veel geld verdient, mag je mij wel wat geven. Een beetje maar. Of de helft.'

'Hé – hoor ik daar een zinnig voorstel?'

'Ja, ik geloof het wel.' Tamsin giechelt. 'Minisocialisme. Het gaat alleen om ons tweeën, maar het principe is hetzelfde: al het jouwe is van mij, en al het mijne is van jou, alleen heb ik dan dus niets.'

'Je hebt toch een inkomen nodig. En ze hebben mij meer dan drie keer wat ik nu verdien geboden... Nee, dat zou van de gekke zijn. Toch?' Ik heb wel niet zo veel gedronken als zij, maar toch nog aanzienlijk wat.

'Waznout plobleem?' lalt ze met grote ogen. 'Niemand hoeft het toch te weten behalve jij en ik? Laurie heeft gelijk: als jij deze kans verknalt, vindt iedereen je een domme doos. En als je op je centen blijft zitten als een gierige Scrooge...'

'Dus dit is nou de geweldige uitdaging die jij miste in jouw leven? Dat je mij dwingt een baan te nemen die ik niet wil zodat jij de helft van mijn salaris kunt inpikken?' Ik weet niet eens of ze meent wat ze zegt. Ik verwacht eigenlijk dat ze bedoelt dat het een geintje was.

'Je hoeft me niet voor eeuwig te blijven sponsoren,' zegt ze in plaats daarvan. 'Alleen tot ik een nieuwe carrière van de grond heb. Ik zou best bij de VN willen werken. Als tolk.'

Ik zucht. 'Jij spreekt helemaal geen talen, behalve Engels en Dronken Gezwets.'

'Kan ik toch leren? Russisch en Frans zijn een goede combinatie, schijnt. Ik heb nog wat zitten googelen voor ik van kantoor wegging. Voor de allerlaatste keer *ooit*,' zegt ze met klem om mij te herinneren aan het onrecht haar aangedaan. 'Als je die twee talen in huis hebt...'

'Wat jij dus niet hebt.'

'...dan heb je alleen nog maar een vertaaldiploma nodig, en dat kun je halen aan Westminster University, en dan neemt de VN je zo in dienst.'

'Wanneer, over vier jaar?'

'Eerder een jaar of zes.'

'En als ik jou nou eens help tot je een baan hebt gevonden *op je eigen vakgebied*?' Ik leg extra nadruk op de laatste vier woorden. 'Met jouw cv heb je morgen ergens anders een baan.'

'Dank je feestelijk,' zegt Tamsin. 'Voor mij geen televisie meer. Televisie was de sleur waarin ik tot vandaag gevangenzat. Ik meen het, Fliss. Sinds mijn afstuderen ben ik al loonslaaf. Ik heb geen zin om weer nieuwe ketenen te zoeken nu ik eindelijk vrij ben. Ik wil weleens leven – door het park wandelen, naar de ijsbaan...'

'En dat Frans en Russisch dan?' vraag ik.

Ze wuift mijn bezwaar weg. 'Joh, daar blijft meer dan genoeg tijd voor over. Misschien doe ik wel een cursus in een buurthuis of zo, maar ik wil voornamelijk... lekker freewheelen, beetje rondwandelen, nieuwe sferen opsnuiven...'

'Je woont in Wood Green, daar is geen sfeer.'

'Nou, dan koop jij toch een appartementje voor me in Knightsbridge. Ik neem met één slaapkamer genoegen.'

'Hou op,' zeg ik tegen haar, want ik vind dat de grap nu lang genoeg heeft geduurd. 'Dit is precies de reden waarom ik niet rijk wil zijn. Ik wil niet zo iemand worden die denkt dat het haar van god gegeven recht is om meer geld te hebben dan ze nodig heeft en die dat toch allemaal zelf houdt. Maar nou zit ik naar jouw gewauwel te luisteren en ik denk: waarom zou ik de helft van mijn zuurverdiende centen weggeven aan een of andere lapzwans? Dus ik ben nu al een Scrooge aan het worden, en ik heb de baan nog niet eens geaccepteerd!'

Tamsin kijkt me aan met knipperende ogen. Haar bevattingsvermogen is ernstig door de alcohol aangetast. Uiteindelijk zegt ze: 'Je zou een hekel aan me krijgen.'

'Waarschijnlijk wel, ja. Dat van die ijsbaan zou denk ik de druppel zijn.'

Ze knikt. 'Geeft niet, hoor. Ik neem het je niet kwalijk. Je mag me best uitmaken voor ruggengraatloze klaploper, als je zin hebt, zolang ik mijn deel van het geld maar krijg. Ik word liever door jou voor rotte vis uitgemaakt dan dat ik me aan moet bieden bij eventuele toekomstige werkgevers in de toestand zoals ik me nu voel – ongewild en waardeloos. Waar heb ik het toch over?' Ze slaat zichzelf op haar pols en geeft dan een mep op mijn been. Hard. 'Kijk nou eens wat je hebt gedaan – nu zit ik helemaal in de put omdat jij zo negatief bent!'

'Ik neem die baan niet, Tam.'

Ze kreunt.

'Dus waarschijnlijk kan ik tegen het eind van de week ook mijn boeltje pakken. Gaan we samen naar de National Portrait Gallery.'

*Vertel haar de waarheid. Vertel haar waarom je Lauries film niet kunt maken. Je hebt niets om je voor te schamen.*

'Flikker maar op!' Tamsin slaat met haar vuist op tafel. 'Als jij daar bent, dan ga ik mooi naar het Science Museum, als protest tegen jouw... stomme gezeik. Fliss, mensen dromen ervan dat hen ooit zoiets overkomt als wat jou vandaag is overkomen. Je *moet* het wel aannemen. Zelfs al besluit je om mij te laten wegrotten in de goot terwijl jij in diamanten baadt.'

'Ik meen het.'

'Ik ook! Denk eens aan al die tijd die je met Laurie kunt doorbrengen als hij jou in het geniep helpt – ha!' Ze lacht uitbundig. 'Je bent zo overduidelijk verliefd op hem.'

'Dat ben ik helemaal niet,' zeg ik stellig. Zo'n grote leugen is dat nu ook weer niet. Als ik me bewust ben van alle redenen waarom ik niet verliefd zou moeten zijn op Laurie, wat ik dus ben, dan ben ik toch zeker niet echt heel erg verliefd. Meer een beetje halfhalf, toch? Als ik verliefd op hem ben, waarom draai ik er dan mijn hand niet voor om hem een eikel te vinden en een nagel aan mijn doodskist?

'Je zit *uren* door je raam naar zijn kantoortje te staren, zelfs als hij er niet is.' Tamsin grinnikt. 'Ik zal mezelf de moeite besparen: ik ga je niet vertellen dat dit niets wordt. Het is trouwens al iets geworden – honderdveertigduizend pond per jaar, voor ons elk de helft.' Ze knijpt haar ogen half toe en grijnst om duidelijk te maken dat ze me zit te zieken over dat geld. 'Jij bent dus beloond voor je goede smaak. Laurie is misschien een griezel, maar hij is wel een sluwe griezel. Hij heeft heus wel gezien hoe jij altijd dwaas staat te bazelen als je bij hem bent, gek van lust. Jij bent zijn gedroomde marionet: hij kan zich publiekelijk distantiëren van de film, maar stiekem houdt hij alle touwtjes in handen.'

'Waarom zou hij zich ervan willen distantiëren?' vraag ik, vastbesloten om niet in te gaan op wat Tamsin net zei, want als ik mezelf toesta daar ook in te geloven, zou ik de rest van mijn leven wijden aan gesmoord snikken. 'Hij is erdoor geobsedeerd.'

'Voor het geval de zaak in de soep loopt, en dat zou goed kunnen, nu Sarah zich heeft teruggetrokken.'

'Sarah?'

'Jaggard. O, mijn god! Dat heeft Laurie je dus nog niet eens verteld?'

Mijn telefoon gaat over. Ik klap hem open. 'Hallo?'

'Spreek ik met Fliss Benson?' vraagt een vrouw.

Ik beaam dat.

'Met Ray Hines.'

Mijn hart lijkt wel een renpaard dat over een hek springt. *Rachel Hines*. Ik krijg een heel wonderlijk gevoel: alsof ik dit moment altijd al verwachtte, en ik het hoe dan ook niet had kunnen vermijden.

Ze kan niet weten hoeveel zij voor mij betekent, en hoe ik me eronder voel haar stem te horen.

'Waarom gaat Laurie Nattrass weg bij Binary Star?' Ze klinkt niet kwaad, zelfs niet verbolgen. 'Heeft dat iets te maken met de dood van Helen Yardley? Ik neem aan dat ze vermoord is. Ik hoorde tenminste op het nieuws dat haar dood "verdacht" was.'

'Ik weet het niet,' zeg ik kortaf. 'Dat zul je aan de politie moeten vragen. En Laurie moet je zelf maar vertellen waarom hij weggaat. Ik heb er verder niets mee te maken.'

'Zeker weten? Ik kreeg namelijk een mailtje van Laurie waarin hij schrijft dat jij de documentaire overneemt.'

'Nee. Dat is... een misverstand.'

Tamsin heeft een pen uit haar tas gevist en 'Wie?' op een bierviltje geschreven. Ze schuift het naar me toe. Ik schrijf 'Rachel Hines' onder haar vraag. Ze doet haar mond op zijn allerwijdst open zodat ik zicht heb op haar keelamandelen, en schrijft dan verwoed op het viltje: 'Hou haar aan de praat!!!'

*Zelfs als ik dat helemaal niet wil?*

Ik heb een keer in de metro twee vrouwen horen praten over Rachel Hines, de dag nadat ze haar beroep had gewonnen. De ene zei: 'Van die andere weet ik het niet, maar die Hines heeft haar kinderen vermoord, daar durf ik gif op in te nemen. Dat is een drugsverslaafde en een leugenaar. Wist je dat zij haar dochter in de steek heeft gelaten toen dat arme schaap nog maar een paar dagen oud was? Bleef ze bijna twee weken van huis. Wat voor moeder doet zulke dingen? Dat die Helen Yardley al die tijd onschuldig was wil ik best geloven, maar zij niet.' Ik had gedacht dat haar reisgenote haar zou tegenspreken, maar die zei: 'Voor die baby was het beter geweest als ze nooit meer thuis was gekomen.' Ik weet nog dat ik het zo wonderlijk geformuleerd vond: *Helen Yardley was al die tijd onschuldig.* Alsof je eerst wel schuldig kunt zijn aan een misdaad en dan uiteindelijk onschuldig wordt.

'Ik bel om te zeggen wat Laurie vast en zeker niet heeft verteld: dat ik niets met die documentaire te maken wil hebben. En jij deelt mijn gevoelens, zo te horen.' Ze klinkt helemaal niet als een drugsverslaafde, vind ik.

'Je wil er niets mee te maken hebben,' herhaal ik uitgestreken.

'Dat heb ik Laurie van meet af aan duidelijk gemaakt, dat hij dit maar zonder mij moet doen, dus ik snap niet waarom hij mij toch steeds al die mailtjes met informatie blijft sturen. Ik zit daar niet op te wachten. Hij hoopt misschien dat ik nog op andere gedachten kom, maar dat gaat niet gebeuren.' Ze klinkt kalm, alsof het haar allemaal niets doet, alsof ze me wat feitelijkheden vertelt.

'Ik zit zelf in een soortgelijke situatie,' vertel ik haar, want ik ben te boos over de manier waarop men met mij omspringt om tact op te kunnen brengen. Hoe haalt Laurie het in zijn hoofd om dat mens op mijn dak te sturen zonder mij zelf de keus te laten? Tamsin zit te wiebelen op haar stoel, want ze wil wanhopig graag weten waar dit allemaal over gaat. 'Laurie is niet gewend dat hij zijn zin niet krijgt,' zeg ik. 'Tenminste, als hij de moeite neemt om het in elk geval nog netjes te vragen. Wat hij dit keer niet heeft gedaan. Ik had geen idee dat hij mijn gegevens aan allerlei mensen heeft rondgestuurd. Ik weet ook niet waarom hij dacht dat ik de film wel van hem over zou nemen, want hij heeft me er nooit naar gevraagd.'

Tamsin rolt met haar ogen en schudt haar hoofd. 'Wat nou?' zeg ik geluidloos tegen haar. Ik weiger om me hier schuldig over te voelen. Het is Lauries schuld, niet de mijne.

'Waarom wil jij eigenlijk niet?' vraagt Rachel Hines, alsof dat de gewoonste vraag van de wereld is.

Ik probeer me in te denken dat ik haar een eerlijk antwoord geef. Hoe zou ik me dan daarna voelen? Opgelucht dat het eindelijk gezegd is? Het is helemaal niet relevant, aangezien ik toch de moed niet heb om de proef op de som te nemen. 'Ik wil niet onbeleefd zijn, maar ik hoef me niet te verantwoorden tegenover jou.'

'Nee. Nee dat hoef je inderdaad niet,' zegt ze langzaam. 'Dit klinkt waarschijnlijk heel opdringerig, maar... kunnen wij elkaar misschien eens ontmoeten?'

Afspreken. Rachel Hines en ik.

Ze kan het onmogelijk weten. Tenzij... nee, onmogelijk.

'Pardon?' zeg ik om tijd te rekken. Ik gris de pen uit Tamsins hand en schrijf: 'Ze wil me ontmoeten.' Tamsin knikt driftig.

'Waar ben je nu? Ik kan wel jouw kant opkomen.'

Ik kijk op mijn horloge. 'Maar het is tien uur.'

'Nou en? We liggen allebei nog niet op bed. Ik zit in Twickenham. En jij?'

'Kilburn,' zeg ik automatisch en ik kan mezelf wel slaan. Rachel Hines komt er bij mij echt niet in. 'Alleen: ik ben nu in de pub... in de Grand Old Duke of York in...'

'Ik kom niet in pubs. Geef me je adres maar, dan ben ik er over een uur of anderhalf, afhankelijk van hoe druk het is op de weg.'

De voors en tegens stormen door mijn hoofd. Ik wil haar niet in mijn appartement. Ik wil helemaal niets met haar te maken hebben. Ik wil eigenlijk alleen maar weten wat ze precies van me wil.

'Je vindt het niet prettig om iemand in huis te hebben die ooit voor kindermoord is veroordeeld,' zegt ze. 'Dat snap ik. Goed, het spijt me dat ik je heb lastiggevallen.'

'Waarom wil je mij eigenlijk spreken?'

'Die vraag, en alle andere vragen die je verder nog hebt, wil ik alleen persoonlijk beantwoorden. Vind je dat zo onredelijk?'

Ik hoor mezelf zeggen: 'Oké.' En dan kan ik bijna niet geloven dat ik haar mijn adres noem.

'En we zijn met zijn tweeën, hè? Geen Laurie?'

'Geen Laurie,' beaam ik.

'Dan zie ik je over een uur,' zegt Rachel Hines. En dan dringt het in één keer tot me door: dit is echt, en ik ben bang.

Drie kwartier later ben ik thuis en probeer ik een droogrek vol natte was in mijn linnenkast te proppen. Dat staat normaal in mijn badkamer, maar aangezien een gast daar misschien gebruik van moet maken, wil ik mijn natte ondergoed niet vol in het zicht hebben. Het lukt me uiteindelijk om het rek in de kast te proppen, maar ik krijg de deuren niet meer dicht. Wat maakt het eigenlijk uit? Ik ben zo nerveus dat ik niet meer normaal kan denken. Alsof Rachel Hines mijn slaapkamer binnen zal dringen.

Een paniekerig stemmetje in mijn hoofd fluistert: *Hoe weet jij eigenlijk wat ze allemaal van plan is?*

Ik trek het droogrek weer uit de kast. De helft van de kleren valt op de grond. Zelfs al krijgt zij het niet te zien, zou het mij dwarszitten dat het rek in mijn kast stond. Het is waanzin om natte was in een kast te proppen, en ik ga me niet als een krankzinnige aanstellen voordat er nog maar iets is gebeurd.

Ik huiver. *Er gaat helemaal niets gebeuren*, zeg ik bij mezelf. *Doe normaal.*

Ik hang de kleren weer terug op het rek, zet het midden in mijn slaapkamer neer en trek de slaapkamerdeur dicht. Dan haast ik me naar de keuken, die ik aantref in de staat waarin ik hem vanochtend achterliet: overal borden en tijdschriften, korsten toast, doppen van melkflessen, sinaasappelschillen. Uit de boordevolle zwarte vuilnis-zak die ik al dagen geleden buiten had moeten zetten, lekt vettige oranje saus op het linoleum.

Ik kijk op mijn horloge. Bijna elf uur. Ze zei een uur, of anderhalf. Dat betekent dus dat ze binnen vijf minuten op de stoep staat. Ik heb minstens een kwartier nodig om de keuken te fatsoeneren. Ik trek de vaatwasser open. Die zit boordevol glimmend schoon bestek en ser-viesgoed. Ik vloek hardop. Wie beweerde ooit dat vaatwassers het leven vereenvoudigen? Het zijn de geslepen rotzakken onder de huis-houdelijke apparaten. Als je een schoon kopje of bord wilt, geven ze je een stinkende grot vol stalactieten van currysaus waarlangs rest-jes witte bonen in tomatensaus druipen. En als je wil dat het ver-vloekte ding leeg is en klaar om te ontvangen, staat het juist uitbun-dig vol met je bijna complete eetservies dat je tegemoet glanst en sterk naar citroen geurt.

Ik prop het schone spul willekeurig in de keukenkastjes en laden, waarbij sommige borden nog meer scherfjes kwijtraken, want aan bijna al mijn serviesgoed mankeert wat. Dan laad ik de vuile vaat in zonder hem voor te spoelen, wat ik normaal wel doe, en veeg ik het aanrecht schoon met een doek die waarschijnlijk smeriger is dan de viezigheid die ik ermee opveeg. Ik ben vrij oppervlakkig als het gaat om schoonmaken – opgeruimd doch vergeven van de bacteriën vind ik al prima, zolang het voor het ongeoefende oog maar een beetje netjes lijkt.

Ik zet de vuilnis buiten, dep de olie van de vloer op en kijk eens om me heen. De keuken heeft er al in tijden niet zo kek uitgezien. Er komt een gedachte bij me boven die ik niet meer kan tegenhouden: *misschien moet ik vaker moordenaars op bezoek vragen*. In de zitkamer, waar de pogoënde bovenburen voor achtergrondmuziek zorgen – zo klinkt het altijd vlak voor ze naar bed gaan – raap ik een stuk of twin-tig dvd's van de grond, die ik in een katoenen boodschappentas prop die ik vervolgens achter de deur verstop.

Ik wil niet dat Rachel Hines weet welke dvd's ik heb. Ik wil dat ze überhaupt niets van me weet. Ik laat mijn blik over de boekenkast glijden die een alkoof bij het raam in beslag neemt. Ik wil ook niet dat ze weet wat voor boeken ik lees, maar ik heb geen tassen die groot genoeg zijn om ze tijdelijk in op te slaan. Bovendien heb ik geen tijd meer om ze allemaal van de planken te halen. Ik speel met het idee om er een soort gordijn voor te hangen, maar dan besluit ik dat ik niet zo paranoïde moet doen. Het maakt niet uit of ze mijn boeken ziet. Het maakt alleen iets uit als ik vind dat het ertoe doet.

Ik schud de kussens van de bank op en die in de stoel, en kijk dan weer op mijn horloge. Vijf over elf. Ik trek de gordijnen open die ik bij binnenkomst gesloten had, en als ik omhoogkijk naar de straat zie ik een man en een vrouw voorbijlopen. Ze lachen. Haar hakken klikken op de stoep terwijl ze haastig doorloopt, en ik moet me inhouden om mijn rammelende schuifraam niet omhoog te duwen en te roepen: 'Kom terug!'

Ik wil niet alleen zijn met Rachel Hines.

In de hal pak ik de stapel brieven en rekeningen van het tafeltje en stop ze in de enige keukenla die nog goed open wil, onder de bestekbak. Ik wil de la net dichtschuiven als mijn oog op een hoekje van een dikke crèmekleurige envelop valt en ik me herinner dat ik vanochtend mijn huis uit rende zonder de post te openen.

Die kaart die iemand me op mijn werk stuurde, met die getallen erop – die kwam ook in zo'n dikke crèmekleurige envelop met ribbels.

*Nou en? Dat hoeft toch niets te betekenen? Toeval, meer niet.*

Deze is ook geadresseerd aan Fliss Benson. En dat handschrift...

Ik scheur hem open. Er zit een kaart in met dit keer maar drie getallen, in een piepklein handschrift, onder aan de kaart: 2 1 4. Of is het tweehonderdveertien? De eerste drie getallen op de andere kaart, de kaart die Laurie in de prullenmand heeft gegooid, waren 2, 1 en 4.

De kaart is niet ondertekend, en ik kan nergens uit opmaken wie hem heeft verstuurd. Ik hou de envelop ondersteboven en schud hem. Niets. Wat betekenen die getallen? Is het een soort dreigbrief?

Moet ik nu bang zijn? Wie de afzender ook mag zijn, hij of zij weet waar ik werk, waar ik woon...

Ik maan mezelf niet zo belachelijk te doen, en dwing mezelf om de spanning uit mijn lijf te laten vloeien. Ik laat mijn schouders zakken. Ik haal een paar seconden langzaam en diep adem. Natuurlijk is het geen dreigbrief. Als ze je willen bedreigen, gebruiken ze woorden waar je wat mee kunt: *als jij X niet doet, vermoord ik je.* Bedreigingen zijn bedreigingen en getallen zijn getallen – er bestaat geen overlap.

Ik scheur de kaart met de envelop in kleine stukjes en loop ermee naar de vuilnisbak buiten en neem me voor verder geen tijd te verspillen aan deze foute grap. Als ik weer binnen ben, schenk ik een groot glas witte wijn voor mezelf in en loop dan te ijsberen, waarbij ik om de drie seconden op mijn horloge kijk, tot ik het niet meer trek. Ik pak de telefoon en bel Tamsins nummer thuis. Als hij voor de tweede keer overgaat neemt Joe op. 'Ze staat ongenadig over te geven,' zegt hij tegen me.

'Kan ik haar spreken?'

'Nou...' hij klinkt aarzelend. 'Je mag wel luisteren naar het klateren van gin in de wc-pot, als je daar trek in hebt?'

'Niets aan de hand!' schreeuwt Tamsin op de achtergrond. Ik hoor gekibbel; om precies te zijn hoor ik dat Joe het verliest. 'Let maar niet op Joseph. Hij maakt graag van een mug een olifant,' zegt Tamsin met de duidelijke articulatie van iemand die graag nuchter wil overkomen. 'En? Hoe ging het? Wat zei ze?'

'Ze is er nog niet.'

'O. Sorry. Ik ben de tijd een beetje kwijt,' zegt ze. 'Ik dacht dat het al heel laat was.'

'Dat is het ook – veel te laat om nog aan te bellen bij een wildvreemd iemand. Misschien is ze bij zinnen gekomen en heeft ze besloten toch maar niet te komen.'

'Heb je al op je telefoon gekeken of er misschien een sms'je is binnengekomen?'

'Ja. Niets.'

'Dan komt ze dus nog.'

Volgens mijn horloge is het tien voor halftwaalf. 'Maar zelfs als ze uit Twickenham moest komen, zou ze er nu allang moeten zijn.'

'Twickenham? Man, dat ligt zowat in Dorset. Die kan wel uren onderweg zijn. Wat doet ze in Twickenham?'

'Woont ze daar dan niet?'

'Nee. Voor zover ik weet woont ze in een appartement in Notting Hill, op vijf minuten afstand van haar ex-man en het huis waar ze vroeger met het gezin woonden.'

Het enige wat ik over Rachel Hines weet is dat ze veroordeeld is voor de moord op haar twee kinderen, en dat die veroordeling later is vernietigd. *Keurig, Fliss, lekker goed voorbereid zo'n gesprek ingaan.*

'Waarom heb ik hier eigenlijk ja op gezegd?' jammer ik. 'Het is jouw schuld – jij zat maar als een waanzinnige naar me te knikken alsof ik geen keuze had.' Bij het uitspreken van die woorden weet ik al dat het niet waar is. Ik heb ja gezegd omdat ik net had gehoord dat de film misschien helemaal niet meer doorging. En als dat zo was, en als Laurie naar Hammerhead vertrekt, dan heeft hij helemaal geen vat meer op Maya en Raffi. Dan kunnen die mij ontslaan: me ervoor straffen dat ik het in mijn bolle hoofd haalde een baan als Creative Director te accepteren, ook al heb ik daar zelf nooit om gevraagd, en dan kunnen ze zich mijn salaris van honderdveertigduizend pond besparen. Ik heb ja gezegd tegen Rachel Hines in de belachelijke hoop dat ik mezelf daarmee onmisbaar zou kunnen maken bij Binary Star, en dat is behoorlijk gênant, ook al geef ik dit alleen aan mezelf toe.

Betekent dit dan dat ik Lauries film wil maken? Nee. Nee, nee en nog eens nee.

'Ik laat haar niet binnen,' zeg ik, en ik weet zeker dat dit mijn beste idee ooit is.

'Je hoeft nergens bang voor te zijn,' zegt Tamsin, wat niet echt helpt.

'Jij hebt makkelijk praten. Wanneer heb jij voor het laatst midden in de nacht bezoek gehad van een moordenaar?' Ik weet niet of

Rachel Hines haar kinderen heeft vermoord – dat kan ook niet – maar het voelt beter als ik net doe of ik daar zeker van ben.

'Ze is geen moordenaar meer,' zegt Tamsin. Automatisch denk ik aan de vrouw die ik toen in de metro hoorde zeggen: *Dat die Helen Yardley al die tijd onschuldig was wil ik best geloven.* 'Zelfs voor ze in beroep ging en won, heeft mevrouw Geilow, de rechter, al gezegd dat zij van mening was dat Ray Hines geen dreiging zou vormen in de toekomst. Ze zei bijna met zoveel woorden in haar uitspraak dat hoewel op moord een levenslange gevangenisstraf staat, zij van mening was dat het niet terecht was, en ze impliceerde dat dit soort zaken niet eens thuishoort voor de strafrechter. Dat heeft nog flink wat ophef veroorzaakt in juridische kringen. God, ik voel me helemaal nuchter. Dat is jouw schuld.'

'Hoe heette die rechter?'

Tamsin slaakt een zucht. 'Lees jij ooit weleens iets anders dan de roddelbladen? Als jij die film gaat maken, zul je je toch echt moeten inlezen...'

'Ik ga die film niet maken. Ik gooi mijn voordeur op de grendel en ik ga naar bed. Morgenochtend dien ik meteen mijn ontslag in.'

'Prima, doe dat. Maar dan kom je er ook nooit achter waar Ray Hines over wilde praten.'

*Mooi zo.*

'Een van haar bezwaren tegen de film was dat ze hem met twee andere vrouwen moest delen,' zegt Tamsin. 'Nu Helen dood is en Sarah zich geeft teruggetrokken, kan Ray de hoofdpersoon worden. Haar zaak. Die is ook verreweg het interessantst, al heeft Laurie me ooit bijna gevierendeeld omdat hij me een verrader vond toen ik dat zei. Helen was altijd zijn lievelingetje.'

*Helens zaak, of Helen de vrouw?* Ik slik de vraag nog net in. Ik kan toch moeilijk jaloers zijn op een vermoorde vrouw die alle drie haar kinderen is kwijtgeraakt en die bijna een decennium lang in de bak heeft gezeten. Ook al heeft Laurie jaren in bed liggen huilen om haar, jaloezie kan niet door de beugel, tenminste, niet als ik nog met mezelf wil kunnen leven.

Ik hoor een auto stoppen. Mijn hand grijpt de telefoon steviger vast. 'Daar is ze, geloof ik. Ik moet hangen.' Ik blijf onnozel bij mijn voordeur hangen en probeer te kalmeren tot ze aanbelt. Als ik het niet langer uithou, trek ik de deur open.

Er staat een zwarte auto voor mijn deur, met de koplampen en de motor aan. Ik loop de vijf traptreden op van mijn souterrain naar de stoep, en zie dat het een Jaguar is. Aan haar stem aan de telefoon te oordelen klonk Rachel Hines als iemand die een Jaguar zou kunnen hebben. Ik vraag me af hoe dat ermee te rijmen valt dat ze drugsverslaafd is. Misschien is ze dat nu niet meer, of misschien is het wel zo'n chique junk die hopen cocaïne van een spiegeltje snuift, en niet zo'n ordinaire crackverslaafde die naalden zet in een smerig kraakpand. *Mijn hemel, kan het nog bevooroordeelder...*

Ik zet een niet-bedreigende glimlach op en loop in de richting van de auto. Dit kan zij niet zijn; dan was ze toch allang uitgestapt. Dan gaan de koplampen ineens uit en zie ik haar duidelijk zitten in de gloed van de lantaarnpaal. Ook al weet ik nauwelijks iets van haar zaak, toch komt ze me volkomen bekend voor. Ze heeft een gezicht dat iedereen kent – net als Helen Yardley – een gezicht dat zo vaak op het nieuws is geweest en in de krant heeft gestaan dat de meeste mensen in Groot-Brittannië haar wel kennen. Geen wonder dat ze niet in de pub af wilde spreken.

*Ik kan niet geloven dat ze mij überhaupt wil spreken.*

Haar gezicht is net iets te lang, en haar trekken net iets te scherp, anders was het een schoonheid. Nu is ze zo gewoontjes als alle andere mensen die op een haar na beeldschoon waren geweest. Haar dikke golvende haar trekt mijn aandacht weer naar haar gezicht, en ik vind dat ze toch eigenlijk wel mooi zou moeten zijn. Dat soort haar is meestal een omlijsting van een knap gezicht: goed geknipt, glanzend, goudblond. Ze ziet er belangrijk uit. Dat zie je aan haar ogen en aan haar houding. Totaal anders dan Helen Yardley, die zo gewoontjes was en met haar toegankelijke lievebuurvrouwglimlach ervoor zorgde dat de meeste mensen geen enkele moeite hadden in haar onschuld te geloven toen haar veroordeling eenmaal was vernietigd.

Rachel Hines doet het portier van haar Jaguar open, maar stapt nog steeds niet uit. Voorzichtig nader ik de auto. Ze klapt het portier meteen dicht. De motor loeit en de koplampen gaan weer aan, en verblinden me. 'Wat...?' begin ik, maar ze trekt al op. Als ze langs me rijdt, mindert ze vaart, en keert zich mijn kant op. Ik zie hoe ze langs mij kijkt naar het huis, en ik draai me om, om te controleren of er iemand achter me staat, ook al weet ik dat het niet zo is. *We zijn met zijn tweeën, hè?*

Tegen de tijd dat ik me weer heb teruggedraaid, is ze de straat al bijna uit. Ze voert het tempo flink op.

Wat heb ik misdaan? Mijn mobiel gaat over in mijn zak. 'Dit geloof je niet,' zeg ik, want ik neem aan dat Tamsin belt voor een update. 'Ze was hier net, een seconde of tien geleden, en nu is ze gewoon weggereden zonder iets te zeggen, zonder zelfs maar uit de auto te stappen.'

'Ik ben het, Ray. Het spijt me... van net.'

'Geeft niet,' zeg ik gepikeerd. Waarom is het eigenlijk zo onacceptabel voor een fatsoenlijk mens om te zeggen: 'Nou, je hebt dan wel je excuses aangeboden, maar wat je me net flikte kan niet door de beugel. Ik vergeef het je niet'? Waarom trek ik me iets aan van normen en waarden, als je ziet met wie ik hier te maken heb? 'Maar kan ik dan nu mijn bed in?'

'Je zult naar mij moeten komen,' zegt ze.

'*Wat?*'

'Niet nu. Ik heb je genoeg ongemak bezorgd voor vandaag. Noem maar een tijd en een datum die jou schikt.'

'Geen tijd, geen datum,' zeg ik. 'Hoor eens, vanavond in de kroeg was ik er niet helemaal bij. Als je met iemand wil praten bij Binary Star, dan bel je Maya Jacques maar en...'

'Ik heb mijn dochter niet vermoord. En mijn zoon ook niet.'

'Pardon?'

'Maar ik kan je de naam geven van degene die dat wel heeft gedaan, als je wilt: Wendy Whitehead. Hoewel het geen...'

'Ik wil niets meer horen,' zeg ik, en mijn hart gaat vreselijk tekeer.

'Ik wil dat je me met rust laat.' Ik druk mijn telefoon stevig uit. Het duurt even voor ik weer begin te ademen.

Terug in mijn appartement doe ik de deur op slot en grendel, schakel mijn mobiel helemaal uit en trek de vaste telefoon uit de muur. Vijf minuten later lig ik verstijfd en klaarwakker in bed, en spookt de naam Wendy Whitehead door mijn hoofd.

# Uit *Niets dan liefde*

door Helen Yardley en Gaynor Mundy

## 21 juli 1995

Op 21 juli kwam de politie, en ik wist meteen dat dit anders was dan al die andere keren. Het was op de dag af drie weken geleden dat Rowan overleed, en ik kon de stemming van de rechercheurs inmiddels voorspellen als geen ander. Meestal zag ik meteen aan hun gezicht of de ondervraging die dag meedogenloos of vriendelijk zou worden.

Wie altijd aardig voor me was, was inspecteur Giles Proust. Hij leek er heel ongelukkig onder als ik werd ondervraagd en hij liet het vragenstellen voor het grootste deel over aan zijn ondergeschikten. Die vroegen eindeloos door: of ik een gelukkige jeugd heb gehad? Hoe was het om de middelste in het gezin te zijn? Was ik ooit jaloers op mijn zusjes? Ben ik close met mijn ouders? Heb ik als tiener oppasbaantjes gehad? Hield ik van Morgan? Hield ik van Rowan? Was ik blij met beide zwangerschappen? Ik wilde het wel uitgillen: 'Ja, natuurlijk was ik er blij mee, potverdomme, en als jullie dat niet met je eigen ogen en oren kunnen zien dan zijn jullie het niet waard om rechercheur te heten!'

Ik had altijd de indruk dat Giles Proust de enige bij de politie was die niet alleen geloofde dat ik onschuldig was aan de moord op mijn baby's, maar die het *wist*, zoals ik het wist en zoals Paul het wist. Hij kon zien dat ik geen babymoordenaar ben, en hij begreep hoeveel ik van mijn geliefde zoontjes hield. Nu stond hij weer voor mijn deur, met een vrouw die ik niet herkende, en ik zag meteen aan zijn gezichtsuitdrukking dat dit foute boel was. 'Zeg het maar,' zei ik, want ik wilde dat het achter de rug was.

'Dit is agent Ursula Shearer van de kinderpolitie,' zei inspecteur

Proust. 'Het spijt me, Helen. Ik ben gekomen om je te arresteren voor de moorden op Morgan en Rowan Yardley. Ik kan niet anders. Het spijt me zo.'

Het speet hem absoluut oprecht. Ik kon aan zijn gezicht zien dat hij er kapot van was dat hij mij moest arresteren. Op dat moment haatte ik zijn superieuren eerder vanwege hem dan voor mezelf. Hadden ze dan helemaal niet naar hem geluisterd, alle keren dat hij hun moet hebben verteld dat ze een rouwende moeder op de hielen zaten die niets had misdaan? Ik was evenzeer het slachtoffer van de dood van de jongens als zij.

Hoe vreselijk dat moment van mijn arrestatie ook was voor mij, ik kan er nooit aan terugdenken zonder te denken aan Giles Proust en hoe vreselijk het voor hem moet zijn geweest. Hij voelde zich vast even hulpeloos als ik, niet bij machte om de mensen die het voor het zeggen hadden de waarheid te laten zien en horen. Paul had me vele keren op het hart gedrukt dat ik er niet van uit moest gaan dat iemand van de officiële instanties aan mijn kant zou staan. Hij was bang dat ik zo naïef was om mezelf een rad voor ogen te draaien, en dat ik daarmee in de toekomst alleen nog maar meer pijn zou hebben. 'Hoe redelijk Proust ook lijkt, hij is wel een politieman, vergeet dat niet,' zei hij dan. 'Dat medeleven van hem kan best tactiek zijn. We moeten ervan uitgaan dat ze allemaal tegen ons zijn.'

Hoewel ik het niet met Paul eens was, begreep ik zijn houding wel. Voor hem was dit een manier om sterk te blijven. Eerst vertrouwde hij er zelfs niet op dat onze families, onze ouders, broers en zusters, aan onze kant zouden staan. 'Ze zeggen dat ze zeker weten dat jij het niet hebt gedaan,' zei hij altijd. 'Maar hoe weten we nou dat ze dat niet zeggen omdat dat van hen verwacht wordt? Stel dat een van hen twijfels heeft?' Tot op de dag van vandaag ben ik ervan overtuigd dat geen van mijn familieleden noch Paul ooit heeft geloofd dat ik schuldig was. Ze hadden me allemaal met Morgan en Rowan gezien en ze hebben gezien hoe hartstochtelijk veel ik van hen hield.

Paul zou niets ten laste worden gelegd, werd ons verteld, maar hij mocht wel met me mee in de politiewagen, en dat was een hele troost. Hij zat aan de ene kant, en inspecteur Proust aan de andere. Agent Shearer reed ons naar het bureau in Spilling. Ik snikte het uit terwijl ik werd afgevoerd uit mijn geliefde huis waar ik zo gelukkig ben geweest – eerst met Paul, toen met Paul en Morgan, en toen weer toen Rowan kwam. Zo veel schitterende herinneringen! Hoe konden ze mij dit aandoen na al het leed dat ik al had doorgemaakt? Ik ben heel even verteerd geweest door haat voor alles en iedereen. Ik had het niet op met een wereld die een mens zo veel ellende aan kon doen. Toen voelde ik een arm om mijn schouders en inspecteur Proust zei: 'Helen, luister goed. Ik weet dat jij Morgan en Rowan niet hebt vermoord. Het ziet er nu niet best voor je uit, maar de waarheid zal aan het licht komen. Als ik de waarheid kan zien, dan zullen anderen hem ook zien. Iedere dwaas kan zien dat jij een goede, liefhebbende moeder bent.'

Agent Shearer mompelde iets sarcastisch, waar ik uit opmaakte dat zij afkeurde wat inspecteur Proust tegen me zei. Misschien dacht zij wel dat ik schuldig was, of dat inspecteur Proust een of ander protocol schond door te zeggen wat hij had gezegd, maar dat kon me niet schelen. Paul glimlachte. 'Dank u,' zei hij. 'Het betekent veel voor ons dat u ons steunt. Toch, Helen?'

Ik knikte. Agent Shearer maakte heel zachtjes nog een valse opmerking. Inspecteur Proust had het daarbij kunnen laten, nu hij zijn punt duidelijk had gemaakt, maar in plaats daarvan zei hij: 'Als dit tot een rechtszaak komt, wat ik ten zeerste betwijfel, zal ik als getuige worden opgeroepen. Als ik dan uit de getuigenbank stap zal de jury even overtuigd zijn van jouw onschuld als ik.'

'Waar bent u in godsnaam mee bezig?' viel agent Shearer uit. Paul en ik krompen ineen op de achterbank, zeer geschrokken van haar felle toon, maar inspecteur Giles Proust leek niet erg aangedaan.

'Ik doe wat goed is,' zei hij. 'Iemand moet het doen.'

Ik merkte dat ik was opgehouden met huilen. Er kwam een golf over me heen die ik alleen kan omschrijven als diepe vrede, en ik maakte me niet langer obsessief zorgen over wat er met me zou gebeuren. Het was heel magisch: ik was niet meer bang. Of Giles Proust nu wel of niet gelijk had over mijn kansen in de rechtbank, of over wat een hypothetische jury zou denken, het deed er niet toe. Het enige wat ertoe deed was dat ik uit het raam van de politiewagen keek en de brievenbussen en bomen en winkels aan me voorbij zag trekken en ik hield weer van de wereld die ik nog maar een paar seconden geleden zo haatte. Ik voelde me deel uitmaken van iets goeds, iets heels, iets lichts, iets waar ook Paul en Giles Proust en Morgan en Rowan toe behoorden. Het is heel moeilijk om het gevoel in woorden uit te drukken, omdat het zoveel intenser is dan woorden.

Ik wist niet, toen we die dag naar het politiebureau reden, hoe erg het allemaal zou worden voor Paul en mij, en hoeveel kwellingen er nog op ons pad zouden komen. Maar terwijl het lot ons de ene na de andere slag toebracht, en zelfs als ik heel erg aangeslagen was en er geen enkele hoop op respijt meer leek te zijn, heeft dat vredige gevoel dat ik voelde in die politiewagen op de dag van mijn arrestatie mij nooit meer verlaten, ook al waren er tijden dat ik echt moest worstelen om het in mezelf naar boven te halen. Het is dezelfde positieve energie die me altijd heeft gestimuleerd bij het werk dat ik heb gedaan voor vrouwen die in een soortgelijke situatie als ik verkeren en het is de stuwende kracht achter mijn bijdrage aan GOOV. Inspecteur Proust leerde mij die dag een waardevolle les: dat je altijd, en heel gemakkelijk, iemand hoop en vertrouwen kunt schenken, zelfs in tijden van de allerdiepste wanhoop.

## 12 september 1996

Het contactcentrum was een afschuwelijk, zielloos gebouw, een lelijke, grauwe betonnen schuur die er verloren en verdwaald uitzag te midden van de enorme, overwegend lege parkeerplaats. Ik haatte het meteen al. Er waren niet genoeg ramen, en de ramen die er wel waren, leken te klein. Ik zei tegen Paul: 'Dat gebouw bewaart zo te zien heel wat onaangename geheimen.' Hij wist precies wat ik bedoelde. Ik huiverde, en zei: 'Ik kan het niet. Ik kan het gewoon niet. Ik kan daar niet naar binnen.' Hij zei dat ik wel moest, omdat Paige daarbinnen was.

En ik wilde niets liever dan haar zien, maar ik was bang voor de vreugde die ik zou voelen als we bij elkaar waren, want ik wist dat het iets was dat de maatschappelijk werkers van ons af zouden kunnen pakken. Als ik hier elke doordeweekse dag twee uur lang zou komen, wat de deal was die Ned en Gillian voor me hadden gesloten, dan hield dat in dat ik zou moeten verdragen dat de een of andere vage medewerker van Jeugdzorg Paige vijfmaal per week bij me weg zou halen tot aan mijn rechtszaak, en wie weet wat er daarna gebeurde? Zelfs als ik zou worden vrijgesproken, zoals Giles Proust mij bleef verzekeren, dan nog zouden Paul en ik Paige misschien niet mogen houden. Ned had me uitgelegd wat het verschil was tussen de bewijslast in een strafzaak, waar moest worden vastgesteld dat men zonder gerede twijfel schuldig is, en zaken waarin de rechtbank achter gesloten deuren en onder een sluier van geheimzinnigheid ouders van hun kinderen berooft. Bij de familierechter hoeft de rechter alleen maar te besluiten dat het kind beter af is zonder zijn of haar ouders *op basis van zijn inschatting*, wat inhoudt dat niemand iets hoeft te bewijzen. Er hoeft alleen maar iemand te zijn die mij niet kent die beslist dat ik *waarschijnlijk* een moordenaar ben, en ik raak mijn dochter kwijt. 'Ik heb van mijn leven nog niet zoiets wreeds en onrechtvaardigs gehoord,' zei ik tegen Ned. 'Het zou ondraaglijk zijn om Paige kwijt te raken, en wat gebeurt er als ik naar de gevangenis moet, en Paul zowel mij als haar verliest?' Ned keek me recht in het gezicht en zei: 'Ik zal niet tegen je liegen, Helen. Dat kan gebeuren.'

'Breng me naar huis,' zei ik tegen Paul toen we op het parkeerterrein bij het contactcentrum stonden. 'Ik heb al drie verschrikkelijke verliezen doorgemaakt, en nog eentje kan ik niet aan.' Zo voelde ik mij werkelijk. Paige was springlevend, maar ik was haar kwijtgeraakt toen men haar uit mijn arm rukte, nog geen uur na haar geboorte, en ze door Jeugdzorg werd meegenomen. 'Ik kan mijn dochter deze week niet nog eens elke dag weer verliezen, en volgende week, en god weet hoelang nog. Dat laat ik hen mij niet aandoen, en haar ook niet.' Tot dan toe was ik steeds timide en meegaand geweest, en dat had me niets opgeleverd. Laat ze maar zien waar ze precies mee bezig zijn, dacht ik: een baby haar moeder onthouden. Waarom zou ik op komen draven en die lui van Jeugdzorg een goed gevoel over zichzelf bezorgen dat ze mij contact met mijn eigen dochter 'toestaan'? Ze verscheurden wat er nog over was van mijn gezinnetje, en dat wilde ik hun duidelijk maken.

De rit terug naar Bengeo Street was de ellendigste reis van mijn leven. Paul en ik wisselden geen woord. Thuis zetten we een pot hete, sterke thee. 'Jij moet weer terug,' zei ik tegen hem. 'Jij moet zorgen dat je Paige houdt, wat er verder ook met mij gebeurt. Je zult moeten liegen, maar die prijs is het wel waard.' Paul vroeg me wat ik daarmee bedoelde, en ik legde het hem haarfijn uit. 'Jij moet net doen of je aan mij twijfelt. Doe alsof je even bezorgd bent als de maatschappelijk werkers die mij liever niet alleen laten met Paige. Overtuig hen ervan dat jij ervoor zult zorgen dat ze nooit met mij alleen gelaten wordt, als jij haar mag houden.'

Ik kan niet zeggen hoe verschrikkelijk ik het vond om dit tegen Paul te moeten zeggen. Hij was mijn steun en toeverlaat en hij was standvastig achter mij blijven staan tijdens mijn kwelling. Zijn loyaliteit was wat me op de been hield, en nu vroeg ik hem om te doen alsof hij een mindere man was dan hij in werkelijkheid was – een ontrouwe echtgenoot in plaats van zo'n ontzettend dappere man. Maar ik wist dat dit het juiste was. Het enige wat er nu nog toe deed was ervoor zorgen dat die kinderrovers van Jeugdzorg onze geliefde Paige niet aan een ander gezin zouden geven.

Toen ik eerst Morgan en daarna Rowan verloor, dacht ik dat me niets ergers kon gebeuren. Maar Paige op deze manier verliezen was erger, omdat hier iemand schuldig aan was. Ik zou kapotgaan van dat onrecht, en ik was bang dat Paul er uiteindelijk aan zou sterven, hoe melodramatisch dat ook mag klinken.

'Alsjeblieft,' smeekte ik hem. 'Rij weer terug en ga naar Paige. Bel ze nu op om te zeggen dat je eraan komt.'

'Nee,' zei hij eenvoudig. 'Ik ga tegen niemand liegen, en jij doet dat ook niet. Dan zouden wij even slecht zijn als zij. We bestrijden het kwaad met het goede, en de leugens met de waarheid, en we gaan winnen. Inspecteur Proust zei dat we zouden winnen, en ik geloof hem.'

'Ned en Gillian zeiden dat we misschien niet zouden winnen,' bracht ik hem in herinnering, mijn ogen vol met tranen. 'En zelfs als ik strafrechtelijk onschuldig word verklaard, is de familierechtelijke zaak een heel ander verhaal.'

'Hou je mond!' schreeuwde Paul. 'Ik wil er niets van horen.' Dit was de eerste keer sinds ons leven door deze tragedies was geraakt dat hij zijn stem tegen mij verhief en ik moet tot mijn schaamte bekennen dat ik de gelegenheid aangreep om zelf uiting te geven aan een deel van de wanhoop die in mij groeide. We stonden nog tegen elkaar te schreeuwen toen tien minuten later werd aangebeld.

Ik stortte me in de armen van Giles Proust en de arme man moet volkomen geschokt zijn geweest toen ik tegen hem krijste dat hij me moest helpen om Paul weer bij zinnen te krijgen. 'Jij bent degene die weer bij zinnen moet komen, Helen, en snel ook,' zei hij ernstig. 'Waarom ben je niet naar het contactcentrum gegaan? Je had daar allang moeten zijn, maar ik kreeg een telefoontje dat je niet bent komen opdagen.' Ik deed mijn best om hem uit te leggen wat daarvoor mijn redenen waren. 'Luister goed, Helen,' zei hij. 'Hoe zwaar het ook is, jij moet zo veel mogelijk tijd doorbrengen met Paige. Je mag niet één bezoek missen, anders zullen ze dat tegen je gebruiken. Ik begrijp waar jij bang voor bent, maar wil je dan echt dat je grootste angst bewaarheid wordt doordat jij hun zelf de munitie aanreikt? Hoe denk je dat het overkomt als je niet eens komt opdagen tijdens de luttele uren die je met Paige mag doorbrengen?'

'Luister alsjeblieft naar hem, Hel,' zei Paul zachtjes. 'We weten niet wat er gaat gebeuren, maar zo weten we in elk geval dat we er alles aan gedaan hebben – dat we niet hebben gelogen en dat we altijd zijn blijven vechten. Over tien of twintig jaar, wat ook onze omstandigheden zijn op dat moment, kunnen we daarop terugkijken en dan kunnen we trots zijn op onszelf.'

Hoe kon ik weerstand bieden aan die twee nu zij de handen ineen hadden geslagen? Ze waren zo wijs en zo trouw en zo sterk, en ik voelde me zo onwaardig, als een grote lafaard en een nietsnut.

Giles Proust reed met Paul en mij terug naar het contactcentrum. We hadden het grootste deel van de ons toebedeelde tijd met Paige verknoeid, maar we hadden nog een halfuur over. Degene die toezicht hield leek twaalf jaar oud. Ik zal haar naam nooit vergeten: Leah Gould. 'Wat een spook,' zei ik later tegen Paul. Ze weigerde om in de gang te wachten en bleef door het raam naar ons staan kijken, ook al ging inspecteur Proust bijna op zijn knieën om te smeken ons tenminste een klein beetje privacy te gunnen. Ze stond erop om bij ons in dat afschuwelijk kleine hok met die te fel beschilderde muren te blijven waar het stonk naar de ellende van talloze gezinnen die gedwongen van elkaar gescheiden waren door glimlachende overheidsbeulen – tenminste, zo heb ik dat toen ervaren.

Toen Leah Gould Paige in mijn armen legde, verdween mijn verdriet, althans voor even. Een klein baby'tje is zo'n bundeltje vol hoop en vreugde dat het je niet onberoerd kan laten en ik werd overspoeld door een golf van liefde voor mijn prachtige dochter. Paul en ik overstelpten Paige met knuffels en kusjes. Het gezichtje van het arme kind was binnen een paar minuten kletsnat van ons geslobber! Niemand zal haar van ons afpakken, dacht ik, dat zou te gek zijn, als je weet hoeveel we van haar houden en hoe overduidelijk dat moet zijn, zelfs voor iemand die zo weinig emoties kent en die zo'n uitgestreken tronie heeft als Leah Gould. Op dat moment had ik er het volste vertrouwen in dat de gezagsdragers voor rede vatbaar waren en dat ze Paul, Paige en mij een toekomst samen zouden gunnen.

Ik weet niet meer wat er daarna gebeurde, maar ik weet wel dat het een van de vreemdste moment van mijn leven was. Ineens stond Leah Gould naast me en zei: 'Helen, geef de baby nu aan mij.

Geef Paige alsjeblieft terug. Nu, graag.' Helemaal in de war deed ik wat er van me gevraagd werd. De tijd was toch zeker nog lang niet voorbij? We waren pas een paar minuten in die kamer. Aan Paul en inspecteur Proust kon ik zien dat zij het ook niet snapten.

Leah Gould rende zowat de kamer uit met Paige in haar armen. 'Wat heb ik gedaan?' vroeg ik, en ik barstte in tranen uit. Noch Paul noch Giles Proust kon die vraag beantwoorden. Ik keek op mijn horloge. Ik had in totaal acht minuten met mijn dochter doorgebracht.

Deze episode viel pas te verklaren toen ik enige tijd later van Ned hoorde dat Leah Gould zou getuigen tijdens mijn proces, en dat zij zou zeggen dat ik voor haar ogen had geprobeerd om Paige te smoren terwijl ik haar zogenaamd knuffelde. Ik herinner me dat ik in de lach schoot toen ik dat nieuws hoorde. 'Laat haar toch zeggen wat ze wil,' zei ik tegen Ned en Gillian. 'Paul en Giles Proust waren erbij. Geen jury zal geloven dat zij allebei niet gezien zouden hebben dat er onder hun neus een poging tot moord plaatsvond! Ik bedoel, een van hen is nota bene inspecteur van politie!'

Misschien was ik naïef. Misschien, als Leah Goulds getuigenis het enige zogenaamde 'bewijs' was dat de aanklager had, zou ik wel vrij zijn gekomen, en zouden Paul en ik ons kind hebben mogen houden. Maar wat ik toen niet wist, was dat Leah Goulds volkomen ongegronde leugen griezelig overtuigend zou klinken naast de verklaring van een getuige-deskundige die veel volwassener en welbespraakter was en die in hoger aanzien stond, iemand die de jury zeer serieus zou nemen. Het is nauwelijks te geloven, nu ik erop terugkijk, dat er een tijd was dat ik nog nooit had gehoord van dr. Judith Duffy, de vrouw die de hoofdrol zou spelen in de verwoesting van de rest van mijn leven.

# 4

## 08/10/2009

Het eerste wat hem irriteerde was Charlie die de keuken in kwam. *Haar keuken.* Simon woonde sinds een halfjaar bij haar. Meestal vond hij dat wel zo prettig, maar de uitzonderingen op deze regel kwamen zo vaak voor dat hij zeker wist dat hij er nog niet aan toe was om zijn eigen huis te koop te zetten. Het tweede wat hem irriteerde was Charlies gegeeuw. Iemand die een aantal uren had kunnen slapen had het recht niet te gapen. 'Waarom heb je me niet wakker gemaakt toen jij opstond?' vroeg ze. 'Jij bent mijn wekker.'

'Ik ben niet opgestaan. Ik ben helemaal niet naar bed geweest.'

Hij voelde dat ze hem aanstaarde, en toen naar het boek keek dat voor hem op tafel lag. 'Ah, je huiswerk: Helen Yardley's tranentrekker. Waar zijn alle gele plakkertjes van Proust?'

Simon gaf geen antwoord. Hij had haar gisteravond al verteld dat hij nog liever zijn eigen kop eraf zou hakken dan dat hij het exemplaar las dat hij van Proust had gekregen. Was dat bij alle vrouwen zo, dat je twintig keer dezelfde vraag moest beantwoorden? Simons moeder was precies zo bij zijn vader; en allebei zijn oma's ook bij zijn opa's. Wat een deprimerende gedachte.

'Dat is toch zeker niet het boek dat je gisteren bij Amazon hebt besteld...'

'Word,' zei hij abrupt. Een antwoord van één woord. Word on the Street was een onafhankelijke boekhandel in de stad die een stuk minder hip was dan de naam deed voorkomen. De etalage werd in beslag genomen door boeken over de plaatselijke geschiedenis, tuinieren en koken. Simon vond het een fijne winkel omdat er geen koffieafdeling in zat; hij was ertegen dat boekwinkels ook koffie en taart verkochten.

'Daar was gisteravond een of andere bijeenkomst. Dus op weg naar huis ben ik daar op goed geluk even naar binnen gelopen, en ze hadden het boek, dus ik dacht, dan kan ik het net zo goed kopen en het vannacht lezen. Wel zo snel.' Simon was zich ervan bewust dat hij met zijn rechterhak op de keukenvloer tikte. Hij dwong zichzelf om hem stil te houden.

'Aha,' zei Charlie luchtig. 'Dus als dat van Amazon komt, heb je drie exemplaren. Of heb je dat van de Sneeuwman op het werk door de papierversnipperaar gehaald?'

Dat had hij gedaan als hij er zeker van kon zijn dat Proust hem daarbij niet op heterdaad zou betrappen.

'Als je het nog hebt, zou ik er graag even naar kijken.'

Simon knikte naar de tafel. 'Als je het wil lezen, daar ligt het.'

'Ik wil juist zien welke stukken Proust speciaal voor jou had gemarkeerd. Dat hij dat heeft gedaan, ongelofelijk! Het ego van die man kent geen grenzen.'

'Die stukken over hem,' zei Simon zachtjes. 'Alsof dat de enige stukken in dit verhaal zijn die van belang zijn. Ze dacht dat hij een combinatie was van Martin Luther King, de Dalai Lama en de Here Jezus.'

'Wat?' Charlie pakte *Niets dan liefde* op. 'Je bedoelt waarschijnlijk het tegenovergestelde?'

'Nee. Ze had hem heel hoog zitten.'

'Dan is ze dus in elk geval schuldig aan gebrekkig inzicht in mensen. Denk jij dat ze haar kinderen heeft vermoord?'

'Hoezo, omdat ze zo vol is van Proust?'

'Nee, omdat ze de gevangenis in moest om die reden,' zei Charlie overdreven geduldig.

'Ik moet op mijn hoede zijn voor mensen zoals jij. De Sneeuwman wil namen. De namen van verraders.'

Charlie vulde de waterkoker. 'Mag ik iets zeggen en beloof jij dan dat je het niet verkeerd opvat? Als ik meteen een kopje thee voor je zet?'

'Zeg maar wat je te zeggen hebt, dan vat ik het op zoals ik het opvat.'

'Een hele geruststelling. Ik voel me meteen een stuk beter. Nou goed: dit begint een gevaarlijke obsessie te worden. Of liever gezegd, dat is het al.'

Simon keek verbaasd op. 'Hoezo, omdat ik de hele nacht opblijf? Ik kon niet slapen. Helen Yardley is niet belangrijker dan welke andere...'

'Ik heb het over Proust,' zei Charlie voorzichtig. 'Jouw haat voor hem is een obsessie. De enige reden waarom jij de hele nacht bent opgebleven en dat boek hebt gelezen, is omdat je wist dat er dingen over hem in stonden.'

Simon keek weg. Lachwekkend was het, het idee dat hij door een andere vent geobsedeerd zou zijn. 'Ik heb nog nooit een moordslachtoffer bij de hand gehad dat zelf een boek heeft geschreven,' zei hij. 'En hoe sneller ik het heb gelezen, des te sneller weet ik of er iets in staat waar ik wat aan heb.'

'Waarom lees je dan niet gewoon het exemplaar dat Proust je heeft gegeven? Nee, jij gaat naar Word – wat helemaal niet op weg naar huis ligt, dus je kwam er niet toevallig voorbij. Dus je bent een heel eind omgereden naar een boekwinkel die misschien niet eens open was gisteravond, en die dat boek misschien niet eens op voorraad had...'

'Maar hij was wel open en ze hadden het boek wel.' Simon duwde haar opzij en liep de gang in. 'Laat die thee maar zitten. Ik moet me wassen en naar mijn werk. Ik heb geen tijd om te kletsen over dingen die nooit zijn gebeurd.'

'En als Word nou dicht was geweest?' riep Charlie langs de trap omhoog. Nog meer van die zinloze hypothetische situaties. 'Was je dan teruggegaan naar het bureau om alsnog het exemplaar te halen dat je van Proust hebt gekregen?'

Hij negeerde haar. In zijn wereld liet je het erbij als je van een afstand een vraag schreeuwde en door de ander werd genegeerd. In Charlies wereld lag dat anders. Hij hoorde haar voetstappen op de trap.

'Als je je er niet toe kunt zetten om een boek te lezen dat je moet lezen alleen maar omdat hij het je heeft gegeven, is er iets goed mis.'

'Zij had hem hoog zitten,' herhaalde Simon, en hij staarde naar zijn uitgeputte gezicht in de scheerspiegel die Charlie voor hem had gekocht en die scheef aan de muur van de badkamer hing.

'Nou en?'

Ze had gelijk. Als hij het niet acceptabel vond dat een dode vrouw een mening had die hij niet deelde, dan was hij even erg als Proust en hard op weg naar de tirannie. 'Iedereen zal wel recht hebben op zijn eigen mening,' zei hij uiteindelijk. Misschien had de Dalai Lama ook wel collega's die hem een arrogante zak vonden. Hadden mensen in oranje jurken eigenlijk collega's? En zo ja, hoe noemden ze die dan?

'Welk percentage van je tijd gaat op aan jouw haat voor hem?' vroeg Charlie. 'Tachtig, negentig procent? Is het niet erg genoeg dat je met hem moet werken? Ga je hem nu ook nog je hele denkwereld laten overnemen?'

'Nee, dat laat ik aan jou over. Ben je nou blij?'

'Wel als je dat echt zou menen. Dan zou ik onmiddellijk aan de telefoon hangen en dat vijfsterrenhotel in Maleisië boeken.'

'Begin nou niet weer met dat gezeik over een huwelijksreis. We waren het eens.' Simon wist dat dat niet eerlijk was. Omdat er wat hem betrof niet over te onderhandelen viel, had hij Charlie geen medezeggenschap gegeven in die zaak, om daarna steeds net te doen of het een gezamenlijke beslissing was.

Wat had de Sneeuwman ook weer gezegd? *Ik weet dat ik op je kan rekenen.*

Simon was als de dood voor hun huwelijksreis. Het was pas in juli, en dat was dus pas over negen maanden, maar het kwam niettemin steeds dichterbij. Hij was bang dat hij het dan niet kon, en dat ze van hem zou walgen. De enige manier om daar niet zo bang voor te zijn was om voor die tijd te onthullen hoe het zat met zijn gebrek.

Hij poetste zijn tanden, gooide een plens koud water in zijn gezicht en liep weer naar beneden.

'Simon?'

'Wat?'

'Die moord op Helen Yardley gaat om Helen Yardley, en niet om Proust,' zei Charlie. 'Als je de verkeerde vraag stelt, vind je nooit het juiste antwoord.'

Proust stond op uit zijn stoel om de deur te openen voor Simon – iets wat hij nog nooit had gedaan. 'Ja, Waterhouse?'

'Ik heb het boek gelezen.' *En daarom ben ik hier, om jou nog een keer de kans te geven redelijk te zijn in plaats van een klacht tegen je in te dienen bij Personeelszaken.* Alleen gaf hij hem niet echt een kans. Simon kon niet volhouden dat hij het uit de goedheid van zijn hart deed. Hij wilde alleen bewijzen dat Helen Yardley het bij het verkeerde eind had. Het was krankzinnig; en gênant. Hij kende Proust immers goed genoeg na al die jaren dat hij met hem werkte?

'Jammer dat je Helen Yardley nooit hebt ontmoet, Waterhouse. Je had veel van haar kunnen leren. Ze haalde het beste naar boven in andere mensen.'

'En wat deed ze ermee zodra ze het naar boven had gehaald?' vroeg Simon. 'Het ergens begraven en overal hints achterlaten?' Hij kon zelf niet geloven dat hij dat had gezegd, en dat hij niet eens de kamer uit werd gegooid.

'Wat heb je daar?' Proust knikte naar het stuk papier in Simons hand. Smoorde hij zijn woede omdat hij Simon niet wilde laten merken dat hij hem had geraakt?

'Ik denk dat we een invalshoek missen, meneer. Ik heb een lijst van namen opgesteld. Volgens mij moeten we met ze praten. Iedereen die er belang bij had dat Helen Yardley schuldig werd bevonden, en mensen die...'

'Ze was niet schuldig.'

'Er zijn mensen die zich vastklampen aan de gedachte dat ze onschuldig was,' zei Simon neutraal, 'en mensen die zich moeten vastklampen aan de gedachte dat ze het gedaan had omdat ze anders niet met zichzelf konden leven: de elf juryleden die schuldig hadden gestemd, de openbare aanklagers, de maatschappelijk werkers die...'

'Dr. Judith Duffy,' las de Sneeuwman hardop, nadat hij het papier uit Simons hand had gegrist. 'Zelfs in mijn beroep heb ik weinig mensen ontmoet die ik als door en door slecht zou willen omschrijven, maar dan mens...' Hij fronste. 'Wie zijn al die anderen. Ik herken er maar een paar: de Brownlees, rechter Wilson... Waterhouse, je wil toch zeker niet suggereren dat Helen Yardley door een lid van het hooggerechtshof is vermoord?

'Nee, meneer, natuurlijk niet. Ik heb hem op de lijst gezet voor de volledigheid.'

'Het lijkt wel een telefoonboek, zo compleet.'

'Rechter Wilson heeft er een rol in gespeeld dat Helen Yardley in de gevangenis terecht is gekomen. Net als de elf juryleden die ook op de lijst staan. Het zou kunnen dat een van hen het slecht kon verkroppen dat haar veroordeling uiteindelijk is vernietigd. Dus ik dacht... enfin, misschien heeft iemand het wel echt heel slecht kunnen zetten.' Simon wilde het woord 'eigenrichting' niet in de mond nemen. 'Daarom staan ook Sarah Jaggard en Rachel Hines op de lijst. De kans is groot dat iemand die vindt dat Helen Yardley aan haar terechte straf is ontsnapt dat ook van Jaggard en Hines zal vinden. We moeten met hen allebei praten, en erachter komen of iemand hen heeft lastiggevallen, of ze zijn bedreigd, of iets ongebruikelijks hebben opgemerkt.'

'Wat wil je nou, Waterhouse? Is dit een lijst met mensen die er belang bij hebben dat Helen Yardley schuldig was, of is dit iets heel anders?' Proust hield het papier tussen duim en wijsvinger, alsof het hem pijn deed om het vast te houden. 'Want het lijkt mij dat Sarah Jaggard en Rachel Hines er juist belang bij hebben dat ze *niet* schuldig is, aangezien zij zelf slachtoffer waren van eenzelfde rechterlijke dwaling, en Helen actie heeft gevoerd voor hen.'

*Helen. Helen en haar vriend Giles.*

'Sarah Jaggard werd vrijgesproken,' zei Simon.

Proust keek hem woedend aan. 'Vind jij het dan geen rechterlijke dwaling als jij wordt beschuldigd van moord als je alleen maar naar eer en geweten op het kind van een vriendin hebt gepast? Dan heb ik medelijden met jou.'

Voor zover Simon wist, had de Sneeuwman Sarah Jaggard nog nooit ontmoet. Strekte zijn woede namens Helen Yardley zich automatisch uit tot alle vrouwen die van eenzelfde soort misdaad werden beschuldigd? Of wist Helen Yardley zo zeker dat Jaggard onschuldig was dat ze hem daarvan had overtuigd? Als Proust nu een beetje toegankelijk was geweest zou Simon hem die vragen hebben gesteld. 'U hebt gelijk: niet alle mensen op die lijst hebben belang bij Helen Yardley. Het zijn wel allemaal mensen met wie we moeten praten.'

'Rechter Geilow heeft Rachel Hines veroordeeld tot tweemaal levenslang voor moord,' zei Proust. 'Ze heeft niets te maken met Helen Yardley. Waarom staat ze op de lijst?'

'U zei het zelf al: de overeenkomsten tussen de zaak van Yardley en die van Hines zijn opmerkelijk. Een obsessie kan besmettelijk zijn. Het is natuurlijk niet waarschijnlijk dat rechter Geilow Helen Yardley heeft doodgeschoten, maar...'

'Dat zij de moord heeft gepleegd is nog veel onwaarschijnlijker dan dat rechter Wilson dat heeft gedaan, als zoiets al kan,' zei Proust ongeduldig.

'Ik heb ook de namen opgeschreven van de twaalf juryleden die Rachel Hines schuldig hebben verklaard,' zei Simon. 'En in tegenstelling tot de rechters van het hooggerechtshof kan iedereen jurylid worden. Kan het niet zijn dat één van de elf die Helen Yardley naar de gevangenis stuurden in die negen jaar dat ze daar heeft gezeten zichzelf is gaan zien als een soort held, iemand die een kindermoordenaar achter de tralies heeft helpen stoppen, en dat die het toen niet trok dat ze uiteindelijk toch onschuldig werd verklaard? Negen jaar, meneer.' Simon gunde het zichzelf te praten alsof iemand ook daadwerkelijk luisterde. 'Denkt u zich eens in hoe moeilijk het moet zijn om je verhaal na al die tijd om te moeten gooien, het verhaal dat je al zo lang ophangt tegen iedereen, en het beeld van jezelf en van wat je hebt gedaan. Na negen jaar is dat een heel belangrijk onderdeel van je zelfbeeld geworden. Ik noem het alleen als mogelijkheid, meer niet,' voegde hij er voorzichtigheidshalve aan toe.

Proust slaakte een zucht. 'Ik weet dat ik deze vraag zal berouwen, maar waarom staan de juryleden van Rachel Hines ook op de lijst? Denk je dat een van hen Helen Yardley kan hebben doodgeschoten? Is het niet veel logischer dat die Rachel Hines zouden neerschieten, als we jouw logica aanhouden?'

Simon zei niets.

'Ik zie al wat je denkt, Waterhouse – ik heb altijd al je gedachten kunnen lezen. Zal ik het je zeggen? Deze geobsedeerde moordenaar, als die in de jury van Hines zat, heeft misschien Helen Yardley neergeschoten omdat zij zo'n cruciale rol speelde in de vrijlating van Rachel Hines. Of misschien strekte zijn wraakgierige obsessie zich wel uit naar alle drie de vrouwen en is hij van plan hen allemaal af te straffen, net als de rechters die de uitspraken hebben vernietigd. Misschien is onze moordenaar wel een jurylid uit de zaak Hines die niet met haar wil beginnen, omdat dat meteen zo opvalt. Nou, hoe breng ik het ervan af?'

Simon voelde hoe zijn gezicht warm werd. 'Ik denk dat we die kaart met zestien getallen die we op het lichaam van Helen Yardley aantroffen aan alle mensen van de lijst moeten laten zien en vragen of het hun iets zegt,' antwoordde hij. 'Dit is niet een gewone of-ofzaak zoals anders: een onbekende moordenaar of iemand die dicht bij het slachtoffer stond. De meeste mensen op deze lijst kenden Helen Yardley niet persoonlijk, maar het zijn ook weer geen willekeurige vreemden. Ze betekenden even veel in haar leven als zij in dat van hen.'

'Laurie Nattrass.' Proust prikte met zijn vinger op de lijst. 'Hij is al verhoord en er is bij hem sporenonderzoek verricht. Je bent anders nooit zo slordig, Waterhouse. Geobsedeerd en niet goed snik, dat wel, maar nooit slordig.'

'Ik zou zelf graag nog eens met Nattrass praten. Ik wil hem graag naar die zestien getallen vragen, en of iemand met wie hij via GOOV in contact is gekomen hem weleens heeft bedreigd of zich vreemd heeft gedragen, of hij zich de laatste tijd weleens ongemakkelijk heeft gevoeld.'

'Hoe bedoel je, man?' Proust duwde zijn stoel weg bij zijn bureau.

'Of hij soms op een bobbelige chaise longue heeft moeten zitten? Of hij een steenpuist op zijn kont had?'

Simon hield vol en knipperde niet eens met zijn ogen om het aanzwellende volume. 'Die getallen betekenen iets,' zei hij. 'Ik ben geen profiler met inzicht in psychologie, maar ik weet wel zeker dat ze betekenen dat de moordenaar nog een keer gaat toeslaan.'

'Ik waarschuw je, Waterhouse...'

'En de volgende keer laat hij weer zo'n kaart achter – met dezelfde getallen of misschien met iets anders erop. Hoe dan ook, het heeft een bepaalde betekenis. Helen Yardley en Laurie Nattrass stonden voor dezelfde dingen, wat veel mensen betreft. Het zou kunnen dat wie haar heeft vermoord zijn pijlen nu op hem gaat richten. Dus als ik Nattrass, Sarah Jaggard en Rachel Hines nou eens ondervraag. Als zij ons geen van drieën verder kunnen helpen en als ze niet zijn lastiggevallen de laatste tijd, en als de zestien getallen hun niets zeggen, dan vergeten we de rest van de namen op mijn lijst en richten we ons op de theorie van de onbekende moordenaar.'

'En als Sarah Jaggard toevallig verleden week is uitgescholden op straat door een of ander breezerdrinkend stuk schorriemorrie, wat dan?' blafte Proust. 'Gaan we dan ook Geilow en Wilson aan sporenonderzoek onderwerpen? Wat is het verband? Wat is de logica?'

'Meneer, ik probeer redelijk te zijn.'

'Nou, dan moet je harder je best doen, Waterhouse!' De hand van de inspecteur schoot uit alsof hij iets wilde pakken. Hij maakte een vuist en bleef even stokstijf staan staren. *Hij is weg, eikel.* Zelfs de Sneeuwman kon niet twee keer dezelfde beker stukgooien.

'Er staat maar één persoon op deze lijst voor wie die obsessietheorie zou kunnen opgaan,' zei Proust overdreven vermoeid. 'Judith Duffy. Die heeft er haar levenswerk van gemaakt om de levens van onschuldige vrouwen te vernietigen. Dat riekt wel naar een bepaalde mate van obsessie, en... gebrek aan realiteitszin waar we misschien even bij moeten stilstaan, hoe hoog ze ook in aanzien staat, of stond, professioneel gezien. Dus we moeten er prioriteit aan geven om haar in elk geval uit te sluiten.' Proust wreef over zijn voorhoofd. 'Maar ik zal je eerlijk zeggen, ik krijg de naam van dat mens nauwelijks over mijn lippen. Denk je dat dit mij allemaal niets doet? Dan zie je dat verkeerd. Ik ben ook maar een mens, Waterhouse, net als jij. Jij hebt toch Helens boek gelezen? Probeer je dan eens in mij te verplaatsen, als je daartoe in staat bent.'

Simon staarde naar de grond. Hij was nu ook weer niet zo stom dat hij een beschuldiging van ongevoeligheid verwarde met een ontboezeming.

'Het boek laat veel onbesproken,' ging Proust verder. 'Ik zou er zelf een boek over kunnen schrijven. Ik was in het ziekenhuis toen Helen en Paul toestemming gaven om Rowan van de hart-longmachine te halen. Wist je niet, hè? De kleine Rowan was hersendood. Ze konden niets meer voor hem doen. Weet jij wat ik daar deed?

*Het interesseert me niet. Vertel het maar aan een ander; iemand die niet zo'n bloedhekel aan jou heeft.*

'Ik was daar naartoe gestuurd om de Yardleys op te halen voor nader verhoor. Op bevel van Barrow. Een zuster van de babyafdeling had ons opgebeld toen Rowan nog geen uur in het ziekenhuis lag, ze beschuldigde Helen van poging tot moord. Rowan was gestopt met ademhalen, niet voor het eerst in zijn korte leven. Toen hij werd opgenomen in het ziekenhuis had hij een 5 op de Glasgow Coma Schaal. Ze hebben hem een infuus gegeven en hebben de score omhooggekregen naar 14.' Proust keek Simon even aan. 'De normale score is 15. Het leek er even op dat hij weer beter zou worden, maar toen verslechterde zijn toestand ineens. Helen en Paul waren niet eens in de kamer aanwezig toen zijn score weer zakte. Helen was te erg over haar toeren – Paul had haar mee naar buiten genomen. Ze was dus niet eens in de kamer,' herhaalde hij langzaam. 'Als dat geen gerede twijfel vormt, dan zou ik graag willen weten wat wel.'

'Had die zuster enig bewijs dat Helen probeerde Rowan te vermoorden?' vroeg Simon. Hij trok dit alleen als hij praktisch bleef, en probeerde de gaten in het verhaal aan te vullen, en als hij zich op de Yardleys bleef focussen in plaats van op de Sneeuwman. *Hij staat*

*hier echt zijn ziel niet bloot te leggen, hoor. Hij geeft je gewoon achter-*
*grondinformatie. Relax.*

'Paul en Helen waren bekend in het ziekenhuis,' zei Proust. 'Eerst Morgan, en toen Rowan, die een aantal keren is opgenomen omdat hij in levensgevaar verkeerde. Een of andere biologische afwijking, neem ik aan – dat zou de meest voor de hand liggende verklaring zijn, maar dat was niet opgekomen bij de onruststoker die de politie had gebeld. Ze belde twee keer, de tweede keer was een paar uur na de eerste keer. Anoniem – ze schaamde zich ongetwijfeld voor haar verachtelijke daad, en ze maakte zich zorgen dat we haar eerste po-ging om gif te verspreiden naast ons neer hadden gelegd.'

Steeds als hij het woord 'ongetwijfeld' hoorde, twijfelde Simon. Kon de gezondheid van een baby niet pijlsnel verslechteren als gevolg van schade die een ouder hem had toegebracht, ook al was die ouder niet meer aanwezig toen de verslechtering optrad? Hij wilde vragen of er nog iets anders was, los van de levensbedreigende toestand van Morgan en Rowan, waardoor het ziekenhuispersoneel de moeder was gaan verdenken. In plaats daarvan zei hij: 'Iedereen die aan deze moord werkt zou dat allemaal moeten weten.' Een wanhopige poging om een eind aan de intimiteit te maken. Simon vond het verschrikke-lijk dat Proust hem dingen vertelde die hij niet zo snel aan Sam Kom-bothekra of Sellers of Gibbs zou vertellen. 'Als we geen dienst hebben, zouden we ons eigenlijk allemaal moeten inlezen op de achtergron-den: Helen Yardley's proces, het hoger beroep...'

'Nee.' Proust stond op. 'Niet als er geen reden is om aan te nemen dat haar dood daaraan gerelateerd is. Het zou nu evengoed te maken kunnen hebben met een uiterlijk aspect van Helen als met het feit dat ze in de gevangenis heeft gezeten voor moord. Judith Duffy, Sarah Jaggard, Rachel Hines en Laurie Nattrass – ga met die vier praten, maar verder met niemand van jouw lijst. Nog niet. Als we kunnen voorkomen dat we Elizabeth Geilow en Dennis Wilson moeten onderzoeken op kruitsporen, dan doen we dat. Trouwens, maak er maar zes van: ga ook maar praten met Grace en Sebastian Brownlee. Een jurylid dat moordlustig geobsedeerd is met een zaak waar hij dertien jaar geleden bij betrokken was, moet ik nog tegenkomen, maar adoptieouders die paranoïde waren van angst dat hun dochter misschien ook een relatie zou willen met haar biologische moeder, als die moeder zo bewonderenswaardig en inspirerend is als Helen Yardley?' Proust knikte, alsof hij een besluit had genomen.

In welk stadium heeft hij besloten dat ze onschuldig was? vroeg Simon zich af. Meteen de eerste keer dat hij haar ontmoette? Misschien zelfs wel daarvoor? Was zijn hardnekkige steun voor haar een daad van opstandigheid, een opgestoken middelvinger naar hoofdinspecteur Barrow die ervan uitging dat ze schuldig was? Of was Proust misschien verliefd op Helen Yardley? Simon huiverde ervan; het idee dat de Sneeuwman dat soort emoties zou hebben was weerzinwekkend. Simon zag hem veel liever als een probleemmachine met het uiterlijk van een mens, maar zonder verdere menselijke kenmerken.

Hij stak zijn hand uit naar de lijst met namen. Als hij die hier zou laten, zou die in de prullenbak belanden.

'Toen ik in het ziekenhuis aankwam en zag wat er aan de hand was, heb ik als eerste meteen Roger Barrow gebeld,' zei Proust, die weer in zijn stoel was gaan zitten. Hij was nog niet klaar met Simon. 'Hij was toen nog geen commissaris, wat hij nu trouwens ook niet zou moeten zijn. Ik heb hem gebeld en gezegd dat ik Helen niet mee kon nemen voor verhoor. "Ze heeft net een verklaring ondertekend waarmee ze toestemming geeft dat de verdere behandeling van het jongetje wordt gestaakt," zei ik. "Zij en haar man staan op het punt hun kind te zien sterven. Ze zijn helemaal stuk." Helen was volkomen onschuldig, en zelfs al was ze dat niet...' De Sneeuwman zweeg en hield zijn adem in. 'Haar op dat moment naar het bureau brengen om haar te ondervragen kon ook wel wachten tot nadat Rowan was overleden. Waarom had het zo'n haast? Wat maakten die paar uur nou voor verschil?'

Simon was zich bewust van zijn eigen ademhaling, en van de stilte in de kamer.

'"Als u wilt dat ze meegenomen wordt naar het bureau stuurt u maar een ander om haar te halen," zei ik. "Nee, nee," zei Barrow toen. "Je hebt gelijk. Ga maar wat eten, neem een biertje, doe maar rustig aan," zei hij. Alsof ik had verloren bij de paardenrennen, of zoiets banaals. "Je hebt gelijk, het kan wel even wachten met die moeder." Maar het bleek dat hij alleen wilde dat ik niet in de buurt was. Toen ik terugkwam in het ziekenhuis vertelden de artsen me dat Helen en Paul waren meegenomen door twee agenten, een paar minuten nadat ik weg was gegaan – dat ze gillend zijn afgevoerd, als een soort...' Proust schudde zijn hoofd. 'En Rowan...'

'Was hij dood?' zei Simon onbehouwen, en zijn ongemakkelijke gevoel begon uit te groeien tot paniek. Hij had licht en lucht nodig. Hij wilde dit niet aanhoren, maar hij kon de juiste woorden niet bedenken om ze tegen te houden. Het voelde als ongewenste intimiteit. Had Proust dit zo gepland? Had hij gezien dat Simon zich in de loop der jaren had leren wapenen tegen zijn hoon en vond hij dit soort gedwongen intimiteit wel een geschikt nieuw wapen?

'Rowan stierf zonder dat een van zijn ouders erbij was,' zei Proust. 'Alleen. Ben je nou niet trots om een mens te zijn, Waterhouse? Aannemende dat jij er eentje bent.' Een afwijzend handgebaar gaf aan dat hij geen antwoord verwachtte.

Simon maakte zich zo vlug hij kon uit de voeten, en dacht niet na bij wat hij deed. *De plee.* Zijn voeten wisten het eerder dan zijn hersens. Hij ging naar binnen, sloot zich op in een hokje en had nog net tijd om dat op slot te draaien voor hij voorover klapte door een golf misselijkheid. De tien daaropvolgende minuten gaf hij koffie en gal op, en dacht: *ik word ziek van jou. Ik word verdomme kotsziek van jou.*

# 5

## Donderdag 8 oktober 2009

Ik zit in Lauries kantoortje als ik iemand mijn naam hoor roepen. Ik denk aan Rachel Hines en bevries, alsof ik mezelf onzichtbaar kan maken door me niet te verroeren. Dan klinkt er nog meer geschreeuw en ik herken de stem: Tamsin.

Ik ben nog net op tijd bij de receptie om het eind van wat op een vreemde dans lijkt mee te maken. Als ik niet beter wist, zou ik denken dat Maya en Tamsin hem samen hadden bedacht: telkens als Tamsin een stap vooruit zette, ging Maya voor haar staan, of stak ze een arm uit om haar tegen te houden.

'Fliss, wil je alsjeblieft tegen haar zeggen dat ik hier moet zijn? Ik word hier behandeld als een indringer.'

'Doe dit nou niet, Tam,' zegt Maya ernstig. 'Dit is voor ons allemaal gênant. We hebben toch afgesproken dat gisteren je laatste dag was.'

'Ik heb haar gevraagd om hier te komen,' zeg ik. 'Ik heb iemand nodig die me de ins en outs van de film vertelt, en aangezien er van Laurie vanochtend geen spoor te bekennen was en ik hem ook op geen enkel nummer te pakken kan krijgen... En trouwens, hij is toch...' Ik stop, en vraag me af wat ik eigenlijk had willen zeggen. Hij is toch weg? Hij is toch niet goed snik? 'Ik had een betrouwbare expert nodig, dus heb ik Tamsin gebeld.'

'Ik bied mijn diensten gratis en voor niets aan,' zegt Tamsin blijmoedig. Ze draagt een strakke, roze met oranje jurk die er nieuw en duur uitziet. Ik vraag me af hoe ik tactvol zou kunnen checken of ze soms van plan is al haar geld aan luxe zaken op te maken voor ze zich van een rots stort.

Ik ken Tamsin: ze is uiteindelijk te laf voor dat gedoe met die rots, maar vóór die tijd stort ze zich wel in torenhoge schulden om vervolgens weer een ander onzinnig plan te omarmen.

'Kijk, ik heb zelfs mijn eigen drinken meegebracht,' zegt ze. 'Een oud flesje waar mineraalwater in heeft gezeten, uit de tijd dat ik me zulke dingen nog kon veroorloven, vol met lekker goedkoop kraanwater. Mjammie.' Ze zwaait ermee voor Maya's gezicht. 'Zie je wel? Geen verborgen wapens.'

'Heel fijn dat je me hierover hebt ingelicht, Fliss.' Maya trekt haar neus op als een beledigd konijn, en zet een stap naar achteren, in de richting van haar kantoor. Ze loopt de hele ochtend al tegen me te zeiken. Ik doe allerliefst, en zeg stralend 'hallo' maar ik krijg alleen wat gegrom als antwoord. Binary Star is vandaag een heel ander bedrijf. Iedereen houdt zich op de vlakte, en niemand kijkt een ander aan. Het lijkt wel alsof het kantoor in de rouw is.

*Vanwege Laurie.*

Ik grijp Tamsin bij de arm en sleur haar door de gang naar de kamer die ik moet gaan zien als mijn nieuwe, condensvrije kantoor, en ik mompel: 'En bedankt voor deze bijdrage.' Ik smijt de deur achter me dicht. Als Laurie terugkomt en er in wil, heeft hij mooi pech. Hij zei zelf dat ik vanaf maandag zijn baan had, en het enige wat ik nu doe is de nieuwe situatie twee werkdagen naar voren halen. Dan komt hij me hier maar weghalen.

*Laat hem alsjeblieft komen.*

'Graag gedaan.' Tamsin ploft in Lauries stoel en legt haar voeten op zijn globe. Haar gezicht betrekt. 'Je bedoelde het sarcastisch, hè?'

'Nou, dat verhaal over dat je te arm bent om nog mineraalwater te kunnen kopen had je wel achterwege mogen laten wat mij betreft. Ik moet hier nog werken, Tam.'

'Ik dacht anders dat jij vanochtend meteen je ontslag zou indienen?'

'Ik ben van gedachte veranderd.'

'Hoezo dat?'

Er is geen reden om het haar niet te vertellen, hoewel ik niet zeker weet of iemand anders het wel kan begrijpen. 'Ik heb vanochtend mijn moeder gebeld en ik heb haar verteld dat ik het niet prettig vond om meer betaald te krijgen dan ik in alle redelijkheid waard ben, dat Maya en Raffi me niet zien zitten, en zulke dingen.'

'En toen zei zij dat je je niet zo moest aanstellen?' raadt Tamsin.

'Niet helemaal. Ze opperde dat ik tegen hen zou kunnen zeggen dat ik het geen prettig idee vond om zo veel te verdienen en of we niet een salaris overeen konden komen ergens tussen het mijne nu en dat van Laurie, zodat we allemaal tevreden zouden zijn. En ik hoorde haar dat zeggen en ik zou zweren dat ik mezelf hoorde praten, o zo redelijk en bescheiden. Ik klonk net als zij, een bange, ambitieloze grijze muis, en...' Ik haal mijn schouders op. 'Laurie had gelijk. Niemand vraagt om minder geld. Het kan me niet schelen wat Maya en Raffi van me vinden, maar... ik zou mijn zelfrespect verliezen als ik niet zou proberen om hier iets van te maken.' En ik voel me geroepen om eraan toe te voegen: 'Ook al denk ik stiekem dat ik absoluut geen honderdveertigduizend pond per jaar waard ben.'

'Je lijdt aan het Omgekeerde L'Oréalsyndroom,' zegt Tamsin. '"*Because I'm not worth it.*" Dus, je gaat de film maken?'

'Jij denkt dat ik het niet kan, hè?'

'Als een ander het kan, kan jij het ook,' zegt ze achteloos. 'Waarom zou je het niet kunnen?'

Ik overweeg haar te vertellen waarom het in mijn geval anders ligt dan in het geval van Laurie of wie dan ook bij Binary Star, en waarom ik de namen Yardley, Jaggard en Hines niet kan horen zonder dat ik er ijskoude rillingen van krijg.

Ik heb mijn moeder niet over Lauries film verteld. Ik heb het wel over de promotie en de salarisverhoging gehad, maar niet over waar ik aan moet gaan werken. Niet dat ze me zou tegenhouden. Mama zou nog eerder naakt over straat dansen dan dat ze iets zou doen waar ruzie van kan komen.

Tamsin is de enige collega aan wie ik het ooit heb proberen uit te leggen. Het probleem is dat zij nooit heel lang haar klep kan houden. Dat is dit keer niet anders. 'De vraag is, is er nog wel een film als Ray

Hines je op je eigen stoep heeft laten staan? Heb je al met Paul Yardley gesproken? En heb je Sarah Jaggard alweer aan boord weten te krijgen?'

'Ik heb nog helemaal niets gedaan.'

'Los van het willekeurig uitspreiden van de inhoud van vijf dozen over de vloer,' zegt Tamsin aarzelend terwijl ze naar de papieren kijkt waarmee zowel de vloer als elk ander oppervlak in de kamer bezaaid ligt.

'Ik was ergens naar op zoek, maar ik kon het niet vinden. Zegt de naam Wendy Whitehead jou iets?'

'Nee.'

'Denk je dat er een kans is dat ik die ergens in deze stapel zal aantreffen? Ik had al zo veel mogelijk gescand, maar...'

'Hou daar maar mee op,' zegt Tamsin. 'Ik ken alle namen, zelfs al zijn ze maar één keer genoemd. Ik ken elke getuige-deskundige, elke gezondheidszorgmedewerker, elke advocaat...'

'En alleen Wendy? Misschien is ze getrouwd en heet ze ondertussen anders? Of is ze juist gescheiden.'

Tamsin denkt even na. 'Nee,' zegt ze dan. 'Geen Wendy's. Hoezo?'

'Ze belde me gisteravond.'

'Wendy Whitehead?'

'Rachel Hines.'

Ze rolt met haar ogen. 'Dat weet ik, daar was ik bij, weet je nog?'

'Nee, ik bedoel later. Nadat ze weg was gereden zonder uit haar auto te stappen. Bijna meteen daarna. Ze bood haar excuses aan, en ze zei dat ze nog steeds met me wilde praten, maar dat ik naar haar toe zou moeten komen.'

'Zei ze ook waarom ze was weggereden?'

'Nee. Ik zag haar kijken naar iets achter mij, net alsof... Ik weet niet, het leek net of ze over mijn schouder naar iemand stond te staren, maar toen ik me omdraaide stond er niemand. En toen ik me weer naar haar omkeerde reed ze al weg.'

'Denk je dat ze iets heeft gezien wat haar heeft afgeschrikt?'

'Wat zou ze dan gezien kunnen hebben? Ik zweer het je, er was niets te zien. Alleen ik. Er kwam niemand voorbij, en mijn buren keken ook niet door het raam.'

Tamsin fronst. 'Dus wie is die Wendy Whitehead dan?'

Ik aarzel. 'Misschien kun je dat maar beter niet weten.'

'Is het zo erg dan?'

Ik weet niet hoe ik die vraag moet beantwoorden zonder het haar te vertellen.

'Doet Joe het achter mijn rug om met iemand anders?' Tamsin schopt de globe omver. 'Dat kan er namelijk ook nog wel bij.'

Onwillekeurig moet ik lachen. Joe zou Tamsin nooit bedonderen. Zijn favoriete hobby is om nergens moeite voor te doen. Je ziet gewoon voor je hoe hij naar andere vrouwen kijkt en denkt: *nah, laat maar, ik heb er thuis al eentje.* 'Het heeft niets te maken met jouw privéleven,' zeg ik. Ik trek de spanning niet meer, ook al ben ik degene met de informatie, en niet degene die erop zit te wachten. 'Rachel Hines zei dat Wendy Whitehead haar zoon en dochter heeft vermoord.'

Tamsin snuift en zakt weer achterover in Lauries stoel. *Mijn stoel.* 'Er was niemand thuis toen Marcella Hines doodging behalve zijzelf en Ray. Net als in het geval van Nathaniel, vier jaar later – hij was ook alleen thuis met zijn moeder toen hij stierf. Wendy Whitehead was daar zeer zeker niet bij, als die al bestaat. Wat veel interessanter is: waarom liegt Ray Hines, en waarom nu?' Ik doe mijn mond open maar ik ben niet snel genoeg. 'Ik weet al waarom,' zegt Tamsin. 'Om jou om haar vinger te winden.'

'Maar wat kan ik dan doen? Naar haar toe gaan? De politie bellen?' Ik heb mezelf deze vragen vannacht ook steeds gesteld, want ik werd elk halfuur wakker.

'Je moet zeker bij haar langsgaan,' zegt Tamsin. 'Ik ben wel benieuwd. Ik ben altijd al nieuwsgierig naar haar geweest – het is een vreemd mens. Ze heeft er alles aan gedaan om Laurie op afstand te houden, maar van jou krijgt ze kennelijk maar geen genoeg.'

Als er ook maar de allerkleinste kans bestaat dat dat waar is, dan zou ik het bij de politie moeten melden. En als die Wendy Whitehead echt blijkt te bestaan, maar ze Marcella en Nathaniel Hines niet heeft vermoord? Dan wordt ze misschien verhoord of zelfs gearresteerd, en dan heb ik een onschuldige vrouw in de problemen gebracht. Dat kan ik niet maken, niet zonder dat ik er zelf eerst meer over te weten probeer te komen. *Niet zonder dat ik er eerst zeker van ben dat Rachel Hines mij niet voor haar karretje spant.*

Waarom heeft Laurie me niet teruggebeld? Ik heb op elk nummer dat ik kon verzinnen een boodschap voor hem achtergelaten, en gezegd dat ik dringend zijn advies nodig heb.

Marcella en Nathaniel. Nu ken ik hun namen. Ik heb er nooit zo over nagedacht of ik kinderen wilde, maar als ik die zou willen, zou ik ze nooit zulke namen geven. Dat is het soort naam dat je uitkiest voor iemand die het gaat maken. Ik vraag me af of dat weer een symptoom is van mijn Omgekeerde L'Oréalsyndroom; hoe wil ik mijn kinderen dan noemen, Johnnie en Anita? *Omdat ik het niet waard ben.*

Wayne Jupiter Benson Nattrass. *Godallemachtig, Felicity, doe normaal!*

Waarom heeft Rachel Hines tot nu toe gewacht voor ze de naam van Wendy Whitehead noemde? Waarom ging ze liever naar de gevangenis dan dat ze de waarheid zei?

'Vertel me eens wat over haar,' zeg ik tegen Tamsin. 'Vertel me alles wat je weet.'

'Over Ray? Die heeft geen geluk gehad wat haar echtgenoot betreft, dat is een ding dat zeker is. Heb je de transcripten van Lauries gesprekken met Angus Hines weleens gelezen?'

'Nog niet.'

'Die zitten daar ook ergens tussen.' Tamsin knikt naar de berg papier. 'Zoek ze maar, het is de moeite waard. Je denkt dat het niet waar kan zijn dat die Angus zulke dingen heeft gezegd, tot je de krantenartikelen vindt waarin hij wordt geciteerd en waarin hij precies dezelfde dingen zegt.' Ze schudt haar hoofd. 'Heb je dat ook weleens, dat je iets rechtstreeks van iemand hoort, iets waar ze helemaal niet om zouden liegen, en dat je hen toch niet kunt geloven?'

'Wat doet hij? Wat voor werk heeft hij?'

'Hij is een soort van redacteur bij *London on Sunday*. Hij heeft Ray meteen aan de dijk gezet toen het vonnis werd uitgesproken. Paul Yardley en Glen Jaggard zijn totaal anders. Die hebben hun vrouw de hele rit onvoorwaardelijk bijgestaan. Ik denk dat Ray Hines daarom ook zo raar is. Die heeft natuurlijk nog een extra trauma te verwerken gehad. Helen en Sarah werden door het systeem in de steek gelaten, maar niet door hun dierbaren. Hun families hebben nooit aan hun onschuld getwijfeld. Als je eenmaal kans hebt gezien om alle aantekeningen te lezen, dan zul je zien dat Helen en Sarah het steeds over hun man hebben als hun rots in de branding, allebei. Nou, die Angus was bepaald geen rots, die was niet eens een kiezelsteentje!'

'En de drugs?' vraag ik.

Tamsin kijkt niet-begrijpend. 'Sorry, had ik wat voor je mee moeten nemen?'

'Rachel Hines is toch aan de drugs?'

Ze rolt met haar ogen. 'Hoe kom je daarbij?'

'Ik heb weleens een stel vrouwen over haar horen praten in de metro. En ze zegt het zelf ook ergens...' Ik kijk om me heen op zoek naar het juiste document, maar ik kan me niet herinneren in welke hoek van het kantoor ik dat heb laten vallen, of zelfs maar hoe het er ook weer uitzag.

'Haar interview met Laurie,' zegt Tamsin. 'Lees dat nog maar een keer – als je dat tenminste nog kunt vinden in de puinhopen van wat ooit mijn onberispelijke archief was. Ze bedoelde het sarcastisch, ze veegde de vloer aan met de belachelijke publieke opinie die over haar was ontstaan. Zij is net zomin...'

De deur gaat open en Maya komt binnen met twee dampende bekers op een blaadje. 'Zoenoffer,' zegt ze vrolijk. 'Groene thee. Fliss, ik moet je zo snel mogelijk spreken, liefje, dus maak het niet te lang. Zeg alsjeblieft dat we nog steeds vrienden zijn, Tam. We kunnen toch gewoon nog gezellig stappen samen, of niet?'

Tamsin en ik pakken onze bekers, te verbluft om iets te zeggen.

'O, en deze had ik per ongeluk van de receptie meegenomen,

schatje.' Maya trekt een envelop uit haar spijkerbroek en geeft die aan mij. Ze schenkt ons een weeïge glimlach, zwaait met het dienblad in de lucht en vertrekt.

Een crèmekleurige envelop. Ik herken het handschrift van die twee andere enveloppen.

'Groene thee?' zegt Tamsin bits. 'Slijm is groen. Snot is groen. Thee hoort helemaal niet groen te...'

'Vertel me eens over Ray Hines en dat ze niet aan de drugs was,' zeg ik terwijl ik de envelop aan de kant gooi. Ik weet al dat er getallen in staan, en dat ik toch niet begrijp wat die betekenen, dus ik kan ze net zo goed vergeten. Kennelijk vindt iemand dit een goeie bak, en dan kom ik er uiteindelijk vanzelf wel achter hoe het zit. Het zal Raffi wel zijn. Die is hier de grappenmaker. Zijn favoriete gespreksonderwerpen zijn de geestige dingen die hij allemaal heeft gezegd en hoe hard iedereen daar om moest lachen. 'Als zij geen junk is of was, waarom zei iedereen dat dan?' vraag ik, en ik probeer te klinken alsof ik nog steeds met Rachel Hines bezig ben.

Tamsin staat op. 'Ik moet hier weg. Jij bent op het matje geroepen, en als ik blijf, vermoord ik straks nog iemand.'

'Maar...'

'Laurie heeft een artikel geschreven met de titel "De dokter die loog" – het ligt hier ergens in deze puinhoop. Alles wat je over Ray Hines moet weten staat daarin.'

'In welke krant stond dat?'

'Het is nog niet gepubliceerd. Maar het komt in de *British Journalism Review* te staan en de *Sunday Times* gaat een verkorte versie publiceren. Maar dat gebeurt allebei pas als Judith Duffy haar zaak voor de Raad voor de Gezondheidszorg verliest.'

'En wat als ze die zaak wint?"

Tamsin kijkt me aan alsof ze nog nooit zoiets idioots heeft gehoord. 'Lees het artikel maar, dan weet je waarom dat nooit zal gebeuren.' Ze loopt het kantoor uit met een parodie op Maya's zwaai en zegt: 'Doedoei, *schatje*.'

Ik kan me inhouden ook al wil ik haar smeken me niet alleen te laten. Als ze eenmaal weg is, probeer ik mezelf ervan te overtuigen de crèmekleurige envelop zonder te openen in de prullenmand te gooien, maar zonder succes, want ik ben te nieuwsgierig – ik ben nieuwsgieriger dan ik bang ben.

*Doe niet zo belachelijk. Het zijn maar wat stomme getallen op een kaartje – als je daar bang voor bent, ben je echt niet goed snik.*

Ik scheur de envelop open en zie de bovenkant van wat eruitziet als een foto. Ik trek hem eruit, en voel ineens een steen in mijn maag. Het is een foto van een kaart met zestien getallen erop in vier rijen van vier. Iemand heeft de kaart dicht bij de lens gehouden om deze foto te kunnen nemen; aan beide kanten van de kaart zie ik vingers. Mannenvingers of vrouwenvingers, dat kan ik zo niet zien.

| 2 | 1 | 4 | 9 |
| 7 | 8 | 0 | 3 |
| 4 | 0 | 9 | 8 |
| 0 | 6 | 2 | 0 |

Ik zoek naar een naam of naar een andere tekst, maar er staat verder niets op.

Ik stop de foto weer in de envelop en doe hem in mijn tas. Ik zou hem graag weg willen gooien, maar als ik dat doe, kan ik de vingers die de kaart vasthouden niet meer vergelijken met Raffi's vingers, of met die van iemand anders.

*Laat je hierdoor niet over de kling jagen, want dat is juist de bedoeling van wie hier ook maar achter zit.*

Ik zucht, en staar wanhopig naar de papieren op de grond. Door die envelop voel ik me alleen nog maar slechter over de hele toestand. Ik heb geen schijn van kans dat die film van Laurie er ooit komt. Ik weet het; iedereen weet het. Al die interviews en artikelen, de medische dossiers, het juridische jargon... het is me allemaal te veel. Het kost me maanden, zo niet jaren, om hier greep op te krijgen. Ik word misselijk van het idee dat dit nu allemaal mijn verantwoordelijkheid is. Ik moet de kamer uit, weg van al deze stapels.

Ik doe de deur achter me dicht en loop naar Maya's kantoor, en ik hoop ergens dat ze me gaat ontslaan.

'Stille wateren.' Maya vouwt haar armen over elkaar en monstert me alsof ze op zoek is naar nog meer duistere kwaliteiten.

'Nee hoor,' zeg ik. Dan haal ik diep adem. 'Maya, ik weet niet of ik wel zo geschikt ben om...'

'Ray Hines belde me een paar minuten geleden, zoals je waarschijnlijk al wel weet.' Uit haar bureau stijgen pluimpjes rook op. Die ondersteladetheorie van Tamsin klopt, zo te zien.

'Wat... Wat wilde ze?' vraag ik

'De loftrompet over jou steken.'

'Wat?'

'Ze heeft me nog nooit gebeld en als ik haar belde, belde ze mij nooit terug. Klaarblijkelijk – hoewel ik dit voor het eerst hoor – had ze bedenkingen tegen Laurie, die ondankbare kakmadam.' Maya glimlacht. Als een wassen beeld zo zou glimlachen, zou je het gemaakt vinden. 'Het spijt me, Fliss, het was niet de bedoeling om alles op jou af te reageren, maar, jeetje, wat word ik hier pissig van. Als je weet hoe hard Laurie heeft gewerkt om haar vrij te krijgen, en dan waagt ze het nog te beweren dat ze hem nooit zo hoog had zitten... alsof we op haar oordeel zitten te wachten. Alsof Laurie een omhooggevallen Niemand uit Nergenshoven is in plaats van de meest gelauwerde onderzoeksjournalist van het land. Ze zei dat hij door de bomen het bos niet zag, alleen is ze zo stom dat ze dat verkeerd om zei. "Jij ziet door het bos de bomen niet meer", dat zei ze letterlijk. Maar als hij er niet was geweest, dan zat zij nu nog in de gevangenis. Dat is ze even vergeten.'

Ik knik op een manier waar je alle kanten mee op kunt. Ik wil precies weten wat Rachel Hines over mij heeft gezegd, maar ik vind het te gênant om dat te vragen.

'Heb jij toevallig enig idee waar Laurie uithangt?' vraagt Maya.

'Geen idee. Ik probeer hem al de hele morgen te pakken te krijgen.'

'Dan is hij verdomme al vertrokken.' Ze haalt haar neus op en kijkt uit het raam. 'Let op mijn woorden – die zien we nooit meer terug. Hij zou hier nog tot vrijdag blijven.' Ze bukt zich achter haar bureau. Als ze weer tevoorschijn komt, heeft ze een boordevolle asbak in de ene hand en in de andere hand een onmiskenbare, volkomen zichtbare sigaret. 'Geen woord hierover,' zegt ze zogenaamd voor de grap, maar het klinkt eerder als een waarschuwing. 'Ik rook normaal nooit op kantoor, alleen nu even...'

'Mij maakt het niet uit. Passief roken herinnert me er vooral aan hoe lekker ik de actieve versie vroeger vond.' Bovendien voel ik me superieur aan die arme zwakke dwazen die nog niet zijn gestopt, maar dat zeg ik niet.

Maya neemt een flinke hijs. Ik ken niemand die er zo vreemd uitziet als zij. Op een bepaalde manier is ze best aantrekkelijk. Ze heeft een geweldig figuur, grote ogen en volle lippen, maar ze heeft totaal geen als zodanig herkenbare kin en nek. Waar bij andere mensen een kin en een nek zitten, heeft zij een vleeskleurige ballon die in de hals van haar blouse is gepropt. Ze draagt haar lange donkere haren elke dag hetzelfde: steil van boven en onderaan ingewikkeld gekruld, met een rode haarband. Als een victoriaanse pop.

'Zeg het nou maar eerlijk, snoes,' kirt ze. 'Heb jij Ray Hines gevraagd om mij te bellen om jou de hemel in te prijzen?'

'Nee.' Nee, dat heb ik verdomme niet, brutale teef.

'Ze zei dat ze je gisteren diverse keren had gesproken.'

'Ze belde me en zei dat ze wilde praten. Ik bel haar straks om een afspraak te maken.' Dat over Wendy Whitehead vertel ik er niet bij, en dat van die voortijdig afgebroken ontmoeting van gisteravond ook maar niet. Pas als ik weet waarom dat gebeurde, zal ik dat met tegenzin opbiechten.

'Ze is je een stap voor.' Maya pakt een stukje papier van haar bureau. 'Zal ik zeggen waar je moet zijn? Marchington House, Redlands Lane, Twickenham. Ze wil dat jij daar morgenochtend om negen uur komt opdraven. Heb je nou al eens een auto?'

'Nee, ik...'

'Maar je bent de vierde keer toch geslaagd voor je rijexamen?'

'Het was pas mijn tweede keer en nee, ik ben gezakt.'

'Ach, jammer toch. De volgende keer lukt het vast. Dan neem je maar een taxi. Twickenham is niet te doen met het openbaar vervoer – je bent nog sneller op de Noordpool. En hou me op de hoogte. Ik wil weten waar Ray het zo graag met je over wil hebben.'

*Wendy Whitehead.* Ik haat het om dingen te weten die andere mensen niet weten. Mijn hartslag stijgt als iemand die steeds harder gaat lopen en niet wil toegeven dat hij eigenlijk wil rennen. Tamsin heeft gelijk: Rachel Hines wil me om haar vinger winden, en ze is bang dat het niet lukt. Ik heb haar vanochtend niet meteen teruggebeld. Het is halverwege de middag en ik heb nog steeds geen contact met haar opgenomen. En dus belt zij mijn directeur, in de wetenschap dat ik wel moet komen als Maya dat van me eist.

Ze is slim. Veel te slim om per ongeluk te zeggen dat hij door het bos de bomen niet meer ziet.

'Fliss?'

'Hm?'

'Wat ik zei over die Niemand uit Nergenshoven... Dat sloeg niet op jou, hoor, ook al klonk het misschien zo.' Maya schenkt me een lachje van: och-arm-schaap. 'We moeten toch allemaal ergens beginnen, of niet?'

# 6

## 08/10/2009

'Als ik vanavond een eerste rondje geef?' zei Chris Gibbs, ook al zag hij niet in waarom hij dat eigenlijk zou moeten doen.

'Nee.'

'En als ik nou eens alle rondjes geef?'

'Nog steeds nee,' zei Colin Sellers. Ze zaten in een politiewagen zonder zwaailicht, en waren op weg naar Bengeo Street. Sellers reed. Gibbs zat met zijn voeten omhoog, zijn schoenzolen tegen de klep van het handschoenenvakje, omdat hij wist dat hij dat toch niet schoon hoefde te maken. In zijn eigen auto zou hij dat nooit doen; Debbie zou uit haar plaat gaan.

'Jij zou het beter kunnen dan ik,' zei hij. 'Jij hebt geduld, en charme. Althans, je kunt goed flikflooien.'

'Dank je, maar nee, liever niet.'

'Je bedoelt dat ik er nog niets tegenover heb gesteld wat jouw goedkeuring kan wegdragen. Elke man heeft zijn prijs.'

'Zo erg kan ze toch niet zijn.'

'Ze is zo doof als een kwartel. De laatste keer kwam ik helemaal schor bij haar vandaan omdat ik moest schreeuwen om me verstaanbaar te maken.'

'Maar jou kent ze. Dus dan is de kans veel groter dat ze...'

'Jij bent veel beter met oude dametjes dan ik.'

'Ik ben veel beter met dametjes, punt,' grapte Sellers. Hij vond zichzelf nogal stoer, omdat hij er twee vrouwen op na hield. Met een daarvan was hij getrouwd en met de ander niet, ook al was hij al zo lang met haar dat je net zo goed kon spreken van een huwelijk; twee vrouwen die met tegenzin het bed met hem deelden in de ijdele hoop dat hij op een dag niet meer zo'n eikel zou zijn als hij nu was en altijd al was geweest. Gibbs had er maar eentje: zijn vrouw Debbie.

'Vraag het haar lief, dan wil ze je misschien wel aftrekken. Ze was vroeger pianojuf, dus ze is vast heel goed met haar handen.'

'Wat ben jij een smeerlap,' zei Sellers. 'Hoe oud is dat mens, tachtig of zo?'

'Drieëntachtig. Wat is dan jouw bovengrens? Vijfenzeventig?'

'Nokken nu, ja?'

'"Nou, schatje, veeg jezelf maar even af, de taxi is er. Het is vier uur 's nachts, poes, betaal zelf maar."' Gibbs' imitatie van Sellers was niet erg geliefd door de bron van inspiratie en het doelwit maar zeer geliefd bij de rest van het bureau. Met de jaren was het Yorkshire accent een stuk vetter geworden dan dat van Sellers zelf, en Gibbs voegde er ook flink wat gehijg aan toe. Hij overwoog nog een paar kleine aanpassingen, maar was bang dat het dan niet meer zo subtiel zou zijn als het origineel. '"Oké, schat, ga jij maar lekker op die natte plek liggen met je dikke reet." Als je wil dat ik ophou, weet je wat je te doen staat.'

Het bleef even stil, en toen zei Sellers: 'Sorry, wie deed je nu net na: jezelf? Ik dacht dat je mij wilde imiteren?'

Gibbs grinnikte. '"Als je wil dat ik ophou, weet je wat je te doen staat"? Zou je dat echt zeggen tegen een oma van drieëntachtig?' Vol walging schudde hij zijn hoofd.

'Laten we het allebei doen,' zei Sellers. Hij gaf uiteindelijk altijd toe. Nog een paar minuten en hij zou aanbieden om zowel Beryl Murie als Stella White in zijn eentje te doen, zodat Gibbs de middag vrij had. Het was net het einde van een spelletje schaak: Gibbs kon alle zetten uitdenken, helemaal tot schaakmat.

'Dus jij wil Murie doen?' vroeg hij.

'Samen met jou, ja.'

'Waarom moet ik daarbij zijn?' vroeg Gibbs verontwaardigd. 'Jij doet Murie en ik doe Stella White – lijkt me een redelijke ruil. Dan verspillen we verder geen tijd. Behalve als jij niet alleen durft te zijn met oma Murie.'

'Als ik ja zeg, hou jij dan eindelijk je klep?' vroeg Sellers.

'Deal,' grijnsde Gibbs, en hij stak zijn hand uit zodat Sellers die kon schudden.

'Ik ben aan het rijden, randdebiel.' Sellers schudde zijn hoofd. 'En het maakt niet uit hoe we het aanpakken, het is hoe dan ook tijdverspilling. We hebben toch al verklaringen van Murie en White.'

'Maar we hebben niets anders. We moeten doorvragen naar dingen waar ze de eerste keer niet aan dachten.'

'Er is maar één reden waarom we weer terug moeten. Iedereen om Helen Yardley heen heeft een waterdicht alibi, en bij niemand zijn kruitsporen gevonden. We zijn op zoek naar een onbekende, voor ons en voor haar – de nachtmerrie van iedere rechercheur. Een moordenaar zonder banden met zijn slachtoffer, een of andere gek die haar gezicht net iets te vaak op tv heeft gezien en die haar heeft uitgekozen – iemand die we dus nooit meer vinden. Proust weet het, alleen wil hij het nog niet toegeven.'

Gibbs gaf geen antwoord. Hij was het met Simon Waterhouse eens: het was niet een eenvoudige keuze tussen iemand die het slachtoffer kende, of een moord door een onbekende, niet bij iemand als Helen Yardley. Iemand zou haar vermoord kunnen hebben om datgene waar zij voor stond, het tegenovergestelde was waar die persoon voor stond. Gibbs zag het zo: nadat Helen Yardley werd veroordeeld, was er een soort oorlog uitgebroken. Zij was dus vermoord door de tegenpartij, de controlefreaks die voor de kinderen streden en die ervan uitgingen dat ouders hun kinderen wilden vermoorden tenzij iemand het tegendeel kon bewijzen. Gibbs hield dit inzicht voor zich, omdat hij vond dat het niet zijn eigen idee was. Net als al zijn beste ideeën, was Simon Waterhouse ook hier de inspiratiebron. Gibbs' bewondering voor Waterhouse was zijn best bewaarde geheim.

'Hij is dit keer echt goed de weg kwijt.' Sellers had het nog over de Sneeuwman. 'Dat hij tegen ons zegt dat wij niet mogen zeggen of zelfs maar denken dat Helen Yardley misschien toch schuldig was. Dat dacht ik niet eens. Jij wel? Als haar veroordeling niet deugde, dan deugde hij niet. Maar nu heeft hij ons juist op dat spoor gezet door te zeggen dat het verboden is. Nu denkt iedereen ineens: maar wacht effe – stel nu dat het inderdaad zo is dat er geen rook is zonder vuur? En dat is precies wat wij van hem niet mogen denken. Dus wij zijn alleen maar gaan denken wat hij denkt dat wij al dachten, namelijk dat wij er vraagtekens bij hebben. Dat er misschien wel een reden is waarom we er vraagtekens bij zouden *moeten* hebben.'

'Iedereen denkt dat,' zei Gibbs. 'Vanaf het begin al. Alleen houdt iedereen zijn mond, want je kunt nooit weten hoe de ander erin zit. Niemand wil de eerste zijn die zegt: "Kom op, man, natuurlijk heeft ze het gedaan – die rechter in hoger beroep was niet goed bij zijn knar." Zou jij dat dan willen zeggen, terwijl ze net door haar hoofd is geschoten en wij ons allemaal het apelazarus zoeken naar haar moordenaar?'

Sellers draaide zich naar hem om. De auto maakte een draai. 'Denk jij dat ze haar kinderen heeft vermoord?'

Gibbs had geen zin om het te moeten uitleggen. Als Sellers goed naar hem had geluisterd... 'Ik snap wat jullie allemaal denken omdat ik de enige ben die het *niet* denkt. Wat dat mens van een Duffy heeft gezegd – dat is lulkoek.'

'Wie is Duffy?'

'Die arts. Toen de openbare aanklager haar vroeg of het mogelijk was dat Morgan en Rowan Yardley allebei SIDS hadden, zei ze dat dat zo onwaarschijnlijk was dat het grensde aan het onmogelijke. SIDS is wiegendood – *Sudden Infant Death Syndrome*. Dan sterft zo'n kind een natuurlijke, maar onverklaarbare dood.'

'Dat weet ik allemaal ook wel,' mompelde Sellers.

'Dat was het citaat: "zo onwaarschijnlijk is dat het grenst aan het onmogelijke". Ze zei dat het uiterst waarschijnlijk was dat er een gemeenschappelijke onderliggende oorzaak was, en dat dat een forensische oorzaak moest zijn, niet een medische. Met andere woorden, Helen Yardley heeft haar kinderen vermoord. Toen de verdediging haar daarop doorvroeg en vroeg of het ondanks haar uitspraken toch mogelijk was dat twee kinderen binnen een gezin werden getroffen door SIDS, moest ze wel ja zeggen. Dat dat wel mogelijk was. Maar daar was de jury niet van onder de indruk – elf van de twaalf juryleden in elk geval. Die hoorden alleen "zo onwaarschijnlijk is dat het grenst aan het onmogelijke". Later bleek er geen enkele statistische basis te zijn voor die uitspraak, ze lulde maar wat – daarom moet ze volgende week ook voor de medische tuchtcommissie verschijnen.'

'Jij bent goed geïnformeerd, zeg.'

Gibbs wilde zeggen: 'Dat zou jij ook moeten zijn, net als iedereen die aan de Yardley-moord werkt', maar toen bedacht hij dat hij dan Waterhouse letterlijk citeerde. 'Volgens mij was Helen Yardley vrijuit gegaan als Duffy er niet was geweest,' zei hij. 'Alle kranten hadden het in die tijd alleen maar over "zo onwaarschijnlijk is dat het grenst aan het onmogelijke". Dat is ook waar de meeste mensen aan denken als ze de naam Helen Yardley horen, of ze nu is vrijgesproken of niet, en of Duffy nu voor de tuchtcommissie moet verschijnen of niet. En dat is dan alleen nog maar de gewone man. Agenten zijn nog veel erger – wij zijn geprogrammeerd om te geloven dat iedereen op onze radar schuldig is en dat ze ermee wegkomen. Geen rook zonder vuur, ook al is Helen Yardley om juridisch-technische redenen vrijgekomen. Dat weet ik vanwege Debbies ervaring.'

'Jouw Debbie?'

Waarom zou hij het over de Debbie van een ander hebben? Wat wist hij van Debbies die de zijne niet waren? Sellers was zo ongehoord dom. Had hij er nu maar niets over gezegd. Toch was hij blij dat hij nu eindelijk zijn troefkaart kon spelen. Dit was zijn eigen, originele materiaal, Waterhouse had er niets mee te maken. 'Ze heeft de afgelopen drie jaar elf keer een miskraam gehad, allemaal bij tien weken. Ze komt niet voorbij dat punt, wat ze ook doet. Ze heeft aspirine geprobeerd, yoga, gezond eten, stoppen met werken en de hele dag op de bank liggen – je kunt het zo gek niet verzinnen of zij heeft het gedaan. We hebben alle onderzoeken gehad, alle mogelijke artsen en specialisten bezocht en niemand kan ons iets vertellen. Ze kunnen niets vinden, zeggen ze allemaal.' Gibbs haalde zijn schouders op. 'Maar dat wil nog niet zeggen dat er ook niets mis is, of wel soms? Want dat er iets mis is, lijkt mij wel duidelijk. Iedere arts die een knip voor zijn neus waard is zal je vertellen dat er medische mysteries zijn die niemand kan oplossen. Hoeveel miskramen heeft Stacey gehad?'

'Geen enkele,' zei Sellers. 'Waarom heb je me dit nooit...'

'Nou, daar heb je het al – al het medische bewijs dat je nodig hebt, en het bewijs dat Duffy een stomme trut is. Als de ene vrouw elf keer een miskraam krijgt en de andere nul, dan volgt daaruit logischerwijs dat de ene vrouw best twee of meer baby's kan verliezen aan wiegendood, en de andere geen. Dat maakt het nog niet tot moord, zoals Debbie ook niet al die foetussen heeft vermoord die ze is kwijtgeraakt. Daar heb je nu niet bepaald een briljant verstand voor nodig, om in te zien dat sommige medische problemen nu eenmaal wel in de ene familie voorkomen en niet in de andere, net als grote neuzen en aanleg voor spataderen. Of microscopisch kleine piemels, zoals ze bij jou in de familie hebben, en niet in de mijne.'

'Ja, dat is een heel zeldzame aandoening die alleen mannen treft met donker krulhaar en de initialen CG,' zei Sellers met een uitgestreken gezicht. 'Als ze naar hun eigen piemel kijken gebeurt er iets met hun visuele zintuig, en zien ze het ding vijf keer groter dan het in werkelijkheid is. Mannen die daaraan lijden hebben vaak ook een onaangename lijflucht.'

Ze kwamen aan in Bengeo Street. Het was een hoefijzervormige doodlopende straat met twee-onder-een-kapwoningen uit de jaren vijftig, opgetrokken uit rode baksteen, met kleine voortuintjes en hier en daar een stukje gras voor de goede orde. Veel huizen hadden uitbouwtjes aan de zijkant. Het gaf de straat een overvol aanzien, alsof de gebouwen te veel hadden gegeten en hun best moesten doen om binnen de perken te blijven. Het huis van de Yardleys was een van de weinige huizen zonder uitbouw; was ook niet nodig, als je geen kinderen hebt om het huis te vullen, dacht Gibbs. Er hing nog steeds rood-wit politielint voor. Paul Yardley logeerde bij zijn ouders, en daar was Gibbs blij om. Het was een nachtmerrie, met Yardley te moeten praten. Als je hem zei dat er geen nieuws was stond hij je aan te kijken alsof hij je niet goed had verstaan en hij wachtte op je echte antwoord.

Gibbs keek op zijn horloge: halfvijf. Stella Whites rode Renault Clio stond voor nummer 16 geparkeerd, dus dat hield in dat ze haar zoon al uit school had gehaald. Sellers belde aan bij Beryl Murie en leek net zo te schrikken als Gibbs twee dagen eerder, omdat de huisbel een elektronische versie was van *How much is that doggy in the window?* die aan de andere kant van de straat nog te horen was. 'Ik was vergeten je te waarschuwen voor de dove deurbel,' riep Gibbs.

Stella White deed open toen hij aan kwam lopen. Ze had modderige voetbalschoenen van haar kind in de hand, en een blauw plastic buitenaards wezen en een broodkorst. Haar spijkerbroek en V-halstrui hingen om haar magere gestalte en ze had donkere kringen onder haar ogen. Als een leven met kinderen dit met je deed, dan hadden Debbie en hij misschien geluk.

'Rechercheur Gibbs, van de recherche van Culver Valley.'

'Ik dacht dat rechercheur Sellers zou komen,' zei Stella White – opgewekt glimlachend, alsof Gibbs een soort bonus was, een verrassing.

*Jammer voor je, meid.*

'Het liep even anders.' Gibbs toonde haar zijn insigne en liep de voorkamer in. Uit de andere kamer klonk het lawaai van een televisie, ook al was de deur dicht: het klonk als commentaar op de paardenrennen.

'Kijkt uw man naar de paardenrennen?' vroeg hij. In de kamer waar ze nu zaten was kennelijk wat geld gestoken: dikke, gedrapeerde gordijnen, een houten vloer, een haard met marmer en leisteen. Subtiele kleuren die zich niet gemakkelijk lieten benoemen. Niet zoiets duidelijks als rood, of blauw of groen. Debbie zou dit geweldig vinden, hoewel ze nooit in Bengeo Street zou willen wonen, hoe mooi het huis vanbinnen ook was. Het was veel te dicht bij Winstanley, en dat was een foute buurt.

'Ik heb geen man,' zei Stella. 'Mijn zoon Dillon heeft iets met paarden. Eerst mocht hij nooit kijken van me, maar...' Ze haalde haar schouders op. 'Hij is er zo gek op, dus toen vond ik het niet eer-lijk om het hem te ontzeggen.'

Gibbs knikte. 'Ach, als ze maar ergens interesse in hebben, toch?' zei hij. 'Toen ik klein was kon niets me boeien. Echt helemaal niets. Ik verveelde me gek, tot ik oud genoeg was om te drinken en...' Hij hield zich nog net op tijd in, maar Stella White moest lachen.

'Inderdaad,' zei ze. 'Ik ben heel blij dat hij tenminste iets leuk vindt – het maakt me bijna niet uit wat. Hij houdt exact bij welke paarden in vorm zijn en alles. Als je over de paardenrennen begint houdt hij niet meer op.'

'Hoe oud is hij?'

'Vier.' Toen ze Gibbs' verbazing zag, zei Stella: 'Ik weet het. Het is een beetje gênant. Hij is geen wonderkind of zo, hoor – het is een heel gewoon kind dat toevallig gek is van paarden.'

'Straks gaat u me nog vertellen dat hij twaalf talen spreekt en een middel tegen kanker heeft bedacht,' zei Gibbs.

'Was het maar waar.' Stella's glimlach verdween. 'Ik wil u niet in verlegenheid brengen, maar het is voor mij makkelijker als ik het meteen maar vertel. Ik heb zelf kanker.'

'Aha.' Gibbs schraapte zijn keel. 'Sorry.'

'Maakt niet uit. Ik ben eraan gewend – aan de kanker en aan hoe mensen erop reageren. Ik heb het al jaren, en mijn leven is er beter door geworden.'

Gibbs wist niet wat hij verder nog kon zeggen behalve sorry. Een beter leven? Wie hield ze hier voor de gek? Hij begon te wensen dat hij toch zelf naar Beryl Murie was gegaan.

'Ga zitten,' zei Stella. 'Wilt u misschien iets drinken.'

'Nee, hoeft niet, hoor. Het zou wel goed zijn als Dillon hier ook bij was, als u hem bij de paarden weg kunt krijgen. Ik wil graag nog eens doornemen wat u allemaal al hebt verteld over de man die u naar Helen Yardley's voordeur zag lopen, om te zien of u zich verder nog iets herinnert.'

Stella fronste. 'Ik betwijfel of Dillon hem wel heeft gezien. Ik zette hem net in het autozitje – hij zit achterin, dus hij heeft waarschijnlijk alleen de achterkant van de stoel voor zich gezien, en meer niet.'

'En voor u hem in de auto zette? Ik neem aan dat de man eerst over straat liep. Kan het niet zijn dat Dillon hem heeft zien lopen voor u hem in zijn zitje zette?'

'Zou kunnen, denk ik, hoewel ik hem toen zelf niet heb gezien, want ik zag hem pas toen hij vlak voor Helens huis stond. Eerlijk gezegd denk ik echt niet dat Dillon hem heeft gezien. De rechercheur die de vorige keer hier kwam, heeft ook al met hem gepraat, en daar kwam niets uit. Dillon zei dat hij een man had gezien, maar meer kwam er niet uit – hij kon niet zeggen wanneer of zelfs maar *waar*, en bovendien wist hij toen al dat *ik* een man had gezien... Ik denk dat hij mij maar een beetje napraatte.'

'Was die man maar een paard geweest,' probeerde Gibbs voor de grap.

'Ja, dan zou hij zich elk detail nog herinneren,' lachte Stella. 'Dillon is meestal heel goed in details, zelfs als het niet over paarden gaat, maar hij kon de rechercheur toen helemaal niets vertellen: haarkleur, lengte, kleren, niets. Niet dat ik trouwens zoveel beter was.' Ze keek verontschuldigend. 'Ik dacht dat hij een beetje donker haar had en dat hij donkere kleding droeg, en ik geloof dat hij best lang was, en een gewoon figuur had, en ergens tegen het eind van jong en het begin van middelbaar, wat leeftijd betreft. Ik herinner me geloof ik ook nog dat hij een jas droeg, maar ja, wie draagt er geen jas in oktober?'

'En hij had niets in zijn handen, voor zover u weet?' vroeg Gibbs.

'Nee, maar... misschien had hij dat wel, natuurlijk.'

'En u hebt ook niet gezien of hij een auto had, of dat er die ochtend auto's in de straat stonden die er normaal niet staan?'

'Ik weet het verschil nog niet tussen een Volvo en een Skoda,' zei Stella. 'Sorry. Ik ben echt volledig autoblind. Voor hetzelfde geld stond het hier toen vol met knalroze Rolls Royces, dan had ik het nog niet gezien.'

'Geeft niet,' zei Gibbs. 'Maar ik zou toch eventjes met Dillon willen kletsen...' Hij zette zijn allerliefste glimlach op. 'Ik verwacht er niets van, maar het is toch de moeite van het proberen waard. Veel van de kerels die ik ken die van paarden houden, houden ook van auto's.'

'Oké, maar... als hij ineens over Helens dood gaat praten, kunt u dan...' Stella zweeg. Ze keek gegeneerd. 'Ik weet dat het idioot klinkt, maar kunt u daar alstublieft zo positief mogelijk over praten?'

Gibbs kauwde op zijn lip, en was met stomheid geslagen. Positief, over een vrouw die verneukt was door het rechtsstelsel, die van haar enige overgebleven kind was beroofd en die vervolgens een kogel door haar hoofd had gekregen?

'Dat klinkt natuurlijk lekker makkelijk uit de mond van een vrouw met terminale kanker, ik weet het, maar ik probeer Dillon op te voeden met de dingen waar ik zelf in geloof: dat de dood niet bestaat, althans, dat die niet hoeft te bestaan. Dat het gaat om de geest, en dat die nooit sterft. Dat de rest er niet toe doet.'

Gibbs zat doodstil. Hij had het bij Beryl Murie moeten houden, met zijn grote mond. 'Wat hebt u Dillon verteld over de moord op Helen Yardley?'

'De waarheid. Hij weet dat zij een bijzonder iemand was. Soms krijgen bijzonder mensen bepaalde uitdagingen op hun pad waar de meesten van ons geen raad mee zouden weten. Daarom had Helen het zwaarder dan de meeste andere mensen, maar nu is ze door naar het volgende stadium. Ik heb tegen hem gezegd dat ze nu gelukkig is, als dat nu nodig is voor haar ziel, in het volgende leven.'

Gibbs knikte nietszeggend. Hij keek weer om zich heen. Boven de haard hingen vier ingelijste foto's, er stonden twee leunstoelen, een tweezitsbankje, een blaasbalg, een koperen kolenkit, een pook, twee houten salontafeltjes... geen wierook, geen vage frutsels, geen yin en yang. Gibbs had het gevoel alsof ze hem in de maling nam. 'Wat heeft u tegen Dillon gezegd over degene die Helen heeft vermoord?' wilde hij weten. Wie het ook was, hij was degene die wat Gibbs betrof door mocht naar het volgende stadium, het stadium waarin hij voor de rest van zijn leven achter de tralies kwam te zitten en waar hij idealiter in elkaar zou worden geramd door zijn medegevangenen.

'Dat was natuurlijk lastig,' zei Stella. 'Ik heb geprobeerd om hem uit te leggen dat sommige mensen bang zijn om hun pijn te ondergaan en dat ze dat op andere mensen afreageren. Ik hoop niet dat u het vervelend vindt dat ik het zeg, maar u lijkt mij ook zo iemand.'

'Ik?' Gibbs ging rechter op zijn stoel zitten. *Ik moet hier echt weg!*

'Niet dat u iets gewelddadigs zou doen – *natuurlijk* niet.'

Gibbs wist dat nog niet zo zeker.

'Het is alleen... Ik voel bij u heel veel wolken onder het oppervlak. En daaronder schijnt een heel fel licht, maar het is...' Stella schoot ineens in de lach. 'Sorry. Ik hou mijn mond – ik heb niet alleen kanker, maar ook een veel te grote mond, vrees ik.'

'Mag ik dan nu met Dillon praten?'

'Ik ga hem wel even halen.'

Toen hij alleen in de kamer zat, blies Gibbs langzaam zijn adem uit. Wat zou Waterhouse zeggen van een vrouw die de voordelen zag van andermans tragedie, en die een gewelddadige dood zag als een geweldige kans voor de ziel om naar een gelukkiger volgend leven door te stromen? En als je vond dat een vriendin wel genoeg had geleden in haar huidige vorm, en dat jij had bedacht dat het tijd was voor haar ziel om het hogerop te zoeken? Gibbs vroeg zich af of hij er iets van zou moeten zeggen.

Door de muur hoorde hij Dillons verstomde woede terwijl de tv werd uitgezet. Hij stond op en liep naar de foto's boven de haard. Een toonde Dillon in zijn schooluniform. Hij zag eruit alsof hij alleen 'ch' zei, in plaats van 'cheese'. Er hing ook een foto van Stella en Dillon samen, en twee van Stella in haar eentje, in hardloopkleding. Op een daarvan droeg ze een medaille aan een lintje om haar nek.

Toen ze de kamer weer in liep met Dillon, zei Gibbs: 'U loopt hard, zie ik?' Hij had overwogen om dat zelf ook te gaan doen, maar daar was het verder bij gebleven. Geen zin.

'Niet meer,' zei Stella. 'Ik heb er de kracht niet meer voor. Toen ik voor het eerst gediagnosticeerd werd, besefte ik dat dit een van de dingen was die ik altijd nog had willen doen in mijn leven en die ik tot dan toe niet had gedaan, dus toen ben ik gaan trainen en het is me gelukt: twee of drie marathons per jaar, vijf jaar lang. Ongelofelijk hoeveel gezonder ik me daarbij voel. Althans, voelde,' verbeterde Stella zichzelf. 'Ik *was* ook gezonder. De artsen gaven me toen nog twee jaar – en ik heb er nog acht uit weten te slepen.'

'Dat is niet zo slecht.' Misschien zat er toch iets in, al die positieve gedachten over de dood.

'Ik heb bakken met geld opgehaald voor het goede doel. De laatste keer dat ik heb gelopen was de marathon van Londen, en al het geld dat ik toen heb opgehaald is naar GOOV gegaan – u weet wel, Helens organisatie. Ik heb ook nog een paar triatlons gedaan, ook voor het goede doel. Maar nu beperk ik me tot lezingen – voor kankerpatiënten, artsen, paranormale genezers, wie me ook maar wil hebben.' Stella glimlachte. 'Als u niet oppast, laat ik u straks nog mijn doos met knipsels zien.'

'Mag ik tv-kijken?' vroeg Dillon ongeduldig. Hij droeg een donkerblauw trainingspak met het logo van zijn school erop. Om zijn mond zaten chocoladesporen.

'Zo, liefje.' Stella aaide hem over zijn bol. 'Eerst even kletsen met rechercheur Gibbs, en dan mag je weer naar de paarden.'

'Maar daar heb ik helemaal geen zin in,' protesteerde Dillon.

'Weet je nog wat er maandagochtend is gebeurd?' vroeg Gibbs aan hem.

'Het is vandaag donderdag.'

'Ja, dat klopt. Dus maandag was...'

'Voor donderdag was het woensdag, en voor woensdag was het dinsdag en voor dinsdag was het maandag. Bedoelt u die dag?'

'Inderdaad,' beaamde Gibbs.

'Toen zagen we die man met die paraplu, en daar voorbij,' zei Dillon.

'Paraplu?' Stella lachte. 'Die is nieuw. Hij had geen...'

'Daar voorbij?' Gibbs knielde voor het jongetje. 'Je bedoelt achter het huis?'

'Nee, daar voorbij.'

'Heb jij de man bij Helens huis gezien, op maandagochtend?'

'Ik heb hem gezien en mam heeft hem gezien.'

'Maar hij had geen paraplu bij zich, guppie,' zei Stella voorzichtig.

'Wel waar.'

'Wat voor kleur had die paraplu?'

'Zwart met zilver,' antwoordde Dillon meteen.

Stella schudde haar hoofd geamuseerd. Ze gebaarde naar Gibbs dat ze het later wel uit zou leggen, als Dillon weer in de televisiekamer zat.

'Heb je die man uit een auto zien stappen?'

Dillon schudde zijn hoofd.

'Maar jij hebt hem gezien op het pad voor het huis van de familie Yardley.'

'En daar voorbij.'

'Je bedoelt dat hij het huis in is gegaan?' Gibbs gebaarde naar Stella dat ze hem niet in de rede moest vallen.

Ze negeerde hem. 'Sorry, guppie.... maar jij hebt hem toch *niet* bij Helen naar binnen zien gaan?'

'Mevrouw White, alstublieft...'

'Hoe vaker jullie het hem vragen, des te meer hij verzint,' zei Stella. 'Het spijt me, ik weet dat ik er niet tussen moet komen, maar u kent Dillon niet. Hij is heel, heel erg gevoelig. Hij merkt dat mensen graag willen dat hij hun iets vertelt, en hij wil hen niet teleurstellen.'

'Hij zat in de zitkamer,' zei Dillon. 'Ik zag hem in de zitkamer.'

'Dillon, dat is helemaal niet waar. Ik weet dat je wil helpen, maar jij hebt die man niet echt in Helens zitkamer gezien, of wel?' Stella wendde zich tor Gibbs. 'Geloof me, als hij een zwart met zilveren paraplu had gehad, dan had ik dat echt wel gezien. Het regende niet eens. Het was een heldere dag, zonnig en koud – dat noem ik altijd het ideale kerstweer, alleen niet zo ideaal voor oktober. De meeste mensen willen dat het sneeuwt met kerst, maar ik...'

'Het was niet helder,' zei Dillon. 'Er was niet genoeg zon voor helder. Mag ik nou weer paarden kijken?'

Gibbs bedacht dat hij het weerbericht van zondag met de voorspelling voor maandag straks moest opzoeken. Als er regen werd voorspeld, zou een voorzichtig mens een paraplu meenemen, ook al was het 's ochtends zonnig. *En als dat niet zo was?* Dan had hij het pistool misschien in de paraplu verstopt?

'Het regende *wel*,' zei Dillon en hij keek Gibbs verongelijkt aan. 'De paraplu was nat. En ik heb die man *wel* in de zitkamer gezien.'

Judith Duffy woonde in een vrijstaande villa met drie verdiepingen in Ealing, aan een winderige bomenlaan die volgens Simon niet typisch Londens was, en die hem überhaupt nergens aan deed denken. Hij zou hier nooit willen wonen. Dat zou hij zich ook nooit kunnen veroorloven, dus het was maar goed ook. Hij belde voor de derde keer aan. *Geen reactie.*

Hij duwde de glimmende, koperen brievenbus open en keer erdoor. Hij zag een houten kapstok, visgraatparket, Perzische kleden, een zwarte piano en een met rood fluweel beklede kruk. Hij deed een stap naar achteren toen hem het zicht werd benomen door paarse stof met een knoop.

De deur ging open. Omdat hij wist dat Judith Duffy vierenvijftig was, schrok Simon toen hij oog in oog stond met een vrouw die gemakkelijk voor zeventig door kon gaan. Haar steile grauwgrijze haar was weggetrokken uit haar smalle, uitgeholde gezicht. Op de foto die Simon van haar had gezien, de foto die altijd in de kranten stond, zag Duffy er veel ronder uit; ze had zelfs bijna een onderkin.

'Ik geloof niet dat ik u heb uitgenodigd om door mijn brievenbus te gluren,' zei ze. Dit was het soort zin dat men volgens Simon met nauwelijks verholen woede uitspreekt, maar dokter Duffy klonk alsof ze een feit debiteerde. 'Wie bent u?'

Simon toonde haar zijn identificatie. 'Ik heb twee boodschappen bij u ingesproken,' zei hij.

'Ik heb u niet teruggebeld omdat ik uw tijd niet wilde verspillen,' zei Duffy. 'Dit wordt de kortste ondervraging uit uw hele carrière. Ik praat niet met u en ik luister niet naar uw vragen, en u mag geen enkel onderzoek op mij plegen om te zien of ik al dan niet een wapen heb afgevuurd. Daarbij kunt u uw collega Fliss Benson melden dat zij op moet houden om mij lastig te vallen – met haar wens ik ook niet te praten. Het spijt me dat u voor niets bent gekomen.'

Zijn collega Fliss Benson? Simon had nog nooit van haar gehoord.

Duffy begon de deur dicht te doen. Hij stak zijn hand uit om haar tegen te houden. 'Alle anderen die we het hebben gevraagd hebben wel meegewerkt aan het sporenonderzoek, en hebben ons alle medewerking verleend.'

'Ik ben niet alle anderen. En haalt u nu uw hand van mijn deur.' Ze smeet de deur in zijn gezicht dicht.

Simon duwde de brievenbus weer open en hij zag het paars. 'Er is iemand die ik nergens kan vinden,' zei hij tegen Duffy's vest, het enige deel van haar dat hij kon zien. 'Rachel Hines. Ik heb wel met haar ex-echtgenoot gesproken. Angus. Hij zei dat ze bij vrienden logeerde, ergens in Londen, maar hij wist niet waar. Ik neem niet aan dat u dat toevallig wel weet?'

'Die vraag stelt u maar aan Laurie Nattrass,' zei Duffy.

'Dat ben ik ook van plan, zodra die mij terugbelt.'

'Dus we hebben het in feite over alle anderen min één.'

'Pardon?'

'Die hun medewerking verlenen. Laurie Nattrass werkt niet mee als hij u niet terugbelt.'

*Hebben we nu een gesprek door een brievenbus?*

'Bij de heer Nattrass hebben wij al onderzoek verricht, en zijn alibi is vastgesteld en hij is als verdachte uitgesloten, wat we allemaal ook bij u zouden kunnen doen als u...'

'Tot ziens, meneer Waterhouse.'

Simon hoorde het geschuifel van haar voeten over de houten vloer terwijl ze wegliep. 'U moet mij helpen,' riep hij haar na. 'Tussen ons gezegd en gezwegen, en ik zou u dit helemaal niet mogen vertellen, maar ik maak me zorgen over mevrouw Hines.' Wat de Sneeuwman verder ook beweerde, wat Sam Kombothekra ook beweerde, Simons instinct zei hem dat ze op zoek waren naar een seriemoordenaar, of in elk geval naar een potentiële seriemoordenaar – iemand die kaartjes achterliet met vreemde getallenreeksen in de zakken van zijn slachtoffers. Was Rachel Hines een van zijn slachtoffers? Of was Simons verbeelding zo buitenproportioneel als Charlie altijd al stelde?

Hij slaakte een diepe zucht. Alsof ze daarop had gewacht, zette Judith Duffy weer een paar stappen in de richting van de deur. Simon kon haar nu weer zien, althans, haar schouder en haar arm. Haar gezicht niet. 'Ik heb maandag nog geluncht met Ray Hines,' zei ze. 'Zo, dan heeft u meteen mijn alibi – en dat van haar – dus dan kunt u nu vrolijk weg, en ook al bent u niet vrolijk, u moet hoe dan ook weg. We wisten geen van beiden dat het de dag was waarop iemand Helen Yardley zou vermoorden. Op dat moment was het nog gewoon maandag 5 oktober, een doodgewone maandag. We hebben elkaar in het restaurant ontmoet, en we hebben samen de middag doorgebracht.'

'Welk restaurant was dat?' Simon haalde zijn pen en opschrijfboekje tevoorschijn.

'Sardo Canale in Primrose Hill. Ray's keuze.'

'Mag ik vragen...'

'Tot ziens, meneer Waterhouse.'

Dit keer voelde Simon weerstand toen hij tegen de brievenbus duwde. Ze hield hem aan de binnenkant tegen.

Hij liep terug naar zijn auto en zette zijn telefoon aan. Hij had twee berichten. Eentje van een man van wie hij aannam dat het Laurie Nattrass was, wiens boodschap bestond uit een vreemd geluid gevolgd door de woorden 'Laurie Nattrass' en verder niets, en een van Charlie om te zeggen dat Lizzie Proust had gebeld om hen uit te nodigen voor het eten, aanstaande zaterdagavond. Of Simon dat niet raar vond, wilde ze weten, aangezien ze Proust al jaren kenden en ze nog nooit zo'n uitnodiging hadden gekregen, en wat moest ze nou zeggen? Simon sms'te het woord 'NEE', met hoofdletters, naar haar mobieltje, waarbij hij zijn eigen toestel tot tweemaal toe liet vallen, zo graag wilde hij dat duidelijk maken. De Sneeuwman die hem uitnodigde te komen eten; alleen de gedachte al greep Simon naar de strot. Hij dwong zich ergens anders aan te denken, want hij wilde nu de heftigheid van zijn reactie niet doorvoelen, en ook de angst die daarbij hoorde niet.

Hij belde een van de drie mobiele nummers van Laurie Nattrass die hij had, en dit keer nam er meteen iemand op. Simon hoorde iemand ademen. 'Hallo?' zei hij. 'Meneer Nattrass?'

'Laurie Nattrass,' zei een barse stem, dezelfde die het bericht had ingesproken.

'Spreek ik nu met de heer Nattrass?'

'Weet ik veel.'

'Pardon?'

'Ik ben er niet bij, dus ik kan niet zien met wie u spreekt. Als u het tegen mij hebt dan spreekt u inderdaad met de heer Nattrass, de heer Laurie Nattrass. En ik spreek met die ontzettende zak van een rechercheur Simon Waterhouse.' Terwijl hij sprak ging het volume van zijn stem voortdurend op en neer, alsof iemand hem met een speld prikte en hij bij elke prik harder praatte. Was die man wel goed bij zijn hoofd? Of was hij soms bezopen?

'Waar en wanneer kan ik u spreken?' vroeg Simon. 'Ik kom wel naar u toe als u dat wilt.'

'Nooit, nergens, vergeet het maar.'

O, dus het ging over die boeg? Over de boeg van het soepele gesprek. Is deze man echt dezelfde man die is opgeleid aan Oxford en aan Harvard en die een regen aan prijzen heeft ontvangen voor zijn werk als onderzoeksjournalist? Zo klonk hij anders helemaal niet.

'Weet u misschien waar ik Rachel Hines kan vinden?'

'Twickenham,' zei Nattrass. 'Hoezo? Ray heeft Helen niet vermoord, hoor. Wil je haar alweer in de boeien slaan? Een ezel stoot zich niet twee keer aan dezelfde steen maar je kunt natuurlijk altijd dezelfde onschuldige vrouw twee keer in de cel gooien.' Het was niet alleen het volume dat per woord veranderde, hoorde Simon – het was ook de snelheid waarmee Nattrass sprak. Sommige zinnetjes werden er uitgegooid, en andere kwamen traag, bijna aarzelend, alsof hij er niet bij was met zijn hoofd.

'Hebt u misschien een adres voor me of contactgegevens?'

'Ga nou maar meteen naar Judith Duffy in plaats van mijn tijd of die van Ray Hines te verdoen. Vraag haar maar wat haar twee schoonzonen uitspookten op maandag.' Het was eerder een bevel dan een suggestie.

*Twee schoonzonen.* En aangezien de politie tegenwoordig alles vanuit gelijkwaardigheid moest aanpakken dus ook twee dochters. Was het de moeite om daar achteraan te gaan?

'Meneer Nattrass, ik moet u een aantal vragen stellen,' probeerde Simon nogmaals. 'Ik zou dat liever persoonlijk doen, maar...'

'Doe dan maar net of uw telefoon een persoon is. Doe maar net of die Laurence Hugo St.-John Fleet Nattrass heet en vraag maar raak.'

Als deze man normaal was, dan was Simon een broodje banaan. Nattrass was dronken, dat kon niet anders. 'We houden rekening met de mogelijkheid dat Helen Yardley is vermoord vanwege haar werk voor de GOOV. En aangezien u de...'

'...aangezien ik medeoprichter ben, vroeg u zich af of iemand soms heeft geprobeerd om mij ook om te leggen. Nee. Volgende vraag.'

'Heeft iemand u bedreigd? Heeft iemand zich vreemd gedragen, hebt u eigenaardige brieven of e-mails ontvangen?'

'Hoe is het met Giles Proust? Die is nu de baas van het spul, toch? Zeg eens, hoe kan die hier objectief in staan? Dat is toch een lachertje. Hij heeft Helen gearresteerd voor moord. Hebt u haar boek al gelezen?'

'Dat van Helen?'

*'Niets dan liefde.* Niets dan lof voor die goeie ouwe Giles. Wat vindt u eigenlijk van hem. Klootzak, waar of niet?'

Simon had bijna gezegd: 'Inderdaad', maar hij liet dat overgaan in een hoestbui, met bonzend hart. Hij had het echt bijna gezegd. Dan had hij mooi naar zijn baan kunnen fluiten.

'Als hij dacht dat Helen onschuldig was, waarom heeft hij haar dan gearresteerd?' wilde Nattrass weten. 'Waarom heeft hij toen dan geen ontslag genomen? Is hij soms moreel kleurenblind?'

'Als iemand je opdraagt iemand te arresteren, dan doe je dat als agent,' zei Simon. *Moreel kleurenblind.* Hij had nog nooit zo'n goede omschrijving van de Sneeuwman gehoord.

'Weet je wat hij deed toen ze vrijkwam? Toen stond hij bij haar op de stoep met alles wat zijn beulen hadden geconfisqueerd toen ze haar kwamen arresteren – rieten reiswieg, wipstoel, de kleertjes van Morgan en Rowan, de hele santenkraam. Hij had niet eens eerst even gebeld om te vragen of ze wel zin had in een bus vol herinneringen aan haar dode baby's. En weet je hoe vaak hij haar in de gevangenis heeft bezocht? Nul keer.'

'Ik wilde u iets vragen over een kaart die in Helen Yardley's zak werd gevonden na haar dood,' zei Simon. 'Dat hebben we uit de media gehouden.'

'2, 1, 4, 9...'

'Hoe kent u die getallen?' Het kon Simon niet schelen als hij bruusk klonk. Want zelfs op zijn alleronbeschoftst kon hij niet tippen aan Nattrass.

'Fliss had er een. Felicity Benson, Blije Benson. Ze is momenteel alleen niet zo heel blij, tenminste, niet met mij. Ze wist niet wat die getallen betekenen. Ik heb ze in de vuilnisbak gegooid. Weet u wat ze te betekenen hebben? En wie ze heeft gestuurd?'

Felicity Benson. *Fliss*. Simon had geen idee wie ze was, maar ze was zojuist boven aan zijn lijstje komen te staan van mensen die hij wilde spreken.

# Angus Hines

Transcript van interview 1, 16 februari 2009

A.H.: Nou? Ik neem aan dat je vragen hebt en dat je me hier niet hebt gevraagd om stilte op te nemen.

L.N.: Het verbaasde me eerlijk gezegd dat je je wilde laten interviewen.

A.H.: Je bedoelt dat jij je beschaamd zou verstoppen als je mij was?

L.N.: Het verbaasde me dat je met mij wilde praten. Je kent mijn standpunt. Je weet dat ik een film aan het maken ben over...'

A.H.: Je bedoelt, ik weet aan wiens kant jij staat?

L.N.: Ja.

[*Stilte*]

A.H.: Denk jij dat dat verstandig is, om een kant te kiezen?

L.N.: Niet verstandig. Essentieel.

A.H.: Dus, even voor de duidelijkheid, aan wiens kant sta jij dan precies?

L.N.: Aan die van Ray. En die van Helen Yardley, en alle andere onschuldige vrouwen die opgesloten zitten vanwege een moord op kinderen die zij niet hebben gepleegd.

A.H.: Hoeveel zijn dat er, alles bij elkaar? Heb je al eens een totaalscore opgemaakt?

L.N.: Te veel. GOOV strijdt op dit moment voor herziening van vijf zaken, en er zijn nog minstens drie anderen, dat ik weet – onschuldige vrouwen die vastzitten in Britse gevangenissen dankzij de leugen van jouw vriendin dr. Judith Duffy.

A.H.: Mijn vriendin? O, ik snap het al. Dus aan de ene kant hebben we jou, mijn ex-echtgenote en de hordes onterecht veroordeelde moeders of babysitters, slachtoffers van wat u meen ik een moderne heksenjacht hebt genoemd...

L.N.: Want dat is het namelijk.

A.H.: ...en aan de andere kant staan ik, Judith Duffy – verder nog iemand?

L.N.: Nog genoeg anderen. Iedereen die een rol heeft gespeeld in het ruïneren van de levens van Ray, Helen, Sarah Jaggard en andere vrouwen zoals zij.

A.H.: En wie staat eigenlijk aan de kant van de kinderen, in die strijd voor rechtvaardigheid van jou, met die duidelijk omlijnde partijen? Wie staat aan de kant van Marcella en Nathaniel?

L.N.: Als jij denkt...

A.H.: Ik. Ik sta aan hun kant. Dat is de enige kant waar ik aan sta. Het is de enige kant waar ik ooit aan heb gestaan. Daarom ben ik bereid om mee te werken aan dit interview – door jou, door wie me ook maar vraagt. Je kunt nog zo hard proberen om mij als schurk weg te zetten in die BBC-documentaire van je, maar zolang je maar netjes weergeeft wat ik zeg, ga ik ervan uit dat het publiek zelf de waarheid wel zal zien door jouw leugens heen.

L.N.: Mijn leugens? Waar heb ik dan over gelogen?

A.H.: Opzettelijk? Waarschijnlijk nergens over. Maar met oogkleppen door het leven gaan en je vooroordelen spuien zodra je ook maar even kans ziet is ook een vorm van liegen.

L.N.: Dus ik heb oogkleppen op?

A.H.: Jij ziet door het bos de bomen niet meer.

L.N.: Door de bomen het bos niet meer. De uitdrukking luidt: 'Door de bomen het bos niet meer zien.'

A.H.: [*Lacht*] 'O! Laat ons toch nooit twijfelen aan wat niemand zeker weet!'

L.N.: Aha. Dus ik heb oogkleppen op omdat ik altijd heb geloofd in de onschuld van jouw vrouw? In tegenstelling tot jou, degene die haar heeft verraden?

A.H.: Ik geloof niet dat ik haar heb verraden. En, *for the record*, ik geloof nu ook dat ze onschuldig is. En ik geloof dat des te sterker omdat ik eerst het tegendeel geloofde – iets wat iemand met jouw simplistisch wereldbeeld wel niet zal begrijpen.

L.N.: Is dat jouw manier om je excuses aan te bieden? Heb je eigenlijk wel je excuses aangeboden aan Ray omdat je aan haar twijfelde? Heb je dat überhaupt weleens geprobeerd?

A.H.: Ik heb nergens spijt van. Het enige wat ik heb gedaan is weigeren om wie dan ook te beschuldigen, mijn vrouw...

L.N.: Ex-vrouw.

A.H.: ...of mijn kinderen te beledigen door te liegen. Toen de politie ons voor het eerst te kennen gaf dat ze Ray van moord verdachten, twijfelde ik inderdaad aan haar onschuld, ja. Ik was niet in een positie om met zekerheid te stellen hoe Marcella en Nathaniel waren gestorven, aangezien ik beide keren niet thuis was toen het gebeurde. De politie had haar bedenkingen – en ik zag niet in waarom ze die zouden hebben als daar geen reden toe was. Ze hadden anders heus wel wat beters te doen, toch? Twee doden binnen hetzelfde gezin, zomaar, zonder reden, is ongebruikelijk. Marcella en Nathaniel waren allebei volkomen gezond, de dagen voor hun dood. Er was helemaal niets mis met hen.

L.N.: Ben jij soms kinderarts? Dan moet ik dat even aanpassen in mijn aantekeningen. Want ik heb hier staan: 'fotograaf'.

A.H.: Dan moet je dat inderdaad aanpassen. Ik heb namelijk al een poos geleden promotie gemaakt. Ik ben nu hoofd Fotoredactie bij *London on Sunday*. Iemand anders doet inmiddels het loopwerk. En ik mag achter een groot bureau zitten en ik eet de hele dag chocoladekoekjes terwijl ik naar de Big Ben zit te staren. Zo zie je maar weer hoe snel men onjuiste aannames als feit gaat zien. Ik doe niet in aannames. In tegenstelling tot jou. Over Ray heb ik ook nooit enige aanname gemaakt. Ze hield van haar kinderen – haar liefde voor hen was oprecht, daarover had ik helemaal geen twijfels. Tegelijkertijd was ik realistisch genoeg om me af te vragen of onder bepaalde psychologische... voorwaarden de liefde voor je kind te verenigen is met het beschadigen van je kind. Vanwege Ray's voorgeschiedenis.

L.N.: Kom nou toch! Ze zit in een vensterbank een sigaret te roken – en voor ze het weet komt de politie in groten getale bij haar binnen, ze zetten het huis af met linten, staan in haar slaapkamer te bellen zodat ze alles letterlijk kan horen wat ze zeggen, en bellen met haar huisarts om te vragen wat de kans is dat ze gaat springen.

A.H.: Dat is haar versie van het verhaal, een van de vele versies die ze in de loop der jaren heeft opgedist. De remix van 'het enige wat ik wilde was rust aan mijn kop en een sigaretje'. Voor de rechtbank probeerde ze die hele geschiedenis af te doen als postnatale gekte, en beweerde ze dat ze zich noch de vensterbank, noch de sigaret kon herinneren.

L.N.: Er is niets mis met Ray, in psychologische noch in enige andere zin. Ze is een normale, gezonde vrouw.

A.H.: Dus jij vindt het normaal gedrag om naar buiten te klimmen via een gevaarlijk hoog raam en dan op een randje te gaan zitten roken? Om er nog maar over te zwijgen dat het gebeurde op de eerste dag dat Ray weer bij ons terug was nadat ze om onverklaarbare redenen bij Marcella en mij was weggelopen toen Marcella pas twee weken oud was. En negen dagen later komt ze al even onverklaarbaar weer binnenlopen, en weigerde ze te zeggen waar ze geweest was of waarom ze weg was gegaan, en als je erop doorvraagt stormt ze de trap op en klimt ze uit het raam. Als jouw vrouw zich zo gedroeg en zij werd vervolgens beschuldigd van de moord op jullie twee jonge kinderen zou jij zeker geen twijfels hebben, wou je dat nou echt beweren?

L.N.: Als Ray leed aan een postnatale depressie, wiens schuld was dat dan? Jij hebt de eerste twee weken van Marcella's leven liggen snurken terwijl Ray elke ander-half uur op moest om het kind de borst te geven. Ze heeft twee weken moeten leven met een veeleisend kind en met nul hulp van jou, en toen besloot ze...

A.H.: ...dat als ik niet uit de eerste hand had ervaren hoe zwaar dat was, ik haar nooit zou begrijpen, en daarom is ze hem gesmeerd en liet ze mij achter met de hele boel. Dat is weer een andere remix. Een feministische. 'Mijn man is toch zo'n seksistische klootzak.'

L.N.: Je kunt het noemen wat je wilt. Ik noem het de waarheid.

A.H.: Negen dagen na haar vertrek kwam Ray terug en kon ze zien dat ik het hele-maal niet had gered in m'n eentje, zoals de bedoeling was geweest – ik had mijn moeder erbij geroepen, meteen, aangezien ik geen verlichte man ben. En omdat Ray's enige wens was geweest van ons huishouden een utopie van gelijkwaar-digheid tussen man en vrouw te scheppen, en van mij een soort Mary Poppins te maken, was ze woedend op mijn moeder en mij. Ze klom uit het raam om bij ons weg te komen. Snap je? Ik ben even goed op de hoogte van de leugen als jij.

[*Stilte*]

Terwijl ik in werkelijkheid gewoon mijn aandeel van de babyverzorging heb gedaan vanaf het moment dat ik Ray en Marcella uit het ziekenhuis heb gehaald. Zo niet meer. Als Marcella 's nachts huilde, was ik degene die als eerste uit bed kwam. Terwijl Ray zat te voeden, zette ik thee voor ons, en dan zaten we soms nog wat te praten, en anders luisterden we naar de radio. Als we daar allebei genoeg van hadden, zetten we de ramen van onze slaapkamer open en probeerden we bij de buren naar binnen te kijken om te zien wat die allemaal uitspookten. Niet zo heel veel. Die geluksvogels lagen gewoon te slapen.

[*Lange stilte*]

Ik was altijd degene die Marcella's luiers verschoonde en haar weer in haar bedje legde. Niet een paar keer – nee, elke keer. En tegen de tijd dat ik weer naar bed ging, lag Ray al te slapen. Ik deed alle boodschappen, ik streek de was, ik kookte het avondeten...

L.N.: Waarom is Ray dan bij je weg gegaan?

A.H.: Niet alleen bij mij. Bij mij en bij Marcella. Vraag jij je nooit af of een vrouw die is staat is om haar pasgeboren baby in de steek te laten misschien ook in staat is om diezelfde baby een paar weken later te vermoorden?

L.N.: Nooit.

A.H.: Een vrouw die geen scrupules kent wat betreft liegen onder ede, en voor de rechtbank beweerde dat ze leed aan een postnatale depressie, om later te beweren dat het allemaal onderdeel uitmaakte van een soort feministisch punt dat ze wilde maken?

L.N.: We liegen allemaal weleens, maar bijna niemand vermoordt zijn eigen kinderen. De meeste mannen zouden hun vrouw het voordeel van de twijfel geven. Paul Yardley heeft dat gedaan. Glen Jaggard ook.

A.H.: Je moet toch eerst echt twijfel hebben, wil je iemand het voordeel daarvan kunnen geven. Uit alles wat ik heb gehoord van Yardley en Jaggard maak ik op dat zij nooit twijfel hebben gehad. Je had het net over normaal. Denk jij dat dat normaal is? Natuurlijk?

[*Stilte*]

Ik heb niet gedacht dat Ray een moordenaar was. Het enige wat ik zeker wist was dat onze twee kindjes dood waren, vier jaar na elkaar, en dat sommige mensen dachten dat Ray daar misschien verantwoordelijk voor was. Ik heb niet gedacht dat zij de moordenaar was, en ik heb ook niet gedacht dat zij niet de moordenaar was. Ik wist het gewoon niet.

L.N.: Het gevolg van jouw niet weten was dat Ray in de aanloop naar haar proces moest leven met een man die geen liefhebbende echtgenoot meer was maar die een sinistere feitenverzamelende vreemde was geworden, altijd op zoek naar tekenen van haar schuld of onschuld. Hoe denk je dat het voor haar is geweest? En toen het vonnis werd geveld en zij schuldig werd bevonden, heb jij een interview gegeven buiten de rechtbank waarin je zei dat je blij was dat de moordenaar van je kinderen berecht was en dat je zo snel mogelijk de scheidingsprocedure in gang zou zetten. Of hebben ze je toen soms verkeerd geciteerd?

A.H.: Nee. Dat heb ik zo gezegd.

L.N.: Je had niet eens het fatsoen om eerst met Ray persoonlijk te spreken, voor je aan een drom verslaggevers en fotografen aankondigde dat je haar had verlaten. Sterker nog, je hebt Ray helemaal niet meer gesproken tot na haar vrijlating, toch?

A.H.: Ik zie dit niet als een loyaliteitsvraag. Is het onloyaal om je af te vragen of je vrouw je kinderen kan hebben vermoord als iedereen in het land zich die vraag stelt? Als je haar voor de rechter hebt horen liegen? Ze loog niet alleen over de reden waarom ze van huis is weggelopen...

L.N.: Zelfs zonder een creatieve versie van mijn kant, zullen mensen denken dat jij een kil monster bent. Stel nou eens dat Ray toen al was vrijgesproken? Hoe had jij je dan gevoeld?

A.H.: Dit gaat niet over gevoelens. Ik hou van Ray. Dat heb ik altijd gedaan en dat zal ik ook altijd blijven doen, maar ik wilde gerechtigheid voor Marcella en Nathaniel. Ik bevond mij in een lastig parket. Aangezien ik nooit zekerheid heb gehad – niemand kan eeuwig in onzekerheid leven, ik al helemaal niet – heb ik een beslissing moeten nemen: wat de rechtbank ook zou besluiten, ik zou me daarnaar voegen. Als zij dus naar het oordeel van de rechtbank onschuldig was geweest, zou ik hebben geloofd dat Ray onschuldig was.

L.N.: Dus even voor de duidelijkheid: Jij zegt dat als het de andere kant was uitgevallen jij ook ineens geen twijfels meer zou hebben gehad?

A.H.: Daar had ik dan voor gezorgd. Ik zeg niet dat het geen zelfdiscipline zou hebben gekost, maar dat was wel mijn besluit. Daar hebben we een rechtssysteem voor, toch? Om beslissingen te nemen die je niet kunt verwachten van een enkel mens.

L.N.: Dan heb je zeker nog nooit gehoord van de Birmingham Six.

A.H.: Ik heb daarvan gehoord. En van de Guildford Four, en de Broadwater Farm

Three, Winston Silcott en zijn trawanten. En van de Chippenham Seven, de Penzance Nine, de Basingstoke Five, de Bath Spa Two...

L.N.: Je lult uit je nek.

A.H.: Hoeveel voorbeelden moet ik nog verzinnen voordat je mijn punt begrijpt?

[*Stilte*]

Weet je, in zekere zin is het vrij troostrijk om met jou te praten. Er is geen schijn van kans dat jij iemand zoals ik ooit zult begrijpen. Of iemand zoals Ray.

L.N.: Hoe voelde je je toen Ray haar hoger beroep won en haar veroordeling werd vernietigd?

A.H.: Ik vroeg me af of dat betekende dat zij onschuldig was.

L.N.: Voelde jij jezelf niet schuldig, op dat moment?

A.H.: Ik? Ik heb mijn kinderen niet vermoord, en ik heb niet gelogen voor de rechtbank, en ik ben ook niet degene die tot een onjuiste veroordeling is overgegaan. Waar zou ik me dan schuldig over moeten voelen?

L.N.: Heb je er spijt van dat je van je vrouw gescheiden bent?

A.H.: Nee.

L.N.: Maar je gelooft niet langer dat ze een moordenares is?

A.H.: Nee. Maar toen ik van haar ben gescheiden geloofde ik dat wel, dus dat betekent dat het toen de juiste beslissing was, gezien de informatie die mij op dat moment ter beschikking stond.

# De dokter die loog:
## het verhaal van een moderne heksenjacht

**Laurie Nattrass, maart 2009**

(*Tamsin – dit is voor de* British Journalism Review *zodra Duffy haar proces voor het medische tuchtcollege verliest*)

Het is een van de vaste motieven bij fictie: de arts met een godcomplex, die zo met zichzelf is ingenomen dat hij denkt dat hij de politie mag wijzen op een moord, dat hij kan uitleggen hoe die is gepleegd (een kaliuminjectie tussen de tenen) en dat hij zelf vrij blijft van alle blaam. Maar dat gebeurt nooit, anders zou de rechercheur de kans niet krijgen om te zeggen: 'Dokter, u hebt een godcomplex. U krijgt er een kick van om de keus te maken tussen wie blijft leven en wie mag sterven.'

Bij fictie zorgt dit gegeven voor weer een lekker voorspelbaar avondje televisie. In het echte leven is het echter een stuk angstaanjagender. Harold Shipman, de huisarts die honderden van zijn patiënten vermoordde, stierf zonder schuld te hebben bekend en zonder enige vorm van uitleg te hebben gegeven waarom hij zijn misdaden beging. Hij was een moderne boeman, een onopvallend monster dat zich ongezien tussen de gewone mensen begaf, en die net deed of hij een van hen was.

Dr. Judith Duffy volgt dit monster in zijn voetsporen. Verleden week [aanpassen indien nodig] werd dr. Duffy door het medisch tuchtcollege geroyeerd wegens schuld aan een ambtsovertreding. Dr. Duffy heeft weliswaar niemand vermoord, maar zij was wel verantwoordelijk voor het ruïneren van de levens van tientallen onschuldige vrouwen, wier enige misdaad was dat ze op het verkeerde moment op de verkeerde plek waren toen een kind stierf: Helen Yardley, Lorna Keast, Joanne Bew, Sarah Jaggard, Dorne Llewellyn... en de lijst gaat maar door.

Hier volgt een griezelverhaal waar de gemiddelde schrijver van detectives nog een puntje aan kan zuigen. Dr. Duffy verschijnt pas later ten tonele, maar heb geduld. In augustus 1998 schenkt Ray (Rachel) Hines, een fysiotherapeute uit Notting Hill, Londen, het leven aan een meisje, Marcella. Ray's echtgenoot Angus, die voor *London on Sunday* werkt, vond het niet noodzakelijk om zijn levensstijl aan te passen aan de komst van de baby. Hij bleef lange dagen draaien op het werk en ging borrelen met collega's. In de tussentijd had Ray tijdelijk het werk waar ze zo van hield opgegeven om thuis te kunnen blijven bij een baby die nooit langer dan een uurtje sliep, en ze raakte steeds meer uitgeput. Tot zover is dit een bekend verhaal. Moeders zullen knikken als ze dit lezen, en zachtjes vloeken over hun eigen mannen.

De meeste vrouwen zien zich als gelijke van hun mannelijke partners, tot de komst van het eerste kind, waarna de meesten – zelfs in deze moderne tijd, verbluffend genoeg – zich erbij neerleggen dat het gedaan is met die gelijkwaardigheid. De mannen blijven buitenshuis leven, en moeten 's nachts fatsoenlijk slapen om de volgende dag weer te kunnen presteren. Het probleem is alleen dat er een baby is waar voor gezorgd moet worden, dus een van de ouders zal toch zijn carrière tijdelijk stil moeten leggen, of helemaal op moeten geven. Iemand zal toch, na een afbeulende dag zonder onderbreking, ergens de energie vandaan moeten zien te halen om te koken, schoon te maken en de was te strijken. Iemand zal toch zijn vrijheid en identiteit moeten opofferen voor het hogere doel: het gezin. En die iemand is onveranderlijk de vrouw.

Dit is wat Ray Hines overkwam, maar gelukkig voor Ray, of misschien juist niet zo gelukkig, is zij anders dan andere vrouwen. Ik heb het voorrecht mogen smaken haar een aantal keren te ontmoeten, en ik kan u verzekeren dat Ray heel bijzonder is. Vóór de tragedie en het onrecht haar leven verwoestten, was Ray een van de meest succesvolle zakenvrouwen van het land, als medeoprichter van de franchiseorganisatie PhysioFit, de marktleider binnen de branche. Ik heb haar eens gevraagd mij uit te leggen hoe ze ertoe kwam haar bedrijf op te richten. Ze antwoordde: 'Ik had als tiener een slechte rug.' Ze werd doorverwezen naar een slechte fysiotherapeut die een tijdschrift zat te lezen terwijl Ray op een loopband moest lopen. Toen besloot Ray iets te doen aan het niveau van de fysiotherapie die in de UK werd geboden en daar heeft ze haar carrière aan gewijd. Zo'n soort vrouw is het. De meeste mensen zouden hun huisarts vragen ze naar een betere fysiotherapeut te verwijzen en het daar verder bij laten.

Ray besloot dat zij geen zin had om zich voor het gezin op te offeren. Toen Marcella twee weken oud was, is Ray weggelopen van huis zonder Angus te zeggen waar ze was. Ze bleef negen dagen weg, en belde wel regelmatig naar huis, maar weigerde te vertellen waar ze uithing of wanneer ze weer thuis zou komen. Ze hoopte dat Angus – die het waarschijnlijk heel moeilijk zou hebben in zijn eentje – zou inzien wat hij haar had aangedaan en dat ze daarna op voet van gelijkwaardigheid verder zouden kunnen.

Maar helaas. Toen Ray terugkwam woonde de moeder van Angus bij hen in, en die had zich met flair en enthousiasme op het huishouden gestort. Angus zou dus daarna altijd kunnen zeggen: 'Mijn moeder kon het, dus waarom zou jij het niet kunnen?' Daarom loog Ray aanvankelijk tegen Angus over de reden van haar afwezigheid van negen dagen: ze voelde zich vernederd omdat haar plan was mislukt, en ze zei tegen hem dat ze geen idee had waarom ze was vertrokken en dat ze zich ook niet kon herinneren waar ze die negen dagen was geweest. Angus vond dit geen bevredigend antwoord en bleef maar aan haar hoofd zeuren, waarop ze naar haar slaapkamer is gerend en de deur op slot draaide. Toen Angus en zijn moeder haar door de deur de huid vol scholden, deed ze het raam open en klom ze op een nogal smalle vensterbank, waar ze ging zitten om aan hun gescheld te ontsnappen.

Ze rookte een sigaret en dacht na over wat haar opties waren. Ze ging ervan uit dat Angus niet zou veranderen; sterker nog, waarschijnlijk zou hij alleen nog maar erger worden. Ze vroeg zich heel even af of ze voorgoed weg zou willen gaan. Angus, zijn moeder en Marcella zouden het prima redden zonder haar. Ze hield van Marcella maar ze was niet bereid de rest van haar dagen uit te zitten als slavin van de familie, en ze vroeg zich af of dit inhield dat ze een slechte moeder was, aangezien de meesten van haar goedemoedervriendinnen het slavendom iets heerlijks leken te vinden. Althans, zij leken het redelijk goedgemutst te ondergaan. Waar ze niet aan dacht, nog geen seconde, was om uit die vensterbank naar beneden te springen.

We spoelen drie weken vooruit. Het is 12 november 1998, 9 uur 's avond, en Angus is een avond stappen met vrienden van zijn werk. Ray heeft Marcella haar laatste voeding van die dag gegeven en ze heeft haar in haar rieten reismandje gelegd. Het leven is alles bij elkaar wel beter geworden. Marcella slaapt goed, en dus slaapt Ray ook goed. Angus heeft geopperd dat Ray zo snel mogelijk weer aan de slag moet, en dat wil ze zelf ook graag, dus hebben ze afgesproken dat Marcella als ze een halfjaar oud is naar een kinderdagverblijf in de buurt zal gaan. Angus grapt vaak dat dat voor Marcella geweldig is, en noemt daarbij de kinderen van een aantal van hun vrienden die 'door en door verwend' zijn doordat hun moeders de eerste vijf jaar van hun leven voortdurend tot hun beschikking staan.

Ray loopt naar boven, naar haar slaapkamer, en schreeuwt het uit als ze Marcella ziet. Haar gezichtje is blauw en ze ademt niet meer. Ray belt de ambulance, die drie minuten later arriveert, maar dan is het al te laat. Ray en Angus zijn helemaal kapot.

Dan verschijnt ene Judith Duffy ten tonele, een perinatale en pediatrisch patholoog-anatoom, tevens hoofddocent Zuigelingenzorg en Ontwikkelingsfysiologie aan de universiteit van Westminster. Duffy verricht de autopsie op Marcella en vindt niets waaruit ze kan concluderen dat Marcella geen natuurlijke dood gestorven is. Ze heeft een gekneusde rib en wat blauwe plekken, maar Duffy zegt dat beide waarschijnlijk het gevolg zijn van de poging tot reanimatie. Het ambulancepersoneel is het eens met deze conclusie. Marcella is dus slachtoffer van het Sudden Infant Death Syndrome (SIDS), hetgeen inhoudt dat er geen verklaring kan worden gevonden voor haar dood.

We spoelen vier jaar door. Ray en Angus hebben weer een baby, Nathaniel. Op een ochtend, als Nathaniel twaalf weken oud is, wordt Ray wakker en ziet ze dat Angus' kant van het bed leeg is, en dat er licht door de gordijnen naar binnen stroomt. Ze is meteen doodsbang.

Nathaniel maakt haar altijd wakker voor het licht wordt, dus moet er iets mis zijn. Ze rent naar zijn bedje, en de nachtmerrie draait zich opnieuw af: hij is blauw, haalt geen adem. Ray belt een ambulance. Weer komt die te laat.

Weer wordt de autopsie verricht door dr. Judith Duffy, die gezwollen hersenweefsel aantreft en bloedingen onder het hersenvlies. Ze concludeert dat Nathaniel door elkaar geschud moet zijn, zelfs na overleg met haar eminente collega dr. Russell Meredew, die het niet met haar eens is. Cruciaal hierbij is dat Meredew erop wijst dat er geen scheuring heeft plaatsgevonden in de zenuwen in de hersenen, zoals het geval zou zijn als Nathaniel inderdaad door elkaar geschud was. Dr. Duffy zegt tegen dr. Meredew – die overigens een koninklijke onderscheiding heeft ontvangen en winnaar is van de Sir James Spencer-medaille voor zijn bijdrage aan de kindergeneeskunde – dat hij niet weet waar hij over praat. Ze zegt dat ze er niet aan twijfelt dat Ray Hines Nathaniel dood heeft geschud, en dat zij Marcella heeft gesmoord.

Er is nu geen keus meer, de politie moet erbij betrokken worden, en na verloop van tijd wordt Ray de moord op haar twee kinderen ten laste gelegd. Haar proces begint in maart 2004.

Maar wacht even, hoor ik u zeggen. Had dr. Duffy niet ook de autopsie verricht op Marcella en was haar conclusie toen niet dat er niets verdachts aan haar overlijden was? Inderdaad. Voor de rechtbank was haar antwoord op deze vraag dat ze het bewijs opnieuw heeft onderzocht en dat ze haar mening had herzien. Ze redeneerde dat zelfs al was de gebroken rib veroorzaakt door de poging tot reanimatie, dan nog konden de blauwe plekken daar niet door veroorzaakt zijn, aangezien Ray toegaf dat zij te bang was geweest om het kind zelf te reanimeren en Marcella reeds 'cyanotisch' was toen de ambulance kwam. Dit houdt in dat er onvoldoende bloeddruk was om tot blauwe plekken te leiden toen de broeders op Marcella's borst drukten om haar hart weer aan het kloppen te krijgen.

Weer is Russell Meredew het hier niet mee eens. Hij legt uit dat blauwe plekken kunnen ontstaan als de bloeddruk bijna is weggevallen, of zelfs – hoewel dit zeldzaam is – na de dood. Hij heeft vele voorbeelden van dat eerste gezien en een of twee voorbeelden van dat laatste. Hij wijst er tevens op dat myocarditis, een virale ontsteking van de hartspier, een veel waarschijnlijker oorzaak is voor Nathaniels gezwollen hersenen en bloedingen dan dat hij geschud zou zijn.

Het is voor een redelijk denkend mens bijna niet te bevatten wat er hierna gebeurde, of liever: wat er niet gebeurde. Zonder de dood van Nathaniel zou dr. Duffy nooit haar bedenkingen hebben gehad bij Marcella's dood. Er waren twee dingen waardoor ze dacht dat Nathaniel Hines geen natuurlijke dood was gestorven: de bloedingen en het gezwollen hersenweefsel. Dr. Meredew legde uit dat beide het gevolg konden zijn van een virus, dus waarom was het proces daarmee dan niet afgelopen? Waarom zag de openbare aanklager niet in dat hun zaak geen grond had? Waarom besloot de rechter, Elizabeth Geilow, niet om de zaak te seponeren?

Hoe ongeloofwaardig het ook klinkt, Russell Meredew – een man die ik mij door een vijandelijk mijnenveld zou laten leiden, zo groot is mijn vertrouwen in hem – vertrouwde mij later toe dat toen dr. Duffy hem vertelde dat ze van gedachte was veranderd over de oorzaak van Marcella's overlijden, zij het dossier er niet nog eens op na had geslagen. 'Het kan niet zo zijn dat zij de details nog eens heeft bekeken – ze kwam namelijk direct na de autopsie op Nathaniel naar mij toe. Het is niet zo moeilijk te concluderen dat zij vermoedde dat er opzet in het spel was in het geval van Nathaniel, en dat ze toen heeft besloten dat ook Marcella geen natuurlijke dood was gestorven.' Meredew voegde eraan toe dat hij er niet aan twijfelde dat dr. Duffy op enig moment Marcella's dossier nog eens ter hand heeft genomen maar, zoals hij het zo briljant formuleerde: 'Als je op zoek bent naar vliegende varkens, en je ziet een bleekroze lucht, welke conclusie trek je dan: dat je getuige bent van een wondermooie zonsondergang of dat de hele hemel vol vliegende varkens is?'

De jury was natuurlijk reeds bekend met dr. Duffy's naam. Zij was immers de getuige-deskundige die tijdens het proces van Helen Yardley, die terechtstond voor de moord op haar twee zoontjes, had gezegd dat het 'zo onwaarschijnlijk is dat het grenst aan het onmogelijke' dat wiegendood tweemaal voorkwam binnen hetzelfde gezin – een zeer gedenkwaardige soundbite. Ik geloof dat de jury van Ray Hines zich dat nog best herinnerde, en dat ze dachten dat Ray niet onschuldig kon zijn aan moord, net zoals elf van de twaalf juryleden in 1996 tot de conclusie waren gekomen dat Helen Yardley schuldig was.

Russell Meredew heeft zijn best gedaan om Ray te redden. Hij noemde dr. Duffy's bewering dat Marcella Hines gesmoord was en dat Nathaniel doodgeschud was 'nonsens' en legde uit dat smoren 'heimelijke moord' is terwijl schudden doorgaans wordt gerelateerd aan iemand die zijn geduld verliest. Mensen die smoren zijn sluw en hebben veel zelfbeheersing, dus het is niet erg waarschijnlijk dat dezelfde moeder de ene baby smoort en de andere baby doodschudt, al aangenomen dat ze überhaupt moordzuchtig is aangelegd.

De rechter heeft te horen gekregen dat er een uitgebreide voorgeschiedenis van soortgelijke tragedies is in de familie van Angus Hines. Angus' neefje werd dood geboren, en zijn grootmoeder verloor een kind aan SIDS. Zijn moeder lijdt aan een ziekte genaamd lupus, die het lichaam vanbinnen uit opvreet. Gevraagd om te verklaren wat dit alles kon betekenen, antwoordde dr. Meredew onomwonden: 'Het is hoogstwaarschijnlijk dat de familie van de echtgenoot van beklaagde een genetisch auto-immuundefect heeft. Dat zou het doodgeboren kind verklaren, de onverklaarbare dood van het andere kind, de lupus – allemaal zaken die je zou verwachten bij een slecht functionerend auto-immuunsysteem.'

Luisterde de jury wel naar hem? Of dachten ze allemaal: dat het zo onwaarschijnlijk was dat het grensde aan het onmogelijke? Mochten ze Ray niet omdat ze geen goede getuige was? Ze heeft zichzelf verscheidene keren tegengesproken, en zaken ontkend die ze eerder tegen de politie had verklaard, en ze werd er door de openbare aanklager van beschuldigd dat ze loog.

Wat niemand wist, was dat Ray's advocaten haar hadden geadviseerd te liegen. Ze werd dus verraden door de mensen van wie het de taak was haar te beschermen. Haar team van verdedigers had besloten dat het werkelijke verhaal waarom zij Angus en Marcella negen dagen alleen had gelaten, en het roken op de vensterbank, het beeld dat de jury van haar had zou aantasten. Zij zouden denken dat Ray een feministische oproerkraaier was. In plaats daarvan werd Ray aangemoedigd om te doen alsof ze aan een postnatale depressie had geleden, dat ze niet wist waarom ze bij haar gezin was weggelopen en waar ze was geweest toen ze weg was, dat ze niet wist waarom ze weer teruggekomen was, en dat ze zich niet kon herinneren dat ze ooit uit het raam was geklommen. Niet alleen was het illegaal en immoreel dat Ray's advocaten haar dit advies gaven (het zal u niet verbazen dat zij dit nu ontkennen), het was ook een fatale misrekening.

Ray werd schuldig bevonden aan de twee haar ten laste gelegde moorden en ze werd veroordeeld tot levenslange gevangenisstraf. Haar advocaten zochten hun heil in hoger beroep, en haalden de bewering van Russell Meredew aan dat dr. Duffy niet naar Marcella's medische dossier kan hebben gekeken op het moment dat zij hem vertelde dat ze van gedachte was veranderd en dat ze nu vermoedde dat Marcella vermoord was. Maar het was onmogelijk om dit te bewijzen. Het was dr. Meredews woord tegen dat van dr. Duffy. Het beroep moest daarom falen.

Toen, in juni 2004, twee maanden nadat Ray werd veroordeeld, was er een doorbraak: een vrijwilliger die werkte bij de organisatie die Helen Yardley en ik hadden opgericht, GOOV (Gerechtigheid voor Onschuldige Ouders en Verzorgers) sprak met iemand die met dr. Duffy had gewerkt – laten we hem dr. Anoniem noemen. Hij kwam met een uitdraai van een e-mail die dr. Duffy hem had gestuurd, waarin ze zich beklaagde over haar eigen idiotie dat ze zich klem had laten zetten met betrekking tot de autopsie van Marcella Hines. Desmond Dearden, de rechter van instructie die Marcella's dossier op zijn bordje kreeg, kende Angus Hines persoonlijk, en hij zei tegen Duffy dat het een heel fijn gezin was. Verbazingwekkend genoeg heeft hij haar kennelijk half en half gechanteerd om haar verdenkingen te negeren en in plaats daarvan te noteren dat Marcella Hines was gestorven aan natuurlijke oorzaken. Hier volgt een citaat uit Duffy's e-mail aan dr. Anoniem:

Hoe heb ik ook maar een seconde kunnen denken dat het feit dat Desmond de familie kende enige garantie bood? Waarom heb ik geen aanstoot genomen aan zijn weinig subtiele implicatie dat hij mij geen lijkschouwingen meer zou laten verrichten als ik deze zaak niet liet rusten? De waarheid is dat ik niet zeker was over Marcella Hines. Ik had mijn verdenkingen – die heb ik immers altijd – maar ik was niet zeker van mijn zaak, zoals ik dat in andere zaken wel was – in die van Helen Yardley, bijvoorbeeld. Ik denk dat ik wilde bewijzen dat ik niet een of ander gruwelijk monster ben zoals Laurie Nattrass schijnt te denken, en dat ik, in een situatie waarin ik ook zou kunnen neigen naar het slechtste van iemand denken, ook in staat ben om het gunstigste te denken. Ik weet dat het slap klinkt, maar dat moet zijn wat ik heb gedacht. En ja, ik wil het best toegeven, ik vond het een vreselijk idee dat ik geen lijkschouwingen meer zou mogen verrichten. En kijk nu eens wat er is gebeurd! Weer een baby van de familie Hines dood, en ik moet onder ede verklaren waarom ik 'van gedachte ben veranderd' over de volkomen natuurlijke dood van Marcella Hines. Als ik terug kon in de tijd en mijn oordeel kon veranderen in 'oorzaak onbekend'... maar ja, wat hebben dat soort gedachten voor zin?

Wat er toen gebeurde? Welnu, ondergetekende heeft deze e-mail doorgestuurd naar de verdediging van Ray Hines, en die heeft het weer doorgestuurd naar de commissie voor de Herziening van Strafzaken. Het is ongelofelijk, maar weer werd haar de mogelijkheid tot beroep ontzegd. De CHS had zich moeten concentreren op het gebrek aan professionele integriteit van dr. Duffy, en wat dat betekende voor een zaak waarin zij met haar gevolg, de bloedhonden van Jeugdzorg, de enige getuigen à charge waren. In plaats daarvan hebben ze alleen geconcludeerd dat Duffy al langer bedenkingen had met betrekking tot de dood van Marcella Hines dan zij eerst stelde. Misschien dachten ze dat dit feit juist meer gewicht aan deze bedenkingen gaf. GOOV heeft geëist om uitleg waarom Judith Duffy, zodra deze e-mail aan het licht kwam, niet direct uit haar functie is ontheven, maar tot nu toe hebben wij daarop nooit een bevredigend antwoord gekregen. Wij hebben ook gevraagd waarom een rechter die zo corrupt is als Desmond Dearden gewoon mocht aanblijven. Het enige antwoord is een oorverdovende stilte.

Voor Ray Hines kwam er eindelijk hoop toen er een doorbraak kwam in de zaak van Helen Yardley. Er kwam een document boven water, wederom met dank aan een andere dr. Anoniem, waarin dokter Duffy bij voortduring refereerde aan Helen Yardley's zoon Rowan als 'zij'. Inderdaad: de deskundige die er zo zeker van was dat Rowan was vermoord, wist niet eens van welk geslacht hij was.

Toen kwam de patholoog-anatoom naar voren die de autopsie op Rowan Yardley had verricht. Na Rowans dood had die contact opgenomen met verschillende mensen die zij zag als deskundig, om hun te vragen wat zij vonden van de hoge zoutspiegel die zij had aangetroffen in Rowans bloed. Judith Duffy, die toen nog niet wist dat Rowans broertje Morgan drie jaar daarvoor ook was overleden, ook met een hoog zoutgehalte in zijn bloed, stuurde een antwoord waarin ze stelde dat: 'De instabiliteit van het bloed na de dood maakt het diagnostisch irrelevant. Uitdroging is de meest gebruikelijke oorzaak van een hoge natriumspiegel.' Dr. Duffy sloot af door te stellen dat: 'Men kan en mag nooit vertrouwen op de bloedwaarden tenzij men op zoek is naar een specifiek gif.' Nog geen achttien maanden later was Duffy vergeten dat dit ooit haar mening was geweest, en getuigde zij voor de rechtbank dat Helen Yardley's zoons waren overleden aan opzettelijke zoutvergiftiging. Ze presenteerde de hoge zoutspiegels in het bloed van Morgan en Rowan als het enige bewijs dat er voor moord nodig was.

De CHS kwam uiteindelijk bij zinnen. Helen Yardley werd toestemming gegeven om in beroep te gaan. Een jaar later kreeg ook Ray Hines toestemming. Een of ander onvriendelijk persoon moet informatie hebben gelekt naar de media, want er verschenen verschillende berichten over het onwaardige gedrag van Judith Duffy in de nationale dagbladen, en de publieke opinie begon zich te keren tegen de vrouw die ooit werd geprezen als groot kinderbeschermster. Plotseling waren Helen Yardley, GOOV en ik niet meer de enigen die wilden dat Duffy het zwijgen werd opgelegd.

In februari 2005 werden Helen Yardley's veroordelingen voor moord allebei vernietigd. Kennelijk gaf dit dr. Duffy geen stof tot nadenken, want in juli 2005 zat ze weer in de getuigenbank om te getuigen tegen Sarah Jaggard, de laatste onschuldige vrouw die terechtstond voor de moord op een kind – Bea Furniss, de dochter van een vriendin van haar. Gelukkig was de jury verstandig en sprak zij Sarah unaniem vrij. Zij luisterden naar de intens verdrietige ouders van Bea, die vurig betoogden dat Sarah stapelgek was op Bea en dat zij haar nooit iets aan zou doen.

Luisterde dr. Duffy hiernaar? Had ze geluisterd naar Paul Yardley en Glenn Jaggard – twee van de meest solide en betrouwbare mannen die ik ooit heb ontmoet – die steeds maar weer zeiden dat hun vrouwen nooit een kind zouden kunnen beschadigen of doden? Luisterde zij naar de talloze ouders die hun zonen en dochters hadden toevertrouwd aan de zorg van Helen Yardley, en die zeiden dat Helen niet tot geweld of wreedheid in staat was, en dat zij haar in de toekomst graag op hun kinderen zouden laten passen? Luisterde dr. Duffy naar de ouders van Sarah Jaggard, twee zachtaardige leraren, of haar zusje – die nota bene vroedvrouw is – die vertelden dat Sarah een liefhebbende en zorgzame vrouw was en dat het ondenkbaar was dat die ooit haar geduld zou verliezen en een weerloze baby door elkaar zou rammelen?

De droevige waarheid is dat dr. Duffy naar geen van deze werkelijke deskundigen luisterde, mensen die Helen en Sarah goed hadden gekend. Haar mening was de enige die telde, en ze liet zich nergens van weerhouden bij haar pogingen de levens van onschuldige vrouwen te ruïneren, waarbij ze van haar status als deskundige in straf- en familierechtelijke zaken gebruikmaakt om gezinnen die al zo veel te verstouwen hadden gekregen nog verder te verwoesten. Paige Yardley, het kind waarvan Helen Yardley in verwachting raakte en aan wie ze het leven schonk toen ze op borgtocht thuis was, in afwachting van haar proces, werd bij haar biologische ouders weggehaald op voorspraak van...? U raadt het al. Dr. Duffy zei tegen de rechter dat Paige 'ernstig risico liep op zwaar lichamelijk letsel' en dat zij 'onverwijld' bij haar ouders moest worden weggehaald.

Nu liggen Duffy's carrière en reputatie in duigen, en dat is geen moment te vroeg. Het tart elk geloof dat zij bij de zorgafspraken voor Paige Yardley betrokken was terwijl toen reeds bekend was dat zij zou getuigen in de zaak tegen Helen. Het gaat het gezond verstand te boven dat zij mocht optreden als getuige-deskundige in de zaak van Sarah Jaggard. Helen Yardley was op dat moment al vijf maanden vrij, en de mate van Duffy's ambtsovertredingen in verband met de zaak van Yardley waren genoegzaam bekend. Wat had het medisch tuchtcollege voor beters te doen dan een procedure tegen haar in te stellen, en waarom duurde het zo lang voordat het zover kwam?

Wat zal de tijd zich hebben uitgerekt in de beleving van Ray Hines, die pas in december 2008 vrijkwam. In tegenstelling tot Helen Yardley en Sarah Jaggard, die veel steun kregen van hun familie en vrienden, was Ray door haar man Angus in de steek gelaten toen zij schuldig werd bevonden. In de pers werd zij uitgemaakt voor 'drugsverslaafde' nadat Angus tegen een verslaggever had gezegd dat ze regelmatig marihuana gebruikte. In werkelijkheid gebruikte ze die drug maar heel af en toe, als de slechte rug waar ze haar hele leven al ellende van had gehad zo veel pijn deed dat ze alles wel had willen proberen. Ze lijkt in niets op het stereotype ranzige junk dat op straat zwerft. Ze is een trotse, scherpe vrouw die haar kin omhooghoudt en weigert te huilen voor de camera's. Ze heeft voor de rechtbank toegegeven dat ze niet normaal kan denken als haar huis niet keurig aan kant is, en ze vindt het slecht voor een vrouw om haar carrière op te geven en thuis te blijven bij de kinderen. Wat zal Judith Duffy in haar handen hebben gewreven toen ze zag hoe gemakkelijk het was om deze bijzondere vrouw onderuit te halen en haar neer te zetten als moordlustige duivelin.

Zelfs nu, nu Ray Hines en Judith Duffy terecht zijn vrijgesproken, is het werk van GOOV verre van gedaan. De 62-jarige Dorne Llewellyn uit Port Talbot in Zuid-Wales is slechts een van de vele vrouwen die nog altijd achter de tralies zitten voor een misdaad die ze niet hebben gepleegd: in dit geval vanwege de moord op de negen maanden oude Benjamin Evans in 2000. Dr. Duffy verklaarde dat mevrouw Llewellyn de baby door elkaar geschud moet hebben, en dat dit leidde tot de hersenbloeding waaraan hij is overleden, maar ze kon de verdediging niet uitleggen waarom ze er zo zeker van was dat die schudpartij, aangenomen dat die er überhaupt is geweest, had plaatsgevonden toen Dorne Llewellyn op Benjamin paste. Interessant is ook dat een van dr. Duffy's vurigste aanhangers de alleenstaande moeder van Benjamin is, Rhiannon Evans, die vijftien jaar oud was toen Benjamin werd geboren. Ze is inmiddels 23, verdient de kost als prostituee en is een goede bekende van de politie.

De zaak wordt momenteel opnieuw behandeld door de CHS. GOOV hoopt op een snelle en succesvolle beroepszaak. Het enige bewijs tegen mevrouw Llewellyn is de mening van een arts die wegens een ambtsovertreding op non-actief is gesteld, dus hoe kon welke rechter in hoger beroep haar veroordeling dan niet vernietigen? Voor het zeer gerespecteerde rechtssysteem van ons land is het 'zo onwaarschijnlijk dat het grenst aan het onmogelijke', om dr. Duffy zelf maar eens aan te halen, dat er weer zo'n gruwelijke fout wordt begaan in een zaak rond de dood van een kind, na zo veel eerdere blunders.

# 7

## Donderdag 8 oktober 2009

Ik zit aan Lauries bureau een lijst op te stellen als de telefoon gaat. Sinds ik met Maya heb gesproken, heb ik meer inleeswerk gedaan dan ik voor mogelijk had gehouden, binnen zo weinig tijd, en heb ik zo veel telefoontjes gepleegd dat het voelt of mijn rechteroor in brand staat. Ik heb afspraken met Paul Yardley, Sarah en Glen Jaggard en de meeste advocaten en artsen over wie ik heb gelezen. Ik glimlach als ik de lijst met afgevinkte namen bekijk, en negeer het kruis naast die van Judith Duffy, die de boel nogal verpest, en neem dan op.

'Wat voer jij in je schild?' wil Laurie weten.

'Waar hang jij uit, man? Ik heb honderd keer bij je ingesproken.'

'Ik sta niet toe dat jij een potje maakt van alles waar ik zo hard voor heb gewerkt.' Hij mompelt iets wat ik niet kan verstaan. Het klinkt als een belediging. Hoeveel beledigingen kun je in drie seconden gemompel verpakken? Misschien twee als je Niemand uit Nergenshoven bent, maar minstens twintig als je de grote Laurie Nattrass bent. 'Ik doe dit niet telefonisch,' zegt hij. 'Dus je komt maar langs.'

'Bij jou thuis?' Een herenhuis in Kensington: dat is het enige wat ik weet. Tot mijn schande vullen mijn ogen zich met tranen. Waarom is hij nou zo kwaad op me? Wat heb ik misdaan? 'Ik weet niet waar je woont,' zeg ik.

'Als je dat al een onoverkomelijk obstakel vindt...' En dan hoor ik een klik, en weg is hij.

Ik weiger om te huilen, en dus zit ik een poosje te knipperen met mijn ogen, waarna ik Tamsin bel en vraag om Lauries adres. Ze kent het uit haar hoofd. 'Ben je ontboden?' vraagt ze, waar ik uit opmaak dat ik niet de eerste ben die dit overkomt.

Waarom hou ik zo verschrikkelijk van Laurie, terwijl hij me als voetveeg behandelt? Waarom vind ik hem zo prachtig terwijl hij minstens zes kilo te zwaar is, zijn ogen altijd bloeddoorlopen zijn en zijn huid doet vermoeden dat hij al jaren geen zonlicht meer heeft gezien? Ik leg Tamsin deze vraag voor.

'Aha!' zegt ze. 'Dus je geeft het toe: je bent verliefd.'

'Het toegeven is de eerste stap op weg naar genezing, toch?'

'Ha! Ik *wist* het!'

'Is uitgejouwd worden door je vrienden soms de tweede stap?'

'Jij bent verliefd op hem om dezelfde reden als iedereen verliefd op hem wordt: hij is een mysterie. Je weet niet wat hij is en je hebt ook geen idee hoe je erachter moet komen. Dat heeft iets verslavends, tot je inziet dat je nooit de bevrediging vindt waar je zo naar snakt.'

Als Tamsin de waarheid over mij zou kennen, zou ze dan nog steeds denken dat dat de reden is waarom ik zo van Laurie hou? Zou ze dan niet zeggen dat ik mezelf een rad voor ogen draai door te denken dat ik mezelf van de smet kan ontdoen waar ik mee rond- loop door zo dicht bij hem in de buurt te zijn? Door te houden van de man die me hielp om Helen Yardley en Rachel Hines te bevrijden kan ik misschien...

Alleen, dat kan niet, want hij houdt niet van mij. Hoe meer hij me behandelt als een waardeloos vod, hoe besmetter ik me voel. Hoe haal ik het in mijn hoofd te denken dat ik Lauries film zou kunnen maken, dat ik er zoiets moois van ga maken dat hij me zal respecteren en van me zal houden en ik uiteindelijk van mijn schaamte af zal komen? Ik zal er hooguit iets onbeduidends en middelmatigs van maken doordat ik me zo schuldig voel, en dan zal ik het bestaan van de film voor mijn moeder verborgen houden, zodat zij er niet kapot van zal zijn.

Wat ik ook doe, of ik de film nu maak of niet, ik ga me hoe dan ook verschrikkelijk schuldig voelen. Het is niet eerlijk.

'Ik ben Lauries geraaskal aan het lezen in "De dokter die loog",' zeg ik tegen Tamsin.

'Geweldig, vind je niet?' zegt ze. 'Als er ooit een artikel verschijnt waarbij de hele juridische wereld vol schaamte het hoofd buigt dan is dat het wel.'

'Ik vond het eerder nogal pathetisch en regelrecht aanstootgevend.'

'Ja, hoor.' Ze grinnikt. 'Tuurlijk vond je dat.'

'Echt waar!' hou ik vol. Want het is ook zo. Dus waarom voel ik me dan een soort sneu wicht dat door haar man is verlaten en dat garnalen in de voering van de gordijnen van haar ex naait?

Ik neem afscheid van mijn reuze behulpzame en verder geenszins irritante vriendin en vertrek van kantoor, gewapend met Lauries adres. Ik hou de eerste taxi aan die ik voorbij zie komen, en hoop vurig dat de chauffeur een verlegen man is, of nors en zwijgzaam, of een trappist. Maar mijn wens wordt niet verhoord. Ik krijg een preek van vijfentwintig minuten over dat het Westen in verval raakt doordat het zelf niets meer produceert, en een voorspelling dat wij westerlingen binnenkort voor een hongerloontje slavenwerk zullen moeten verrichten aan een Koreaanse lopende band. Ik hou me in en vraag niet of er dan ook een of andere Koreaan hier de boel komt overnemen en door Laurie Nattrass achter zijn vodden zal worden gezeten.

Hoe kan hij het nu al niet eens zijn met wat ik doe? Ik heb nog helemaal niets gedaan, los van contact opnemen met de mensen uit de dossiers die hij zelf voor me heeft achtergelaten?

Lauries huis staat in een rij met smetteloos witgestukte stadsvilla's in een stille bomenlaan. De voordeur, glimmend zwart geschilderd hout met twee panelen glas in lood, staat open. Zoals meestal bij Laurie weet ik niet hoe ik dat moet interpreteren. Wil hij dat ik direct doorloop, of is hij te druk en te belangrijk om zich met zulke triviale zaken bezig te houden als het dichtdoen van deuren?

Ik bel aan en roep tegelijk hallo. Als er niets gebeurt, stap ik voorzichtig naar binnen. 'Laurie?' roep ik. In de hal staat een fiets tegen de muur geleund, en op de grond liggen een grijs met zwarte rugzak, een koffertje, een tot een bal verfrommelde jas en een paar zwarte schoenen. Boven de radiator lopen vier planken over de hele lengte van de muur, met daarop een verzameling keurig opgevouwen kranten. Daartegenover hangen twee grote ingelijste foto's, allebei kennelijk van een universiteit. Oxford of Cambridge. Waar heeft Laurie ook alweer gestudeerd? Tamsin wist het vast.

Tussen de twee foto's hangt een klein stickertje dat het effect volledig teniet doet: een cirkel van gouden sterren met een dikke zwarte diagonale lijn erdoor. Er hangt nog een sticker op een grote staande klok aan het andere eind van de hal, gewoon zo op het hout geplakt: *Say No to the Euro*. Ik neem er aanstoot aan, niet omdat die euro mij een bal kan schelen, maar omdat de klok er oud en waardevol uitziet, en niet mag worden gebruikt voor dit soort politieke statements. Hij staat een beetje wankel, alsof hij te moe is om rechtop te staan.

De witgeschilderde trap recht voor me ligt bezaaid met boeken en papieren. Op elke trede ligt wel wat, steeds aan een andere kant, zodat je moet zigzaggen als je naar boven wilt. Ik zie briefpapier van GOOV, en een aantal exemplaren van *Niets dan liefde*: een gebonden boek en twee paperbacks. Ik durf te wedden dat Helen Yardley geen woord ervan zelf heeft geschreven.

Als ik een boek schreef, zou Laurie het dan lezen?

*Ik ben niet jaloers op Helen Yardley. Helen Yardley is alle drie haar kinderen kwijtgeraakt. Helen Yardley is drie dagen geleden vermoord.*

Ik pak de gebonden *Niets dan liefde* op en draai het boek om. Op de achterflap staat een foto van Helen met haar coauteur, Gaynor Mundy. Ze hebben hun armen om elkaar heen geslagen, wat suggereert dat er niet alleen een hechte professionele band tussen hen was, maar ook een diepe vriendschapsband. Waarschijnlijk het idee van de fotograaf, denk ik cynisch – die twee vrouwen konden elkaar in werkelijkheid natuurlijk niet luchten of zien.

Ik wil het boek net weer neerleggen als ik Helen Yardley's hand zie die over Gaynor Mundy's schouder is gedrapeerd, en mijn mond wordt droog. Die vingers, die nagels...

Ik laat het boek vallen en graaf in mijn handtas naar de crèmekleurige envelop. Ik probeer blij te zijn dat ik hem niet heb weggegooid, maar ergens wens ik dat ik dat wel had gedaan. Want als ik gelijk heb, wil ik niet weten wat het zou kunnen betekenen.

Ik trek de foto uit de envelop en vergelijk de vingers die de kaart vasthouden met de vingers van Helen Yardley op het omslag van haar boek. Het zijn dezelfde vingers: kleine, vierkante nagels, keurig geknipt. Zonder nadenken scheur ik de foto en de envelop in kleine stukjes en laat die in mijn open tas vallen als een hand confetti. Ik merk dat ik sta te trillen.

*Godallemachtig, dit slaat nergens op.* Hoeveel mensen zijn er niet met zulke keurig onderhouden vierkante nagels? Miljoenen. Er is absoluut geen reden om aan te nemen dat Helen Yardley de kaart met de zestien getallen vasthoudt op de foto die iemand mij heeft toegestuurd – absoluut geen enkele reden. Er is geen reden om dat te denken, omdat ze vermoord is...

Ik huiver en dwing mezelf om niet toe te geven aan dit soort stomme morbide gedachten. 'Laurie, ben je thuis?' roep ik naar boven.

Nog steeds geen antwoord. Ik kijk in de beide kamers op de benedenverdieping: een sanitairruimte die twee keer zo groot is als mijn keuken, met daarin een douche, een wastafel, een wc en meer kleine zwarte tegeltjes dan ik ooit in mijn leven heb gezien, en een enorme L-vormige keuken-annex-eetkamer-annex-zitkamer. Uit de elegante afwerking in verscheidene noot- en aardetinten – bruin en beige voor deftige mensen – maak ik op dat deze kamer zich liever laat omschrijven als 'een ruimte'. Het lijkt erop dat er onlangs een gezelschap van achttien man heeft gezeten dat midden onder een geïmproviseerde maaltijd in paniek is weggehold. Was Laurie een van hen? Hoeveel van de twaalf lege wijnflessen heeft hij opgedronken, en wie heeft hem daarbij geholpen? Had hij hier soms een GOOV-feestje, gisteravond?

Ik rek mijn hals om naar boven te kunnen kijken, en ik loop voorzichtig de trap op, me ervan bewust dat een misstap een papierlawine kan veroorzaken die Lauries archief in één klap onherstelbaar om zeep zal helpen. Ik zie een envelop die is geadresseerd aan De Heer L.H.S.F. Nattrass en een kartonnen schoenendoos van Nike waar het woord 'Rekeningen' op is gekrabbeld met een groene stift. L.H.S.F.: dus hij heeft drie extra voornamen, boven op al die prijzen, al dat geld en de bewondering van de hele wereld. Ik heb maar twee voornamen en mijn tweede voornaam is nog foeilelijk ook: Margot. Als ik het niet zat was om mijn romantische neigingen aan een psychoanalyse te onderwerpen, dan zou ik me misschien afvragen of mijn liefde voor Laurie in feite verkeerd geïnterpreteerde jaloezie is. Wil ik zijn vriendinnetje zijn, of wil ik diep vanbinnen dat ik was zoals hij?

Ik kom op een overloop waar ik de keus heb uit vier deuren, waarvan er eentje op een kier staat. Als ik eropaf loop zie ik vormen in het halfduister: het voeteneind van een bed en de onderkant van een paar benen. 'Laurie?'

Ik duw de deur open en daar is hij, hoor: De Heer L.H.S.F. Nattrass, in een verfomfaaid grijs pak. De gordijnen zijn dicht. Laurie ligt breeduit op een tweepersoonsbed waarvan ik aanneem dat het van hem is, en hij staart naar een kleine televisie op een stoel in de hoek van de kamer – een antiek exemplaar, zo te zien. Het heeft een metalen antenne die vervaarlijk op het toestel balanceert en die bijna even groot is als de tv zelf. Op het scherm ligt een vrouw te huilen in de armen van een man, maar het geluid staat uit. Laurie staart naar hoe zij elkaar woorden toe mimen. Weet hij wat ze zeggen? Kan het hem wat schelen? Op het dekbed naast hem lig een paarszijden das.

Ik knip het licht aan, maar hij kijkt nog steeds niet naar me, dus besluit ik om ook niet meer op hem te letten. In plaats daarvan neem ik de gelegenheid te baat om eens flink in zijn slaapkamer te neuzen, want ik had nooit gedacht daar ooit de kans toe te krijgen. Het lijkt teleurstellend veel op zijn kantoor. *Mijn kantoor.* Er hangen ingelijste posters van sterrenstelsels en planeten aan de muren, er staan twee globes, een telescoop ligt naast de koffer waar die in hoort, er liggen een verrekijker, wat gewichtjes, een hometrainer, en drie boeken: *The Nazi Doctors, Knowledge in a Social World* en *Into That Silent Sea: Trailblazers of the Space Era, 1961-1965.* Wow, lijkt me lekker leesvoer voor het slapengaan.

Onder het bed steken een stoffer en blik uit met daarop een pakje wegwerpscheermesjes en een bus scheerschuim, alsof ze van de grond geveegd zijn. Munten – van zilver, koper en goud – liggen overal verstrooid: op het bed, op de grond, op een ladekast. Het doet me denken aan de bodem van een wensput.

'Waar staan die H, S en F voor?' *Laurie de Horkerige Stomme Fucker Nattrass.*

'Hugo St.-John Fleet,' zegt hij alsof dat volkomen normale voornamen voor een mens zijn. Geen wonder dat hij zo gestoord is.

'Ik ben dol op zwart-witfilms.' Ik knik naar het scherm.

'En sentimentele kleurenzooi op een zwart-wittelevisie – ben je daar ook zo dol op?'

'Waarom ben je kwaad op me?'

'Je hebt een boodschap ingesproken dat je een gesprek met Judith Duffy probeert te regelen en dan moet je me nog vragen waarom ik kwaad ben?'

'Ik heb met zo veel mensen gesprekken geregeld,' zeg ik tegen hem. 'Judith Duffy is tot dusverre de enige die heeft geweigerd om...'

'Judith Duffy maakt levens kapot! En zet dit gezever in godsnaam uit.'

Heeft hij het nou over zijn *eigen* televisie, die hij *zelf* heeft aangezet toen ik hier nog niet eens was?

'Ik ben je bediende niet, Laurie.' En met pathos voeg ik daaraan toe: 'En ik hou helemaal niet van zwart-witfilms, dat zei ik alleen maar omdat het... nou ja, omdat het ondoenlijk is om met jou een gesprek te voeren, en ik toch iets moest zeggen. Sterker nog, mensen die de hele tijd zaniken over hoe dol ze zijn op zwart-witfilms irriteren me verschrikkelijk. Het is overduidelijk filmracisme. Een film is goed of hij is slecht... het kleurenschema doet er verder niet toe.'

Laurie kijkt me onderzoekend aan door tot spleetjes geknepen ogen. 'Bel jij eens even met je huisarts en zeg dat je antipsychotica niet aanslaan.'

'Wie is Wendy Whitehead?'

'Wie?'

'Wendy Whitehead.'

'Nooit van gehoord. Wie is dat dan?'

'Als ik dat zou weten hoefde ik dat natuurlijk niet aan jou te vragen, hè.' Ik kijk omstandig op mijn horloge. 'Zeg, ik heb van alles te doen. Wilde je nog iets aan me kwijt?'

Laurie hijst zich van het bed, monstert me van top tot teen, en draait zich dan om, om zijn das te pakken. Hij drapeert hem rond zijn hals en trekt er dan met beide handen aan zodat hij een schurend geluid maakt tegen zijn hemd. 'Judith Duffy zou nog liever haar benen afzagen dan met iemand van Binary Star te praten,' zegt hij.

'Dat vermoedde ik al. Dus heb ik haar niet gezegd waar ik werk, alleen mijn naam.'

'En wil je nou dat ik je een schouderklopje geef en zeg dat je een slimme meid bent?' sneert hij. Ik ben blij dat hij zo onbeschoft en beledigend doet. Er had me niets beters kunnen gebeuren. Vanaf dit moment ben ik officieel niet meer verliefd op hem. Die waanideeën zijn zo ontzettend voorbij. 'Zeg, jij wil toch dat ik die film maak, of niet?' zeg ik ijzig. 'Hoe moet ik dat doen zonder...'

Laurie grijpt me bij mijn schouders en trekt me naar zich toe. Zijn mond botst op mijn lippen. Zijn tanden kletteren tegen de mijne. *Tand om tand*, denk ik automatisch. Ik proef bloed en probeer hem van me af te duwen, maar hij is sterker dan ik ben, en hij vormt met zijn armen een kooi om me heen waar ik niet uit kan ontsnappen. Het duurt een paar tellen voor ik besef dat hij in de veronderstelling verkeert dat hij me kust.

Ik heb net seks gehad met Laurie Nattrass. Laurie Nattrass heeft net seks gehad met mij. O, mijn god, o, mijn god, o, mijn god. Echte seks, met alles erop en eraan, niet dat suffe Bill Clinton-gedoe. Tenminste, niet alleen dat suffe Bill Clinton-gedoe. Wat natuurlijk helemaal niet zo suf is zolang je het maar niet als doel op zich ziet. Fout gezegd. Ik bedoel, het kan het echte seksen niet vervangen, dat wat Laurie en ik dus net... O, mijn god.

Dit kan niet waar zijn. Het is wel waar. Het lijkt alleen of het niet waar is omdat hij nu doet of het nooit is gebeurd. Hij staart weer naar de tv en haalt zijn das weer heen en weer in zijn nek, alsof zijn handen tegen elkaar touwtrekken. Zou hij het doorhebben als ik zachtjes mijn tas pakte, mijn telefoon eruit viste en Tamsin belde? Ik kan wel een gesprek met een onpartijdig iemand gebruiken. Niet over de seks op zich – dat zou grof zijn, en ik zou trouwens ook nooit al die anatomische woorden in de mond durven nemen – maar over hoe raar de sfeer omsloeg toen we uitgesekst waren. Dat gedeelte zou ik graag onder de microscoop van roddelachtige analyse leggen: hoe Laurie het klaarspeelde om binnen drie seconden volledig aangekleed te zijn, en wat hij zei toen hij weer naast me op het bed kwam zitten, kennelijk zonder op te merken dat ik nog spiernaakt was: 'Stomme fout, sorry.' Eerst dacht ik nog dat hij het over ons had, maar toen zei hij: 'Haar telefoonnummer zat in het dossier dat ik je heb gegeven. Ik had het eruit moeten halen. Ik dacht alleen dat je niet zo dom zou zijn om haar te bellen.'

Kan het echt zo zijn gebeurd als ik het me herinner? Er moet een organische overgangsfase zijn geweest die ik niet heb opgemerkt, een of ander woord of gebaar van hem dat een brug sloeg tussen de intimiteit en het praten over de film. Kon ik Laurie maar vragen of hij inderdaad een paar minuten geleden nog boven op me lag, maar ik heb sterk het gevoel dat hij alweer ergens anders is met zijn gedachten en dat hij niet zit te wachten op een samenvatting van het gebeurde. En trouwens, hoe zou ik dat dan moeten formuleren: 'Zou je zo vriendelijk willen zijn te bevestigen dat het volgende inderdaad heeft plaatsgegrepen?' Krankzinnig. Uiteraard.

En ik hoef ook niets te controleren. Godsamme, zeg. Ik was er toch zeker zelf bij? Het probleem is dat het nog te kort geleden is – misschien een minuut of vier, hooguit – dat we... eh, de zaken hebben afgerond. Ik zit er nu al even over te piekeren en heb besloten dat de temporele nabijheid van het gebeuren niet inhoudt dat mijn geheugen accurater is dan als het vijf jaar geleden was gebeurd. Over vijf jaar hoop ik klinisch objectief te kunnen terugkijken op deze middag zodat de wetenschap aan wat er zich werkelijk heeft afgespeeld tussen Laurie en mij dan niet meer zo'n probleem vormt als nu.

Kon ik maar met Tamsin praten.

Als ik heel stil blijf liggen en me niet aankleed, zou Laurie dan nog een keer met me vrijen?

'Duffy gaat jou niet terugbellen,' zegt hij. 'Ze gaat ervan uit dat jij bij de vijand hoort. Ze gaat er zo langzamerhand van uit dat iedereen haar vijand is.' Dat lijkt hem deugd te doen, alsof het haar verdiende loon is. Ik ben er niet van overtuigd dat het goed is voor een mens om alleen vijanden te hebben, laat staan dit specifieke mens, wat ze ook uitgevreten hebben, maar ik zwijg hierover. 'Haar privéleven en haar werk zijn door de roddelpers uit en te na geanalyseerd en afgekeurd,' zegt Laurie intens tevreden. 'Van de manier waarop ze haar eigen kinderen heeft verwaarloosd toen die heel klein waren omdat ze carrière wilde maken, tot de opgeblazen kwalificaties op haar allereerste cv en de twee huwelijken die ze heeft gesaboteerd omdat ze zo'n workaholic was. En nu weet de hele wereld wat een bitch ze is, en daar is ze van doordrongen.'

'Hm, hm,' zeg ik opgewekt, wat het beste is wat ik kan doen gezien de omstandigheden. Zo subtiel mogelijk schuif ik naar de rand van het bed en trek mijn onderbroek, beha, shirt en broek aan. Ik zie mijn tas liggen. Hij is niet helemaal dicht geritst. Ik zie het randje van mijn telefoon uitsteken. Ach, wat maakt het uit. Als Laurie naar de tv kan staren en met zijn das kan spelen terwijl hij over het werk praat...

Ik pak de telefoon en zet hem aan. Het berichtenicoontje knippert op het schermpje, maar ik ben niet geïnteresseerd in wat anderen mij te melden hebben, mij boeit alleen mijn eigen wereldschokkende nieuws. Ik stuur Tamsin een sms'je: 'Laurie heeft me besprongen. Ben met hem naar bed geweest. Meteen daarna kleedde hij zich aan, deed of er niets was gebeurd en begon hij over Judith Duffy. Goed teken: dat hij zichzelf is bij mij in plaats van romantiek te veinzen?' Ik onderteken met een F en twee kussen, en verstuur hem. Dan schakel ik de telefoon weer uit. Dat ik nu zo graag aan Tamsin kwijt wilde wat er is gebeurd, wil niet zeggen dat ik klaar ben voor haar reactie.

Ik glimlach bij mezelf. Door expres een vraag op te nemen die alleen een zichzelf belazerende verliefde dwaas zich zou stellen, heb ik mezelf ervoor behoed een zichzelf belazerende verliefde dwaas te worden. Tamsin zal wel zien dat ik zo'n truttig type imiteerde waar wij allebei zo'n hekel aan hebben; zo eentje die zweert dat ze nooit een boer laat en plein public en die veel minder slim is dan wij.

'Ik heb dat artikel van jou gelezen,' zeg ik tegen Laurie. '"De dokter die loog".'

*Zie je nou wel? Seks, liefde – het zijn slechts lichamelijke functies, wat mij betreft. Ik ben het allebei ook allang weer vergeten. Het stelt niets voor. Het is iets wat je even snel doet tussen het maken van twee briljante, bekroonde documentaires door.*

'Het beste wat ik ooit heb geschreven,' zegt Laurie.

'Wat? O ja, het artikel.' Het is moeilijk om je te concentreren als elke millimeter van je huid tintelt en je het gevoel hebt dat je door de ruimte suist, hoog boven de echte wereld en de gewone stervelingen die daar wonen. *Concentreer je, Fliss. Gedraag je als een volwassen mens.* 'Ik weet niet zeker of je het wel moet publiceren in zijn huidige vorm,' zeg ik.

Laurie lacht. 'Dank je, Leo Tolstoj.'

'Ik meen het. Het komt nu over als nogal... enfin, bevooroordeeld. En vals. Alsof je het wel lekker vindt om nog wat zout in de wonden te strooien. Dat maakt het... ik weet niet, ik vind dat het je punt niet sterker maakt. Het ondermijnt je argument, vind je niet? Jij presenteert Judith Duffy als door en door verdorven, en iedereen die tegen haar in opstand komt als onberispelijk: briljant, betrouwbaar, heroïsch. Ik ben de tel kwijt geraakt van alle enthousiaste bijvoeglijke naamwoorden die je gebruikt om de mensen te omschrijven die jouw standpunt delen. Je praat over dr. Russell Meredew als over de wederkomst van de Heer. Daardoor klinkt het allemaal nogal sprookjesachtig, met veel knappe prinsen en lelijke schurken. Zou het niet veel beter zijn om je aan de feiten te houden en die voor zich te laten spreken?'

'Beloof me dat je Judith Duffy niet gaat interviewen,' blaft Laurie tegen me.

Dat wil ik niet doen, en dus zet ik mijn preek voort: 'Jij stelt dat de vrienden en familie van Helen Yardley en Sarah Jaggard de "werkelijke deskundigen" zijn, omdat zij hen echt kennen. Daarmee impliceer je dat Judith Duffy er rekening mee had moeten houden dat zij beweerden dat de vrouwen onschuldig waren...'

'Ik *impliceer* het niet alleen.'

'Maar dat is belachelijk,' zeg ik. 'Niemand gelooft dat degene van wie ze houden een moordenaar is. Dat zou namelijk ook niet veel goeds zeggen over henzelf, toch? Over wie zij hebben gekozen als beste vriend, partner of oppas. Dus de meningen van deze mensen zijn absoluut niet objectief en betrouwbaar, dat zie jij toch ook wel? Bovendien, je kunt niet van twee walletjes eten, want als de dierbaren zulke deskundigen zijn, volgens jou, hoe zit het dan met Angus Hines? Die dacht dat Ray Hines schuldig was, maar daar liet jij je niet door leiden, net zomin als Judith Duffy zich liet leiden door de mening van Paul Yardley en Glen Jaggard.'

Laurie staat op. 'Wilde je verder nog iets kwijt voor je vertrekt?'

*Hij schopt me eruit omdat mijn mening hem niet zint.* Of misschien zou hij me er überhaupt uit hebben geschopt.

'Ja,' zeg ik, vastbesloten om hem te laten zien dat ik niet geïntimideerd ben door hem. Een krankzinnige seconde lang overweeg ik hem te vertellen dat ik spreek uit ervaring, de allervreselijkste ervaring van mijn leven. Niemand kan objectief zijn over de schuld van een geliefde. Dat is gewoon onmogelijk. Ik heb dagen dat ik denk dat mijn vader door en door corrupt moet zijn geweest – boosaardig bijna – en er zijn dagen dat ik denk dat hem geen blaam treft, en dan mis ik hem zo erg dat ik het gevoel heb dat ik ook net zo lief dood zou zijn.

'Wat je schreef over de moeder van Benjamin Evans, dat ze een alleenstaande moeder is en een prostituee, stond me ook niet aan,' zeg ik uiteindelijk. 'Je leek daarmee te suggereren dat het door die twee dingen een stuk waarschijnlijker was dat zij de moordenaar was en niet Dorne Llewellyn die de baby door elkaar geschud zou hebben.'

'Je hebt een achterhaalde versie gelezen,' zegt Laurie. 'De redacteur van de *British Journalism Review* was het met je eens, dus dat stukje moest ik eruit halen. Ik stuur je wel een e-mail met de gekuiste versie, waarin ik niet opmerk dat Rhiannon Evans een hoer is die bij elke gelegenheid die haar wordt geboden de loftrompet steekt over Judith Duffy en die er op gebrand is dat Dorne Llewellyn de rest van haar leven in de gevangenis blijft zitten.'

'Wees nou niet zo boos op me, Laurie.'

Hij snuift honend. 'Weet jij wel hoe makkelijk jouw baantje kan worden opgeheven? Ga vooral door met Judith Duffy achterna te zitten en dan is dat exact wat er zal gebeuren. Als jij denkt dat ik erbij ga staan kijken hoe jullie mijn film gebruiken om haar verwrongen...'

'Hoe kom je erbij dat ik dat ga doen?' schreeuw ik tegen hem. 'Ik wil haar alleen maar spreken, meer niet. Ik zeg helemaal niet dat jij het bij het verkeerde eind hebt, wat haar betreft. Zij is de boef in dit verhaal – prima. Maar ik moet wel weten wat voor soort boef ze eigenlijk is als ik een documentaire wil maken over de schade die ze heeft aangericht. Deed ze dat met de beste bedoelingen, maar was ze gewoon bevooroordeeld? Of dom? Of is ze een regelrechte leugenaar?'

'Ja! Zij is een regelrechte *fucking* moordenaar, die mensen naar de verdommenis helpt. En jij blijft bij haar uit de buurt, hoor je dat? En dat is de laatste keer dat ik dit van je vraag.'

Is hij werkelijk zo intolerant dat hij alleen zijn eigen standpunt voor het voetlicht wil brengen? Maakt hij zich soms zorgen om mij? En als dat zo is, betekent dat dan dat hij van me houdt?

*Felicity Benson, wat ben je toch een verachtelijk wezen.*

*Ik meende dat heus niet, hoor. Het is pure zelfspot, en dat is een heel stuk geraffineerder dan onbeantwoorde liefde.*

Ik zou er wat voor geven om Laurie te kunnen zeggen wat hij wil horen, zodat we allebei blij en tevreden kunnen zijn, maar ik kan mezelf er niet toe zetten een inschikkelijke dwaas uit te hangen omdat hij dat toevallig graag zo ziet. Als ik deze film ga maken, en daar lijkt het op, moet ik dat doen op de manier die mij goeddunkt.

'Ik snap het ineens,' zeg ik. 'Waarom ik van je hou. Omdat we zo veel gemeen hebben. We behandelen mij allebei alsof ik er niet toe doe, alsof ik niets ben.' Maar dat is voorbij, bezweer ik mijzelf. Van nu af aan ben ik niet niets meer.

'Waarom jij van mij *houdt*?' zegt Laurie, op een manier waarop een normaal, beschaafd mens het woord 'genocide?' of 'necrofilie?' zou uitspreken: geschokt en vol weerzin.

Ik pak mijn tas op en vertrek zonder verder nog een woord te zeggen.

Buiten hou ik een taxi aan en het duurt even voor ik me mijn eigen adres herinner. Als ik eenmaal onderweg ben en weer kan ademhalen, zet ik mijn telefoon aan, en zie dat ik twee nieuwe berichten heb. Het eerste is een sms'je van Tamsin. 'Wat ben jij een ENORME stomkop!' staat er. Het tweede is een voicemail van een zekere rechercheur Simon Waterhouse.

# 8

## 08/10/2009

De manier waarop Grace en Sebastian Brownlee elkaars hand vast-
hielden beviel Sam Kombothekra niet. Er sprak geen tederheid uit,
maar eerder een tarten van de vijand. Ze zagen eruit als twee mensen die op het punt stonden samen het strijdtoneel te betreden.

'Kruitsporen,' zei Grace met een stem vol ongeloof. Sam had er geld
om durven verwedden dat dit de eerste keer was dat dit woord werd
uitgesproken onder deze hoge gipsplafonds. De Brownlees leefden
kennelijk in de veronderstelling dat je in een oud huis even oude spullen moest neerzetten, en het soort behang op de muren moest plakken
dat een keurige man uit de negentiende eeuw zou hebben uitgekozen,
alsof je de moderne tijd kon uitbannen als je maar je best deed.

De adoptiemoeder van Paige Yardley was een kleine, slanke vrouw
met middenbruin haar dat in een keurige boblijn was geknipt. Haar
man was lang en kalend, met woeste roodblonde plukken boven zijn
oren die te kennen gaven dat hij niet van plan was om meer haar te
verliezen dan strikt noodzakelijk. Zijn vrouw en hij werkten beiden
voor hetzelfde advocatenkantoor in Rawndesley, waar ze elkaar ook
hadden ontmoet, zo vertelden ze aan Sam. Sebastian Brownlee had
tot dusverre al twee keer opgemerkt dat hij drie uur eerder van zijn
werk had moeten gaan dan normaal, voor dit gesprek. Hij en Grace
droegen nog hun werkkleding.

'U wordt nergens van verdacht,' stelde Sam Grace gerust. 'Dit is
routine. We vragen het aan iedereen die Helen Yardley kende.'

'Wij kenden haar niet,' zei Sebastian. 'We hebben dat mens nog
nooit ontmoet.'

'Dat begrijp ik, meneer. Niettemin verkeren u en uw vrouw in een unieke positie, wat haar betreft.'

'We stemmen toe,' zei Grace afgemeten. 'U kunt uw onderzoekjes doen, wat het ook maar behelst, en klaar. Ik wil u hier liever niet nog eens terugzien.' Wat een vreemde manier van formuleren, dacht Sam. Alsof ze op een dag naar beneden komt voor het ontbijt en hem hier aan de keukentafel zou treffen. Nu hij er nog eens over nadacht, leken de Brownlees hem van die mensen die alle maaltijden in de eetkamer gebruikten.

Sam had geen enkele reden om hen ergens van te verdenken. Ze hadden hem een volledige omschrijving gegeven van waar zij op maandag waren. Samen met hun dertienjarige dochter Hannah – Sam kon het meisje niet anders zien dan als Paige Yardley – waren ze om 7 uur 's ochtends vertrokken van huis. Om 7.10 uur hadden ze Hannah afgezet bij het huis van haar beste vriendin, wier moeder de twee meisjes ontbijt zou geven en net als altijd door de week naar school zou brengen. Sebastian en Grace waren toen direct doorgereden naar hun kantoor in Rawndesley, waar zij als altijd rond 7.50 uur arriveerden. Daarna was Sebastian dan wel op kantoor of buiten de deur voor vergaderingen met klanten, de hele verdere dag. 'U hebt geluk,' zei hij tegen Sam. 'Zelfstandig gevestigde advocaten zoals wij moeten elke minuut werk verantwoorden, zodat we de juiste mensen kunnen factureren.' Hij beloofde Sam een kopie te sturen van hun urenstaten en een lijst met contactgegevens van alle mensen bij wie ze elke van die individueel gespecificeerde minuten waren geweest.

Grace, die parttime werkte, was rond 2.30 uur van kantoor vertrokken en had Hannah en haar vriendin opgehaald van school, zoals ze elke werkdag deed. Ze was vervolgens met de twee meisjes gaan zwemmen in Waterfront, de particuliere *health club*, waar zowel de Brownlees als het gezin van de vriendin lid van waren. Grace kon Sam de namen en telefoonnummers van verscheidene kennissen geven die haar hetzij in het zwembad, dan wel in het cafégedeelte hadden gezien waar zij en de meisjes nog wat hadden gegeten en gedronken na het zwemmen. Na hun vertrek bij Waterfront was Grace naar het huis van Hannahs vriendin gereden, en Hannah en zij kwamen vervolgens om 6.15 uur thuis. Sebastian Brownlee was rond 10 uur thuis, want hij had met cliënten gedineerd in Rawndesley.

Sam wist wel zeker dat alles wat het echtpaar hem had verteld zou kloppen. Wat zat hem dan zo dwars, als zij niet hadden gelogen? 'Hoe laat is Hannah weer thuis?' vroeg hij. De hele muur in de zitkamer hing vol met foto's van haar. In Sams ervaring konden zo veel foto's van één iemand in een kamer en geen enkele foto van iets of iemand anders twee dingen betekenen: een stalker met een gevaarlijke obsessie, of een heel liefhebbende ouder. *Of twee liefhebbende ouders.*

Hannah Brownlee had glanzend bruin haar met een middenscheiding, grote, grijze ogen en een klein neusje. Ze had het gezicht van Helen Yardley, maar dan een jongere versie.

'U mag mijn dochter niet onderzoeken op kruitsporen,' zei Grace Brownlee boos.

'Dat wilde ik ook niet...' begon Sam.

'Ik heb haar naar mijn moeder gebracht omdat ik wist dat u zou komen. Ik wilde niet dat zij hier iets van mee zou krijgen. Vertel dan, Sebastian,' viel ze uit. 'Deze kwelling heeft al lang genoeg geduurd.'

'Hannah weet dat er een vrouw in de buurt is vermoord. Mensen op school hebben het erover gehad, en het is op het nieuws geweest. We konden het moeilijk van haar weghouden, maar...' Sebastian keek even naar zijn vrouw. Uit haar blik bleek dat ze niet van plan was hem te helpen, en dus wendde hij zich weer tot Sam. 'Hannah heeft geen idee dat Helen Yardley haar biologische moeder was.'

'Ik heb altijd gevonden dat we het haar moesten vertellen,' zei Grace ineens, 'maar het mocht niet van hem.'

'Ik wilde dat mijn dochter een normale, zorgeloze jeugd zou hebben,' verklaarde Sebastian. 'En dat ze niet zou opgroeien met het idee dat ze de dochter van een moordenaar was, iemand die twee van haar kinderen had verstikt en die bijna zeker hetzelfde zou hebben gedaan met Hannah als Jeugdzorg niet had ingegrepen. Welke vader zou zo'n last op de schouders van zijn dochter leggen? Ze zou het haar *hele leven* met zich mee moeten dragen.' Deze laatste woorden waren voor Grace bedoeld.

'Ik neem aan dat u ervan uitgaat dat Helen Yardley schuldig was.' Als Sam iets deprimerend vond, dan was het wel onverdraagzaamheid. Hoe haalde Sebastian Brownlee het in zijn hoofd dat hij het beter wist dan de drie rechters die de zaak in hoger beroep hadden behandeld?

'We weten dat ze schuldig was,' zei Grace. 'En ik ben het eens met alles wat Seb net heeft gezegd, alleen is er één ding dat hij altijd weer schijnt te vergeten.'

Sam vroeg zich af of het soms therapeutisch was voor de Brownlees om deze ruzie in zijn aanwezigheid uit te vechten. 'En dat is?'

'Een significant aantal geadopteerde kinderen bereikt ooit het punt waarop het voor hen van belang is te weten wie zij zijn en waar zij vandaan komen. Als ik zeker wist dat dit niet voor Hannah gold, zou ik er natuurlijk niet voor zijn het haar te vertellen, maar in deze wereld krijgt men dergelijke garanties nu eenmaal niet. Wat mij betreft had haar biologische moeder iedereen mogen zijn, behalve Helen Yardley – *iedereen*. Als het zou kunnen, dan zou ik mijn kop, en die van Hannah, diep in het zand steken en de waarheid vergeten, maar dat kan niet, althans, ik kan er niet honderd procent zeker van zijn dat het zou lukken. Als Hannah erachter komt als ze ouder is, zal ze helemaal kapot zijn van de schok. Maar als we het haar zouden vertellen zodra ze oud genoeg is om het te begrijpen, zelfs als we het haar nu zouden vertellen...' Grace keek haar man smekend aan.

'Hoe oud is oud genoeg om te begrijpen dat je biologische moeder je wilde vermoorden?' vroeg Sebastian geagiteerd. 'Dat ze je twee broertjes al *had* vermoord?'

'Wat hebt u Hannah nu dan verteld?' vroeg Sam. 'Over haar biologische ouders?'

'Niets,' zei Grace. 'We hebben gezegd dat wij zelf niets wisten, dat we het Jeugdzorg hebben gevraagd, maar dat die ons niets wilden vertellen. Ze weet wel dat ze is geadopteerd, maar meer ook niet.'

Als Simon Waterhouse hier nu zou zijn, zou hij dan denken dat het onmogelijk was te verifiëren wat ze wel en niet wist, aangezien ze er niet bij was? Stel dat ze wel wist dat Helen Yardley haar biologische moeder was, en Grace en Sebastian nu logen omdat...

*Nee. Onmogelijk.* Dertienjarige meisjes uit Spilling regelden geen Beretta M9 om hun moeder te vermoorden. Sam nam zich voor te controleren of Hannah die maandag de hele dag op school was geweest. 'Waarom bent u er zo zeker van dat Helen Yardley schuldig was?'

Sebastian Brownlee raakte de arm van zijn vrouw even aan: een teken dat ze geen antwoord moest geven. 'We hebben het heel druk, inspecteur – net als u, neem ik aan,' zei hij. 'We willen nu graag onze dochter ophalen, en u bent niet hier gekomen om het over Helen Yardley's schuldvraag te hebben. Zullen we maar gewoon gaan doen wat we moeten doen?'

'Ik wil graag een antwoord op mijn vraag,' zei Sam. Zijn keel voelde droog. De Brownlees hadden hem niets te drinken aangeboden.

Sebastian zuchtte diep. 'Hoe weten wij dat zij schuldig is? Goed, laten we beginnen met de kleine Morgan, de eerste zoon die ze vermoordde. Nog los van de enorme hoeveelheden hemosiderine die in zijn longen zijn aangetroffen, allemaal van verschillende tijdstippen – met andere woorden, niet van één bloeding, maar van een aantal verschillende bloedingen, een duidelijke indicator voor verstikking – dus los daarvan, en dat vier medisch deskundigen die hebben getuigd voor het OM zeiden dat zo veel hemosiderine in het geval van een natuurlijke dood nooit zou zijn aangetroffen, was er ook nog de natriumspiegel in Morgans bloed, die bijna vijf keer hoger was dan je bij een kind van zijn leeftijd mag verwachten...'

'De hoeveelheid zout in zijn bloed,' zei Grace, ter verduidelijking voor Sam. 'Ze heeft zout gebruikt om hem te vergiftigen.'

Zoutvergiftiging *en* verstikking? Sam geloofde niet dat Helen haar beide zoons opzettelijk iets had aangedaan, maar zelfs al was dat zo, zou ze dan hebben geprobeerd om hen tegelijkertijd op twee verschillende manieren te doden? Om eerlijk te zijn moest hij toegeven dat je dat ook gemakkelijk kon omkeren: als je iemand echt iets aan wilde doen, zou je hem misschien juist op alle manieren te grazen nemen die je maar kunt verzinnen.

'Morgan was al meer dan eens in allerijl naar het ziekenhuis afgevoerd in zijn korte leventje, omdat hij niet meer ademde. Raar, hè?' vroeg Sebastian Brownlee dwingend. 'Een volmaakt gezonde baby houdt zomaar ineens op met ademhalen – komt dat even goed uit. En telkens als hij besloot om dat trucje te herhalen was het toevallig steeds precies hetzelfde tijdstip van de dag – tussen vijf en zes 's avonds, aan het eind van een lange dag waarop zijn moeder alleen met hem was terwijl zijn vader op zijn werk zat. Vertelt u mij maar eens welke baby telkens weer op hetzelfde tijdstip ophoudt met ademhalen.'

'Je hoeft niet tegen hem te schreeuwen,' zei Grace. Sam wilde zeggen dat het niet erg was, maar hij hield zich in.

'Die huurleugenaar van een arts die de verdediging erbij had gesleept zei dat hij een ademhalingsstoornis kon hebben, of misschien aan uitdroging leed, of dat hij wellicht leed aan nefrogene diabetes insipidus – diabetes waarbij je zoutspiegel omhooggaat in plaats van je suikerspiegel. Ze verzonnen het allemaal ter plekke, en de jury wist dat donders goed!' Sebastian liet de hand van zijn vrouw los, stond op en begon te ijsberen. 'En dan Rowan, baby nummer twee. Hij had ook al te veel zout in zijn bloed. Alle artsen waren het erover eens dat hij hieraan was overleden – de vraag was alleen: had zijn moeder hem vergiftigd of leed hij ook aan deze zeldzame vorm van diabetes? Of had hij een gebrekkig functionerend osmotisch systeem – dat is het mechanisme dat de hoeveelheid natrium in het bloed reguleert. Je zou denk ik kunnen zeggen dat je dat nooit met zekerheid kunt stellen, maar de medisch deskundigen die voor het om hebben getuigd, vonden het juist om te wijzen op het feit dat de autopsie aantoonde dat Rowan een schedelbasisfractuur had en verschillende genezende botfracturen, allemaal in een verschillend stadium van genezing, aan het eind van de botten in de buurt van zijn longen. Dat noemen ze metafyse fracturen. Vraagt u het maar aan een willekeurige kinderarts, of aan iemand van de kinderbescherming, dat kan trouwens ook – het is het soort fracturen dat je ziet als je een kind bij de pols of enkel pakt en het tegen de muur smijt.'

Grace Brownlee kromp ineen.

'De schedelbasisfractuur was tweezijdig – ook uitermate zeldzaam voor een verwonding zonder externe oorzaak,' vervolgde Sebastian op luide toon, alsof hij in de rechtszaal stond in plaats van in zijn eigen zitkamer, en hij een veel groter publiek toesprak dan alleen zijn vrouw en Sam. Hij liep heen en weer, met zijn handen in zijn zakken. 'De meeste schedelbasisfracturen zijn enkelvoudig en lineair, en beperken zich tot slechts één stuk schedel. En de verdediging waagde het te stellen dat die fractuur niet tot Rowans dood kan hebben geleid omdat er geen zwelling van de hersenen was aangetoond!'

'Seb, doe nou rustig,' zei Grace gelaten, alsof ze toch niet verwachtte dat hij zou luisteren.

'Hij is er misschien niet aan overleden, maar we hebben het verdomme nog wel steeds over een schedelbasisfractuur, ja!' Nadat hij deze mededeling had gedaan, ging Sebastian hoofdschuddend zitten. Was hij nu klaar? Sam hoopte het maar. Het was zijn eigen schuld: had hij het maar niet moeten vragen.

'Een getuige-deskundige van de verdediging zei dat de fracturen konden zijn veroorzaakt door iets wat tijdelijke osteogenesis imperfecta wordt genoemd, maar er is helemaal geen bewijs dat die aandoening bestaat,' zei Grace. 'OI bestaat terdege, al is het uiterst zeldzaam, maar tijdelijke OI? Geen enkel bewijs voor – nog niet één ziektegeval. Zoals Judith Duffy al opmerkte tijdens de zitting zijn er in het geval van OI andere symptomen die Rowan Yardley allemaal niet vertoonde – blauwe sclera, wormiaanse botstructuren...'

'Toen Duffy zei dat er helemaal niet zoiets bestaat als tijdelijke osteogenesis imperfecta, probeerde de advocaat van de gedaagde haar neer te zetten als arrogant door haar te vragen hoe ze dat in 's hemelsnaam zo zeker kon weten,' ging Sebastian verder. 'Of zij dat wist van enig onderzoek waaruit was gebleken dat OI nooit een tijdelijke vorm aan kon nemen. Natuurlijk kon ze dat niet. Hoe moet je bewijzen dat iets niet bestaat?'

'Ik kan me niet meer herinneren wie het heeft gezegd, maar het klopt,' mompelde Grace. '"De grootste dwaas kan een vraag stellen die de grootste wijze niet kan beantwoorden".'

'De verdediging haalde alles uit de kast. Ze kwamen zelfs met de gouwe ouwe: en als hij nou van de bank is gevallen? Ik ben advocaat,' verklaarde Sebastian, alsof Sam zich niet allang bewust was van zijn beroep, 'en als ik één ding zeker weet, dan is het dit: als je meer dan één ding aandraagt ter verdediging, dan is dat omdat je niet één ding hebt dat deugdelijk is.'

Een luide zucht van Grace legde hem het zwijgen op, en hij keek haar aan. 'Dit is allemaal niet waarom *ik* weet dat Helen Yardley schuldig was,' zei ze. 'Je kunt eindeloos steggelen over medisch bewijs, maar je kunt niets inbrengen tegen een ooggetuigenverslag van iemand die er geen enkel belang bij had om te liegen.'

'Leah Gould,' zei haar man en hij pakte haar hand weer vast, alsof hij haar wilde bedanken dat ze hem daaraan herinnerde. 'Degene die toezicht hield op het contact in het zorgcentrum waar de Yardleys Hannah bezochten.'

*Paige*, dacht Sam. Niet Hannah. Toen nog niet.

'Leah Gould heeft het leven van onze dochter gered,' zei Sebastian.

'Helen probeerde Hannah te verstikken waar ze bij was,' zei Grace, en haar ogen vulden zich met tranen. 'Ze duwde haar gezichtje tegen haar borst zodat ze geen lucht meer kreeg. Twee anderen hebben het ook gezien – Paul Yardley en een inspecteur genaamd Proust – maar die hebben daarover ter zitting gelogen.'

Sam deed zijn best om niet te reageren. De Sneeuwman en liegen onder ede over een poging tot moord waar hij getuige van was? Nee. Tot wat voor verschrikkelijks hij verder ook in staat mocht zijn, dat zou hij nooit doen. Sam wist dat Helen Yardley haar versie van het incident had opgenomen in *Niets dan liefde* – dat had Simon Waterhouse hem verteld. Sam moest het boek zelf ook nog lezen, al had hij daar weinig trek in.

'Dat haar man loog, viel te verwachten,' zei Sebastian bitter. 'Kennelijk geldt het in goede en kwade tijden zelfs als je met een moordenaar getrouwd bent, maar een inspecteur van politie?' Hij schudde zijn hoofd. 'Helaas had inspecteur Proust een nogal slecht geheugen voor wat er zoal was voorgevallen, en dan druk ik het nog zacht uit. Hij getuigde dat Leah Gould naar zijn mening overdreven had gereageerd, en dat Helen Hannah alleen stevig knuffelde, zoals iedere liefhebbende moeder zou doen als ze bang was dat ze voor jaren, zo niet voorgoed van haar kind zou worden gescheiden. Elf van de twaalf juryleden negeerden hem. Zij vertrouwden erop dat Leah Gould een poging tot moord niet zomaar uit de lucht had gegrepen.'

'Hoewel ze dat zelf uiteindelijk wel beweerde,' zei Grace verbitterd. 'Die gruwelijke Nattrass heeft zo veel misbaar gemaakt in de media dat iedereen, zelfs de meesten van de oorspronkelijke getuigen à charge, uiteindelijk de kant kozen van de veroordeelde moordenaar, ten koste van haar slachtoffers. Nattrass heeft ervoor gezorgd dat al het roddelbladtuig een hoogstpersoonlijke scoop over Judith Duffy kreeg, of het nu haar promiscue gedrag tijdens haar puberteit betrof, of dat ze als jonge moeder haar kinderen bij een oppas liet, of het baantje waar ze was ontslagen toen ze nog studeerde...'

'Het ging helemaal niet meer over het bewijs,' zei Sebastian, die de hand van zijn vrouw vastgreep op een manier die Sam nogal pijnlijk voor haar leek. Als dat zo was, zei ze er niets van. 'Het was een politieke kwestie geworden. Helen Yardley moest en zou uit de gevangenis worden vrijgelaten, en snel ook. Het systeem zat met haar in de maag, ook al had Nattrass niets anders dan een zaak tegen dr. Duffy, een van de vele getuigen à charge. Goed, haar gedrag was misschien dubieus, maar zij speelde oorspronkelijk maar een kleine rol in deze zaak. En toen opeens niet meer. Een aantal van de artsen die tegen Helen Yardley hadden getuigd gingen plotseling anders piepen – niemand had er trek in om het volgende slachtoffer van Nattrass te worden. Het team van het OM drong niet aan op een nieuwe berechting toen ze dat hadden kunnen en moeten doen. Ivor Rudgard, die het team aanvoerde, zal wel van iemand van het ministerie te horen hebben gekregen: laat deze zaak vallen, anders kun je je loopbaan verder op je buik schrijven. En dus heeft Rudgard hem laten vallen.'

'En voor je het weet interviewt Laurie Nattrass Leah Gould voor de *Observer*, en zegt zij dat ze niet zeker meer weet of Helen Yardley haar dochter probeerde te smoren door haar gezicht tegen haar trui te drukken. Ze denkt nu dat ze waarschijnlijk voor niets in paniek is geraakt, en ze heeft vreselijke spijt dat zij een rol speelde bij de veroordeling van een onschuldige vrouw.' Het was duidelijk dat Grace die woorden nauwelijks kon aanhoren in relatie tot Helen Yardley.

'Natuurlijk zei ze dat pas toen Helen Yardley eenmaal vrij was en iedereen het had over heksenjacht en de vervolging van onschuldige moeders,' zei Sebastian. 'Het is niet zo makkelijk om dat allemaal in je eentje tegen te spreken. Ruim tien jaar na de gebeurtenissen kun je jezelf ervan overtuigen dat het allemaal anders is gegaan dan het in werkelijkheid was, maar feit is dat Leah Gould, toen in dat contactcentrum, Hannah bij haar moeder heeft weggetrokken omdat ze geloofde dat ze daarmee Hannahs leven redde.'

Sam begon medelijden te krijgen met de Brownlees. Hun obsessie zoog al hun energie op. Hij vermoedde dat ze het verhaal eindeloos herkauwden en telkens als ze het over de vrijlating van Helen Yardley hadden, waren ze opnieuw woedend. 'Hoelang woont u al in dit huis?'

'Sinds 1989,' zei Grace. 'Hoezo?'

'Dus voordat u Hannah adopteerde.'

'Ik herhaal mijn vraag: hoezo?'

'Het huis van de Yardleys staat aan Bengeo Street, en dat is maar vijf minuten hiervandaan.'

'In afstand gemeten misschien,' zei Sebastian. 'Maar Bengeo Street is in elk ander opzicht een andere wereld.'

'Wist u waar de Yardleys woonden toen u Hannah adopteerde?'

'Ja. Er werd...' Grace zweeg, en ze deed haar ogen dicht. 'Er werd post doorgestuurd naar ons door Jeugdzorg. Van Helen en Paul Yardley voor Hannah. Hun adres stond in die brieven.'

Ze hoefde er niet bij te vertellen dat Hannah die brieven nooit onder ogen heeft gehad.

'Hebt u niet overwogen om te verhuizen?' vroeg Sam. 'Vond u het geen beter idee, toen u eenmaal had besloten Hannah niet te vertellen wie haar biologische ouders zijn, om uit Spilling te verhuizen – misschien naar Rawndesley?'

'*Rawndesley?*' herhaalde Sebastian vol afschuw, alsof Sam had voorgesteld dat ze naar Kongo moesten verhuizen.

'Natuurlijk niet,' zei Grace. 'Zou u ooit verhuizen als u in dit huis woonde, in deze straat?' Ze maakte een gebaar door de kamer.

Wilde ze dat Sam eerlijk antwoord gaf? Had ze dat werkelijk gezegd? Hij staarde haar aan en vroeg zich af wat hij moest zeggen, totdat hij het ineens begreep. Hij wist waarom hij de Brownlees zo verdacht vond, ondanks hun solide alibi's en respectabele keurigheid: het kwam door iets wat Grace had gezegd toen ze hem binnenliet. Hij had haar zijn identificatie laten zien en uitgelegd dat hij inspecteur Sam Kombothekra was van de recherche van Culver Valley, maar dat ze zich nergens zorgen om hoefde te maken, dat zijn bezoek slechts een formaliteit was, meer niet. Grace had vrijwel precies zo gereageerd als je zou verwachten van een vrouw die niets te verwijten viel. Bijna, maar niet helemaal. Ze had Sam recht in de ogen gekeken en gezegd: 'Wij deden niets verkeerd.'

Het was al donker toen Simon in Wolverhampton aankwam. Sarah en Glen Jaggard woonden in een huurflat boven een videotheek aan een drukke weg in het centrum van de stad. 'Je kunt het niet missen,' had Glen gezegd. 'Het uithangbord is door vandalen vernield. Nu staat er Lockbusters in plaats van Blockbusters.'

De Jaggards woonden vroeger in een koopwoning, maar ze hadden hun huis moeten verkopen vanwege de kosten van Sarahs proces. Simon was er niet van overtuigd dat Glen Jaggards nadrukkelijke opgewektheid echt was. Aan de vermoeide ondertoon kon hij horen dat hij te maken had met iemand die het gevoel had geen keuze te hebben, en dat hij wel vrolijk moest blijven ondanks een aaneenschakeling van somberheid in het leven.

Het appartement zag eruit alsof het uit een boven- en een bene-denverdieping bestond, te oordelen aan de ramen. Het was best groot: waarschijnlijk evenveel oppervlakte als Simons kleine huisje of Charlies rijtjeshuis met twee slaapkamers. We zouden die huizen allebei moeten verkopen en er iets groters voor terugkopen, dacht Simon, hoewel hij wist dat hij dat nooit zou opperen, en dat als Charlie er zelf mee kwam, hij vooral bang zou zijn.

Hij dacht aan de Sneeuwman die hem naar de keel vloog toen hij suggereerde dat Sarah Jaggard helemaal geen slachtoffer was van een rechterlijke dwaling. Dat kon toch helemaal niet, als ze unaniem was vrijgesproken? Proust was duidelijk van mening dat het al een dwaling was als je voor moord terecht moest staan, en Simon vroeg zich af of de vrouw die hij dadelijk zou ontmoeten er ook zo over dacht. Zag zij zichzelf als slachtoffer, of als iemand die tegenslag had overwonnen? Het armoedige interieur van haar woning en het oorverdovende verkeerslawaai buiten deden Simon vermoeden dat ze zichzelf als het eerste zag, en dat kon hij haar niet eens kwalijk nemen.

Er leidde een roestige gietijzeren trap naar de flat, met hier en daar wat spikkels van de zwarte verf waar hij ooit helemaal mee bedekt moest zijn geweest. Er was geen deurbel. Simon klopte aan en keek door het raam van halfdoorzichtig glas, toen er iets groots op hem afsjokte door de gang. Glen Jaggard gooide de deur open, greep Simon bij de hand en schudde die, waarbij hij tegelijk voorover leunde om hem met de andere hand op de rug te kloppen, een manoeuvre die de twee mannen ongemakkelijk dicht bij elkaar bracht. Simon keek naar Jaggards geruite shirt, spijkerbroek en wandelschoenen. Was hij soms van plan om straks nog een berg te beklimmen?

'Dus je hebt Lockbusters kunnen vinden?' lachte Jaggard. 'Ik kon het niet geloven: dat onze dvd-speler ermee ophield toen we hier nog geen week woonden. Ook domme pech: woon je pal boven een videotheek, houdt je dvd-speler ermee op!'

Simon glimlachte beleefd.

'Loop maar door naar de zitkamer.' Jaggard wees naar het andere eind van de hal. 'Thee en koekjes staan al voor je klaar. Ik ga Sarah even halen.' Hij liep de trap op met twee treden tegelijk en riep de naam van zijn vrouw.

Simon was in de loop der jaren al bij veel mensen over de vloer geweest, maar het was hem nog nooit overkomen dat de thee al voor hem klaarstond. Als hij te laat was geweest, had hij dan koude thee gekregen?

Hij had verwacht dat er verder niemand in de zitkamer zou zijn, omdat Glen en Sarah allebei boven waren, en dus verbaasde het hem om Paul Yardley daar aan te treffen, die er verschrikkelijk uitzag. Zijn ogen waren gezwollen, zijn huid was vet en bijna doorzichtig. *Net gestold vet in een koekenpan nadat je worstjes hebt gebakken.* Toen Simon hem voor het eerst had ondervraagd na de dood van zijn vrouw, had Yardley fel gezegd: 'De meeste mensen in mijn positie zouden overwegen zichzelf van kant te maken. Ik niet. Ik heb al een keer gevochten voor gerechtigheid voor Helen, en dat zal ik nu weer doen.'

Nu zei hij met dezelfde intensiteit: 'Maak je geen zorgen, ik blijf niet.' Alsof Simon had geprotesteerd tegen zijn aanwezigheid. 'Ik was hier alleen om met Glen en Sarah te praten over Laurie.'

'Laurie Nattrass?' Aan de muur achter Simon hing een ingelijste krantenfoto van Nattrass, Yardley en Helen die door haar tranen heen glimlachte. Ze hadden de handen ineengeslagen als een slinger van papieren poppetjes. De foto was genomen op de trap voor het gerechtsgebouw na Helens succesvolle beroepszaak, dacht Simon. Het was de enige foto die de Jaggards in de zitkamer van hun huurwoning hadden opgehangen. Onder de korrelige zwart-witfoto stond de krantenkop: EINDELIJK GERECHTIGHEID VOOR HELEN.

Uit het relatieve gebrek aan meubels – twee rode stoelen, eentje met gescheurde bekleding, een salontafel en een televisie – en de kale muren maakte Simon op dat de meeste bezittingen van de Jaggards ergens in opslag waren. *We blijven hier niet lang, dus het heeft geen zin om onze spullen hier neer te zetten.* Dat zou Simon zichzelf ook wijsmaken als hij in hun schoenen stond. Hij zou niets willen uitpakken wat hem dierbaar was om het in dit hol neer te zetten met zijn plafonds vol vochtkringen en gescheurd stucwerk. Droomden de Jaggards ervan om binnenkort ergens een huis te kunnen kopen, ver weg van de videotheek met het kapotte uithangbord, zodat ze het verleden voorgoed achter zich konden laten?

Was Sarah Jaggard niet ook op de foto gezet buiten de rechtbank, na haar vrijspraak? Simon wist het wel zeker; hij herinnerde zich nog dat hij dat had gezien op het nieuws en in de kranten. Met Laurie Nattrass aan haar zijde. Maar misschien maakte zijn geheugen hem maar wat wijs. Waarom hing Sarah daar dan niet aan de muur?

'Weet jij waar Laurie is?' vroeg Paul Yardley. 'Hij belt maar niet terug – niet naar mij, en ook niet naar Glen en Sarah. Dat heeft hij nog nooit gedaan.'

Nattrass was al geschrapt als verdachte. Hij had die maandag de hele dag bij de BBC in vergadering gezeten, dus was er geen reden om hem verder in de gaten te houden. 'Sorry,' zei Simon.

Paul Yardley keek hem bijna tien volle seconden aan, in afwachting van een beter antwoord. Toen zei hij: 'Hij zou ons niet negeren. Weet je waar hij is?'

Boven klonk het gekraak van een vloerplank, gevolgd door het geluid van heel erg trage voetstappen, alsof er een negentigjarige van de trap kwam lopen. Yardley sprong op uit zijn stoel. 'Maak je geen zorgen, ik ben al weg,' zei hij en binnen een paar tellen stond hij in de gang. Simon deed niets om hem tegen te houden en vroeg ook niet waar hij naartoe ging. Hij wist nu al dat hij daar straks spijt van zou krijgen. Het was geen pretje om een gesprek te voeren met een man die alles had verloren, maar toch moest je daar wel je best voor doen.

Hij pakte een van de drie gehavende bekers op van de salontafel en nam een slok lauwe thee. Hij had ook best zin in een koekje, maar hij nam er geen.

Glen Jaggard leidde Sarah met beide handen de kamer in. Ze was lang en dun en had dun bruin haar, en ze droeg een roze gestreepte pyjama en een ochtendjas van witte badstof. Ze keek Simon heel even aan en wendde toen haar blik af.

'Ga zitten, lieverd,' zei haar man.

Sarah liet zich zakken in een van de rode stoelen. Alles was ze deed – lopen, zitten – zag er pijnlijk onervaren uit, alsof ze het allemaal voor het eerst deed. Ze voelde zich niet thuis in haar eigen huis. *Als ze het tenminste zo ziet; haar eigen huis was waarschijnlijk het huis dat ze moest verkopen om uit de bajes te kunnen blijven.*

Simon had zich zo goed mogelijk ingelezen op haar zaak. Haar werd doodslag op de zes maanden oude Beatrice Furniss ten laste gelegd, op wie ze regelmatig paste. Beatrice – of Bea, zoals men haar noemde – was het kind van Pinda Avari en Matt Furniss. Voor ze werd gearresteerd werkte Sarah als kapster en Pinda, een IT audit manager voor een keten van wedkantoren, was een van haar trouwste klanten en een vriendin. Op de avond van 15 april 2004 gingen Pinda en Matt naar een feestje, nadat ze Bea bij de Jaggards thuis hadden gebracht. Sarah zette de Baby Mozart-dvd op voor Bea, waar ze samen naar keken. Glen Jaggard en drie maten, tevens zijn collega's bij verhuisbedrijf Packers Removals, zaten in de keuken te pokeren. Bea had nooit een vaste bedtijd, omdat Pinda en Matt tegen vaste routines waren voor baby's, maar rond negen uur viel ze in slaap op Sarahs schoot.

Sarah legde haar op de bank en ging zelf televisie zitten kijken. Een uur later keek ze even naar Bea die naast haar lag; het kind zag blauw en leek vreemd te ademen, hoewel Sarah dat niet met zekerheid durfde te zeggen. Ze probeerde Bea wakker te maken, en dat lukte, maar het kindje was griezelig slap. Op een gegeven moment rolden Bea's ogen naar achter in hun kassen en dat was het moment waarop Sarah vreesde dat er iets heel erg mis was. Ze droeg Bea voorzichtig naar de keuken en probeerde niet in paniek te raken; daar zaten Glen en zijn vrienden. Die wierpen één blik op Bea en zeiden dat Sarah een ambulance moest bellen. Tegen de tijd dat die kwam, ademde Bea helemaal niet meer. De ambulancebroeders konden haar niet meer reanimeren.

Uit de autopsie bleek dat de doodsoorzaak een grote bloeding in de hersenen en de ogen was. De kinderarts die het onderzoek had uitgevoerd getuigde tijdens Sarahs proces en zei dat zij van mening was

177

dat Bea was gestorven doordat zij door elkaar was geschud. Dr. Judith Duffy, die als getuige-deskundige was gehoord, onderschreef die mening. Alleen heftig door elkaar schudden, bevestigde zij, zou het soort subdurale en retinale bloedingen hebben kunnen veroorzaakt die Bea Furniss had opgelopen, en verder niets. De verdediging was het hier niet mee eens en bracht een artikel in dat in de *British Medical Journal* was gepubliceerd, en dat later door de rechtbank en in de pers werd aangehaald als Pelham Dennison, om te bewijzen dat de symptomen die veel artsen toeschrijven aan door elkaar schudden ook van nature kunnen optreden. Sterker nog, Jaggards advocaten lieten Pelham en Dennison hoogstpersoonlijk voor de rechtbank opdraven om hun onderzoek uit te leggen. Beide artsen vertelden de rechter dat de bloeding in de hersenen en ogen niet noodzakelijk het gevolg hoefde te zijn van toegebracht trauma, en dat ze evengoed het gevolg konden zijn van een niet van buitenaf veroorzaakte hypoxische episode – met andere woorden, een periode waarin de baby zuurstof te kort komt doordat een van de interne systemen hapert.

Zowel dr. Pelham als dr. Dennison wees op een voorgeschiedenis van hartritmestoornissen in Bea's familie; haar grootvader van moeders zijde en haar oom waren beiden overleden aan een ziekte genaamd Type 2 Lange QT-tijd syndroom, wat het hart aantast. Als Bea ook aan het Type 2 Lange QT-tijd syndroom leed – en het was een genetische aandoening, die dus waarschijnlijk al generaties in de familie zat – dan zou dit voldoende zijn geweest om de hypoxische episode te hebben veroorzaakt, en dat zou weer tot haar dood hebben kunnen leiden. Judith Duffy hoonde deze hypothese weg, en wees erop dat onderzoek afdoende had aangetoond dat Bea Furniss niet leed aan het Type 2 Lange QT-tijd syndroom, noch aan een van de zes andere bekende varianten van deze ziekte. In reactie op de suggesties van Pelham en Dennison dat er misschien nog andere, niet reeds bekende varianten van het Type 2 Lange QT-tijd syndroom zouden kunnen zijn en dat Bea Furniss wellicht aan zo'n onbekende variant leed, zei dr. Duffy dat ze natuurlijk niet kon bewijzen dat dit niet het geval was, maar dat iemand dan maar aan de jury moest uitleggen hoe moeilijk dit te bewijzen is. Daarbij – en dr. Duffy presenteerde dit als haar belangrijkste punt – was er een duidelijk rektrauma aan de zenuwwortels in Bea's nek, die tijdens de autopsie gezwollen en afgescheurd bleken te zijn. Dit trauma kon alleen zijn veroorzaakt door schudden, aldus dr. Duffy.

De theorie van het OM was dat Bea had gehuild of geschreeuwd en dat Sarah haar in een vlaag van woede door elkaar had gerammeld. Glen Jaggard en zijn drie vrienden, die die avond thuis waren, getuigden dat Bea die avond helemaal niet had gehuild. De openbare aanklager probeerde eerst nog te beweren dat de mannen het gehuil niet hadden kunnen horen vanwege het lawaai van hun spelletje poker en de televisie in de kamer ernaast en vervolgens dat het eigenbelang van Glen en zijn maten was om Sarah te beschermen. Een van de pokerspelers, Tunde Adeyeye, nam aanstoot aan deze manier van ondervragen en vertelde de rechter onomwonden dat hij er geen enkel belang bij had om mensen die baby's vermoorden te beschermen, en dat hij er absoluut zeker van was dat Sarah Jaggard zoiets niet had gedaan.

Pinda Avari en Matt Furniss, hoewel zij volgens een verslaggever die de rechtszaak had bijgewoond 'zichtbaar kapot van verdriet' waren, legden een ontroerende verklaring af om Sarah te steunen. Pinda zei: 'Als ik dacht dat iemand mijn lieve kindje had vermoord, zou ik willen dat diegene werd veroordeeld en zou ik niet rusten tot dat was gebeurd, maar ik heb er geen enkele twijfel over dat Sarah van Bea hield en dat zij haar nooit iets aan zou doen.' Matt Furniss zei min of meer hetzelfde.

De openbare aanklager gooide het over een andere boeg met de hypothese dat Sarah Jaggard Bea had doodgeschud terwijl zij alleen in huis was met Glen en de baby, dus voordat Glens vrienden arriveerden. Dat verklaarde, aldus het OM, waarom Tunde Adeyeye en de twee andere pokerspelers de baby geen enkel geluid hadden horen maken. Hadden zij zich dan van Bea's gezondheid vergewist voor zij hun spel begonnen? Hadden ze haar eens goed bekeken voor Sarah haar de keuken in bracht, duidelijk in paniek? De drie mannen hadden toegegeven dat ze Sarah bij binnenkomst een groet hadden toegeroepen maar dat ze aan Bea verder geen aandacht hadden besteed, en dat ze niet zouden durven zweren dat zij niet al eerder was overleden, voor hun komst. Dr. Judith Duffy sprong hierop in door te zeggen dat dit overeenkwam met de periode waarbinnen Bea was overleden: de dood was ingetreden tussen 19.00 en 22.00 uur, en Glen Jaggards vrienden arriveerden pas om 20.00 uur. De verdediging bracht hiertegen in dat aangezien Pinda en Matt hun dochtertje Bea pas om 19.45 uur hadden gebracht, het hoogst onwaarschijnlijk was dat Sarah zo snel haar geduld al had verloren met de baby. Het was gewoon niet geloofwaardig, hield Sarahs raadsman vol, dat een vrouw met het vriendelijke en geduldige karakter van Sarah, een vrouw die bovendien nooit eerder geweld had gebruikt, haar zelfbeheersing zou verliezen en binnen een kwartier kon veranderen in een monster dat baby's door elkaar rammelt.

Dr. Duffy was geen populaire getuige. Meer dan eens dreigde de rechter de rechtszaal te laten ontruimen als de orde nog eens zou worden verstoord. Onder de ordeverstoorders bevond zich ook Laurie Nattrass, en hij werd in een van de kranten geciteerd omdat hij had gezegd dat hij het prima vond dat de rechter hem schuldig vond aan minachting voor de rechtbank, omdat het diezelfde rechtbank was die zo'n schijnvertoning maakte van het recht.

Na een proces van zes weken, waarin Sarah Jaggard een paar keer was flauwgevallen, kwam de jury unaniem tot de uitspraak: 'onschuldig'. Toen zij dit hoorde, viel Sarah nogmaals flauw. Simon wist dat hij medelijden met haar zou moeten voelen. Hij zou niet moeten denken aan het trauma in de nek van Bea Furniss dat daar alleen kon zitten doordat zij door elkaar geschud was. *Volgens Judith Duffy, die binnenkort voor het medisch tuchtcollege moest verschijnen wegens een ambtsovertreding.*

'Ik hoorde dat Paul Yardley je vroeg naar Laurie,' zei Sarah. Als ze al wilde of verwachtte dat Simon antwoord gaf op deze vraag, was dat niet aan haar te zien. 'Ik heb hem teleurgesteld. Wij allemaal. Daarom wil hij niets meer met ons te maken hebben.'

Simon wenste dat Glen Jaggard hen niet alleen had gelaten. Hij zou nu best een flauwe Lockbusters-grap kunnen gebruiken, om de naargeestige, beklemmende sfeer wat te doorbreken die Sarah de kamer in had gebracht. Ze leek... Simon zocht naar het juiste woord. *Hopeloos.* Helemaal zonder hoop, alsof haar leven voorbij was en dat haar niet eens veel kon schelen. 'In welke zin heb je Laurie teleurgesteld?'

'Ik heb gezegd dat ik niet meer mee wil werken aan de documentaire. En... toen Helen was overleden heb ik hem gesmeekt om ermee te stoppen. Glen ook, en Paul. We zijn allemaal bang voor de aandacht die het gaat opleveren, voor het geval dat...' Sarah greep naar haar mond, alsof ze wilde voorkomen dat ze ging huilen, of nog meer zou zeggen.

'Je wilde niet dat je in dezelfde documentaire voorkwam als Helen, voor het geval de moordenaar de link met jou zou leggen en jij ook doelwit zou worden,' giste Simon.

'Ik voelde me zo'n verrader. Ik hield van Helen alsof ze familie van me was, ik *aanbad* haar, maar ik was zo bang. Er zijn mensen, heel zieke mensen, die vrouwen zoals wij – Helen, Ray Hines en ik – maar wat graag te grazen zouden nemen. Dat heb ik altijd al geweten. Helen geloofde me nooit. Ze zei dat iedereen nu toch wist dat we onschuldig waren, dat Laurie dat had bewezen – ze was net als hij, ze geloofde dat het goede het kwade zou overwinnen, maar zo werkt het niet in deze wereld.'

'Nee,' zei Simon. 'Zo werkt het niet.'

'Nee,' echode Sarah bitter. 'En dat komt voor een deel door lafaards zoals ik.'

Simon kon Glen Jaggard elders in het huis horen fluiten. Het was de tune van het sportprogramma van de BBC. 'Dus Helen en Laurie zijn uw helden,' concludeerde hij hardop, en hij keek weer naar de ingelijste foto aan de muur.

'Laurie is voor niets of niemand bang. En Helen was dat ook niet. Je kunt aan hun gezichten zien hoe moedig ze zijn, vind je ook niet?' Voor het eerst klonk Sarah geanimeerd. 'Daarom hou ik zo van die foto, ook al...' Ze greep weer naar haar mond.

'Ook al?'

'Niets.'

'Ook al wat, Sarah?'

Ze zuchtte. 'Angus Hines heeft die foto genomen.'

'De man van Ray?' Dat was vreemd. 'Ik dacht dat hij redacteur was bij het nieuws?'

'Nu wel, ja, bij *London on Sunday*. Maar hiervoor was hij persfotograaf. Hij haatte Helen omdat ze loyaler aan zijn vrouw was dan hij zelf. Hij heeft Ray maar één keer bezocht in de gevangenis, om haar te kwellen – dat was de enige reden. Hij wilde haar martelen.'

Simon voegde in zijn hoofd aan zijn lijstje toe: zoek uit wat Angus Hines maandag deed.

'Moet je je indenken wat een schok het voor Helen was dat ze hem daar zag staan, buiten de rechtbank, toen ze net haar beroep had gewonnen. Ik was daaraan onderdoor gegaan, maar Helen niet. Zij was vastbesloten om zo'n belangrijk moment niet te laten verpesten. Kijk, je ziet aan haar hoe vastberaden ze is.' Sarah knikte naar de foto. 'Ik kan niet geloven dat ze dood is. Niet dat ik hiervoor niet bang was – ik ben altijd al bang geweest – maar zonder Helen is het nog veel erger, en nu belt Laurie ook al niet meer terug...'

'Je hebt Glen,' zei Simon.

'Ik ben zelfs bang voor dat sporenonderzoek, of wat jullie ook met me willen doen.' Sarah negeerde de opmerking over haar man. 'Dat is toch idioot? Ik weet dat ik Helen niet heb vermoord, maar toch ben ik bang dat de test positief is.'

'Dat zal niet gebeuren,' zei Simon tegen haar.

'Zelfs voor Helen werd vermoord was ik al bang voor het effect dat Lauries film zou hebben. Ik werd misselijk van de gedachte dat ik weer in de schijnwerpers zou komen te staan, maar ik durfde niet tegen Laurie te zeggen dat ik ermee wilde kappen. En toen Helen werd vermoord...' Sarah snikte luid en begroef haar gezicht in haar handen. 'Ik was helemaal stuk, maar ik had nu wel het excuus waar ik op had gewacht en gehoopt. Ik dacht dat ik Laurie nu wel kon overhalen om de film te stoppen, en ik dacht dat hij mijn angst wel zou begrijpen. Zelfs als we nooit zeker zouden weten dat Helen was vermoord door een doorgedraaide gek die zelf voor rechter wilde spelen, al was er maar de geringste kans dat dat inderdaad zo was... Maar Laurie klonk zo kil toen ik hem dat probeerde uit te leggen, zo afstandelijk en koel. Dat was de laatste keer dat ik hem heb gesproken. Volgens mij kan het hem niet schelen wat er verder met me gebeurt.' Sarah haalde haar neus op. Ze pakte een van de bekers van tafel, nam een slok en hield hem vervolgens tegen haar gezicht als een kroeldekentje. Simon stond op het punt om Laurie Nattrass als gespreksonderwerp los te laten toen ze zei: 'En nu gaat hij weg bij Binary Star en gaat iemand anders de film maken, een of andere vrouw. Fliss heet ze. Ik begrijp niet waarom. Waarom zou Laurie die uit handen geven?'

Fliss Benson. Simon had een boodschap voor haar ingesproken en wachtte nog op haar telefoontje. Dus zij ging die documentaire over wiegendood nu maken? En ze had een kaart gekregen met dezelfde zestien getallen erop, de zestien getallen van Helen Yardley, als hij Laurie Nattrass op diens woord mocht geloven. *Vier rijen van vier. 2, 1, 4, 9...*

Simon greep in zijn zak naar het Ziploczakje dat hij had meegebracht. Hij hield het vlak bij haar gezicht, zodat ze het door haar tranen heen zou kunnen zien. 'Zeggen deze getallen jou iets?' vroeg hij.

Ze liet haar thee in haar schoot vallen en begon te gillen.

# Deel twee

# 9

## Vrijdag 9 oktober 2009

'Crèmekleurig. En een beetje geribbeld,' zeg ik, volgens mij voor de tiende keer. 'U weet wel, het lijkt net gestreept, maar dan zijn de strepen niet gekleurd, maar eerder... een textuur.' Ik haal mijn schouders op. 'Beter dan dat kan ik het niet omschrijven, sorry.'

'En u kunt zich de getallen niet herinneren?' vraagt rechercheur Waterhouse. Hij zit ongemakkelijk over zijn notitieblok gebogen, in het midden van mijn bank, maar dan ook precies, alsof er aan weerskanten onzichtbare mensen tegen hem aan zitten te duwen. Af en toe kijkt hij op van het aantekeningen maken en staart hij me intens aan, alsof ik tegen hem lieg, wat ook zo is. Toen hij me vroeg of ik de laatste tijd nog meer vreemde post heb ontvangen, iets wat me zorgen baarde, zei ik nee.

Ik zou hem van de tweede en derde anonieme enveloppen moeten vertellen, maar bij de gedachte alleen al word ik bang. *Stel dat hij zegt dat drie veel en veel erger is dan één, dat ik met drie enveloppen echt heel veel risico loop?* Dan kijkt hij misschien nog veel bezorgder dan nu, en momenteel word ik al behoorlijk paranoïde van die blik van hem. En trouwens, het heeft ook geen zin om er nog iets over te zeggen – die tweede kaart en die foto kan ik hem toch niet meer laten zien.

*O nee? De fotosnippers zitten anders nog gewoon in je tas. Zo moeilijk is het toch niet voor hem om die weer aan elkaar te plakken en te zien dat de vingers die erop staan van Helen Yardley zijn?*

Ik wou dat ik beter was in het mezelf voor de gek houden. Het is niet goed voor een mens om zichzelf voortdurend voor leugenaar te moeten uitmaken.

'2, 1, 4, 9 – dat waren de eerste vier getallen op de bovenste rij,' zeg ik. 'De andere getallen kan ik me niet meer herinneren. Sorry.' Ik werp discreet een blik op mijn horloge. Het is halfacht. Rechercheur Waterhouse moet nu weg, en snel ook, anders ben ik niet meer op tijd bij Rachel Hines.

Hij slaat een bladzijde van zijn notitieblok om en geeft het aan mij. 'Kunnen dit de zestien getallen zijn geweest?' vraagt hij.

Ik word naar als ik ze zo zie staan; wil ze van me afduwen. 'Ja. Ik... ik weet het niet zeker, maar ik denk. Ja, het zou kunnen.' Ik zie hem knikken en hij doet zijn mond open, dus raak ik in paniek en zeg ineens: 'Niet zeggen. Ik wil het niet weten.'

Verdomme, waarom zei ik dat nou? Nu denkt hij natuurlijk dat ik ergens bang voor ben.

Hij kijkt me verwonderd aan. 'Wat wilt u niet weten?'

Ik besluit om voor de verandering maar eens de waarheid te zeggen. 'Wat dat voor getallen zijn. Wat ze betekenen. Als het iets te maken heeft met...' Ik stop. Ik ga echt de problemen niet naar me toe halen door mijn grootste angst te verwoorden.

'Als het iets te maken heeft met wat?' vraagt rechercheur Waterhouse.

'Als ik in gevaar ben, wil ik dat liever niet weten.'

'Dan wilt u dat liever niet weten?'

'Gaat u nu alles herhalen wat ik zeg? Sorry. Ik wilde niet onbeleefd zijn, maar ik wil gewoon...'

'Ik heb niet gezegd dat u gevaar loopt, mevrouw Benson, maar stel dat het wel zo was: zou u het dan niet liever wel willen weten, zodat u zich kunt beschermen?'

Dit is dus waar ik zo bang voor was: hij maakt het allemaal veel te tastbaar, en dat brengt de houdbaarheid van mijn ontkenning in gevaar. Nu hij het zo stelt, moet ik het wel vragen: 'Loop ik dan echt gevaar?'

'Er is in dit stadium geen reden om dat aan te nemen.'

*Super. Ik voel me meteen een stuk beter.*

Waterhouse kijkt me aan.

Ik trek mijn weinig tactvolle kwek weer open om de ongemakkelijke stilte te doorbreken. 'Ik zie het zo, als iemand mij per se wil... vermoorden, of wat dan ook, dan doet hij dat toch wel, of niet?'

'U vermoorden?' Hij klinkt verbaasd. 'Waarom zou iemand u willen vermoorden?'

Ik lach. Ik ben blij dat ik niet de enige ben die hier een spelletje speelt. Hij vertelde dat hij van de recherche in Culver Valley is. Hij heeft het niet over Helen Yardley gehad, maar hij weet best dat ik weet dat zij in Spilling is vermoord, in Culver Valley, en dat zijn belangstelling voor die zestien getallen iets met haar moord te maken moet hebben.

'Ik zeg niet dat iemand me wil vermoorden,' zeg ik tegen hem. 'Wat ik zeg is dat als ze dat zouden willen, ze het makkelijk kunnen doen. Wat moet ik dan doen, me de rest van mijn leven in een kogelvrije bunker verstoppen?'

'U lijkt wel bang,' zegt Waterhouse. 'Er is zoals ik al zei geen enkele reden voor paniek, geen reden om aan te nemen dat...'

'Ik ben niet in paniek over dat ik vermoord ga worden of dat iemand me iets aan gaat doen, ik ben ik paniek over mijn paniek,' probeer ik hem uit te leggen, en ik vecht tegen de tranen die in mijn ogen prikken. 'Ik ben bang voor hoe bang ik moet zijn als ik erachter kom waarom u me naar die kaart met de getallen vraagt. Dat ik banger zal zijn dan ik ooit ben geweest – te bang om gewoon door te leven, en zo angstig dat ik alleen nog maar in een hoekje wil duiken en zal sterven van angst voor wat er allemaal zou kunnen gebeuren. Ik wil het liever niet weten, en gewoon maar laten gebeuren wat er gaat gebeuren. Ik meen het.'

Een ander begrijpt dit misschien totaal niet, maar ik vind het zelf volkomen verklaarbaar. Ik heb altijd al een fobie gehad voor slecht nieuws. Toen ik nog studeerde heb ik een keer een dronken condoomloze onenightstand gehad met een kerel die ik nauwelijks kende, iemand die ik in de disco had ontmoet en die ik verder nooit meer heb gezien. De tien daaropvolgende jaren heb ik in de rats gezeten of ik aan aids zou sterven, maar ik wilde me niet laten testen, voor geen prijs. Wie wil nou de laatste paar jaar van zijn leven weten dat hij een terminale ziekte heeft?

Waterhouse staat op en loopt naar het raam. Zoals iedereen die ooit het uitzicht vanuit mijn zitkamer heeft bewonderd – een groen uitgeslagen lichtschacht die uitkomt op een scheve stoep – zegt hij niets over deze charmante aanblik.

'Maakt u zich maar geen zorgen,' zegt hij. 'Maar u moet wel een aantal basale voorzorgsmaatregelen treffen. Woont u hier alleen?'

Ik knik.

'Ik zal proberen om iemand te regelen die een beetje op u kan passen, maar is er misschien een vriendin bij wie u kunt logeren? Ik zou graag willen dat u zo min mogelijk alleen bent, tot ik zeg dat het geen probleem meer is.'

Op mij passen? Zou hij dat zeggen als er geen serieuze dreiging was?

*Dit is echt te gek voor woorden. Vraag hem nou maar wat er loos is.*

Ik kan het niet opbrengen, ook al is de waarheid misschien een stuk minder erg dan dat wat ik me niet mag voorstellen van mezelf. Misschien voel ik me wel beter als ik die waarheid hoor.

*Ja, hoor. Tuurlijk voel jij je dan beter.*

'En ik wil ook graag dat u al het werk voor de wiegendooddocumentaire voorlopig stillegt, en dat u bekendmaakt dat u het hebt stilgelegd,' zegt Waterhouse. 'Neem contact op met alle betrokkenen. Zorg ervoor dat de documentaire voor onbepaalde tijd wordt uitgesteld.'

Er komt een vloedgolf van verzet in me naar boven. Ik weet niet waarom ik als een gehoorzaam schaap zit te knikken terwijl ik absoluut niet van plan ben om me aan zijn opdracht te houden. Of ik lieg alweer, of ik ben het met hem eens omdat ik weet dat hij in theorie gelijk heeft, en ik weet dat ik dat eigenlijk wel zou moeten doen.

Maar ik weet ook dat dat niet kan. Ik kan die film nu niet stopzetten, en ik kan mezelf er ook niet van weerhouden om vanochtend naar Twickenham te gaan. Ondanks mijn angst en mijn schuldgevoel is de kracht die ik in me voel te sterk, als een golfstroom waartegen ik geen schijn van kans heb. Ik moet Rachel Hines spreken, ik moet weten wat ze te zeggen heeft over Wendy Whitehead, de vrouw die volgens haar haar kinderen heeft vermoord. Ik moet dit allemaal tot op de bodem uitzoeken.

Het heeft niets te maken met de waarheid of met gerechtigheid. Het gaat om mijzelf. Als ik dit niet tot een goed einde breng, zal ik misschien de rest van mijn leven nooit meer onder ogen willen zien wie ik ben of wat ik voel – over mezelf, mijn familie, mijn verleden. Dan ben ik niets – de Niemand uit Nergenshoven, zoals Maya het zo charmant formuleerde, en blijf ik voor eeuwig gevangenzitten, en voor eeuwig besmet. Dan verpruts ik mijn enige kans. Dat beangstigt me nog veel meer dan het idee dat iemand me wil vermoorden.

Alsof hij mijn gedachten leest, zegt Waterhouse: 'Het lukt ons niet om met Rachel Hines in contact te komen. Hebt u misschien haar contactgegevens?'

'Die heb ik waarschijnlijk wel ergens op file. Ik geloof dat ze een appartement heeft in Notting Hill, vlakbij waar ze vroeger met haar gezin woonde,' praat ik Tamsin na. Ergens wil ik Waterhouse best helpen en hem het adres in Twickenham geven, maar als ik dat doe, gaat hij daar nu meteen heen, en dat mag niet. Hij mag me niet voor de voeten lopen. Ik ben degene met wie Rachel Hines vanochtend een afspraak heeft en verder niemand.

'Daar verblijft ze kennelijk niet, momenteel,' zegt hij. 'U hebt geen ander adres van haar?'

'Nee,' lieg ik.

# 10

## 09/10/2009

'Twee nieuwe gezichten vandaag.' Proust tikte met een pen tegen het whiteboard. 'Dat wil zeggen, een gezicht en een compositietekening die onze tekenaar naar eer en geweten heeft samengesteld. De vrouw op de foto is Sarah Jaggard. Misschien hebben sommigen van jullie al weleens van haar gehoord.'

De score is fiftyfifty, dacht Simon. Er zaten evenveel mensen te knikken als er wezenloos voor zich uit zaten te staren.

'Ze werd in 2005 aangeklaagd wegens doodslag op Beatrice Furniss, de baby van een vriendin,' zei de Sneeuwman. 'Ze werd vrijgesproken. Ze is op een aantal manieren verbonden met Helen Yardley. Ten eerste: Helen heeft met GOOV actiegevoerd voor mevrouw Jaggard. Ten tweede: Laurie Nattrass – ik neem aan dat jullie allemaal wel van hem hebben gehoord – werkte tot voor zeer kort aan een documentaire over drie wiegendoodmoordzaken, en twee daarvan waren die van Helen Yardley en Sarah Jaggard. Ten derde, en dit hangt nauw samen met nummer twee: dr. Judith Duffy, die regelmatig als stergetuige optreedt voor het OM in zaken waarbij mishandeling wordt vermoed, heeft zowel tegen Helen Yardley als tegen Sarah Jaggard getuigd tijdens hun proces. Duffy staat op het punt om geroyeerd te worden door het medisch tuchtcollege wegens een ambtsovertreding.'

Een gespannen stilte vulde de kamer terwijl iedereen naar het gezicht naast dat van Sarah Jaggard staarde: het was een compositietekening van een man met een geschoren kop en een rij scheve voortanden. Los van Proust, wisten alleen Simon, Sam Kombothekra,

Sellers en Gibbs waarom zijn nog-niet-geïdentificeerde tronie op het bord hing. Was Simon de enige die zich bezwaard voelde om tot het groepje uitverkorenen te horen? 'Het thuisteam', zoals Rick Leckenby en een paar anderen het noemden, ogenschijnlijk zonder kwade bijbedoeling.

Er was nog een vergadering van de happy few, direct na de briefing. In het glazen kantoortje van Proust in de hoek van de rechercheruimte, waar alle anderen die ook aan de zaak Helen Yardley werkten zouden kunnen zien, maar niet horen, hoe de hoofdinspecteur hun kleine clubje van ingewijden toesprak. Zo leidde je toch geen moordzaak.

'Afgelopen maandag, op 28 september – dus een week voordat Helen Yardley werd doodgeschoten – werd Sarah Jaggard aangevallen. Dat gebeurde vlak bij haar woning in Wolverhampton. De dader was de man wiens onaantrekkelijke kop wij hier zien.' Proust wees naar het bord. 'Mevrouw Jaggard lijdt om begrijpelijke redenen aan een depressie sinds haar arrestatie in 2004, en ze gebruikt antidepressiva. Op 28 september ging zij naar haar huisarts voor een herhaalrecept. Toen zij de huisartsenpraktijk verliet, ging ze naar de dichtstbijzijnde apotheek, de Boots in Moon Street. Bij de deur van de winkel kwam er een man op haar af die haar van achteren vastgreep, recht voor de ruit van de apotheek. Hij sloeg een arm om haar nek en de andere rond haar middel en sleepte haar mee een steegje in. Toen hij haar had waar hij haar wilde hebben, keerde de aanvaller mevrouw Jaggard om zodat ze hem eens goed kon bekijken, en hij haalde een mes tevoorschijn dat hij tegen haar keel hield.

'Mevrouw Jaggard kan zich zijn precieze woorden niet herinneren, maar hij zei iets in de trant van: "Jij hebt die baby wel vermoord, of niet soms? Vertel me de waarheid." Mevrouw Jaggard zei hem dat zij Beatrice Furniss niet had vermoord, waarop hij antwoordde: "Maar je hebt haar door elkaar geschud, of niet soms? Waarom geef je het niet gewoon toe? Als je me de waarheid zegt laat ik je leven. Het enige wat ik wil weten is de waarheid." Mevrouw Jaggard zei toen wederom dat zij de baby niet door elkaar had geschud, dat ze nog nooit een kind iets had aangedaan, maar daar stelde hij zich niet mee tevreden, en hij bleef zijn vraag herhalen en dreigde dat hij haar zou vermoorden tenzij ze de waarheid zou zeggen. Uiteindelijk werd mevrouw Jaggard zo bang en was ze er dusdanig van overtuigd geraakt dat hij haar zou vermoorden als ze hem niet vertelde wat hij wilde horen, dat ze loog. Ze zei: "Oké, ik heb haar door elkaar geschud. Ik heb haar vermoord."'

Simon zag verwarring op de gezichten om hem heen, hoewel ook een paar mensen de schouders ophaalden, alsof ze wilden zeggen: 'Dat zou iedereen toch zeggen als je het mes op de keel krijgt?'

'Sarah Jaggard heeft Beatrice Furniss *niet* door elkaar geschud. Het meisje is aan een natuurlijke doodsoorzaak overleden,' zei Proust, en zijn staalgrijze ogen keken rond op zoek naar tekenen van tegenspraak. 'Zij werd bedreigd door een gek. Een gek die, zo bleek, zelf niet precies wist wat hij nou eigenlijk wilde, want zodra ze loog door te zeggen dat zij de baby had doodgeschud, begon hij haar te vertellen dat ze dat helemaal niet had gedaan. Hij zei dingen als: "Lieg niet. Ik zei toch, ik wil de waarheid horen. Je liegt." Waarop Sarah Jaggard wederom probeerde om de waarheid te zeggen: dat zij de kleine Beatrice niets had aangedaan en dat ze dat alleen zei omdat ze voor haar leven vreesde. Op dat moment werd de man kwaad – *nog kwader*, moet ik zeggen – en zei: "Jij gaat nu sterven. Ben je er klaar voor?"

'Mevrouw Jaggard viel flauw van de schrik, maar niet voordat ze een vrouw hoorde gillen. Ze was te angstig om te kunnen verstaan wat die stem riep. Toen ze weer bijkwam lag ze op haar rug, was haar belager verdwenen en stond er een vrouw over haar heen gebogen, een zekere Carolyn Finneran, die uit de Boots was gelopen en een worsteling had gezien in het steegje. Het was haar stem die mevrouw Jaggard hoorde voor ze flauwviel.' Proust liep heen en weer door de ruimte terwijl hij sprak: alsof hij over een loopplank liep, de ene voet langzaam en voorzichtig voor de andere. *Was er onder hem maar een oceaan waar hij in kon kukelen.*

'Als mevrouw Finneran niet op dat moment was verschenen en als zij die man niet had verjaagd, kunnen we er in alle redelijkheid van uitgaan dat Sarah Jaggard op 28 september dood had kunnen zijn,' zei Proust. 'Hoe dan ook, gezien haar band met Helen Yardley kunnen we het ons niet veroorloven om deze aanval, een week ervoor, te negeren, ook al hebben we niets concreters wat de twee incidenten met elkaar verbindt. Ik zal jullie niet langer in spanning houden.'

De Sneeuwman stopte voor een uitvergrote kopie van de kaart die in de zak van Helen Yardley was gevonden na haar dood: de zestien getallen. 'Zodra Sarah Jaggard door mevrouw Finneran overeind was geholpen, wilde ze meteen een zakdoek uit haar jaszak halen. Daarbij viste ze echter nog iets anders op: er zat een kaart in de zak, identiek aan de kaart waar wij reeds bekend mee zijn.' Proust stak zijn hand uit. Colin Sellers, die achter hem stond te wachten als een zeehond die zijn kunstje moest gaan doen, gaf hem twee doorzichtige mappen. Proust hield die omhoog zodat iedereen de twee kaarten kon zien. 'Dezelfde getallen, hetzelfde handschrift – hoewel dat nog niet officieel is bevestigd door de mensen die heel veel geld betaald krijgen om ons te vertellen wat we allang weten. Het is precies dezelfde opzet – de getallen zijn verdeeld over vier verticale rijen en vier horizontale kolommen, en er staat verder niets op de kaarten behalve de getallen: 2, 1, 4, 9 et cetera.'

Een eruptie van gefluister en gemompel brak los in de zaal. Proust wachtte tot die weer was weggeëbd voor hij zei: 'Mevrouw Jaggard houdt stellig vol dat zij deze kaart niet bij zich had toen ze bij de dokter wegging, dat hij alleen door haar belager in haar zak kan zijn gestopt. De getallen zeggen haar verder niets, althans, dat zei ze tegen rechercheur Waterhouse. Ze had de kaart bewaard in de hoop dat ze misschien nog zou bedenken wat de getallen te betekenen hebben. Ze heeft noch haar echtgenoot noch de plaatselijke politie van de aanval op de hoogte gesteld.' De Sneeuwman stak zijn hand op om de luide uitroepen van ongeloof te stoppen. 'Ik zou er niet zo zeker van zijn dat jullie niet precies zo zouden hebben gehandeld als jullie in haar positie verkeerden. Haar enige ervaring met het rechtssysteem is een heel negatieve. Het idee dat ze weer in aanraking zou komen met onze jongens was niet erg aantrekkelijk, en dat is nog zacht uitgedrukt. Daarnaast was ze doodsbang dat deze man, als hij gepakt zou worden, zou zeggen dat zij had bekend Beatrice Furniss te hebben vermoord. Ze vond het beter om in plaats daarvan voortaan het huis niet meer te verlaten. Haar man Glen had wel gezien dat haar toestand verslechterde, maar hij had geen idee hoe dat kwam.'

'Dus we hebben te maken met een seriemoordenaar, althans, iemand met plannen in die richting?' vroeg Klair Williamson.

'Dat woord gebruiken wij uitsluitend als het echt niet anders kan,' zei Proust. 'We zijn zeer zeker geïnteresseerd in deze zestien getallen. De inlichtingendiensten hebben ons nog niets opgeleverd, en de wiskundefaculteiten van de universiteiten die ik heb geraadpleegd ook niet. Ik overweeg om hier toch mee naar de pers te gaan. Als we ons dan door de tips van duizenden gekken heen moeten werken om erachter te komen wat die getallen betekenen, dan is dat niet anders. En nu ik toch met het slechte nieuws bezig ben: tot mijn spijt heb ik geen positieve reactie gekregen op mijn verzoek om een profiler. Het gebruikelijke smoesje: geen geld. We zullen dus zelf een daderprofiel moeten opstellen, in elk geval tot de economie weer een beetje is hersteld.'

'Ik dacht dat de economie juist weer aan het opkrabbelen was,' riep iemand in de zaal.

'Dat was een leugen van iemand die bijna even crimineel is als die vent met het kale hoofd die Sarah Jaggard een mes op de keel heeft gezet,' zei Proust fel. 'Een man...' – hij tikte met zijn pen tegen de compositietekening om duidelijk te maken over wie hij het had – '...die mevrouw Stella White, de overbuurvrouw van Bengeo Street nummer 16, *wellicht* maandagochtend heeft gezien op de oprit van Helen Yardley. *Misschien* was hij kaalgeschoren, ook al had hij volgens haar oorspronkelijke verklaring donker haar. Haar zoon Dillon zegt dat het zeker niet dezelfde man is, maar ja, hij beweerde ook dat het maandag regende, en dat de man die hij voor het huis van Helen Yardley zag een natte paraplu bij zich had. We weten dat dat niet klopt – het regende niet, en er was ook geen regen voorspeld. Zelfs als Helen Yardley's moordenaar zijn wapen in de dichtgeklapte paraplu verstopt had, dan zou die paraplu niet nat zijn geweest. Ik denk dat wij moeder en zoon White moeten afschrijven, want ze behoren tot de meest onbetrouwbare getuigen die ooit onze vooruitgang hebben gedwarsboomd. Niettemin vormen die kaarten in de zakken een sterke link tussen de moordenaar van Helen Yardley en Kaalmans, dus voor het moment moeten we ons maar op hem richten.'

*Kaalmans?* dacht Simon. Keek de Sneeuwman tegenwoordig nog weleens in de spiegel?

'Waarom zou hij bij Helen Yardley een pistool gebruiken en bij Sarah Jaggard een mes?' vroeg een jonge rechercheur uit Silsford. 'En waarom zou hij de ene vrouw in haar huis aanvallen en de andere buiten een winkel? Dat past helemaal niet bij die zestien getallen in hun zakken. Die zijn wel typerend voor een seriemoordenaar, maar die verandering van methode en locatie...'

'Het is niet dezelfde man,' zei Gibbs. 'Stella White zei dat hij donker haar had. Tot tweemaal toe – eerst tegen inspecteur Kombothekra en later tegen mij.'

'Scheer jij je kop vanavond eens kaal, rechercheur Gibbs. Dan kunnen we volgende week zien of je alweer genoeg haar op je hoofd hebt om voor donker door te kunnen gaan.'

'Dat is zeker een grapje, meneer?'

'Vind je mij een grappenmaker, dan?'

'Nee, meneer.'

Simon stak zijn hand op. 'Als ik even iets zou kunnen zeggen met betrekking tot het punt over de serie...'

'Ik weet niet of jij dat zou kunnen, Waterhouse. Wat denk je zelf?'

'Die aanslag op Sarah Jaggard was mislukt. Hij werd onderbroken voor hij klaar was met haar. Dus heeft hij het bij Helen Yardley beter aangepakt: bij haar thuis, terwijl haar man veilig op het werk was, zodat hij haar de hele dag voor zichzelf heeft en niemand hen komt storen. En aan het eind van de dag schiet hij haar dood. Het herhaalaspect dat typerend is voor seriemoordenaars is de kaart met de getallen erop. Dat is het punt dat hij wil maken, en daarom kan hij flexibel omgaan met de verdere details.'

'Ik beschouw dit als een sollicitatie naar de post van interne pro-filer, Waterhouse.'

'We vroegen ons af waarom de moordenaar 's ochtends om 8.20 uur op de stoep staat, de hele dag daar binnen blijft, en Helen Yard-ley pas om 17.00 uur 's middags neerschiet,' ging Simon verder.

'En het lijkt er steeds meer op dat zij inderdaad op dat tijdstip is vermoord,' viel Proust hem in de rede. 'Uit de autopsie blijkt dat er negentig minuten speling is: tussen 16.30 en 18.00 uur. Die dove Beryl Murie: daar hebben we tenminste iets aan.'

'Als we extrapoleren wat we nu weten, kan het dan zijn dat de moordenaar Helen Yardley hetzelfde heeft aangedaan als wat hij bij Sarah Jaggard deed, alleen dan langer?' opperde Simon. '"Vertel me de waarheid. Je hebt je kinderen wel vermoord, of niet soms?" Dan zei zij: "Nee, ik ben onschuldig", zolang als ze dat volhield, totdat de paniek de overhand kreeg. Hij heeft haar gezegd dat ze alleen zou blijven leven als ze de waarheid vertelde, en zij dacht dat hij daarmee bedoelde dat ze schuld moest bekennen. Ze zou alles hebben gezegd om te blijven leven: "Ja, ik heb hen vermoord." Hij zegt: "Nee, dat is helemaal niet waar, je liegt. Je zegt het alleen maar omdat je denkt dat ik dat wil horen. Je hebt ze helemaal niet vermoord, of wel? Zeg me de waarheid." "Nee, ik heb ze niet vermoord. Ik zei net ook al dat ik ze niet heb vermoord maar toen geloofde je me niet." "Je liegt. Ik weet dat je ze vermoord hebt. Vertel me de waarheid." En zo ging dat maar door.'

'Achtenhalf uur lang?' vroeg Sam Kombothekra.

'Dat was een spannend optreden, Waterhouse. Vooral die mani-sche glinstering in je ogen toen je je in de rol van de psychopaat ver-plaatste vond ik erg goed. Waar was jij maandag eigenlijk?'

'Waarom zou hij het zo lang hebben volgehouden?' vroeg Gibbs. 'Hij had toch al binnen een halfuur kunnen zien dat ze steeds iets an-ders zei als hij kwaad werd en haar ervan beschuldigde dat ze loog?'

'Misschien dacht hij dat als hij het maar lang genoeg volhield zij wel zou inzien dat steeds maar weer een ander verhaal vertellen ner-gens toe zou leiden. Dat ze zo niet van hem af kwam en dat het ook geen eind aan haar angst maakte,' zei Simon. 'Hij hoopte dat ze het bij het een of het ander zou houden – schuldig of onschuldig – en dat ze zichzelf niet meer zou tegenspreken, hoe hij haar ook bedreigde. En datgene waar ze het bij zou houden, dat zou dan wat hem betreft de waarheid zijn.'

'En ja, hoor, we zijn er: het Rijk der Levendige Fantasie,' zei Proust met enig pathos.

'In die situatie zouden de meeste mensen niet meer in staat zijn rationeel te blijven denken,' zei Klair Williamson. 'Je bent dan niet meer kalm genoeg om te denken: "Oké, hem vertellen wat ik denk dat hij wil horen, werkt kennelijk niet, dus van nu af aan hou ik het gewoon op de waarheid."'

Simon was het niet met haar eens. 'Als iemand een pistool tegen je hoofd houdt en blijft zeggen dat je de waarheid moet spreken omdat hij je anders vermoordt, zul je uiteindelijk de waarheid spreken. Je hebt al geprobeerd te liegen om hem tevreden te stellen – dat heeft je nergens gebracht. Dan raak je al snel door je angst overtuigd dat hij echt weet wat de waarheid is, en dan durf je niet meer te liegen.' Simon zag tot zijn genoegen een aantal mensen knikken. 'We weten niet veel over deze man, dus we kunnen het ons niet veroorloven te negeren wat hij ons zelf heeft verteld, via Sarah Jaggard: het enige wat hij wil is de waarheid. Dat zei ze steeds. Als dit dezelfde man is die Helen Yardley heeft vermoord – en ik denk dat dat zo is – dan is hij maandag de hele dag bezig geweest om haar zo bang te maken dat ze uiteindelijk de waarheid heeft gesproken.'

'En toen heeft hij haar om vijf uur 's middags vermoord, omdat...?' vroeg Rick Leckenby.

'Omdat het hem niet is gelukt,' zei Simon schouderophalend. 'Misschien wilde Helen hem wel helemaal geen antwoord geven. Misschien zei ze wel: "Toe maar, schiet mij maar neer, ik zeg toch niets." Of misschien heeft ze hem wel de waarheid verteld en stond die hem niet aan, en heeft hij haar daarom vermoord.'

'Ik zie niet hoe dat achtenhalf uur kan duren,' zei Sam Kombothekra. 'Een of twee uur, dat nog wel...'

199

'We gaan weer aan de slag,' zei Proust met klem. 'Voordat Waterhouse zijn fantasie nog uitbouwt met een gezellige lunch en een siësta voor de moordenaar. Felicity Benson, eenendertig jaar oud, single.' Hij tikte tegen de naam op het whiteboard. 'Wordt Fliss genoemd. Woont in Kilburn in Londen en werkt voor productiemaatschappij Binary Star. Blijkbaar heeft zij de documentaire van Laurie Nattrass overgenomen. De documentaire over Helen Yardley, onder andere. Woensdag – twee dagen geleden – opende ze een envelop die ze op kantoor had ontvangen en haalde daar een kaart uit waar ze geen chocola van kon maken, met daarop onze vrienden: de zestien getallen. Ze heeft de kaart aan de heer Nattrass laten zien, die de kaart in zijn prullenmand mikte. Helaas is deze kaart onderweg naar een vuilstortplaats; de kans dat wij die ooit nog vinden is nul. Juffrouw Benson is springlevend en ik heb wat mankracht aangevraagd om dat zo te houden. De mensen in de hogere regionen werken tegen, zoals ik al had verwacht. In de tussentijd heeft juffrouw Benson beloofd om bij vrienden te gaan logeren en ervoor te zorgen dat ze nooit alleen is, behalve wanneer zij om een grote dan wel een kleine boodschap moet, en ook dan moet er altijd een vriend of vriendin in de buurt blijven.'

Proust zweeg om op adem te komen. 'Ik geloof dat deze jongedame gevaar loopt.'

Niemand was het daarmee oneens.

'Toch wil ik nu even voor advocaat van de duivel spelen, want er is hier naast een duidelijke link ook sprake van een variatie,' ging hij verder. 'De kaart maakt onderdeel uit van een patroon, maar juffrouw Benson breekt tegelijk dat patroon omdat ze noch is aangevallen noch is vermoord, en dat is ook de reden waarom commissaris Barrow geen toestemming geeft voor politiebescherming. Dat lijkt mij een staaltje wonderlijke logica van hem, aangezien bescherming dient ter voorkoming en derhalve toekomstgeoriënteerd is. Misschien wil de commissaris juffrouw Benson wel bescherming bieden als zij straks inderdaad dood is.'

De Sneeuwman haalde zijn hand over zijn glimmende bol. 'Dat is het wel, voor dit moment. Zonder onze vorige taken te verwaarlozen, moeten wij ons vanaf nu ook richten op de ontwikkelingen in Wolverhampton – misschien hebben we daar wel geluk en krijgen we Kaalmans op beelden van de bewakingscamera's. En we hebben nog altijd geen merken of leveranciers van de kaarten, de pen en de inkt. Onze eerste prioriteit is nu om een bericht op te stellen voor de media. O, en we hebben een mediagenieke vrijwilliger nodig die het verhaal wil doen voor de camera. Dat bent u, inspecteur Kombothekra – had u maar niet zo'n keurig kapsel en een warme glimlach moeten hebben.'

'En die derde vrouw die een rol speelt in de documentaire van Nattrass?' riep Klair Williamson.

'Rachel Hines,' zei iemand.

'Heeft iemand contact met haar gehad om te vragen of zij ook die getallen heeft ontvangen?' vroeg Williamson.

Proust pakte zijn papieren en liep naar zijn kantoortje alsof ze niets had gezegd.


'Een van jullie moet mij heel snel uitleggen hoe het zit met Laurie Nattrass en Rachel Hines, en dit keer graag op een begrijpelijke manier. Waar zijn die twee?'

Slim, dacht Simon. Nu doet hij net of het onze schuld is in plaats van de zijne. Ze hadden zo'n verwarrend verslag gedaan aan de Sneeuwman dat hij er onmogelijk iets van had kunnen zeggen tijdens de briefing. Hoe had hij Klair Williamsons vraag moeten beantwoorden terwijl hij zelf maar zo weinig informatie had? En wiens schuld was dat? Het selecte gezelschap speelde een dubbelrol als zondebokken.

'Ik heb u alles verteld wat ik weet,' zei Simon. 'Nattrass vertelde me dat Ray Hines in Twickenham verbleef, Angus Hines zei dat ze bij vrienden was, en Fliss Benson wist niet waar ze uithing. Sinds mijn eerste en enige gesprek met Nattrass heb ik geen contact meer met hem kunnen krijgen. Hij is niet thuis, en ook niet op een van zijn beide kantoren...'

'Hij heeft meer dan één kantoor?' Prousts wenkbrauwen schoten omhoog.

'Officieel is vandaag zijn laatste werkdag bij Binary Star, maar daar is hij niet. Klaarblijkelijk is hij al begonnen bij zijn nieuwe werkgever, Hammerhead,' zei Colin Sellers. 'Alleen, daar is hij ook niet, en hij belt ook nooit terug. We kunnen pas naar die vrienden van Ray Hines in Twickenham vragen als we hem te pakken hebben gekregen. Haar ex heeft ons een lijst van haar vrienden gegeven, maar geen van hen woont in Twickenham.'

'We hebben Angus Hines al uitgesloten als verdachte voor de moord op Helen Yardley, meneer,' zei Sam Kombothekra.

'O ja, was die in een van zijn zeven kantoren?'

'Nee, meneer. Hij had maandag vrij. Tussen drie uur 's middags en zeven uur 's avonds zat hij in een pub genaamd The Retreat in Bethnal Green met ene Carl Chappell. Ik heb zelf met Chappell gesproken, meneer – hij heeft dat bevestigd.'

'En ondertussen zat Judith Duffy te lunchen met Rachel Hines in Primrose Hill.' Proust zoog zijn lippen naar binnen, zodat zijn huid strakker om zijn gezicht zat. 'Waarom zou je gaan lunchen met degene van wie de leugens twaalf juryleden en je echtgenoot tegen je deed keren en die jou vier jaar lang van je vrijheid heeft beroofd? En waarom zou de Abjecte Arts willen eten met een vrouw die volgens haar een kindermoordenaar is? Een van jullie zorgt maar dat ze gaat praten. Misschien weet zij iets van die lui in Twickenham.'

'En haar twee dochters en hun echtgenoten, hoe zit het daarmee?' vroeg Simon.

'Is dat niet wat voorbarig? Nee, eigenlijk niet,' zei de Sneeuwman in antwoord op zijn eigen vraag. 'Het lijkt me niet ondenkbaar dat zij Helen Yardley en Sarah Jaggard kwalijk nemen dat het leven van hun moeder of schoonmoeder nu verpest is. Los daarvan kunnen we het ons niet veroorloven om suggesties van Laurie Nattrass naast ons neer te leggen. Als blijkt dat hij gelijk heeft zal hij het ons eeuwig nadragen als wij er niets mee hebben gedaan. En je weet maar nooit, misschien is een van die schoonzoons meneer Kaalmans in hoogsteigen persoon. Dus een van jullie moet daar achteraan. En wat betreft het opsporen van Nattrass en Rachel Hines gaan jullie alle mogelijke sporen na, hoe vaag ook – haar advocaten, mensen met wie ze in de gevangenis heeft gezeten, en haar contacten bij de media. Ik neem aan dat ze allebei ook familie hebben.'

'Ja, meneer,' zei Sam.

'Als dit draait om wraak op de mensen die verantwoordelijk zijn voor Duffy's ondergang, dan staan Laurie Nattrass en Rachel Hines er zeker op, net als Helen Yardley, Sarah Jaggard en Fliss Benson.' Proust fronste. 'En toch zei Nattrass tegen Waterhouse dat alleen Benson die zestien getallen had gekregen, en niet dat hij ze zelf ook had ontvangen.'

'Misschien is de moordenaar alleen geïnteresseerd in vrouwen,' opperde Sellers. 'En in dat geval zou je verwachten dat hij Ray Hines ook zo'n kaart heeft gestuurd.'

'Als wij niet weten waar zij is, weet degene die de kaarten stuurt dat misschien ook niet,' zei Sam. 'En dan is het des te crucialer dat wij haar vinden voordat hij haar vindt.'

'Misschien gaat het wel om een heel ander soort wraak,' zei Gibbs, en hij keek Simon aan. 'Dat het niets te maken heeft met de ondergang van Duffy of überhaupt met Duffy, maar dat het wraak is op babymoordenaars en de mensen die hun kant kiezen ten koste van de slachtoffers.'

'Babymoordenaars, rechercheur?' De Sneeuwman stond op en liep om zijn bureau. Links van Simon stonden Sam en Sellers zo stokstijf stil dat je zou denken dat ze levende standbeelden waren. Simon ging nadrukkelijk van de ene op de andere voet staan en geeuwde, om niet toe te geven aan deze vriesangst.

'Babymoordenaars?' hijgde Proust in het gezicht van Gibbs.

'Ik bedoelde vanuit het standpunt van de moordenaar bezien. Ik vind zelf niet...'

'Ben jij dan de moordenaar?'

'Nee.'

'Dan praat je dus vanuit je eigen standpunt en dan zeg je wat *jij* denkt: dat het vrouwen zijn die ten onrechte voor babymoordenaar zijn uitgemaakt en die ten onrechte zijn veroordeeld!'

'U bedoelt dat hij moet zeggen wat u denkt,' mompelde Simon zo hard dat Proust het kon horen. *Als je ruzie zoekt, kun je het krijgen. Kom maar op, tirannieke klootzak. Verspil je vijandigheid niet aan iemand die daar niet iets moois mee weet te doen.*

De hoofdinspecteur wendde zijn ogen niet van Gibbs af. 'Er zijn genoeg correcte manieren om je uit te drukken, rechercheur, dus kies maar – allemaal correcte manieren om te tonen dat jij aan de goede kant van het kwaad staat.' Gibbs staarde onnozel naar de grond.

'Je valt de ene vrouw aan, wordt daarbij gestoord, stopt de getallenkaart in haar zak,' zei Proust bijna keuvelend, alsof er niets ongewoons was voorgevallen. 'En een week later schiet je een tweede vrouw dood en stop je bij haar *ook* zo'n kaart in de zak. De dag nadat je de tweede vrouw omlegt, stuur je de getallen per post naar de derde vrouw, die je niet aanvalt en ook niet doodt. Waarom? Wat spookt er dan door je hoofd? Waterhouse?'

'Mijn hoofd, meneer? Of bedoelt u het hoofd van de moordenaar?' *Er zijn genoeg correcte manieren om je uit te drukken, Kaalmans.*

'Ik heb geen zin in nachtmerries, dus ik opteer voor dat laatste.' De Sneeuwman glimlachte, en ging op de rand van zijn bureau zitten.

*Wat maakt het uit wat ik daarover te zeggen heb? Waarom word je kwaad op Gibbs en niet op mij?* Simon wist niet of hij ineens het lievelingetje van de baas was of dat de Sneeuwman zijn opmerkingen expres negeerde. Hij dacht aan Charlies waarschuwing: *De moord op Helen Yardley gaat over Helen Yardley, en niet over Proust. Als je de verkeerde vraag stelt, vind je nooit het juiste antwoord.*

Charlie kennende zou ze teleurgesteld zijn als hij zich als een klein kind aanstelde, en dus dwong hij zichzelf zijn gedachten weer bij de zaak te bepalen. 'Fliss Benson is ervan overtuigd dat Laurie Nattrass vanwege haar ergens zit ondergedoken,' zei hij. 'Het is waarschijnlijk te futiel om te noemen maar... ze hebben gisteren bijna de hele middag in bed gelegen. Bij hem thuis.' Hij vroeg zich

af of hij had moeten zeggen dat ze bijna de hele middag seks hadden gehad. Zou dat normaler hebben geklonken? 'Dat was nog
nooit eerder voorgekomen, en zij denkt dat hij er meteen spijt van
had. Ze zei dat hij meteen daarna heel afstandelijk deed en dat hij
haar er zo ongeveer uit heeft gegooid. Ze heeft sindsdien een paar
keer geprobeerd hem te bellen, zonder succes, en hij heeft ook niet
meer teruggebeld.'

'Maar dat is geen reden waarom hij jou niet terug zou bellen,' zei
Proust. 'Hij weet heus wel dat jij hem niet aan de tand gaat voelen
over zijn bedoelingen wat betreft juffrouw Benson.'

'Hij zou nooit...' Sellers stopte en schudde zijn hoofd.

'Hou ons niet langer in spanning, rechercheur. Wat zou jij doen
als je pas een wat al te aanhankelijk vrouwspersoon uit je bed had
geschopt en je wilde er zeker van zijn dat ze zich niet nog eens tussen jouw lakens zou wurmen?'

'Nou, ik zou misschien... Ik zou mijn mobieltje uitzetten, naar de
kroeg gaan of een paar dagen bij een maat gaan logeren en dan zou
ik... dan zou ik een paar dagen mijn voicemail niet afluisteren. Gewoon de boel even laten betijen. Ik bedoel, ik zou normaal gesproken geen bezwaar hebben tegen een vrouw die nog wel een keer wil,
maar... ze heeft hem sinds gistermiddag al een paar keer proberen te
bellen? Zulke vrouwen zijn voor mij genoeg om een poosje ergens te
gaan overwinteren, meneer – veel te veel gedoe, dat is me de seks
niet waard.'

'Ik denk niet dat het feit dat wij Nattrass niet kunnen vinden iets
te maken heeft met Fliss Benson, en dat heb ik ook tegen haar gezegd,' zei Simon. 'Ik vond alleen dat we er even bij stil moesten
staan. Meer om wat het over Benson zegt dan om een andere reden.
Ze lijkt ervan overtuigd dat het allemaal om haar draait. Ik kan me
voorstellen dat ze obsessief is. Ze gedraagt zich een beetje vreemd.'

'Wat je zegt ben je zelf, Waterhouse.'

'Ik heb gevraagd of ze haar werk aan de documentaire wil stilleg-
gen tot nader order en ze stemde daarmee in, maar... ze leek me typisch zo iemand die achter je rug toch doet waar ze zelf zin in heeft.'

'Ze leek je typisch een vrouw, bedoel je?' zei Sellers. Hij werd beloond met een dun glimlachje van de Sneeuwman.

'Wat ik niet wil is elke keer ergens komen om iemand te ondervragen en dan merken dat Benson en haar cameraploeg me net voor waren,' zei Simon. 'Ik heb al gekeken of het mogelijk was om een rechterlijk bevel los te krijgen, maar mij werd te verstaan gegeven dat ik geen schijn van kans heb. De documentaire van Binary Star gaat over oude zaken, en niet over de moord op Helen Yardley; er is dus geen sprake van het hinderen van de rechtsgang.'

'We moeten er dus op vertrouwen dat zij te goeder trouw is,' zei Sam Kombothekra.

'Te goeder trouw?' Proust keek hem ijskoud aan. 'Ik heb nog meer vertrouwen in de tandenfee.'

'Wat wilt u dat we met Paul Yardley doen, meneer?' vroeg Sam.

'Ga nog maar eens met hem praten, maar pak het voorzichtig aan. Vergeet niet wie hij is en wat hij allemaal heeft doorgemaakt. Het kan zijn dat hij het is vergeten, wat gezien de omstandigheden niet zo vreemd is, volgens mij, maar hij moet ons zelf vertellen dat hij niet meteen de politie heeft gebeld toen hij Helens lichaam aantrof. Hij heeft eerst het directe nummer van Laurie Nattrass bij Binary Star geprobeerd, en toen zijn nummer thuis, en toen zijn mobiel. Daarna heeft hij de politie pas gebeld.'

'Zou jij vergeten dat je drie keer hebt geprobeerd om iemand te bellen, hoe geschokt en verdwaasd van verdriet je ook was, als de politie je zou vragen om heel precies je handelingen na te gaan?' vroeg Simon. 'Waarom zouden wij hem voorzichtig aanpakken? Het doet niet ter zake wat Yardley heeft doorgemaakt als hij tegen ons liegt en als hij ons dwarsboomt bij...'

'Paul Yardley is geen verdachte,' onderbrak Proust hem. 'Hij was aan het werk toen Helen stierf.'

'Zijn alibi bestaat uit één collega, een maat met wie hij al jaren werkt.' Simon hield voet bij stuk. Niet alleen omdat hij Proust zo graag tegensprak, hoewel dat wel een bonus was. 'Yardley heeft drie keer geprobeerd om Laurie Nattrass te bereiken voor hij ons erop attent maakte dat zijn vrouw dood op de grond van hun zitkamer lag, en hij was even vergeten om dat aan iemand te melden? Gaat u mij nu niet vertellen dat dat geen slecht teken is.'

'Paul Yardley is geen leugenaar!' Proust sloeg hard met de vlakke hand op zijn bureau. 'Doe nou niet iets waardoor ik jou van deze zaak af moet halen, Waterhouse, want ik heb je nodig!'

*Zo is dat: je hebt iemand nodig om tegen te kunnen schreeuwen, niet iemand die gezellig bij je komt eten.*

'Ik wil Stella en Dillon White zelf ondervragen,' zei Simon. 'Ik denk niet dat we dat wat Dillon heeft gezegd over de natte paraplu en de regen naast ons neer kunnen leggen.'

'Jij kunt ook nooit eens loslaten, hè? Inspecteur Kombothekra, leg eens uit aan rechercheur Waterhouse waarom we in ons vak soms zaken buiten beschouwing moeten laten waarvan we weten dat ze niet kloppen, bijvoorbeeld dat het regende op een zonnige dag, of de schuld van onschuldige mensen.'

'Hebt u het transcript van Gibbs' gesprek met Dillon gelezen?' vroeg Simon aan Proust. 'Welk kind van vier zegt: "Ik zag hem daar voorbij", over een man die hij aan de andere kant van een smalle doodlopende straat zag?'

'Hij klonk als een...' Gibbs keek moeilijk. 'Wat is een profeet eigenlijk?'

'Deze vergadering is voorbij,' zei de Sneeuwman met een uitgesproken onontkoombaarheid die de meeste mensen voorbehouden voor het geval ze ooit het einde van de wereld moeten aankondigen. 'En dat betreur ik geenszins.'

'Meneer, als ik nou...'

'Nee, Waterhouse. Wat je ook voorstelt en verzoekt, het is allemaal nee, voor nu tot in de eeuwigheid.'

Simon had zin om triomfantelijk zijn vuist in de lucht te steken. Het was eindelijk voorbij, die misselijkmakende vriendschapscampagne van Proust. Geen vertrouwelijkheden meer, en geen uitnodigingen; geen stroopsmeerderij en geen gunsten. De ouderwetse, onversneden vijandigheid was weer helemaal terug, en Simon voelde zich een heel stuk lichter; eindelijk kon hij weer opgelucht ademhalen.

Maar dat plezier was van korte duur. 'Heb je je agenda bij je, Waterhouse?' riep de Sneeuwman hem na toen hij de kamer uit liep. 'We moeten een datum prikken waarop jij en agent Zailer een vorkje kunnen komen prikken bij ons, aangezien jullie morgenavond niet kunnen. Jammer. Heb het er maar over met haar, en dan hoor ik wel wanneer het jullie schikt, ja?'

# 11

## Vrijdag 9 oktober 2009

Marchington House is een landhuis. Ik blijf plotseling staan van schrik, zo groot is het. Ik rek mijn hals en kijk met open mond naar de pilaren bij de ingang, de stenen sierboog om de voordeur en de eindeloze rijen ramen, zo veel dat ik ze niet eens probeer te tellen.

Hoe kan iemand als ik zo'n huis binnen lopen? Het huis waar ik in ben opgegroeid is ongeveer half zo groot als het gebouwtje dat ik aan het andere eind van de tuin zie staan, achter wat lijkt op een enorme zwarte ooglap op het gras, een rechthoekig zeildoek dat naar ik aanneem het zwembad bedekt.

Ik schiet bijna in de lach als ik me voorstel hoe de bewoners van Marchington House zouden reageren als zij zelfs maar één nacht zouden moeten doorbrengen in mijn appartementje in Kilburn. *Ik ga nog liever dood, darling. Ga eens even naar de bijkeuken in de oostelijke vleugel en vraag de dienstmaagd om een flesje arsenicum uit het gifkabinet.* Mijn handen grijpen de band van mijn schoudertas vast. Ik heb alles meegenomen waarvan ik dacht dat ik het nodig zou kunnen hebben, maar ik zie nu wel dat dat nog niet genoeg is. *Ik ben totaal ongeschikt voor deze klus.* Ik heb dan wel een super-de-luxe digitaal opnameapparaatje bij me, maar dat wil nog niet zeggen dat ik weet wat ik hier precies doe.

Wat doet Rachel Hines hier? Is dit huis van familie van haar? Vrienden?

*Zijn we nou weer vrienden?* Als kind vroeg ik dat altijd aan mijn vader als ik stout was geweest en hij boos op me was. Ik weet dat het pathetisch is, maar ik zou er alles voor overhebben om die woorden van Laurie te horen. Het zou een welkome afwisseling zijn op: 'U luistert naar de voicemail van Laurie Nattrass. Laat een boodschap achter en ik bel terug.'

Ik heb me vast voorgenomen hem vandaag niet meer te bellen en helemaal niet meer aan hem te denken. Ik heb nu belangrijker zaken om me zorgen over te maken. *Zoals degene die me een kaart met zestien getallen heeft gestuurd, en die me misschien wil vermoorden, maar misschien ook niet. Zoals de leugens die ik de politie heb verteld.*

Ik dwing mijn voeten in de richting van de voordeur van Marchington House. Ik wil net aanbellen als ik zie dat rondom de deurbel ringen van steen zitten, als rimpelingen op het water. Hoeveel metselaars zouden daaraan hebben gewerkt? Een? Tien? Ik haal diep adem. Het valt niet mee om je niet ondergeschikt te voelen bij een omlijste deurbel waaraan meer tijd en zorg is besteed dan aan alle huizen waar ik ooit in mijn hele leven heb gewoond bij elkaar.

*Dit huis is veel te mooi voor een vrouw die...* De gedachte komt boven voor ik er erg in heb. Ik dwing mezelf om hem af te maken: voor een vrouw die haar twee kinderen heeft vermoord. Dat is toch mijn eigen overtuiging, of ben ik door Lauries artikel van gedachte veranderd?

Ik stel me voor dat ik even moet wachten, maar Rachel Hines doet al na een paar seconden open. 'Fliss,' zegt ze. 'Fijn dat je er bent.' Ze steekt haar hand uit en ik schud hem. Ze draagt een lichtblauwe spijkerbroek met uitlopende pijpen en een witlinnen bloes met een vreemd, paars wollen ding erover. Het lijkt wel een sjaal, maar dan met mouwen en een col. Haar voeten zijn bloot. *Ze voelt zich hier thuis.*

'Wil je dat ik schoenen aantrek?' vraagt ze.

Ik voel de warmte naar mijn wangen trekken. Hoe weet ze nou wat ik dacht? Staarde ik te veel?

'Ik heb in de loop der jaren geleerd om lichaamstaal te lezen.' Ze glimlacht. 'Noem het een uitgekiend overlevingsinstinct.'

'Je bent zo te zien minder nerveus dan ik,' zei ik vlug omdat ik dat liever maar gewoon opbiecht in plaats van te doen of er niets aan de hand is en dan door de mand te vallen. 'Blote voeten betekenen toch dat je je ontspannen voelt, tenminste, voor mij wel. Maar... ik vind het niet erg. Niet dat het aan mij is om er bezwaar tegen te maken.'

*Hou toch je klep, tut.* Ik realiseer me dat ik gemanipuleerd ben. Mijn biecht was volkomen onnodig.

'Is dat hoe jij mijn blote voeten interpreteert? Interessant. Het eerste wat ik zou denken is: vloerverwarming. En dan zou ik gelijk hebben. Trek je schoenen en sokken maar eens uit, dan voel je het zelf – het is net of je voeten door warm zand gestreeld worden.' Haar stem klinkt laag en zacht.

'Nee, laat maar,' zeg ik stijfjes. Als ik paranoïde was, zou ik nog denken dat alles wat ze tot nu toe heeft gedaan en gezegd is bedoeld om mij uit balans te krijgen. Ik weet niet waarom ik hier een voorwaardelijke constructie gebruik – want het is precies wat ik denk. 'Paranoïde' is alleen zo'n negatief woord; wijselijk op mijn hoede, dat is het meer.

*Los van het feit dat je tegen de politie hebt gelogen.*

'Zie je nu hoe onze hersens niet in staat zijn om vrijelijk te denken?' zegt ze. 'Het is voor mij belangrijker dat dit huis vloerverwarming heeft dan voor de meeste anderen. Jouw nervositeit is voor jou van belang – misschien voel je je daardoor niet effectief. In ongeveer tien seconden hebben we mijn blote voeten allebei gebruikt om de patronen die onze gedachten per se willen volgen te versterken.'

Gaat dit gesprek straks nog wel soepeler verlopen? Ze is nog moeilijker om mee te praten dan Laurie.

*Je zou niet meer aan hem denken, weet je nog?*

Ze doet een stap naar achter om mij binnen te laten. 'Ik ben minder gespannen dan jij omdat ik zeker weet dat jij geen moordenaar bent. En daar kun jij wat mij betreft niet zeker van zijn.'

Ik heb geen zin om daarop te reageren, dus kijk ik om me heen. Wat ik zie, beneemt me de adem: een grote hal met een glanzend gepolijste vloer en een lambrisering van dezelfde steen, wel drie keer zo hoog als de hoogste lambrisering die ik ooit heb gezien. Overal waar ik kijk is wel iets prachtigs te zien: de wenteltrap die een achtje draait, met schitterend bewerkte traptreden; de kroonluchter, een regen van blauwe en roze glazen druppels, bijna even breed als het plafond; twee enorme olieverfschilderijen naast elkaar die een hele muur in beslag nemen en die allebei een vrouw tonen die uit de lucht lijkt te vallen, met kleine samengeknepen mondjes en haar dat achter hen aan wappert; twee stoelen die lijken op tronen, met fraai bewerkte houten rugleuningen en zittingen die bedekt zijn met glanzende stof in de kleur van maanlicht; de waterfontein in de hoek – een menselijke figuur waarvan het lichaam is gemaakt van ruwe, roze steen, en waarvan het hoofd een eeuwig rondtollende witmarmeren bal is waar het water langs glijdt als het beweegt, als doorzichtig haar. Ik ben nog het meest onder de indruk van wat zich alleen laat omschrijven als een verzonken glazen vloerkleed, een rechthoek van helder glas met her en der spikkels zilver en goud, gevat in het steen in het midden van de hal. Onder dat glas schijnt licht omhoog.

Een paar tellen probeer ik mezelf wijs te maken dat dit overdreven doordachte interieur helemaal niet bij me past, en dat ik het vulgair vind, ja, bijna ordinair. Maar dan moet ik toegeven dat ik mijn rechterarm af zou hakken om in een huis als dit te kunnen wonen, of om zo'n vriend of familielid te hebben bij wie ik kon logeren. Vannacht slaap ik op advies van de politie bij Tamsin en Joe, op hun harde futon in hun van spinrag vergeven computerhok waar de ramen rammelen. Ik vind het stom van mezelf dat ik die vergelijking trek. Ik ben nu officieel een verschrikkelijk oppervlakkig mens.

'Jij kunt helemaal niet zeker weten of ik geen moordenaar ben,' zeg ik, om te bewijzen dat Rachel Hines heus niet de enige is die onverwachte uitspraken kan doen.

'Ik weet wel zeker dat ik het niet ben,' zegt ze.

'Wendy Whitehead.' Ik was niet van plan geweest om haar naam al zo snel te noemen. Ik weet niet zeker of ik er nu al klaar voor ben. Zo goed ben ik dus als waarheidsjager: *vertel mij alsjeblieft niets – ik ben veel te bang.* 'Wie is dat?'

'Ik dacht dat je misschien eerst even iets wilde drinken voor...'

'Wie is dat?'

'Een verpleegster. Enfin, dat was ze. Dat is ze nu niet meer.'

We staren elkaar aan. Uiteindelijk zeg ik: 'Geef mij maar wat te drinken, ja.' Als ik straks de enige ben die weet wat er met de kinderen van Rachel Hines is gebeurd, behalve zijzelf, dan moet ik me daarop voorbereiden.

*Dit kan toch allemaal niet waar zijn.*

Ik loop achter haar aan een keuken in die wat lukraker lijkt te zijn samengesteld dan de hal, maar die nog steeds erg fraai is: een eikenhouten vloer, afgeronde witte aanrechten die eruitzien of ze van een soort sponzige steen zijn gemaakt, een dubbele porseleinen gootsteen, langs een kant van de ruimte een streep lichtgroen glas waar water door pulseert, om het hout te doorbreken. Tegen de ene muur staat een roomkleurige Aga, die drie keer zo breed is als de Aga's die ik ken. Het lijkt eerder op een minibusje. In het midden van de keuken staat een grote, doorleefde grenen tafel met acht stoelen eromheen, en daarachter staat zo'n eilandgeval, in de vorm van een traan, met groen en roze geverfde gewelfde zijkanten.

Tegen de dichtstbijzijnde muur staat een paarse bank zonder rugleuning met een bijpassende voetenbank ertegenaan. Allebei topdesign. Samen vormen ze een kronkelend uitroepteken. Ik zie een kalender aan de muur hangen: twaalf maanden in één oogopslag te zien, met een klein rechthoekje voor elke dag van het jaar. Bovenaan staat *Dairy Diary*. Zuivelkalender? Is het soms een kerstattentie van de melkboer? Er staat van alles op gekrabbeld, maar ik sta niet dichtbij genoeg om het te kunnen lezen. Boven de paarse bank hangen drie schilderijen van strepen die gaan bewegen als je ernaar kijkt. Ik probeer de signatuur te lezen die met potlood onderaan is gezet: Bridget Nogwat.

Boven de Aga hangt een ingelijste foto van twee jongemannen die op een rivier punteren. Knappe kerels, alle twee: de een heeft een serieus gezicht, donker haar en een sympathieke glimlach, en de ander is blond en zich terdege bewust van zijn sexappeal. Een stelletje? Hebben ze elkaar in Cambridge leren kennen, vandaar die punter? Als ik bevooroordeeld was en meteen conclusies trok over homo's met verbluffende interieurs, zou ik zo ongeveer op dit punt concluderen dat dit hun huis was.

'Totaal geen gelijkenis, vind je wel? Je zou niet denken dat drie kinderen binnen een gezin er zo verschillend uit kunnen zien.' Rachel Hines knikt naar de foto en geeft me een glas met een donkerroze goedje erin. 'Die twee zijn er met al het moois vandoor gegaan. En met alle charme.'

Goed, dus geen homostelletje. Maar natuurlijk. De zonen van Marchington House hebben in Cambridge gestudeerd. Voor hen geen hogescholen in vage steden. Rachel Hines heeft waarschijnlijk ook in Cambridge gestudeerd. Of in Oxford. Ouders die een streep borrelend groen glas door hun keuken trekken willen natuurlijk de allerbeste opleiding voor hun kinderen.

Ik vraag me af waar die ouders nu zijn. Aan het werk?

'Het was niet Wendy Whiteheads schuld dat Marcella en Nathaniel zijn gestorven. Dat probeerde ik je nog te zeggen aan de telefoon, maar je viel me in de rede. Ga zitten, alsjeblieft.'

Niet haar schuld? Ik voel hoe droog mijn mond is en ik neem een slok van wat cranberrysap blijkt te zijn. 'Jij zei dat zij hen heeft vermoord.'

'Ze dacht dat ze hen beschermde. Ik ook, daarom heb ik haar ook haar gang laten gaan.'

Ik wacht op verdere uitleg, en probeer niet te letten op de rilling langs mijn rug. Heel even staart ze me aan en lijkt ze haar zelfbeheersing te verliezen. Het lijkt alsof ze in de val zit, hulpeloos. 'Snap je het nu nog niet? Ik heb je toch gezegd dat ze verpleegster is?'

'Ik heb Lauries aantekeningen gelezen. Er was helemaal geen verpleegster bij jullie in huis toen... Jij was alleen met beide baby's toen ze stierven.'

'Wendy heeft Marcella en Nathaniel hun eerste dktp-prik gegeven. Jij hebt zeker zelf geen kinderen?'

Ik schud mijn hoofd. *Vaccinatie.* Ze heeft het over vaccinatie. Ik herinner me dat ik in de krant weleens iets heb gelezen over rare hippies die weigerden hun kind te laten inenten en die liever ginseng en patchoeli gebruikten om ziektes buiten de deur te houden.

'Ze gillen als ze worden ingeënt. Je moet ze vasthouden als de naald in hun huid wordt gestoken, en toch heb je niet het gevoel dat je hun iets aandoet. Je denkt dat je je moederlijke plicht vervult. Je trekt helemaal geen vergelijkingen of analogieën, je denkt niet aan andere omstandigheden waarin mensen tegen hun wil worden ingeënt, de ene nog akeliger dan de andere...'

Ik duw haar aan de kant en loop naar de keukentafel waar ik mijn glas met een klap neerzet. Ik ben blij dat ik nog niet was gaan zitten. 'Ik ga. Ik had hier nooit moeten komen.'

'Hoezo?'

'*Hoezo?* Dat lijkt me vrij duidelijk.' Ik kan mijn teleurstelling niet bedwingen. 'Jij zuigt maar wat uit je duim. Tijdens jouw proces is er helemaal niets gezegd over dktp-prikken.'

'Goed gezien. Je zou me kunnen vragen waarom niet.'

'Je doet nu alsof dat wat Marcella en Nathaniel is overkomen de schuld is van doodgewone inentingen, en je probeert die ook nog eens te vergelijken met injecties die mensen krijgen toegediend die de doodstraf hebben gekregen.'

'Jij weet helemaal niet wat ik probeer te zeggen, want je liet me niet uitpraten. Marcella is twee weken te vroeg geboren – wist je dat al?'

'Wat heeft dat er nou weer mee te maken?'

'Als je nu weggaat, zul je dat nooit weten.'

Ik buk om mijn tas op te pakken. Nu ik weet dat ik nooit een documentaire zal maken over een moordenaar genaamd Wendy Whitehead die bijna ongestraft was gebleven, is er voor mij geen reden meer om hier te blijven. Dat snapt Rachel Hines toch zeker zelf ook wel. Met wat voor leugen komt ze straks om de hoek?

'Waarom ben jij zo kwaad op mij?' vraagt ze.

'Ik hou er niet van als iemand met me dolt. Doe nou maar niet net of je niet al sinds je eerste telefoontje een spelletje met me speelt – eerst per se midden in de nacht bij me thuis willen komen, en dan meteen weer wegrijden. Me opbellen en zeggen dat Wendy Whitehead je kinderen heeft gedood, maar niets zeggen over inentingen...'

'Jij hing op.'

'En door jou heb ik tegen de politie gelogen. Ze vroegen me of ik jouw adres had, en ik zei van niet. Ik moet het werk aan de film opschorten tot zij zeggen dat ik weer door mag. Ik mag hier helemaal niet eens zijn.' Mijn tas glijdt van mijn schouder. Ik probeer hem op te vangen, maar ik ben te laat. Hij valt op de grond. 'Jij hebt mij zeker ook die kaarten en die foto gestuurd, hè? Jij was het.'

Ze kijkt niet-begrijpend, maar zo'n blik kun je makkelijk faken. 'Kaarten?' zegt ze.

'Zestien getallen in een vierkant. De politie denkt dat degene die ze heeft gestuurd misschien gaat proberen om mij... aan te vallen, of zo. Ze zeiden het niet, maar ik weet heus wel dat ze dat denken.'

'Doe eens rustig, Fliss. Laten we hier kalm over praten. Ik zweer dat ik jou geen...'

'Nee! Ik wil niet met jou praten! Ik ga hier nu weg, en jij zoekt nooit meer contact – dat moet je zweren. Ik weet niet wat voor spelletje jij precies met mij wilde spelen, maar het is voorbij. Zeg het! Zeg dat je me voortaan met rust laat.'

'Je vertrouwt mij niet, hè?'

'Dat is nog zacht uitgedrukt!' Ik heb nog nooit van mijn leven iemand zo vals toegesproken.

'Dan maakt het ook niet uit wat ik zeg.'

'Goed punt,' zeg ik en ik loop naar de voordeur. Mijn leugen tegen de politie is niet zo erg meer als ik hem zo snel mogelijk weer rechtzet. Ik ga rechercheur Simon Waterhouse bellen en dan zeg ik hem dat Rachel Hines te vinden is in Marchington House in Twickenham, en dat ik zeker weet dat zij degene is die mij die getallen heeft gestuurd. Ik snap niet waarom dat niet eerder bij me is opgekomen. De eerst kaart kreeg ik woensdagochtend. En op woensdag belde zij me voor het eerst. Heeft ze op dinsdag een lijstje gemaakt van de dingen die ze wilde doen? *Prioriteit 1: laat verder alle andere projecten voor wat ze zijn en wijd je voortaan volledig aan het gek maken van Fliss Benson?*

'Fliss!' Ze grijpt mijn arm en trekt me naar zich toe.

'Laat me los!' Ik voel me duizelig, wankel op mijn benen, alsof ze door mij aan te raken pure, onverdunde paniek in mijn bloedstroom heeft geïnjecteerd. Ik denk aan rechercheur Waterhouse die me zei dat ik nergens in mijn eentje naartoe mocht.

'Geloof jij dat ik ze heb vermoord?' vraagt ze. 'Geloof jij dat ik Marcella en Nathaniel heb vermoord? Zeg me de waarheid.'

'Misschien. Ik weet het niet. Ik *zal* het ook nooit weten – niemand kan dat ooit zeker weten, behalve jij. Als ik moest raden, op basis van het weinige dat ik van je weet, zou ik zeggen ja, ik denk dat jij het waarschijnlijk hebt gedaan.' Zo, ik heb het gezegd, en Laurie, *fuck you*, mocht je telepathisch zijn en me hebben gehoord en je nu vol walging je hoofd staat te schudden. Jij hebt nooit de moeite genomen om mij te vragen wat ik eigenlijk van je beschermelingetjes vond. Helen en Sarah en Rachel. Mijn mening doet niet ter zake. Het doet er even weinig toe als de seks van gisteren.

Zonder waarschuwing barst ik in tranen uit. *O, god, o, god, o, god.* Ik probeer mezelf onder controle te krijgen, maar het heeft geen zin meer. Ik voel me net iemand die niet kan zwemmen en die machteloos midden in een beukende waterval staat. Het voelt niet eens of de tranen uit mij komen en de eerste minuten ben ik te geschokt over hoe mijn lichaam zonder mijn toestemming handelt om te merken dat iemand me vasthoudt, en om tot me door te laten dringen dat, aangezien er verder niemand in de buurt is, Rachel Hines diegene is.

'Ik ga het je niet vragen. Je wil het er waarschijnlijk toch niet over hebben.'

Ik schud mijn hoofd. Ik zit op de kronkelbank in de keuken en ik drink cranberrysap, slokje voor slokje. Misschien schaam ik me niet meer zo gruwelijk als straks het glas eindelijk leeg is. Rachel zit aan tafel aan de andere kant van de keuken, op een tactvolle afstand. *Alsof we kunnen vergeten dat ze het afgelopen halfuur bezig is geweest mijn tranen te betten.*

'Ik heb jou geen kaart gestuurd met getallen erop,' zegt ze. 'En ook geen foto's. Heb je de politie gevraagd waarom zij denken dat degene die de kaarten heeft gestuurd jou iets aan zou willen doen? Als jij in gevaar bent, heb je het recht te weten wat er aan de hand is. Waarom ga je niet...'

'Ik heb geen coach nodig,' mompel ik bot.

'En als je die wel nodig had, zou je mij nooit aannemen,' zegt ze in een keurige samenvatting van mijn mening ter zake. 'Ik kan je best uitleggen waarom ik woensdagavond ben weggereden, maar misschien beledig ik je ermee.'

Ik haal mijn schouders op. Ik voel me toch al niet geliefd; vernederd en doodsbang – beledigd kan er ook nog wel bij.

'Je huis staat me niet aan.'

Ik kijk op om te zien of ik haar wel goed heb verstaan. *'Wat?'*

'Het ziet er smerig uit. De verf bladdert van de raamkozijnen...'

'Het is mijn huis niet. Ik huur het souterrain, meer niet.'

'Is het leuk?'

Ongelofelijk, dit gesprek. 'Mijn appartement? Nee, het is niet *leuk*. Het is – nou, laten we zeggen – vijf miljoen keer minder leuk dan dit huis. Het is klein en het is vochtig en het is alles wat ik me kan veroorloven.' Ik vraag me af of ik dit nader moet preciseren: *alles wat ik me tot voor kort kon veroorloven.* Maar waarom zou ik die moeite nemen? Zodra Maya de herziene mening van Rachel over mij ter ore komt, om over die van Laurie nog maar te zwijgen, sta ik op straat, figuurlijk en waarschijnlijk ook letterlijk. Zelfs beschimmelde huizen in Kilburn kosten geld.

'Ik keek naar het exterieur van je huis en ik wist meteen dat ik het erbinnen niet prettig zou vinden. Ik probeerde mezelf voor te houden dat dat niet van belang was, dat ik het wel zou redden, maar ik wist dat dat niet waar was. Ik probeerde me voor te stellen dat wij daar zouden zitten praten in zo'n piepklein zitkamertje, met posters die met punaises in de gipsplaatmuren waren vastgeprikt, en met een lap over de bank om de vlekken te verbergen, en...' Ze zucht. 'Ik weet hoe vreselijk dit klinkt, maar ik wil graag eerlijk tegen je zijn.'

'Ach, ik kan er moeilijk over klagen. Ik heb jou net voor kindermoordenaar uitgemaakt.'

'Nee, dat heb je niet. Jij zei dat je het niet wist. Dat is een groot ver-schil.'

Ik kijk weg. Had ik me maar geen mening laten ontlokken.

'Sinds de gevangenis heb ik... Kan ik niet meer ergens zijn dat geen...'

'Dat geen verbluffend mooi landhuis is?' zeg ik sarcastisch.

'Dat de verkeerde fysieke omgeving voor me is, waar het lelijk is – dan word ik letterlijk ziek,' zegt ze. 'Dat was vroeger nooit zo. De gevangenis heeft me in veel opzichten veranderd, maar dit was het eerste wat me opviel, meteen de eerste avond toen ik vrijkwam. Angus en ik waren uit elkaar. Ik had geen thuis meer, dus ging ik naar een hotel.' Ze haalt diep adem en trekt haar kin naar haar borst.

*Dus het was maar een driesterrenhotelletje? Ik zeg het niet hardop. Het is te makkelijk om wreed tegen haar te doen, en ik weet dat ik er te veel genoegen in zou scheppen. Het is haar schuld niet dat ik begon te janken en mezelf zo voor schut heb gezet.*

'Ik vond de kamer waar ze mij in hadden gestopt niet prettig, maar ik hield mezelf voor dat het er niet toe deed – dat het maar voor een paar nachten was, tot ik woonruimte had gevonden. Ik had zo'n misselijk gevoel dat maar niet wegging. Net als wagenziekte. Maar ik probeerde het te negeren.'

'Wat was er mis met de kamer?' vroeg ik. 'Was het er vies?'

'Waarschijnlijk. Ik weet het niet.' Ik hoor ongeduld in haar stem, alsof ze deze vraag al talloze keren heeft moeten beantwoorden en het antwoord nog steeds niet weet. 'Het waren vooral de gordijnen die me niet lekker zaten.'

'Vies?' probeer ik nog eens.

'Ik ben er nooit dicht genoeg bij in de buurt geweest om dat te kunnen vaststellen. Ze waren te dun en te kort. Ze hielden vlak on-der het raam op in plaats van op de grond. Het was net of iemand twee zakdoeken aan de muur had gehangen. En ze hingen aan zo'n afzichtelijke plastic rail zonder deklat ervoor, of wat ook. Je zag stukken garen boven de stof uitsteken.' Ze huivert. 'Walgelijk was het. Ik wilde gillend de kamer uit rennen. Ik weet dat het krankzin-nig klinkt.'

*Een tikje.*

'Er hing een foto aan de muur van een stenen urn, met bloemen eromheen gestrooid. Dat vond ik ook maar niks. Het was allemaal zo verwassen. Niets had echt kleur.' Ze wrijft in haar hals en plukt met haar vingers aan haar vel. 'Ik vroeg me eerst nog af of het wel een urn was – weet je wel, vanwege de link met de dood – maar toen dacht ik dat dat niet kon. Marcella en Nathaniel zijn niet gecremeerd, ze zijn begraven.' Haar zakelijke toon geeft me de kriebels. *Weet je wel, vanwege de link met de dood.* Hoe kan iemand wiens twee kinderen zijn overleden dat zo achteloos zeggen?

'Hoe dan ook, ik kon er niets aan doen,' vertelt ze verder, zich niet van mijn reactie bewust. 'Ik kon niet zonder goede reden om een andere kamer vragen en ik had geen goede reden, niet tot ik de kranen in de badkamer opendraaide en er niets uitkwam. Geen water. Ik was zo blij, dat ik in tranen uitbarstte en naar de telefoon ben gerend – ik had mijn plausibele reden, en ik wist dat ze me nu wel een andere kamer moesten geven. Het stomme was dat het me niet eens kon schelen dat ik geen water had – ik had een flesje mineraalwater uit de minibar kunnen pakken. Dan had ik daar mijn tanden wel mee gepoetst en mijn gezicht mee gewassen. Ik wilde alleen weg bij die verschrikkelijke gordijnen.' Ze kijkt me aan met een verontschuldigend lachje. 'De gordijnen in mijn nieuwe kamer waren iets beter. Ze waren nog altijd te kort maar er hing tenminste een deklat voor de rails, en ze waren van een iets dikkere stof. Maar...' Ze doet haar ogen dicht. Ik wacht tot ze me gaat vertellen dat er nog iets veel ergers in die kamer was: een hoopje afgeknipte teennagels van de vorige gast op een van de nachtkastjes. Bij het idee al word ik misselijk. Ik probeer het uit mijn gedachten te wissen. *De jury wordt verzocht het beeld van de harde gele stukjes teennagel te negeren.*

'Daar hing ook weer die foto van die urn aan de muur – dezelfde muur als in de vorige kamer, recht tegenover het bed.' Uit haar gekwelde gezichtsuitdrukking en haar bibberende stem zou je afleiden dat ze terugdenkt aan een bloedbad. Misschien komt dat zo nog. Ik merk dat ik mijn adem inhoud.

Het duurt even voor ze weer wat zegt. 'Het was natuurlijk niet precies dezelfde foto. Het was een kopie. Blijkbaar hing er in elke kamer zo eentje – klonen die voor kunst moesten doorgaan. Spuuglelijke massaproducten... troep!'

*Nou en? Is dat alles?*

'Ik **ben** toen ook niet lekker geworden – echt, fysiek over mijn nek gegaan. Toen heb ik mijn spullen bij elkaar geraapt en ben ik als de donder vertrokken, al had ik geen benul waar ik naartoe zou moeten. Ik heb een taxi aangehouden en hoorde hoe ik mijn oude adres in Notting Hill opgaf aan de chauffeur.'

'Ben je naar je ex gegaan?' *Waarom ging je niet hierheen, naar Marchington House?*

'Naar Angus. Ja.' Ze heeft een verre blik in haar ogen. 'Ik zei hem dat ik niet in het hotel kon blijven maar ik heb niet uitgelegd waarom niet. Hij had het toch niet begrepen als ik hem had verteld dat er geen verschil was tussen een hotelkamer en een cel in Geddham Hall.'

'Maar... jullie waren gescheiden. Hij dacht dat jij...'

'Onze kinderen had vermoord. Ja, dat dacht hij.'

'Waarom ging je dan naar hem toe? En waarom liet hij je binnen? *Heeft* hij je wel binnengelaten?'

Ze knikt. Als ik zie dat ze op me af komt, verstijf ik, maar ze gaat alleen aan het andere eind van de bank zitten, en laat een geruststellende ruimte tussen ons in. 'Ik zou je kunnen zeggen waarom,' zegt ze. 'Waarom ik me zo heb gedragen, en waarom Angus zich zo heeft gedragen, maar je zou het zonder context niet begrijpen. Ik zou je graag het hele verhaal willen vertellen, vanaf het begin – het verhaal dat ik nog nooit aan iemand heb verteld. De waarheid.'

*Ik wil het niet horen.*

'Je kunt je documentaire toch maken,' zegt ze met nieuwe energie in haar stem. Ik weet niet of ze het afsmeekt of afdwingt. 'Niet over Helen Yardley of Sarah Jaggard – maar over mij. Over mij en Angus, Marcella en Nathaniel. Het is het verhaal van wat er met ons gezin is gebeurd. Dat is mijn enige voorwaarde, Fliss. Ik wil dat uurtje, of die twee uur, of hoelang het ook is, niet met iemand anders delen, al hebben de anderen nog zo'n goed doel waar zij voor strijden. Het spijt me als dat egocentrisch klinkt...'

'Waarom ik?' vraag ik.

'Omdat jij niet weet wat je van me moet denken. Ik hoorde het aan je stem toen ik je voor het eerst sprak: de onzekerheid, de twijfel. Ik heb jouw twijfel *nodig* – dan luister je tenminste echt naar me omdat je erachter wil komen hoe het zit. Toch? Laurie Nattrass luistert in elk geval zeker niet. Jij bent objectief. Als jij een film maakt, dan ga je me niet afschilderen als hulpeloos slachtoffer of als moordenaar, omdat ik dat geen van beide ben. Jij zult de mensen laten zien wie ik werkelijk ben, wie Angus is, en hoeveel wij allebei hielden van Marcella en Nathaniel.'

Ik sta op, vol weerzin om de vastberadenheid in haar felle ogen. Ik moet hier weg voor zij de keuze voor me maakt. 'Sorry,' zeg ik stellig. 'Ik ben daar niet geschikt voor.'

'Dat ben je wel.'

'Nee, dat ben ik niet. Jij zou dat niet zeggen als je wist wie mijn vader was.' Zo, het is eruit. Ik kan het nu niet meer terugnemen. 'Laat ook maar,' mompel ik, en ik zit weer op het randje van huilen. *Daarom ben ik zo over mijn toeren: vanwege papa, niet vanwege Laurie.* Het heeft niets met Laurie te maken, en dat maakt mijn tranen iets minder pathetisch. Een tragisch dode vader is een betere reden om te huilen dan de onbeantwoorde liefde van een ontzettende eikel. 'Ik ga maar,' zeg ik. 'Ik had niet moeten komen.' Ik grijp naar mijn tas, als iemand die werkelijk van plan is weg te gaan, maar ik blijf staan.

'Het maakt mij niet uit wie jouw vader was,' zegt Rachel. 'Al was hij het eerste lid in mijn jury dat schuldig stemde, al was hij de rechter die me twee keer levenslang gaf... Hoewel het me niet waarschijnlijk lijkt dat Elizabeth Geilow jouw vader is.' Ze glimlacht. 'Hoe heet hij?'

'Hij is dood.' Ik ga weer zitten. Ik kan niet staand over mijn vader praten. Niet dat ik dat ooit heb geprobeerd. Ik heb er zelfs nog nooit met mijn moeder over gesproken. Hoe dom is dat? 'Hij heeft drie jaar geleden zelfmoord gepleegd. Zijn naam was Melvyn Benson. Je hebt waarschijnlijk nog nooit van hem gehoord.' *Maar hij kende jou wel.* 'Hij was het hoofd van de afdeling Jeugdzorg voor...'

'Jaycee Herridge.'

Ik krimp ineen als ik die naam hoor, al weet ik dat het nergens op slaat. Jaycee Herridge heeft mijn vader niet vermoord. Ze was pas twintig maanden oud. Ik voel me klemgezet, alsof er een deur die wijd openstond achter me is dichtgeslagen. Ik had niets moeten zeggen. Al die jaren draag ik het al met me mee, dus waarom vertel ik dit dan uitgerekend aan Rachel Hines?

'Je vader was die uit de gratie gevallen maatschappelijk werker die zich van het leven heeft beroofd?'

Ik knik.

'Ik weet nog dat mensen in de gevangenis het erover hadden. Ik meed zelf het nieuws en de kranten zo veel mogelijk, maar veel meiden kregen maar geen genoeg van andermans ellende – dat leidde af van hun eigen problemen.'

Ik slik moeizaam. Het valt me zwaar dat papa's lijden een bron van vermaak was voor dat tuig in de gevangenis. Het kan me niet verdommen dat ik bevooroordeeld ben: als zij genieten van de ondergang van mijn vader, mag ik hen best zien als schorriemorrie dat het verdient om achter de tralies te zitten. Staan we tenminste quitte.

'Fliss? Vertel dan?'

Ik voel me heel vreemd: alsof ik diep vanbinnen altijd al heb geweten dat dit zou gebeuren. *Dat Rachel Hines precies degene is aan wie ik het wil vertellen.*

Houterig presenteer ik de feiten. Jaycee Herridge werd in het eerste jaar van haar leven eenentwintig keer naar het ziekenhuis afgevoerd, steeds met verwondingen waarvan haar ouders beweerden dat die door ongelukjes kwamen – blauwe plekken, snijwonden, zwellingen, brandplekken. Toen ze veertien maanden oud was, kwam haar moeder met haar op het spreekuur van de dokter met wat later twee gebroken armpjes bleken te zijn. De moeder beweerde dat ze uit haar wandelwagen was gekropen en op een betonnen speelplaats was gevallen. De huisarts kende de medische voorgeschiedenis en geloofde het verhaal geen seconde. Hij lichtte Jeugdzorg in en nam het zichzelf kwalijk dat hij dat niet al maanden eerder had gedaan en dat hij zich kopjes thee en leugens had laten voorschotelen door Jaycees ouders, die altijd alles uit de kast haalden om hem gerust te stellen als hij op huisbezoek kwam, en die Jaycee dan uitgebreid knuffelden en zich reuze voor haar uitsloofden in zijn aanwezigheid.

De maatschappelijk werkster die op de zaak werd gezet deed de vier daaropvolgende maanden alles wat ze kon om Jaycee bij de ouders weg te halen. Ze had de steun van de politie en van iedereen die ooit vanuit de gezondheidszorg met het gezin te maken had gehad, maar de juridische afdeling van de gemeente verklaarde dat er te weinig bewijs was voor mishandeling om Jaycee uit huis te laten plaatsen. Dat was een catastrofale fout van een juridisch medewerker, een junior, die had moeten weten dat in het familierecht het criterium van de gerede twijfel niet geldt bij de schuldvraag. Het enige wat een rechter in dit soort zaken hoeft te doen is kijken naar het geheel aan waarschijnlijkheden en besluiten dat Jaycee beter af was onder toezicht van de autoriteiten dan onder dat van haar ouders, gezien het aantal verwondingen en de ernst daarvan. Als deze zaak ooit voor de rechter was gekomen, zou dat zeker de uitkomst zijn geweest.

Als hoofd van Bureau Jeugdzorg had mijn vader deze fout moeten opmerken, en dat heeft hij niet gedaan. Hij was overwerkt en gestrest en dodelijk vermoeid van de eindeloze stapels dossiers op zijn bureau, en zodra hij de woorden las: 'komt niet in aanmerking voor uithuisplaatsingsprocedure' met de handtekening van een juridisch medewerker eronder, heeft hij er verder niet naar gekeken. Hij zou het niet in zijn hoofd halen om een kind tegen juridisch advies in bij zijn ouders weg te halen, en het zou ook niet bij hem opkomen dat een juridisch medewerker van de kinderbescherming zo incompetent was dat hij de bewijslast in strafzaken en familierechtelijke zaken door elkaar haalde.

Ten gevolge van zijn misplaatste vertrouwen en de idiotie van die juridisch medewerker, bleef Jaycee bij haar ouders die haar uiteindelijk in augustus 2005 ombrachten. Ze was toen twintig maanden oud. Haar vader bekende schuld, dat hij haar dood had geschopt, en hij werd veroordeeld tot levenslang. Haar moeder werd nooit iets ten laste gelegd omdat het niet te bewijzen viel dat zij een rol had gespeeld bij het geweld jegens haar dochter.

Mijn vader nam ontslag. Jaycees huisarts stopte ook met werken. De juridisch medewerker weigerde op te stappen en werd uiteindelijk ontslagen. Niemand kent hun namen nu nog, en hoewel iedereen zich de naam Jaycee Herridge nog herinnert, zijn er nog maar heel weinig mensen die je kunnen vertellen dat haar ouders Danielle Herridge en Oscar Kelly heetten.

Mijn vader heeft het zichzelf nooit vergeven. In augustus 2006, een week voor de sterfdag van Jaycee, heeft hij dertig slaaptabletten ingenomen met een fles whisky en is nooit meer wakker geworden. Hij moet het allemaal ruim van tevoren zo hebben gepland. Hij had mama aangemoedigd om het weekend bij haar zus te gaan logeren, om zeker te zijn dat ze hem niet op tijd zou vinden en hij nog gered kon worden.

Ik zou Rachel Hines nog veel meer kunnen vertellen. Ik zou haar kunnen zeggen dat ik het laatste jaar van zijn leven alleen maar tegen mijn vader heb gelogen en dat ik net deed of ik het hem niet kwalijk nam dat hij zo'n ongelofelijke fout had gemaakt, terwijl een stemmetje in mijn hoofd gilde: *Waarom heb je dat niet nog eens extra gecontroleerd? Waarom heb je iemand op zijn woord geloofd terwijl er een mensenleven op het spel stond? Wat ben je voor waardeloos stuk vreten?* Ik heb me altijd al afgevraagd of mijn moeder ook deed alsof ze werkelijk geloofde wat ze steeds maar tegen hem zei: dat het niet zijn schuld was, en dat niemand dat ooit zou beweren. Hoe kon ze dat nou geloven?

Ik sleur mezelf weer naar het heden. Ik moet mijn uitleg afronden en dan als de donder wegwezen. 'Wat jij niet weet – want dat kun je niet weten – is dat hij over jou heeft gepraat, lang voordat hij zichzelf vermoordde.'

'Jouw vader heeft over *mij* gepraat?'

'Niet alleen over jou – over jullie alle drie. Helen Yardley, Sarah Jaggard...'

'Ons alle drie.' Rachel glimlacht alsof ik iets grappigs heb gezegd. Dan verdwijnt haar glimlach en kijkt ze dodelijk ernstig. 'Helen Yardley en Sarah Jaggard interesseren mij niet,' zegt ze. 'Wat zei je vader over mij?'

Ik voel me een sadist, maar ik kan moeilijk weigeren die vraag te beantwoorden nu ik al zo ver ben gegaan. 'We waren een dagje uit – mijn ouders en ik. Een van de vele uitjes die mijn moeder organiseerde om hem op te vrolijken na Jaycees dood. Dat die uitjes nooit enig effect hadden en dat hij nooit meer vrolijk was, weerhield ons er niet van het te blijven proberen. We zaten te lunchen, en mijn moeder en ik kletsten opgewekt alsof er niets aan de hand was. Papa las de krant. Er stond een artikel in over jou, over jouw proces. Ik denk dat er iets moet hebben gestaan over het hoger beroep – dat je van plan was om in hoger beroep te gaan of zo, ik weet het niet meer precies.'

*Laurie heeft dat artikel waarschijnlijk geschreven.*

'Papa gooide de krant neer en zei: "Als Rachel Hines in beroep gaat en ze wint, dan is er geen hoop meer."'

Haar mond vertrekt een beetje. Los daarvan komt er geen enkele reactie.

'Hij trilde helemaal. Hij had je naam voordien nog nooit genoemd. Mijn moeder en ik wisten niet wat we moesten zeggen. Er hing een heel nare, gespannen sfeer. We wisten allebei...' Ik zwijg. Ik weet niet hoe ik dit moet zeggen zonder dat het vreselijk klinkt.

'Jij wist dat als hij aan mij dacht, hij aan dode baby's dacht.'

'Ja.'

'En dat dat voor hem een gevaarlijk onderwerp was om over na te denken.'

'Hij zei: "Als ze Rachel Hines vrijlaten uit de gevangenis, dan wordt er in dit land nooit meer een ouder veroordeeld voor de moord op zijn eigen kind. Dan kunnen ze de hele Jeugdzorg net zo goed opdoeken. Dan zullen nog meer kinderen als Jaycee Herridge sterven en dan is er niemand meer die daar nog iets tegen kan doen."'

Hij had zo'n... woeste blik in zijn ogen, alsof hij een toekomstvisioen had gehad en...' *En hij wilde niet meer meedoen.* Ik krijg dit mijn mond niet uit. Ik ben ervan overtuigd – ik ben er altijd al van overtuigd geweest – dat papa zelfmoord heeft gepleegd omdat hij er niet meer wilde zijn als Rachel Hines vrijkwam.

'Hij had wel een punt,' zegt ze voorzichtig. 'Als alle moeders die zijn veroordeeld voor de moord op hun kinderen hun hoger beroep winnen, dan is de boodschap duidelijk: moeders kunnen hun kinderen niet vermoorden. En we weten dat dat niet waar is.'

'Hij begon te schreeuwen waar iedereen bij was.' Ik huil weer, maar dat kan me nu niet schelen. '"Ineens zijn ze allemaal onschuldig – Yardley, Jaggard, Hines! Allemaal berecht wegens moord, twee ervan veroordeeld, maar allemaal onschuldig! Hoe kan dat nou?" Hij schreeuwde tegen mijn moeder en mij, alsof het onze schuld was. Mijn moeder kon het niet aan, en ze liep weg uit het restaurant. Ik zei: "Pap, niemand beweert dat Rachel Hines onschuldig is. Je weet niet eens of ze wel in beroep zal gaan, en zelfs al doet ze dat, dan nog weet je niet of ze die zaak gaat winnen."'

'Hij had gelijk.' Rachel staat op, en begint zomaar wat te lopen. Ze zou mijn keuken haten. Die is veel te klein voor doelloos geslenter. Ze zou er misselijk van worden. 'Mijn zaak heeft het recht in feite veranderd. Net als jouw vader zagen de drie rechters mij niet als individu. Ze zagen mij als nummer drie, na Yardley en Jaggard. Iedereen gooide ons op dezelfde hoop – de drie wiegendoodmoordenaars.' Ze fronst. 'Ik weet niet waarom wij zo beroemd zijn geworden. Er zitten zo veel vrouwen vast voor de moord op hun eigen kind, of dat van een ander.'

*Ik denk aan Lauries artikel. Helen Yardley, Lorna Keast, Joanne Bew, Sarah Jaggard, Dorne Llewellyn... de lijst gaat maar door.*

'Zou mijn veroordeling zijn vernietigd als Helen Yardley geen precedent had geschapen? Zij was een van de eersten die de interesse van Laurie Nattrass had weten te wekken. Door haar zaak begon hij de professionaliteit van Judith Duffy in twijfel te trekken, en dat was ook waardoor ik uiteindelijk toch in beroep mocht.' Ze draait zich om en kijkt me aan, boos. 'Het had helemaal niets met mij te maken. Het kwam door Helen Yardley, Laurie Nattrass en GOOV. Zij hebben er een politieke zaak van gemaakt. Het ging helemaal niet meer om onze individuele verhalen. We waren geen individuen meer, we waren een nationaal schandaal: de slachtoffers van een boze dokter die ons voorgoed achter slot en grendel wilde. En haar motief? Buitensporige kwaadaardigheid, want we weten allemaal dat er heel boosaardige artsen bestaan. O, wat genieten we van verhalen over enge artsen, en wat is Laurie Nattrass toch een briljant verteller van dat soort verhalen. Daarom ging de openbare aanklager op zijn rug liggen en bleef mij een nieuw proces bespaard.'

'Omdat Laurie door het bos de bomen niet meer ziet.'

'Wat? Wat zei je daar?' Ze staat over me heen, voorovergebogen.

'Mijn baas, Maya – die zei dat jij dat over hem had gezegd. Ze dacht dat je de uitdrukking niet kende, maar je bedoelde het precies zoals je het zei, of niet? Je wilde zeggen dat Laurie jou als een van zijn onterecht beschuldigde slachtoffers zag, en niet als mens op zich. Daarom wil je ook dat de documentaire alleen over jou gaat – en niet over Helen Yardley of Sarah Jaggard.'

Rachel knielt voor de bank bij me neer. 'Je moet verschillen tussen dingen nooit onderschatten, Fliss. Jouw appartement in een gruwelijk rijtjeshuis in Kilburn en dit huis; een prachtig schilderij en een zielloze poster van een urn waar er massa's van geproduceerd zijn; mensen die alleen hun eigen beperkte wereldbeeld zien en mensen die het hele spectrum overzien.' Ze plukt weer aan haar nekvel tot het rood ziet. Haar ogen staan scherp als ze me aankijkt. 'Ik overzie het hele spectrum. En ik denk dat jij dat ook doet.'

'Er is nog een reden,' zeg ik, en mijn versnelde hartslag wijst me erop dat het niet verstandig is dit onderwerp aan te snijden. *Jammer dan.* Nu de gedachte eenmaal is opgekomen, moet ik haar reactie zien. 'Er is nog een reden waarom jij niet wil meedoen aan hetzelfde programma als Helen Yardley en Sarah Jaggard. Jij denkt dat zij allebei schuldig zijn.'

'Dat zie je verkeerd. Dat denk ik niet, over geen van beiden.' Als ze weer iets zegt, klinkt er veel emotie door in haar stem. 'Je ziet mij precies even verkeerd als ik jou goed zie, maar in elk geval denk je na – en daar gaat het om. Als ik eerder al niet overtuigd was, dan was dat nu wel gebeurd: jij moet het gaan doen, Fliss. Jij moet deze documentaire maken. Het verhaal moet verteld worden en dat moet nu gebeuren, voordat...' Ze stopt en schudt haar hoofd.

'Je zei dat jouw zaak het recht heeft veranderd,' zeg ik en ik probeer zakelijk te klinken. 'Wat bedoelde je daarmee?'

Ze snuift smalend, en wrijft over het puntje van haar neus. 'De rechters in mijn beroepszaak kwamen tot de slotsom, en dat schreven ze ook in hun recapitulatie zodat er geen misverstand over kon bestaan, dat als een zaak enkel en alleen berust op betwist medisch bewijs, die zaak niet mag worden behandeld als strafzaak. En dat houdt in dat het nu vrijwel onmogelijk is om een moeder te veroordelen die wacht tot ze alleen is met haar kind om het vervolgens te verstikken. Er is meestal niet veel ander bewijs in geval van verstikking. Het slachtoffer pleegt geen verzet, aangezien het nog maar een baby is, en er zijn geen getuigen – je moet wel heel stom zijn om je kind te smoren waar iemand bij is.'

Of heel wanhopig, denk ik. Zo wanhopig dat het je niet uitmaakt wie het ziet.

'Je vader had helemaal gelijk met zijn voorspelling. Het oordeel in mijn beroepszaak heeft het moeders inderdaad gemakkelijker gemaakt om hun kinderen te vermoorden en aan vervolging te ontkomen. En niet alleen moeders – ook vaders en babysitters, wie dan ook. Dat was heel goed gezien van jouw vader. Ik heb dat zelf niet zien aankomen. Ik was misschien niet in beroep gegaan als ik had geweten wat het effect daarvan zou zijn. Ik was immers alles al kwijt. Wat maakte het uit of ik gevangenzat of niet?

'Als je onschuldig bent...'

'En dat ben ik.'

'Dan verdien je het om vrij te zijn.'

'Ga jij de documentaire maken?'

'Ik weet niet of ik dat wel kan.' Ik hoor de paniek in mijn stem en ik veracht mezelf. Zou ik hiermee mijn vader verraden? Of zou ik verraad plegen aan iets belangrijkers als ik het niet doe?

'Je vader is dood, Fliss. Ik leef nog.'

Ik ben haar niets verschuldigd. Dat zeg ik niet hardop, want dat zou niet eens hoeven. Dat zou zo al duidelijk moeten zijn.

'Ik ga weer terug naar Angus,' zegt ze zachtjes. 'Ik kan me hier niet eeuwig blijven verstoppen, terwijl niemand weet waar ik ben. Ik moet mijn leven weer oppakken. Angus houdt van me, wat er ook tussen ons is gebeurd in het verleden.'

'Wil hij je terug?'

'Ik denk het wel, en zelfs al wil hij dat nu niet, dan zal hij dat wel willen als ik...' Ze maakt haar zin niet af.

'Wat?' vraag ik. 'Als je wat?'

'Als ik hem vertel dat ik zwanger ben,' zegt ze, en ze wendt haar blik af.

# Belangrijke ontwikkeling in de moord op Helen Yardley

Politieonderzoek naar de moord op Helen Yardley, de onterecht veroordeelde moeder die afgelopen maandag in haar huis in Spilling werd doodgeschoten, bevestigde gisteren dat ze wellicht een aanknopingspunt hebben. De compositietekening hieronder is van een man die de recherche van West Midlands graag zou ondervragen in verband met een recente aanval op Sarah Jaggard, de kapster uit Wolverhampton die werd vrijgesproken van de moord op de zes maanden oude Beatrice Furniss in juli 2005. Mevrouw Jaggard werd bedreigd met een mes in een druk winkelgebied in Wolverhampton, op maandag 28 september. Inspecteur Sam Kombothekra van de recherche in Culver Valley zei: 'We denken dat dezelfde man die mevrouw Jaggard heeft aangevallen mogelijk ook degene is die mevrouw Yardley heeft doodgeschoten. Er is bewijs dat de twee incidenten met elkaar verbindt.' Helen Yardley bracht negen jaar in de gevangenis door voor de moorden op haar twee zoontjes, vóór haar veroordeling in hoger beroep werd vernietigd. Dat was in februari 2005. Een kaart met daarop 16 getallen, hieronder afgedrukt, werd na haar dood aangetroffen in haar zak. Een soortgelijke kaart werd ook in de zak van mevrouw Jaggard achtergelaten door degene die haar aanviel.

Inspecteur Kombothekra heeft mensen die de man op onderstaande afbeelding menen te herkennen opgeroepen om contact op te nemen met hem of met andere leden van het team. Hij zei: 'Wij garanderen volledige vertrouwelijkheid, dus er is geen reden om bang te zijn contact met ons te zoeken, ook al geloven wij dat deze man gevaarlijk is en in geen geval mag worden benaderd door anderen dan de politie.

Hem vinden is van het allergrootste belang.' Inspecteur Kombothekra heeft ook opgeroepen contact op te nemen met de politie indien men informatie heeft over de 16 getallen op de kaart. 'Het moet iemand iets zeggen. Weet u meer, neemt u dan alstublieft contact op met de recherche in Culver Valley.'

Gevraagd naar verder commentaar wat betreft het motief van de dader, zei inspecteur Kombothekra: 'Zowel mevrouw Yardley als mevrouw Jaggard werd van gruwelijke misdaden beschuldigd en uiteindelijk werden beide vrouwen onschuldig bevonden – hoewel er in het geval van mevrouw Yardley eerst nog sprake was van een vreselijke rechterlijke dwaling. We moeten ervan uitgaan dat het mogelijke motief is dat men beide vrouwen wenst te straffen op basis van de onterechte overtuiging dat zij schuld hebben.'

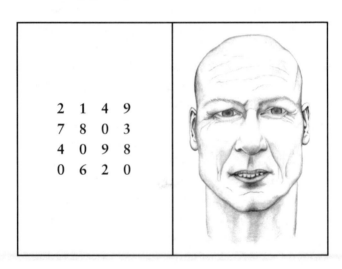

# 12

## 10/10/2009

'Ik heb geen idee of het dezelfde getallen waren of dat het zestien andere getallen waren.' Tamsin Waddington trok haar stoel naar voren en leunde over de kleine keukentafel die haar scheidde van rechercheur Colin Sellers. Hij kon haar haar ruiken, of wat voor zoetig goedje ze daar ook maar in spoot. Haar hele huis rook ernaar. Hij weerstond de verleiding om de lange paardenstaart te grijpen die ze over haar rechterschouder had gedrapeerd, om te voelen of die even zijdezacht was als hij eruitzag. 'Ik weet niet eens of het er wel zestien waren. Het enige wat ik weet is dat er een paar getallen op een kaart stonden, in rijen en kolommen – het zouden er zestien kunnen zijn, of twaalf, of twintig...'

'Maar u weet wel zeker dat u die kaart op twee september op het bureau van de heer Nattrass hebt zien liggen,' zei Sellers. 'Dat is heel precies, en het is meer dan een maand geleden. Hoe kunt u...'

'Mijn vriend is op 2 september jarig. Ik hing wat rond in Lauries kantoor omdat ik moed aan het verzamelen was. Ik wilde hem namelijk vragen of ik die dag wat eerder weg mocht.'

'Ik dacht dat u zei dat hij niet uw baas was?' Sellers onderdrukte een zucht. Hij haatte het als aantrekkelijke vrouwen vriendjes hadden. Hij geloofde namelijk oprecht dat hij beter voor hen zou zijn als hij de kans kreeg. Dat hij die vriendjes nog nooit had gezien deed niets af aan die overtuiging. Net als iedereen met een roeping raakte Sellers gefrustreerd als men hem ervan weerhield om datgene te doen waarvoor hij op deze aarde was gezet.

'Hij was ook niet echt mijn baas, ik was zijn researcher.'

'Voor de wiegendoodfilm?'

'Precies.' Ze leunde nog dichter naar hem toe en probeerde Sellers' aantekeningen te lezen. *Nieuwsgierig wijf.* Als hij nu zijn tong uitstak kon hij haar haren likken. 'Laurie wilde nooit naar huis, en ik vond het gênant om toe te geven dat ik dat wel wilde,' zei ze. 'Ik vond het beschamend dat ik plannen had die niets te maken hadden met het bestrijden van onrecht, plannen die Laurie dus geen moer zouden kunnen schelen. Ik hing dus maar zo'n beetje dom voor zijn bureau rond, en toen zag ik die kaart naast zijn BlackBerry liggen. Ik vroeg hem er nog naar, want dat was makkelijker dan hem vragen wat ik echt wilde vragen.'

'Dit is belangrijk, mevrouw Waddington, dus wees alstublieft zo nauwkeurig mogelijk.' *Mag ik alstublieft met uw zwierige haren spelen terwijl u aan mijn ballen zuigt?* 'Wat zei u tegen de heer Nattrass over de kaart en wat was zijn reactie?' Sellers stelde zich heel even voor dat hij de verkeerde vraag had gesteld, de pornovraag, maar nee, dat was onmogelijk. Ze keek namelijk helemaal niet beledigd, en ze rende de keuken niet uit.

'Ik heb hem opgepakt. Hij leek dat helemaal niet te merken. Ik zei: "Wat is dit", en toen kreunde hij tegen me.'

'Kreunde?' Wat een kwelling, dit. Kon ze geen neutralere termen gebruiken?

'Laurie kreunt de hele tijd – als hij weet dat een antwoord vereist is, maar hij niet heeft gehoord wat je precies vroeg. Dat werkt bij veel mensen, maar ik laat me niet zo makkelijk afwimpelen. Ik heb met die kaart voor zijn gezicht gewapperd en toen heb ik nog eens gevraagd wat het precies was. Op zijn bekende manier knipperde Laurie toen met zijn ogen als een mol die na een maand ondergronds te hebben geleefd voor het eerst daglicht ziet, en zei: "Wat is dat toch voor ding, verdomme? Heb jij me dat soms gestuurd? Wat betekenen die getallen?" Ik zei dat ik geen idee had. Hij griste de kaart uit mijn hand, scheurde hem in stukjes en gooide die in de lucht. En toen ging hij weer aan het werk.'

'Heb je zelf gezien dat hij hem in stukjes scheurde?'

'Minstens acht stukjes, en die heb ik allemaal opgepakt en in de prullenmand gegooid. Ik snap niet waarom ik de moeite nam – Laurie zag het niet, hij bedankte me niet en toen ik eindelijk durfde te vragen of ik weg mocht, zei hij: "Nee, je mag niet weg." Als ik had geweten dat die getallen belangrijk waren, dan had ik...' Tamsin brak haar zin af en klakte met haar tong alsof ze zich ergerde aan zichzelf. 'Ik herinner me vaag dat het eerste getal een twee was, maar ik zou er geen eed op durven doen. Ik heb er verder ook niet meer bij stilgestaan, totdat Fliss hier ineens in alle staten op de stoep stond, gisteravond, en me vertelde over de kaart die ze had ontvangen en dat er een anonieme stalker was die haar misschien wil vermoorden.'

'Zei de heer Nattrass of hij de kaart thuis of op het werk had ontvangen?'

'Nee, maar als ik ernaar zou moeten raden, zou ik zeggen op het werk. Ik betwijfel of hij de moeite zou hebben genomen om hem mee naar kantoor te nemen als hij hem thuis had ontvangen. Hij leek er totaal niet in geïnteresseerd – het betekende niets voor hem.'

'Weet u dat heel zeker?' vroeg Sellers. 'Woede zou ook een reden kunnen zijn waarom hij de kaart in stukjes scheurde.'

'Ja, woede omdat iemand zijn tijd heeft verspild, maar meer ook niet. Echt – ik ken Laurie. Daarom was ik ook totaal niet verbaasd toen Fliss vertelde dat hij helemaal niet had gezegd dat hij ook zo'n kaart had ontvangen toen ze hem de hare liet zien. Laurie verspilt geen woorden aan dingen die hij niet belangrijk vindt.'

Sellers vond het toch vreemd dat Nattrass er niets over had gezegd tegen Fliss Benson. Het leek hem de normaalste zaak van de wereld dat je zou zeggen: 'Wat gek – een paar weken geleden heb ik ook zoiets ontvangen.' Waarom zou je erover zwijgen? Tenzij hij zelf degene was die de zestien getallen aan Benson had gestuurd – een tweede kaart, nadat hij de eerste had verscheurd om Tamsin op een zijspoor te zetten?

*Wat voor zijspoor, klootviool? Op 2 september leefde Helen Yardley nog. Nattrass kan haar niet vermoord hebben – hij heeft een alibi, en hij lijkt ook totaal niet op de man die Sarah Jaggard beschreef.*

Iedereen had verdomme een alibi. Judith Duffy, die weliswaar nog steeds niet ondervraagd wilde worden, had een boodschap ingesproken op Sam Kombothekra's voicemail, en daarin had ze hem alle details gegeven over wat ze maandag allemaal had gedaan. 's Ochtends zat ze bij haar advocaten, en 's middags in een restaurant met Rachel Hines. Sellers snapte daar trouwens niets van, maar toch was er geen twijfel mogelijk – drie obers hadden bevestigd dat de twee dames om één uur binnenkwamen en pas om vijf uur weer vertrokken.

Duffy's dochters en hun echtgenoten – Imogen en Spencer, Antonia en George – zaten op de Malediven. Ze waren het land al uit voordat Sarah Jaggard werd aangevallen en ze kwamen op woensdag terug, twee dagen nadat Helen Yardley werd doodgeschoten. Sellers had die vier gisteren ondervraagd, en daarna had hij helemaal geen trek meer in zijn gebruikelijke vrijdagsmaaltje, een Indiase curry. Normaal had zijn werk nooit zo'n invloed op hem, maar hij was zich steeds ongemakkelijker gaan voelen toen hij de een na de ander hoorde verklaren dat het hun niets kon schelen als ze Duffy nooit meer terug zouden zien. 'Ze heeft geen hart,' zei Imogen. 'Ze heeft de levens van onschuldige vrouwen verwoest om zelf carrière te kunnen maken. Dieper kun je niet zinken.' Antonia was iets minder zwartwit: 'Ik kan nooit meer naar mijn moeder kijken zoals vroeger,' zei ze. 'Ik ben zo kwaad op haar, ik kan het momenteel niet opbrengen om met haar te praten. Misschien komt dat ooit nog.'

De twee schoonzonen vonden Duffy duidelijk gênant. Een van hen ging zelfs zo ver te stellen dat hij wel twee keer had nagedacht voor hij haar dochter had getrouwd als hij van tevoren had geweten wat er zou gebeuren. 'Mijn kinderen vragen de hele tijd waarom de andere kinderen op school hen uitlachen, want hun oma staat in de krant,' zei hij kwaad. 'Ze zijn acht en zes – ze begrijpen er niets van. Wat moet ik tegen ze zeggen?'

Ook al had het verder niets met het onderzoek te maken, kon Sellers de verleiding niet weerstaan te vragen hoe de relatie tussen Duffy en haar dochters was geweest voordat Laurie Nattrass haar gebrek aan professionele integriteit onder de aandacht van het publiek had gebracht: 'Ging wel,' zei Imogen toen aarzelend. Antonia had wat enthousiaster geknikt. 'We waren een gewoon gezin voor deze nachtmerrie begon.'

Sellers kon de gedachte dat zijn kinderen op een dag dit soort dingen over hem zouden zeggen niet verdragen – dat hij geen hart had, of dat ze het niet meer op konden brengen om met hem te praten. Zou Stacey proberen om Harrison en Bethany tegen hem op te zetten als hij bij haar wegging?

Suki dacht van wel – zij was de vrouw met wie hij het al tien jaar deed, achter Stacey's rug om. Ze had het al zo vaak gezegd dat hij haar uiteindelijk was gaan geloven. Ze sprak over Stacey alsof zij haar beter kende dan Sellers zelf, ook al hadden ze elkaar nog nooit ontmoet.

Suki wilde Sellers ook helemaal niet fulltime voor zichzelf. Ja, ooit wel, maar inmiddels niet meer. 'Op deze manier raak je mij en de kinderen niet kwijt,' zei ze vaak. Sellers was Suki al bijna even zat als Stacey. In ruil voor één nacht met Tamsin Waddington zou hij hen allebei met liefde aan de dijk zetten. Eén uur was al genoeg...

'Hebt u wel gehoord wat ik net zei?'

'Sorry.'

'Ik weet wel dat u een man bent, maar als u toch even de aandacht erbij wil houden, zou dat fijn zijn.'

Sellers waagde er een glimlach aan. 'U zou een goede inspecteur zijn,' zei hij.

'Er is niets verdachts aan dat Laurie Nattrass niet in staat is efficiënt te communiceren,' zei Tamsin. 'Stel dat hij tegen Fliss had gezegd: "Goh, wat interessant – ik heb zelf een paar weken geleden precies zo'n kaart ontvangen, ook met zestien getallen erop" – *dat* was pas verdacht geweest. Tegen mij heeft hij ooit gezegd: "Waar blijft die koffie waar ik om vroeg?" terwijl ik hem die drie seconden ervoor had gegeven. Ik wees naar de mok die hij in zijn rechterhand had. Toen zei hij: "Heb jij dit net gebracht?" Toen liet hij de beker vallen en moest ik een nieuwe gaan halen.'

Sellers was nog steeds niet overtuigd. Nattrass had niet alleen verzuimd om aan Fliss te vertellen dat hij die zestien getallen had ontvangen, maar hij had het ook niet tegen Waterhouse gezegd tijdens hun telefoongesprek. Hij moest toen toch weten dat de kaart van belang was, als een rechercheur ernaar vroeg. Waterhouse had hem gevraagd of hij de laatste tijd nog ongebruikelijke e-mails of post had ontvangen en Nattrass was daar niet op ingegaan. Hij had de kaart die Fliss Benson had ontvangen beschreven maar vertelde er niet bij dat hij er zelf ook een had gekregen. Was dat het gedrag van een onschuldige man?

'Ik maak me zorgen om Fliss.' Tamsins hooghartige toontje suggereerde dat Sellers die zorg maar beter kon delen. 'Ik heb vanochtend de krant gelezen – waarom denkt u dat ik anders de politie heb gebeld? Ik weet dat er precies zo'n kaart op het dode lichaam van Helen Yardley is aangetroffen. Ik weet dat Sarah Jaggard is aangevallen en dat de dader een kaart met zestien getallen in haar zak heeft achtergelaten. Toch begrijp ik het niet.' Haar voorhoofd werd rimpelig.

'Wat niet?'

'Bij zowel Helen Yardley als Sarah Jaggard kwam het geweld eerst, toch? Hij viel ze aan, en liet de kaart toen pas achter. Fliss en Laurie hebben de kaart allebei per post ontvangen, maar ze zijn niet aangevallen. Dus misschien *gaat* hij ze wel helemaal niets aandoen, want als dat zo zou zijn, dan was dat toch allang gebeurd?'

*En dat is dus de reden waarom commissaris Barrow geen politiebescherming wilde bieden.* Dat, en het feit dat hij de Sneeuwman niet kan luchten.

'Fliss is er niet best aan toe,' zei Tamsin. 'Volgens mij is ze echt bang, ook al doet ze alsof dat niet zo is, en ik weet bijna zeker dat er nog iets anders is wat ze mij niet vertelt. Iets wat met die kaart te maken heeft. Die getallen. Ze is vanochtend vroeg vertrokken zonder Joe of mij te zeggen waar ze heen is, en ik heb geen idee waar ze nu uithangt. En...'

'En?' drong Sellers aan.

'Ze heeft beloofd aan de rechercheur die ze heeft gesproken dat ze niet meer aan de film zou werken, maar dat doet ze wel. Zo, nu heb ik haar verraden,' zei Tamsin trots. 'En dat doe ik met alle plezier als ik daarmee kan zorgen dat ze geen gevaar meer loopt. Ze heeft gisteren een ontmoeting gehad met Ray Hines.'

'Waar?'

'Bij haar ouders thuis, geloof ik.'

'Bij de ouders van mevrouw Benson?'

'Nee, die van Ray Hines.'

Sellers beet op zijn lip. Dit deugde niet. Waterhouse zou door het lint gaan.

'Het is goed dat u mij dit hebt verteld.' Hij glimlachte. Tamsin glimlachte terug.

*Nou, schatje, veeg jezelf maar af, je taxi is er. Het is vier uur 's nachts, pop, betaal zelf maar...*

*Fuck.* Daar was dat stemmetje weer. Het kostte Sellers de laatste tijd steeds meer moeite om Gibbs' imitatie van hem uit zijn hoofd te zetten als hij bij een vrouw in de buurt was; dat was niet goed voor zijn zelfvertrouwen. Zaterdagavond was het stemmetje er ook weer, vlak voordat hij zichzelf goed voor schut zette. Het was echt net of Gibbs erbij was, en hem in zijn oor fluisterde. Hij zou gezworen hebben dat hij het echt hoorde. Het zal de drank wel zijn geweest, want Gibbs was er helemaal niet. Goddank. Hij was echt goed lam van het bier en de whisky en had toen besloten een vrouw te versieren die hij door het raam van een restaurant had zien zitten toen hij van de pub naar huis wandelde. Hij was naar binnen gegaan en had haar een oneerbaar voorstel gedaan, zich niet bewust van haar gezelschap, een jongeman en een echtpaar van middelbare leeftijd. Ze was daar om haar eenentwintigste verjaardag te vieren met haar vriendje en haar ouders, zoals ze hem bij herhaling had gezegd, maar daar had hij zich niets van aangetrokken. Hij bleef maar aandringen dat ze met hem mee moest naar een hotel in de buurt. Uiteindelijk kwam de manager van het restaurant met een ober om hem op straat te zetten. Dat hij er nooit meer een voet over de drempel mocht zetten, zeiden ze, en toen sloegen ze de deur dicht in zijn gezicht. Misschien had hij beter haar moeder kunnen vragen.

'Als meneer Nattrass of mevrouw Benson contact met u opneemt...'

'Gaat u op zoek naar Fliss?' vroeg Tamsin. 'Ik raak echt in paniek als ik niet snel wat van haar hoor. Twickenham – daar zou ik maar beginnen met zoeken.'

'Hoezo daar?'

'Ik geloof dat de ouders van Ray Hines daar wonen. En ik weet bijna zeker dat Fliss daar vandaag weer naartoe is.'

Sellers noteerde 'Ray Hines – ouders – Twickenham' in zijn notitieboekje.

'Zij is de volgende, hè?' vroeg Tamsin.

'Pardon?'

'Eerst wordt Sarah Jaggard bijna neergestoken, dan wordt Helen Yardley doodgeschoten. Ray Hines is nummer drie, of niet? Het lijkt me duidelijk dat zij nu aan de beurt is.'

Ik ben nog nooit zo gelukkig geweest als nu, dacht agent Charlie Zailer. Ze was de hele ochtend al in een staat van diepe gelukzaligheid, maar ze was alleen thuis, en zulke gevoelens – zoals ze pas onlangs voor het eerst had ontdekt – pulseerden nog veel krachtiger door de aderen als je andere mensen in de buurt had. En daarom had ze zin om haar armen om de nek van Sam Kombothekra te slaan en hem met zoenen te overladen – van het platonische soort – toen hij haar kwam halen om haar mee te nemen naar het kantoor van Proust, en daarom had ze, nu ze naast Sam door de gang liep naar de rechercheruimte en zijn excuses en verklaringen van onschuld aanhoorde, het gevoel dat haar geluk zijn hoogtepunt had bereikt. Hier liep ze dan met haar goede vriend, op deze fantastische dag, te praten, te ademen. Het kon haar niet schelen dat ze haar van haar werk hadden gehaald en de manier waarop dat was gebeurd. Het enige wat haar kon schelen was het stukje papier in haar zak.

Ze was niet van plan om het aan iemand te vertellen, behalve haar zusje – het was per slot van rekening privé – maar Liv had nog niet teruggebeld en nu liep ze hier met Sam te banjeren... Enfin, *zij* banjerde. Hij marcheerde en keek om de paar seconden over zijn schouder, bang dat de Sneeuwman hem in een ijspilaar zou veranderen als hij er te lang over zou doen om Charlie te halen. Nou en? Wat maakte het uit wat Proust wilde? Laat hem toch lekker wachten, laat alles lekker wachten tot zij had verteld wat er zo in haar borrelde. Ze had het liever aan Sams vrouw verteld, trouwens. Aan Kate. Kate zou perfect zijn, nog beter dan Liv – maar Kate was er nu niet.

'Simon heeft me vanochtend een liefdesbrief geschreven.'

Sam bleef staan en draaide zich om. 'Wat?' Hij was al te ver vooruitgesneld. In de gangen in het oudste gedeelte van het politiebureau viel het niet mee om je verstaanbaar te maken; water stroomde er luidruchtig door de leidingen, en daar moest je tegen opboksen. Volgens Simon klonk het precies zo toen hij vroeger klein was: toen huisde in dit gebouw het plaatselijke zwembad. Een deel van het gebouw stonk nog altijd naar chloor.

'Simon heeft me een liefdesbrief geschreven,' zei Charlie nog eens, met een grijns. 'Ik werd wakker, en toen lag die naast me in bed.'

Sam fronste. 'Is alles wel goed? Jij en Simon zijn toch niet... uit elkaar geweest? Hij is toch niet...?'

Charlie giechelde. 'Leg eens uit hoe jij dat opmaakt uit wat ik je net vertelde. Alles is *prima*, Sam. Alles is helemaal geweldig. Hij heeft me een *liefdesbrief* gestuurd. Een echte.'

'O. Aha.' Sam keek perplex.

'Ik ga je niet vertellen wat erin stond.'

'Nee, natuurlijk niet.' Als er ooit een man blij was geweest dat hij de dans ontsprong... 'Zullen we dan maar?' Sam neeg zijn hoofd in de richting van het kantoortje van de Sneeuwman. 'Wat het ook is, het kan maar beter snel achter de rug zijn.'

'Waar ben jij zo zenuwachtig over? Ik ben hieraan gewend, Sam. Sinds ik weg ben bij de recherche is het de gewoonte van Proust om de lamp op te wrijven en te hopen dat ik daaruit tevoorschijn kom.'

'Waarom heeft hij je dan niet gewoon opgebeld? Waarom moest hij mij zo nodig sturen om je te halen?'

'Weet ik veel. Maakt het uit, dan?' Nu Charlie het tegen Sam had gezegd, voelde Simons brief echter. Misschien hoefde ze het wel helemaal niet aan Liv te vertellen. Liv zou willen weten wat er precies allemaal in stond. En dan zou ze hem onderuithalen, vooral omdat de woorden 'liefde' en 'houden van' er niet in voorkwamen.

*Dat doe ik wel. Ik weet wel dat ik het nooit zeg, maar ik doe het wel.*

Charlie waardeerde die subtiliteit juist. Sterker nog: ze vond het geweldig. Simons brief was helemaal perfect. Het waren de beste woorden die hij had kunnen kiezen. Alleen de allervervelendste druiloor zou 'houden van' in een liefdesbrief zetten. Daar ga ik weer, dacht ze – zit ik Liv in gedachten alvast tegen te spreken.

Liv zou vragen of Simon de brief had ondertekend, en of hij er kruisjes onder had gezet. Nee, en nee. Ze zou ook vragen naar het papier. Charlie zou dan moeten opbiechten dat het een hoekje was dat hij van een gelinieerd geel A4-blok had gescheurd dat bij de telefoon lag. Dat kon haar niets schelen. Simon was een man – dus je kon moeilijk verwachten dat hij geurend roze papier zou gebruiken met een bloemenrandje erom. Liv zou zeggen: *'Was het nou echt zoveel moeite om een heel vel papier te gebruiken in plaats van een afgescheurde snipper?'* Of ze zou zeggen: *'Nou en? Je bent al anderhalf jaar verloofd met een vent met wie je nog steeds geen seks hebt gehad, en hij heeft nog altijd niet uitgelegd waarom niet, maar ach, wat maakt dat allemaal uit nu hij wat woordjes op een stukje papier heeft gekrabbeld?'*

Misschien zou Simon na vanavond dat wel helemaal niet meer hoeven uit te leggen. Hij had een halfuur geleden een bericht op Charlies voicemail ingesproken dat hij haar later zou zien, en dat ze moest proberen om zo vroeg mogelijk thuis te komen. Er was vast een reden waarom hij dat briefje had geschreven – hij had nog nooit zoiets gedaan. Misschien vond hij het tijd.

Charlie had voor ze naar haar werk ging zelf ook een stukje van het blok afgescheurd. Ze schreef: 'Over de huwelijksreis: wat jij maar wil, ik vind het best. Al is het veertien dagen in het Beaumont Guest House.' Daar zou Simon om moeten lachen. Het Beaumont was een bed & breakfast tegenover het huis van zijn ouders. Je kon het zien vanuit hun zitkamer.

'Hij wil je overrompelen. Daarom heeft hij mij gestuurd om je op te halen. Het is de bedoeling dat jij je nu afvraagt of je soms in de problemen zit.'

'Relax, Sam. Ik heb niets verkeerd gedaan.'

'Ik zeg alleen wat Simon zou zeggen als hij erbij was.'

Charlie lachte. 'Deed je nu net bits tegen mij? Ja, dat deed je. Je was gewoon echt bits. Gaat het wel goed met je?'

Sams bijnaam, door Chris Gibbs bedacht, was Stepford, vanwege zijn onberispelijke hoffelijkheid. Hij had een keer toegegeven aan Charlie dat hij iemand arresteren het allerergste aspect van zijn werk vond. Toen ze hem vroeg waarom, zei hij: 'Iemand in de boeien slaan is zo... bot.'

Hij bleef staan en leunde tegen een muur. Zijn lichaam zakte in elkaar terwijl hij diep zuchtte. 'Heb jij weleens het gevoel dat je in Simon aan het veranderen bent? Te lang in de nabijheid van...'

'Ik voel nog altijd geen aanvechting om *Moby Dick* te lezen, laat staan twee keer per jaar te herlezen, dus ik zeg van niet.'

'Ik heb laatst de Brownlees ondervraagd, dat stel dat Helen Yardley's dochter heeft geadopteerd. Ze kwamen allebei om in de alibi's – ik was helemaal niet van plan om nog verder tijd in hen te steken.'

'Maar?' vroeg Charlie ter aanmoediging.

'Toen ik tegen Grace Brownlee zei dat ik rechercheur was, waren haar eerste woorden: "We deden niets verkeerd."'

'Dat is precies wat ik net zei.'

'Nee. Dat is het punt juist. Je zei: "Ik heb niets verkeerd gedaan." Zij zei: "We deden niets verkeerd." Ik weet ook wel dat dat in feite op hetzelfde neerkomt, maar ik weet ook wat Simon gedacht zou hebben als hij erbij was geweest.'

Dat wist Charlie ook. '"We hebben niets verkeerd gedaan" betekent "Ik kan me niets bedenken dat wij niet zouden hebben mogen doen". "We deden niets verkeerd" impliceert dat datgene wat wij hebben gedaan volkomen gerechtvaardigd was.'

'Precies,' zei Sam. 'Ik ben blij dat ik niet de enige ben die dat denkt.'

'Zelfs de sterkste geest kan geen weerstand bieden aan het Simon Waterhouse-hersenspoeleffect,' zei Charlie tegen hem.

'Ik wilde weten waarom Grace Brownlee zo in de verdediging schoot, en dus ben ik gisteravond nog eens onaangekondigd langsgegaan. Ik heb geïmpliceerd dat ik het allang wist, dus dat ze het me net zo goed kon vertellen, en die truc werkte vrijwel meteen.'

'En?'

'Wat weet jij allemaal over adoptieprocedures?'

'Moet je dat nog vragen?' Charlie trok een wenkbrauw op.

'Normaal gesproken wordt er de voorkeur aan gegeven dat een kind teruggaat naar de biologische ouders als daar ook maar enigszins kans op is. Terwijl daarover wordt besloten, kan het kind bij pleegouders worden ondergebracht. Als de rechter uiteindelijk beslist dat het kind niet aan de biologische moeder kan worden toegewezen, gaat Jeugdzorg vanaf dat moment op zoek naar een adoptiegezin. Maar sommige gemeentes – waaronder Culver Valley – hebben iets wat men een simultaan adoptieplan noemt, en dat in hoogst uitzonderlijke gevallen wordt toegepast. Het is hoogst controversieel, en daarom zouden de meeste gemeentes er hun handen niet aan willen branden. Sommigen zeggen dat het de mensenrechten van de biologische ouders schendt.'

'Laat me raden,' zei Charlie. 'Paige Yardley was zo'n uitzonderlijk geval.'

Sam kikte. 'Je neemt een stel waarvan je denkt dat ze uitermate geschikt zijn als *pleegouders*, want dat is sneller en gemakkelijker dan hen te laten goedkeuren voor adoptie, en dan plaats je het kind zo snel mogelijk bij hen in huis. In theorie was er een kans dat Paige terug zou gaan naar haar biologische ouders, maar in werkelijkheid wist iedereen dat dat nooit meer zou gebeuren. Zodra dat officieel was, zodra Helen en Paul Yardley te horen hadden gekregen dat hun dochter niet langer van hen was – werden de Brownlees direct goedgekeurd als adoptieouders, en hebben ze het kind dat al bij hen woonde meteen geadopteerd. Ze hadden al een veel sterkere band met het kind dan je normaal zou verwachten binnen een pleeggezin, omdat de maatschappelijk werkers hun onofficieel te verstaan hadden gegeven dat ze Paige mochten houden.'

'Is dat niet ook een schending van de mensenrechten van de aanstaande adoptieouders?' vroeg Charlie. 'Er moeten toch zaken zijn waarin de rechter tot ieders verbazing toch de biologische moeder in het gelijk stelt? Dan moeten die maatschappelijk medewerkers dus zeggen: "Oeps, sorry, maar je mag dit kind toch niet adopteren."'

'Grace Brownlee zei dat men hun herhaaldelijk had gezegd dat er geen garanties konden worden gegeven, dus in theorie wisten ze wel dat het niet gunstig kon uitpakken – ze zouden nooit kunnen zeggen dat ze misleid waren, als het erop aankwam – maar er werd wel zwaar gehint dat het allemaal weleens gunstig zou *kunnen* uitpakken en dat Paige snel hun wettelijke dochter zou zijn. Het was een kind dat veel in het nieuws was, het enige nog levende kind van een vrouw die verdacht werd van moord. Jeugdzorg was vastbesloten om hun stinkende best voor haar te doen, en ze vonden de Brownlees een perfect stel. Allebei jurist – uitstekend milieu, hoog inkomen, fraai, groot huis...'

'Neusringen? Slangentatoeages?' zei Charlie. Toen ze Sams verwonderde blik zag, zei ze: 'Geintje. Mensen zijn ook zo ontzettend voorspelbaar, vind je niet? Wat zou het geweldig zijn om een keer een gerespecteerde jurist tegen te komen met een slangentattoo.' Ze lachte hard. 'Let maar niet op mij. Ik ben verliefd.'

'De Brownlees waren hier speciaal voor uitgezocht,' zei Sam. 'Ze stonden op het punt om door de molen te gaan waar alle aanstaande adoptieouders door moeten. Op een dag werden ze uitgenodigd voor een gesprek en werd hun verteld dat er een baby voor hen was, een meisje – dat er nog wat formaliteiten af te wikkelen waren, maar meer ook niet. Het goede nieuws, zo werd hun verteld, was dat ze niet zouden hoeven wachten tot alle juridische rompslomp was afgehandeld – ze hoefden zich alleen maar op te geven als pleegouders en dan hadden ze hun toekomstige dochter binnen een paar weken al in huis. Sebastian Brownlee wilde dat graag, maar Grace had zo haar twijfels. Ze is minder zelfingenomen dan haar man en wat meer op haar hoede. Ze vond dat stiekeme gedoe verschrikkelijk.'

'Dus dat bedoelde ze met "We deden niets verkeerd"?'

Sam knikte. 'Zelfs toen het allemaal in kannen en kruiken was, bleef ze als de dood dat Paige – Hannah, heet ze nu – bij hen weggehaald zou worden vanwege het onderhandse gedoe aan het begin. Wat haar man ook mag beweren, zij is er nog altijd van overtuigd dat het niet deugde.'

'Had dat erin gezeten? Dat Paige bij hen werd weggehaald, bedoel ik?'

'Onmogelijk. Simultane adoptie is niet illegaal. Zoals je al zei, is het technisch mogelijk dat de rechter het kind toch aan de biologische moeder toewijst, en als dat gebeurt hebben de adoptieouders dikke pech, maar dat weten ze vanaf het begin.'

'Het is ergens ook helemaal niet zo gek,' zei Charlie. 'Ik bedoel, vanuit het kind bezien moet het beter zijn om zo snel mogelijk bij de adoptieouders te worden geplaatst.'

'Het is barbaars,' zei Sam fel. 'De biologische moeder denkt de hele tijd dat de hoop nog niet verloren is. Helen Yardley moet hebben gedacht dat zij en Paul een redelijke kans hadden dat ze Paige mochten houden – zij wisten dat hun zoons een natuurlijke dood waren gestorven en zij geloofden dat ze een eerlijke behandeling kregen. Terwijl Jeugdzorg en Grace en Sebastian Brownlee – twee wildvreemden – al die tijd wisten dat Paige in feite al een nieuw gezin had. Grace voelt zich daar al die jaren al schuldig over, en dat vind ik niet zo gek. Zo ga je niet met mensen om. Het deugt niet, Charlie.'

'Misschien, maar er zijn zo veel dingen die niet deugen, en veel van die dingen liggen in ons in-bakje. Waarom grijpt dit jou zo aan?'

'Ik zou graag doen voorkomen dat ik me zo klote voel om allerlei nobele en altruïstische redenen, maar dat is niet zo,' zei Sam. Hij deed zijn ogen dicht en schudde zijn hoofd. 'Ik had niets tegen Simon moeten zeggen. Hoe haalde ik het in mijn hoofd?'

'Ik kan je niet volgen,' zei Charlie.

'Er was één ding dat ik niet begreep: waarom waren de mensen van Jeugdzorg er zo zeker van dat Paige Yardley nooit meer naar

Helen en Paul Yardley terug zou gaan? Ik bedoel, dit was voor hen ook niet bepaald een standaardzaak. Ik kan me indenken dat je dit soort instanties niets hoeft te vertellen over foute gezinnen met een lange voorgeschiedenis van geweld en verwaarlozing van hun kinderen en die beterschap beloven maar toch steeds de fout in gaan. Dat die kinderen bij dat soort moeders worden weggehaald lijkt me evident, maar Helen Yardley was een ander verhaal. Als ze niet schuldig was aan moord, dan was ze dus volkomen onschuldig. Als haar twee zoons aan wiegendood waren overleden – en dat was nog helemaal niet door de rechter vastgesteld, dus niemand kon daar iets over zeggen – nou ja, dan had Helen toch niets misdaan? Waarom zou je dan het risico nemen om simultane adoptie op te starten? Dat vroeg ik me af.'

Sam blies langzaam zijn adem uit. 'Dat geeft maar weer eens aan hoe naïef ik ben. Onschuldig tot het tegendeel is bewezen, ja, dag! Grace vertelde me dat de maatschappelijk werkers allemaal *wisten* dat Helen haar kinderen had vermoord en dat ze vrienden hadden in het ziekenhuis die dat zo zeker meenden te weten omdat ze erbij waren toen Helen met haar jongens naar het ziekenhuis kwam omdat ze bij herhaling waren gestopt met ademhalen. Een van die lui zei zelfs tegen Grace dat ze met veel artsen had gesproken, onder wie Judith Duffy, en dat ze allemaal hadden gezegd dat Helen Yardley, en ik citeer: "Een typische moeder met het münchhausensyndroom was".'

'Dat was ze misschien ook,' zei Charlie. 'Misschien heeft ze haar kinderen wel degelijk vermoord.'

'Dat is niet eerlijk, Charlie.' Sam liep weg. Ze wilde net achter hem aan lopen toen hij zich omdraaide en weer terugkwam. 'Haar veroordeling is nietig verklaard. Er was zelfs niet eens genoeg bewijs voor een nieuw proces. Het had de eerste keer al niet eens tot een proces mogen komen. Kun jij iets krankzinnigers bedenken dan een vrouw voor de rechter slepen terwijl er geen bewijs is voor enige misdaad? Laat staan of Helen Yardley degene is die die misdaad heeft begaan – ik heb het erover dat er hoogstwaarschijnlijk niet eens een misdaad is gepleegd. Ik heb het dossier gelezen dat naar het OM is gegaan. Weet jij hoeveel artsen het niet eens waren met Judith Duffy omdat zij vonden dat het zeer goed mogelijk was dat Morgan en Rowan Yardley een natuurlijke dood waren gestorven?'

'Sam, rustig.'

'Zeven! Zeven artsen. En uiteindelijk, na negen jaar, wordt haar naam gezuiverd en dan wordt ze door een of andere schoft vermoord, en nu ben ik zogenaamd bezig haar moord op te lossen en te zorgen voor enige gerechtigheid, voor haar familie en voor haar nagedachtenis, en wat doe ik? Ik laat me door Grace Brownlee vertellen dat er een of andere zorgverlener in het contactcentrum was die beweerde dat ze zelf heeft gezien dat Helen haar babydochtertje Paige recht onder haar ogen probeerde te verstikken.'

'Leah Gould,' zei Charlie.

Sam staarde haar wezenloos aan. 'Hoe...?'

'Ik ben *Niets dan liefde* aan het lezen. Dat wilde Simon graag, maar hij was te trots om het me te vragen. Gelukkig kan ik zijn gedachten lezen.'

'Ik moet het ook lezen.' Sam keek schuldbewust. 'Proust was namelijk niet te trots om het te vragen.'

'Niet echt jouw ding?'

'Ik lees liever geen boeken die zelfmoordneigingen bij me oproepen.'

'Dan zul je aangenaam verrast zijn,' zei Charlie. 'Het staat vol verhalen over dappere, inspirerende helden: de Sneeuwman, geloof het of niet; Laurie Nattrass; Paul, de trouwe rots in de branding. En die advocaat van haar – ik ben zijn naam even kwijt...'

'Ned Vento?'

'Die, ja. Wat zo interessant is, hij had een vrouwelijke collega, Gillian Nogwat, en die heeft zich even hard ingespannen voor Helen, maar die wordt dan weer niet als heldin neergezet. Ik krijg de indruk dat Helen een mannenvrouw was.'

'Dat maakt haar nog geen moordenaar,' zei Sam.

'Dat zeg ik ook niet. Ik zeg alleen dat ze wel heel dankbaar was voor de aandacht van al die mannelijke redders in nood.

*Een typische moeder met het münchhausensyndroom.* Bij dat münchhausensyndroom draaide het toch allemaal om aandachttrekken?

Er zat Charlie nog iets anders dwars wat *Niets dan liefde* betrof: in het eerste stuk van het boek, ongeveer op een derde, beweerde Helen Yardley een aantal keren dat ze haar twee kinderen niet had vermoord maar dat ze aan wiegendood waren gestorven. Maar tenzij Charlie het verkeerd had begrepen, en ze dacht van niet, was er bij wiegendood, ook wel SIDS, sprake van een baby die doodging zonder dat daarvoor een verklaring kon worden gevonden. Dus was het vreemd dat Helen Yardley schreef dat de kinderen aan wiegendood waren overleden, alsof dat een stellige medische diagnose was. Het was onzin om te zeggen: 'Mijn kinderen zijn overleden aan geen-idee-waaraan-ze-zijn-overleden.' Zou een moeder die twee kinderen aan SIDS had verloren niet juist heel hard op zoek gaan naar een werkelijke verklaring, in plaats van de afwezigheid van een verklaring te presenteren als de oplossing? Of las Charlie allerlei sinistere dingen tussen de regels van *Niets dan liefde* die er niet stonden?

'Wat had je niet tegen Simon moeten zeggen?' vroeg ze aan Sam.

'Dit allemaal. Ik was zo kwaad dat Jeugdzorg de Yardleys zo'n oor had aangenaaid en ik wilde stoom afblazen, maar het heeft niets te maken met de moord op Helen Yardley en dus had ik mijn mond erover moeten houden. Vooral over Leah Gould. Simon zwaaide met een artikel uit de *Observer* waarin Gould zei dat ze zich had vergist – dat ze helemaal geen poging tot verstikking had gezien, dat ze overdreven had gereageerd, dat het haar verschrikkelijk speet dat ze een rol had gespeeld bij deze rechterlijke dwaling...'

'Laat me raden,' zei Charlie. 'Toen jij Simon vertelde dat Grace Brownlee het ooggetuigenverslag van Leah Gould aanhaalde als bewijs voor de schuld van Helen Yardley, vond hij dat hij haar onmiddellijk moest spreken.'

'Als Proust erachter komt dat ik hem indek, kan ik wel inpakken,' zei Sam somber. 'Wat moet ik nou doen? Ik heb tegen Simon gezegd dat hij absoluut niet mocht gaan, en hij negeerde me. "Ik wil Leah

Gould aan kunnen kijken als ze mij vertelt wat ze toen precies heeft gezien," zei hij. Ik moet er eigenlijk mee naar Proust...'

'Maar dat heb je niet gedaan,' zei Charlie glimlachend.

'Maar het zou wel moeten. We moeten ons concentreren op Helen Yardley's moord, niet op iets wat dertien jaar geleden misschien wel en misschien niet is voorgevallen in een contactcentrum van Jeugdzorg. Simon wil liever uitpluizen of Helen Yardley schuldig was aan moord dan wie haar heeft doodgeschoten. Als Proust daar lucht van krijgt, en dat gaat gebeuren, want hij komt altijd overal achter...'

'Sam, ik zeg dit niet alleen omdat het over Simon gaat, maar... sinds wanneer laat jij het levensverhaal van een slachtoffer buiten beschouwing? Helen Yardley heeft een behoorlijk dramatisch verleden, en Leah Gould heeft daar een behoorlijk dramatische rol in gespeeld, zo te horen. Iemand *moet* ook met haar praten. Wat maakt het uit dat het allemaal dertien jaar geleden speelde? Hoe meer je over Helen Yardley te weten kunt komen, hoe beter, zou ik zeggen. Over wat ze wel en niet heeft gedaan.'

'Proust heeft duidelijk gemaakt wat onze collectieve instelling dient te zijn: dat zij even onschuldig is als elk ander moordslachtoffer, en dat zij dit niet heeft verdiend,' zei Sam met een rood hoofd. 'En voor de verandering ben ik dat met hem eens, maar ja, ik heb er kennelijk niets over te zeggen. Ik heb nooit ergens iets over te zeggen. Simon vliegt overal maar op af als een wervelwind en hij gaat zijn goddelijke gang en denk maar niet dat ik hem ooit onder de duim krijg. Het enige wat ik kan doen is toezien hoe ik steeds meer de grip op de zaak verlies.'

'Er is iets wat Simon nog meer kan schelen dan de vraag of Helen al dan niet een moordenaar was en wie haar precies heeft doodgeschoten,' zei Charlie, ook al wist ze niet of ze dit wel met Sam moest delen. 'Proust.'

'*Proust?*'

'Hij was die dag ook in het contactcentrum. Simon wil alleen maar weten wat Leah Gould precies heeft gezien, omdat hij wil weten wat de Sneeuwman heeft gezien – of hij getuige is geweest van een poging tot moord op een kind en of hij daarover heeft gelogen omdat hij zo graag een vrouw wilde beschermen die naar zijn overtuiging onschuldig was. Hij wil Proust te grazen nemen.' Charlie had al aan zichzelf toegegeven dat ze bang was hoever Simon daarin zou gaan. Hij was te geobsedeerd om rationeel te zijn. Vannacht was hij grotendeels wakker, witheet van woede omdat Proust alweer had geprobeerd hen uit te nodigen voor een etentje. Hij leek ervan overtuigd dat Proust hem wilde kwellen door een vriendschap aan hem op te dringen, omdat hij wist dat Simon dat gruwelijk zou vinden. Het klonk Charlie allemaal wat vergezocht in de oren, maar toen ze haar twijfels uitsprak, inspireerde dat Simon alleen maar tot het nog verder uitspitten van zijn paranoïde fantasie: Proust had een nieuwe, geniale manier bedacht om hem te vernederen, en hem van zijn macht te beroven. Hoe kun je terugvechten als iemand tegen je zegt: 'Kom gezellig bij me eten?'

Dat lijkt mij vrij simpel, had Charlie toen gezegd, omdat ze dolgraag wilde slapen – dan zeg je: 'Sorry, maar ik kom liever niet. Ik mag jou niet, en ik zal jou ook nooit mogen en ik wil jouw vriend niet zijn.'

Sam Kombothekra wreef over zijn neus. 'Dit wordt steeds erger,' zei hij. 'Als Simon de Sneeuwman te grazen wil nemen, kan ik op zoek naar een nieuwe baan.'

'Waar is Waterhouse?' was Prousts eerste vraag. Hij was bezig enveloppen op te stapelen op zijn bureau.

'Hij is naar Wolverhampton om Sarah Jaggard nog eens te ondervragen,' zei Sam. Zelfverzonnen, knap hoor. Charlie probeerde niet te glimlachen. 'U hebt niet gezegd dat u hem ook wilde zien, meneer. U vroeg alleen om agent Zailer.'

'Ik wil hem ook niet zien. Ik wil weten waar hij is. Dat zijn twee verschillende dingen. Ik neem aan dat u van de zaak op de hoogte bent, agent Zailer? U weet wie Judith Duffy is?' Proust stootte de enveloppentoren aan met zijn duim en wijsvinger. Hij wiebelde even, maar viel niet om. 'Voorheen gerespecteerd arts, later paria, en binnenkort geroyeerd als arts vanwege wangedrag – u weet ongeveer hoe het zit?'

Charlie knikte.

'Inspecteur Kombothekra en ik zouden het op prijs stellen als u voor ons met dokter Duffy zou willen praten. Als paria's onder elkaar.'

Charlie had het gevoel alsof ze een metalen bal had ingeslikt. Sam gromde heel zachtjes. Proust hoorde het wel, maar deed net of er niets aan de hand was. 'Rachel Hines zou goed het volgende doelwit van onze moordenaar kunnen zijn. Zij is opgelost in het luchtledige, en de kans bestaat dat Duffy wel weet waar ze uithangt. Die twee hebben maandag samen geluncht. Ik wil weten waarom. Waarom zou een moeder die zulke dingen heeft doorgemaakt gezellig eten met de corrupte arts die het frauduleuze bewijs leverde dat haar achter de tralies deed belanden?'

'Ik zou het niet weten,' zei Charlie. 'Ik ben het met u eens, het is vreemd.'

'Wat zo handig is: Duffy en mevrouw Hines vormen elkaars alibi voor de moord op Helen Yardley,' zei Proust. 'Duffy wil niet met ons praten en ik stond op het punt om haar dan maar tegen haar zin hierheen te halen, maar dit lijkt me toch een beter idee.' Proust leunde voorover en trommelde met zijn vingers op zijn bureau, alsof hij pianospeelde. 'Ik denk dat u haar wel aan de praat krijgt, agent. Zorg dat u een band met haar krijgt. Als het werkt, zal ze u meer vertellen dan ons. U weet immers hoe het is om te schande te worden gemaakt op de voorpagina van alle kranten; net als zij. U weet precies hoe u haar aan moet pakken, of niet? U bent goed met mensen.'

*En waar bent u goed in?*

Paria, schande – het waren maar woorden. Die hadden pas macht over Charlie als zij ze die macht zelf gaf. Ze wilde niet terugdenken aan wat er in 2006 was gebeurd, als dat nergens voor nodig was. En ze vond het de laatste tijd steeds minder nodig.

'Je hoeft het niet te doen, Charlie. We hebben eigenlijk het recht niet dit van jou te verlangen.'

'Hij zegt "we" maar hij doelt op mij,' zei Proust. 'De afkeuring van inspecteur Kombothekra voelt als een stortvloed van tissues. Vederlicht en gemakkelijk van je af te schudden.'

'Ik wist hier niets van,' zei Sam met rode konen. 'Ik heb hier niets mee te maken. U mag de mensen zo niet behandelen, meneer.'

Charlie dacht aan alles wat ze over Judith Duffy had gelezen: dat ze meer gaf om de kinderen van wildvreemde mensen dan om die van zichzelf, en dat ze die allebei had uitbesteed aan nanny's en au pairs, zodat zij dag en nacht kon werken; dat ze had geprobeerd om haar ex financieel uit te kleden na hun scheiding, ook al verdiende ze zelf bakken met geld...

Charlie geloofde er geen woord van. Ze wist wat dit soort berechting door de media kon doen met je reputatie, want ze had het aan den lijve meegemaakt.

'Ik doe het wel,' zei ze. De Sneeuwman had gelijk: zij zou Judith Duffy wel kunnen overhalen om te praten, als ze haar best deed. Ze wist ook niet waarom ze het wilde, maar ze wilde het. Absoluut.

# 13

## Zaterdag 10 oktober 2009

Mijn mobieltje zoemt als ik uit de metro kom. Eén berichtje. Als levenslang aanhanger van de Wet van Murphy, ga ik ervan uit dat het van Julian Lance is, de advocaat van Rachel Hines, en dat hij de afspraak wil afzeggen waar ik net half Londen voor ben doorgeploeterd, maar dat is niet zo. Het is Laurie. Ik hoor het meteen, want eerst hoor ik alleen maar gehijg. Niet eng, niet bedreigend – gewoon het geluid van Laurie die zich niet kan herinneren op welk knopje hij ook weer heeft gedrukt, wat hij precies wilde zeggen en tegen wie. Uiteindelijk hoor ik zijn stem zeggen: 'Ik heb de meest recente versie van mijn artikel voor de *British Journalism Review* voor je, dat artikel over Duffy. Dus.' Er valt weer een stilte, alsof hij op antwoord wacht. 'Wil je afspreken, of zoiets? Zodat ik het je kan geven?' Weer een stilte. 'Fliss? Kun je opnemen, alsjeblieft?' Het geluid van lucht die tussen knarsende tanden wordt uitgeblazen. 'Oké, dan stuur ik het je wel per mail.'

*Kan ik opnemen?* Nee, domkop, dat kan ik niet als mijn telefoon eenmaal op de voicemail is gesprongen. Hoe is het mogelijk dat Laurie Nattrass, die elke prijs heeft gewonnen die er in de wereld te winnen valt door een onderzoeksjournalist, dit basale feit over de telecommunicatiemiddelen van de eenentwintigste eeuw niet begrijpt. Denkt hij soms dat ik verongelijkt naar mijn mobieltje zit te staren terwijl zijn stem daaruit schalt, en ik hem expres negeer?

Of is dit zijn manier om mij te zeggen dat het hem spijt dat hij me zo min heeft behandeld? Dat moet haast wel. Het heeft geen zin om te overwegen of ik hem al dan niet vergeef. Ik heb het al gedaan.

Ik luister het bericht acht keer af voor ik hem terugbel. Tegen zijn voicemail zeg ik: 'Ik zou het leuk vinden om ergens af te spreken, zodat je me dat artikel kunt geven.' Wat misschien een perfecte nonchalante-en-toch-bemoedigende teaser was geweest als ik het niet had verpest door erbij te giechelen als een hyena. Ik raak in paniek en druk de telefoon uit, maar realiseer me te laat dat ik nog een kans had gehad om de boodschap opnieuw in te spreken. 'Shit,' mompel ik met een blik op mijn horloge. Ik had vijf minuten geleden al in het Covent Garden Hotel moeten zijn. Ik begin sneller te lopen en slalom tussen het winkelend publiek door, en werp de mensen met enorme tassen die als vleermuisvleugels uitsteken en die me voortdurend tegen mijn arm slaan woedende blikken toe terwijl ik hen haastig inhaal. Het is goed voor me om eruit te zijn, druk, onder de mensen. Ik voel me gewoon, zo gewoon dat mij niets ergs kan overkomen. Iets wat het nieuws zou kunnen halen.

Ik had gedacht dat Julian Lance een pak zou dragen, maar de man die op me af komt lopen terwijl ik de deur van het Covent Garden Hotel opendoe draagt een spijkerbroek, schoenen met kwastjes en een trui met een ritskraag over een gestreept overhemd. Hij heeft kort wit haar en een rechthoekig, gebruind gezicht. Hij kan van alles zijn, van een jaar of vijftig tot een goed onderhouden zestiger. 'Fliss Benson? Ik herkende je al,' zegt hij en hij glimlacht om mijn vragende blik. 'Je had zo'n blik van ik-sta-op-het-punt-de-advocaat-van-Ray-Hines-te-spreken. Dat heeft iedereen die ik voor het eerst spreek.'

'Fijn dat u me op zaterdag wilde ontmoeten.' We geven elkaar een hand.

'Ray zegt dat jij het moet worden. Dus had ik je desnoods midden in de nacht ontmoet, als het moest.' Nu hij duidelijk heeft gemaakt hoezeer hij zijn cliënte is toegewijd, neemt Lance mij op, waarbij zijn ogen een snelle inspectie verrichten van mijn kruin tot mijn tenen. Voor de verandering maak ik me geen zorgen dat ik er niet uitzie. Ik heb me vanochtend aangekleed alsof ik naar de rechtbank moest, alsof ik zelf in het beklaagdenbankje moest staan.

Ik laat me door Julian Lance naar een tafel leiden met twee vrije stoelen, aan de andere kant van de ruimte. De derde stoel wordt ingenomen door een vrouw met roodgeverfd haar waar heel veel schuifspeldjes in zitten, en met een rode bril. Ze schrijft in een notitieboekje met een ringband: een groot, krullerig handschrift. Ik vraag me af of ik Julian Lance moet vragen of we ergens anders zullen gaan zitten, ergens waar we meer privacy hebben, maar dan kijkt de vrouw op en schenkt me een glimlach. 'Hallo, Fliss,' zegt ze. 'Ik ben Wendy. Wendy Whitehead.'

'Weet je wie zij is?' vraagt Lance.

Ik knik en probeer mijn blos te onderdrukken. *Dit is geen moordenaar*, vermaan ik mezelf.

'Ray zei dat je het over vaccinatie wilde hebben, en Wendy is de expert, dus ik dacht, ik nodig haar ook uit, dan heb je twee gesprekken voor de prijs van één.'

'Dat is heel zinvol, dank u wel.'

Ik ga tussen hen in zitten en voel me totaal verloren. Lance vraagt wat ik wil drinken. Ik kan niet meer denken. Ik kan niet eens meer verzinnen wat een mens allemaal kan drinken, laat staan dat ik weet wat ik precies zou willen. Gelukkig begint hij allerlei soorten koffie en thee op te noemen, en daardoor komt mijn brein in actie. Ik vraag om Earl Grey. Hij loopt weg om dat te bestellen, en laat mij alleen met Wendy Whitehead. 'Dus Ray heeft jou al verteld dat ik Marcella en Nathaniel hun eerste inentingen heb gegeven?' vraagt ze.

'Ja.' *Hun enige inentingen.*

Ze glimlacht. 'Ik weet wat ze tegen je heeft gezegd. "Wendy Whitehead heeft mijn kinderen vermoord." Ze wilde dat je naar haar zou luisteren, vandaar. Als je zo in de publieke belangstelling staat als Ray heeft gestaan, luistert niemand ooit nog naar je. Je zou denken dat het precies andersom is, hè? Ineens kent iedereen je naam, en sta je in alle kranten en ben je op het nieuws – je zou denken dat mensen dan aan je lippen hangen, en dat ze dolgraag willen horen wat je allemaal te zeggen hebt. Maar in plaats daarvan trekken ze meteen hun conclusies, op basis van helemaal niets, en beginnen over je te praten, steeds wildere verhalen, om hun eigen saaie etentjes op te luiste-

ren: "Ik heb dit-en-dat gehoord, en dat ze zus-en-zo heeft gedaan."
En je eigen verhaal, het echte verhaal – ja, dat leidt maar af van hun plezier. En dus komt je eigen verhaal nooit aan bod.'

Ik zou moeten opnemen wat ze allemaal zegt. Gaat ze dit later allemaal nog eens herhalen, als ik het haar vriendelijk vraag? Gaat ze dit ook nog eens voor de camera zeggen? 'Rachel vertelde dat...'

'Noem haar Ray. Ze heeft een hekel aan Rachel.'

'Ze vertelde me dat haar kinderen zijn overleden door de vaccinaties.'

'Vaccinaties die ik hun heb toegediend.' Wendy Whitehead knikt.

'Daar bent u het mee eens? Is dat inderdaad waardoor Marcella en Nathaniel zijn overleden?'

'Als je het mij vraagt wel, ja. Dat vond ik toen natuurlijk niet – ik ben net zomin een babymoordenaar als Ray. Als ik toen ook maar enig idee had gehad dat...'

Julian Lance gaat weer zitten en gebaart dat ze mag doorpraten. Ik heb het gevoel dat die twee elkaar heel goed kennen. Ze voelen zich op hun gemak bij elkaar. Ik voel me niet op mijn gemak.

'Hoe dan ook, ik ben geen verpleegkundige meer. Het is al heel lang geleden sinds ik gif heb toegediend aan kleine kinderen. De afgelopen vier jaar heb ik gewerkt als researcher bij een advocatenkantoor. Niet dat van Julian,' zegt ze als ze ziet dat ik even naar hem kijk. 'Ik werk voor een kantoor dat zich heeft gespecialiseerd in letselschadeclaims bij letsel ten gevolge van inentingen.'

'Marcella Hines werd twee weken te vroeg geboren,' zegt Julian Lance. 'Baby's horen hun eerste inenting te krijgen als ze acht weken oud zijn, hun tweede bij zestien weken...'

'Dat is nu allemaal anders,' zegt Wendy Whitehead tegen hem. 'Ze hebben het schema nog verder opgeschroefd, dus is het nu bij twee, vier en zes maanden. Hoe jonger de baby is bij de eerste prik, hoe lastiger het valt te bewijzen dat het zich anders normaal zou hebben ontwikkeld, als het verkeerd reageert op het vaccin.'

'Biologisch gezien was Marcella pas zes weken oud toen ze haar eerste prikken kreeg,' zegt Lance. 'Ray belde om advies, en haar huisarts zei dat ze ervan uit moest gaan dat Marcella een gewone baby van acht weken was, en dat deed Ray dan ook. Meteen na de prik ging het slecht met Marcella.'

'Nou ja, niet meteen. Maar na een minuut of twintig. Ik zag het gebeuren,' zei Wendy Whitehead en ze neemt het verhaal van hem over. 'We vragen de ouders altijd om een halfuur in de wachtkamer te blijven zitten voor ze weer met hun kind naar huis gaan, zodat we kunnen controleren of alles in orde is. Vijf minuten nadat ze mijn kamer uit was gegaan stormde Ray weer binnen met Marcella in haar armen, en ze zei dat er iets helemaal mis was – Marcella ademde niet meer normaal. Ik wist niet precies wat ze bedoelde. De baby haalde adem, ik zag geen problemen, en er was nog iemand bij me in de kamer, een andere moeder met een baby. Ik vroeg Ray om even te wachten, en toen ik klaar was met die andere patiënt vroeg ik of ze Marcella nog even binnen wilde brengen. En precies op het moment dat ik Marcella wilde onderzoeken kreeg ze weer een aanval. Ray en ik keken hulpeloos toe hoe haar kleine lijfje zich in allerlei kronkels wrong... neem me niet kwalijk.' Ze drukt haar handen tegen haar mond.

'Nog geen vijf uur later was Marcella dood,' zegt Lance. 'Ray en Angus werd verteld dat het dktp-vaccin absoluut de doodsoorzaak niet kon zijn.'

'Alle artsen met wie ze spraken, zeiden: "We hebben geen idee waarom uw dochter is gestorven, meneer en mevrouw Hines, maar we weten wel dat het niet kwam door de dktp-prik." "Hoe kunnen jullie dat weten?" "Dat weten we gewoon – omdat onze vaccins veilig zijn, en omdat er nooit iemand aan doodgaat."'

'Men zei dat het toeval was dat het meisje vlak na de inenting overleed,' zegt Lance.

'Onzin,' zegt Wendy Whitehead fel. 'Zelfs al was Marcella geen prematuurtje geweest, zelfs al kwam er geen auto-immuunziekte voor in Angus' familie...'

'Zijn moeder lijdt toch aan lupus?' vraag ik. Ik herinner me vaag dat ergens te hebben gelezen, misschien in Lauries artikel.

'Klopt. En in een aantal takken van zijn familie zijn gevallen van wiegendood voorgekomen, wat een sterke indicatie is voor een auto-immuunstoornis. Ja, dit zijn inderdaad de meest veilige vaccins die er bestaan, maar dan moet je kwetsbare baby's buiten beschouwing laten. Alleen sommige baby's *zijn* nu eenmaal kwetsbaar. Ik wilde Marcella's dood rapporteren...'

'Ze bedoelt aan de inspectie, omdat er een mogelijke bijwerking was opgetreden van het vaccin,' legt Lance uit. Ik heb geen idee over welke inspectie hij het heeft en neem me voor dit later uit te zoeken.

'...maar mijn collega's zetten me onder druk om dat niet te doen. Mijn baas liet zelfs doorschemeren dat ik zou worden ontslagen als ik dat deed. Ik heb naar hen geluisterd, en dat had ik niet moeten doen. Ik denk dat ik hen ook zo graag *wilde* geloven – als zij gelijk hadden, en als het inderdaad toeval was dat Marcella vijf uur na de prik overleed, dan was het immers niet mijn schuld, toch? Dan was ik niet degene die haar dat had aangedaan. Ik deed wat mij werd opgedragen en probeerde er niet meer aan te denken. Het klinkt zwak en laf, en dat was het ook, maar... enfin, als iedereen zo stellig zegt dat iets veilig is, dan ga je ze vanzelf geloven. De weken en maanden erna heb ik baby's ingeënt die normaal reageerden. Ja, ze schreeuwden misschien een beetje, maar verder was er niets aan de hand, en ze gingen zeker niet dood – en ik overtuigde mezelf ervan dat niemand erbij gebaat was geweest als ik Marcella's dood zou hebben gerapporteerd. Ray en Angus zouden het zichzelf kwalijk hebben genomen en het laatste waar men op zit te wachten is negatieve publiciteit voor inentingen, omdat dat ouders af zou kunnen schrikken. En massa-immuniteit moet tot elke prijs worden behouden – zo dacht ik er toen over.

'Toen Ray me vier jaar later op het werk belde, en me vertelde dat ze weer een kind had en vroeg of ik zou adviseren om hem te laten inenten, wilde ik zeggen dat de dktp-prik volkomen veilig was, maar ik kreeg het mijn mond niet uit. Dus zei ik dat ze dat zelf moest beslissen, dat ik haar niet wilde beïnvloeden. Ze vroeg me of er sprake kon zijn van een erfelijke aanleg om verkeerd te reageren op vaccins.'

'Onderzoek toont aan dat dit het geval is,' zegt Julian Lance terwijl hij voorover leunt en langzaam knikt. Vraagt hij zich soms af waarom ik geen aantekeningen maak? Keurt hij dat af? Er is iets waardoor ik het gevoel heb dat ik iets verkeerd doe. Zo voel ik me trouwens bijna de hele tijd – misschien heeft Lance er niet echt iets mee te maken.

*Onderzoek toont aan dat...* Dat zeggen mensen toch altijd als ze geen bewijs hebben? Het is net zoiets als leerlingen die in een opstel schrijven: 'Men zegt wel dat...' als ze er niet zeker van zijn wie wat heeft gezegd maar ze toch de indruk willen wekken dat hun punt breed wordt gesteund.

'Ray was doodsbang dat er iets met Nathaniel zou gebeuren na wat ze met Marcella had meegemaakt,' zegt Wendy. 'Ze wilde doen wat voor hem het beste was, maar ze wist niet wat dat was. Moest ze hem dezelfde prik laten geven die, daar was ze zeker van, haar dochter het leven had gekost, ook al hadden tientallen medisch deskundigen haar verzekerd dat dit onmogelijk was, of moest ze dat niet doen, en het risico lopen dat Nathaniel zou sterven aan difterie of tetanus? De kans dat haar zoon een van die ziektes zou oplopen was maar heel klein, maar ze was in die tijd begrijpelijkerwijs paranoïde en op het hysterische af. Ik adviseerde haar om vooral de tijd te nemen voor haar beslissing, en om met zo veel mogelijk inentingsdeskundigen te praten. Ik hoopte stiekem dat ze zou besluiten om Nathaniel niet te laten inenten – voor een deel om egocentrische redenen, omdat ik wist dat de kans groot was dat ik degene zou zijn die hem de prik anders moest toedienen. Het belachelijke was dat ik, als je het me toen had gevraagd, nog altijd had gezegd dat de prikken volkomen veilig waren en dat alle baby's ze zouden moeten krijgen bij twee, vier en zes maanden, zoals de overheid ook adviseert – dat zou ik hebben *gezegd*, maar diep vanbinnen geloofde ik het niet meer.'

Er komt een ober met een dienblad: thee voor mij en koffie voor Lance en Wendy.

'Uiteindelijk besloot Ray om Nathaniel toch in te laten enten, alleen wat later,' vervolgt Lance het verhaal. 'Een bevriende arts die ze vertrouwden had hun verteld dat zelfs een week een enorm verschil kon maken wat betreft het immuunsysteem van een baby. Ze zijn zoveel sterker, tegenwoordig, en hun systeem is veel beter in staat om de schok op te vangen. Dat klonk Ray en Angus logisch in de oren, en dus wachtten ze tot Nathaniel elf weken oud was. Hij was niet te vroeg geboren, en hoewel ze eerst nog wat aarzelden, gingen ze er toch vanuit dat hij het wel aan zou kunnen. Die bevriende arts had hen ervan overtuigd dat het gevaarlijk en onverantwoord was om een kind niet in te enten.'

Wendy Whitehead drukt haar hand weer tegen haar mond.

'Maar Nathaniel kon het helemaal niet aan,' zeg ik.

'Een minuut of twintig nadat hij de prik had gekregen, kreeg hij stuipen, net als Marcella,' zegt ze en ze probeert de tranen weg te knipperen. 'Daarna leek hij even op te leven, en wij dachten allemaal: alstublieft, God, maar een week later overleed hij. Ray en ik wisten hoe dat kwam, maar niemand wilde ons steunen. Ik heb Nathaniels dood gerapporteerd en vlak daarna ben ik ontslagen.' Ze lacht bitter, grommend. 'Zelfs Angus wilde niet inzien dat er een duidelijke doodsoorzaak was bij beide kinderen – hoewel hij inmiddels wel zo groots is om toe te geven dat hij uit schuldgevoel de kant van de artsen koos – dat het kwam door de inentingen en de auto-immuunproblemen aan zijn kant van de familie...'

'Je zult wel gehoord hebben dat Angus niet achter Ray is blijven staan toen ze voor moord werd veroordeeld,' zegt Lance. Het is een vraag die hij inkleedt als stelling.

Ik knik.

'De problemen tussen hen begonnen lang voordat zij werd veroordeeld, of zelfs maar in staat van beschuldiging werd gesteld. Angus was kwaad op haar en op Wendy omdat zij iets geloofden wat hij nog niet onder ogen wilde zien.' Lance neemt een slok koffie. 'Tegen de tijd dat de politie aan de deur kwam, waren ze al bijna uit elkaar.'

Ik wacht. Eerst beleefd, maar dan, na een paar seconden stilte, toon ik toch mijn ongeloof. Lance en Wendy kijken allebei of dit het was, klaar, uit. 'Ik begrijp het niet,' zeg ik, voor het geval dit een test is en ze wachten tot ik het grote gapende gat in hun verhaal benoem. 'Als er bij allebei de kindjes een vermoedelijke doodsoorzaak was, zelfs al was het een controversiële – waarom is die dan nooit ter sprake gekomen tijdens het proces? Ik heb het transcript van de zaak gelezen en er staat niets over in.'

'We hebben het geprobeerd,' zegt Lance. 'Wendy wilde getuigen...'

'Dolgraag, zelfs,' zegt ze knikkend.

'Maar ons werd in niet mis te verstane termen opgedragen om niet te refereren aan een mogelijke bijwerking van het dktp-vaccin.'

'Door wie?' vraag ik.

'Door onze vier stergetuigen.' Lance glimlacht. 'Vier zeer gerespecteerde medisch deskundigen, die allemaal bereid waren om te zeggen dat er geen bewijs was voor boze opzet bij de dood van beide baby's, geen enkel medisch bewijs dat niet evengoed aan natuurlijke oorzaken kon worden toegeschreven als aan iets onheilspellenders. Volkomen onafhankelijk van elkaar vertelden ze mij onomwonden dat als de verdediging het woord "thiomersal" zelfs maar zou fluisteren, we ons konden opmaken voor een enorme strijd. Dat kon ik niet riskeren, ik wilde niet dat de jury zou moeten horen dat onze eigen getuigen ons verhaal een leugen noemden. Dat zou Ray bepaald niet hebben geholpen.'

Ik kan nauwelijks geloven wat ik hoor. Ik wil het niet geloven; het is te verschrikkelijk. 'Maar...' *Ray Hines is voor moord in de gevangenis gezet. Ze heeft vier jaar achter slot en grendel gezeten.*

'Ja,' zegt Wendy. 'Zo voelde ik mij ook.'

'Maar er waren toch wel andere medici die...'

'Ik ben bang van niet.' Lance fronst. 'Geloof me, ik heb het geprobeerd. De meeste artsen zijn als de dood om iets te zeggen over de schade die vaccins kunnen aanrichten. En degenen die het wel doen kunnen hun carrière op hun buik schrijven.'

'Als je een uurtje of wat overhebt moet je maar eens gaan googelen en lezen wat er is gebeurd met dr. Andrew Wakefield en zijn collega's,' zegt Wendy. Weer leunt Lance voorover en staart nadrukkelijk naar de tafel voor me, waar een notitieblok had moeten liggen.

Ik weet nu wel zeker dat hij dat denkt. Alsof ik dit zou vergeten. Op mijn tachtigste kan ik dit allemaal waarschijnlijk nog woordelijk navertellen.

'Toen dr. Wakefield het in zijn hoofd haalde te opperen dat er een mogelijke link bestond tussen het BMR-vaccin, regressief autisme en een bepaalde spijsverteringsstoornis, en dat het de moeite was om daar onderzoek naar te doen, stonden er een heleboel machtige mensen op die er alles aan hebben gedaan om zijn geloofwaardigheid en carrière te gronde te richten. Ze hebben hem letterlijk het land uit gejaagd,' zegt Wendy.

Dat zal allemaal wel, maar ik maak geen documentaire over dr. Andrew Wakefield. 'Wat is "thiomersal"?' vraag ik.

'Kwik, in essentie,' zegt Lance. 'Een van de giftigste stoffen ter wereld. Tot 2004 was het een hulpstof in het dktp-vaccin, en vanaf dat jaar is het langzaam vervangen.'

Dus de stof werd nog gebruikt in 1998 toen Marcella de prik kreeg, en ook in 2002, toen Nathaniel werd ingeënt.

'Ze hebben het natuurlijk niet vervangen omdat het een uiterst reactogene neurotoxine was. Nee, het was volkomen veilig – dat was het officiële verhaal en de meeste artsen hielden het daarop. Waarom werd het dan wel vervangen? Gewoon, zomaar – in elk geval niet omdat het gevaarlijk was.' Wendy praat zo snel dat ik haar bijna niet bij kan houden. 'Hetzelfde geldt voor het wP-vaccin – dat hebben ze ook vervangen – eerst gebruikten ze hele cellen en nu zijn het niet-cellulaire bestanddelen – veel minder gevaarlijk. En het poliovaccin dat tegelijk met de dktp-prik oraal werd toegediend – dat geven ze tegenwoordig in een dode in plaats van een levende vorm. Maar als je iemand vraagt om toe te geven dat deze veranderingen plaatsvonden omdat de oude vaccins te reactogeen waren, dan loop je tegen een muur op.'

'Je thee wordt koud,' zegt Lance tegen mij.

*Pak het kopje niet op.* Ik weersta mijn natuurlijke impuls om te doen wat men mij opdraagt en zeg: 'Ik drink mijn thee graag koud.'

'Vanwaar die koerswijziging, als ik vragen mag? Wat Binary Star betreft?'

Ik heb geen idee waar hij het over heeft. Dat valt blijkbaar aan mijn gezicht af te lezen.

'Een paar maanden terug sprak ik jouw collega Laurie Nattrass, en ik heb hem alles verteld wat ik jou nu ook uitleg, maar hij wilde er niets van weten.'

'Laurie werkt inmiddels voor een ander bedrijf. Als ik een documentaire over Ray ga maken, moet ik alles weten.'

'Het doet me goed dat te horen,' zegt Lance. 'Ik weet zeker dat jij er iets moois van gaat maken. Ray kan de mensen altijd heel goed inschatten. Het was verstandig van haar om Nattrass uit de weg te gaan. Die man is een lafaard. Het is iemand die zich alleen verbindt aan modieuze doelen. Hij loopt geen enkel risico door een documentaire te maken over Judith Duffy, de arts aan wie iedereen zo graag een bloedhekel heeft. Hij richt liever Duffy te gronde dan dat hij Ray helpt, en hij heeft meteen duidelijk gemaakt dat hij niets te maken wil hebben met een internationaal gezondheidszorgschandaal waar regeringen bij betrokken zijn, en farmaceutische bedrijven...'

'Maar u wilde er zelf ook niets mee te maken hebben toen Ray terechtstond,' zeg ik. 'Als Laurie een lafaard is, dan bent u dat zelf ook.'

Lance staart een paar seconden in zijn koffie en ik denk: hij staat op en loopt weg. Dat gebeurt niet. 'Dat ligt iets anders,' zegt hij koeltjes. 'Als ik het risico nam en ik faalde, dan zou Ray niet één maar twee keer levenslang hebben gekregen.'

'Dat is uiteindelijk toch gebeurd,' stel ik.

'Dat klopt, maar...'

'Vrouwen als Ray, Helen Yardley en Sarah Jaggard zijn in de mode, zoals u dat noemt, omdat Laurie hun vreselijke lot onder de aandacht van het publiek heeft gebracht. Judith Duffy werd pas de gehate arts toen Laurie haar aan de kaak stelde.'

Lance laat zijn tong over de binnenkant van zijn onderlip glijden. 'Daar heb ik niets tegen in te brengen,' zegt hij uiteindelijk.

'Ik heb een artikel gelezen waarin Laurie schrijft over Ray's proces. Hij zegt dat u Ray hebt opgedragen om te doen alsof ze aan een postnatale depressie leed en dat ze zichzelf bijna uit het raam had gegooid, zodat de jury zou denken dat ze labiel was.'

'Dat is volkomen onwaar.'

Ik wacht tot hij zich nader verklaart, maar dat doet hij niet.

'Heeft Laurie *gezegd* dat hij bang was voor dat vaccinprobleem?' vraag ik. Dat kan ik namelijk niet geloven, hoeveel regeringen en farmaceutische bedrijven er ook bij betrokken zouden zijn. Laurie pakt iedereen aan. 'Of zei hij dat hij maar één documentaire tegelijk kon maken? Je hebt wel vier uur nodig om dat hele prikkenverhaal een beetje uit de verf te laten komen en ook nog de verhalen van die drie vrouwen te vertellen, en dan ook nog uit te leggen hoe Judith Duffy hen erin heeft geluisd. Een documentaire heeft een centraal thema nodig.'

'Je loyaliteit is heel lief, Fliss,' zegt Lance. 'Maar ik ben er nog steeds van overtuigd dat Nattrass zo'n man is die alleen ziet wat hij wil zien. Hij had een hele zwik artsen klaarstaan om Duffy aan de schandpaal te nagelen. Hoe denk je dat die zouden reageren als hij ineens over dat vaccinprobleem was begonnen? Dan waren ze gillend weggelopen. Russell Meredew, de lieveling van de Raad voor de Gezondheidszorg...' Lance lacht. 'Die piest in zijn broek als je dit onderwerp noemt, en dat wist Nattrass donders goed.'

'Heb je Meredew al op je radar?' vraagt Wendy Whitehead aan mij.

'Ik ga nog met hem praten, ja.'

'Geloof geen woord van wat hij zegt. Hij is waarschijnlijk de minst populaire kinderarts van het land. Hij doet niets liever dan getuigen tegen collegae tijdens hoorzittingen van de RVG. Hij is de deskundige die ze hebben gevraagd om Duffy te beoordelen.'

'Wat?' Dat kan niet kloppen. Verwar ik Meredew soms met een andere arts? Nee, niet. 'Ze hebben toch allebei getuigd tijdens Ray's proces? Zij voor de openbare aanklager en hij voor de verdediging?'

'Yep.' Lance klinkt berustend.

'Maar... die aantijgingen van ambtsovertredingen tegen Duffy hebben direct betrekking op Ray's zaak. Dat is dan toch belangenverstrengeling?'

'Een beetje wel, ja,' antwoordt Wendy. 'Gek, hè, dat dat bij RVG helemaal niet is opgekomen, en ook niet bij Meredew zelf. Die wil gewoon zijn geld verdienen.'

*Russell Meredew – een man die ik mij door een vijandig mijnenveld zou laten leiden, zo groot is mijn vertrouwen in hem.* Zo omschreef Laurie hem in zijn artikel.

'Ik moet je nog iets vertellen, denk ik, als Ray dat tenminste niet al zelf heeft verteld,' zegt Lance. 'Zij en Judith Duffy zijn bevriend geraakt. Het klinkt onwaarschijnlijk, maar die twee vinden veel steun bij elkaar.'

Vriendinnen. Ray Hines en Judith Duffy. Ik verstop mijn gezicht in mijn theekopje om tijd te winnen. 'Net zoals Ray en Angus weer goede vrienden zijn, zo niet meer,' zeg ik uiteindelijk.

'Ray is slim genoeg om te weten dat ze alleen vooruit kan komen en gelukkig worden als ze zichzelf en anderen vergeeft,' zegt Lance.

Ik kan het niet bewijzen, maar ik heb het gevoel dat hij weet van de baby. Ray verbeterde me toen ik het zo noemde. 'Ik ben pas acht weken zwanger,' zei ze. 'Het is nog geen baby. Veel zwangerschappen lopen voor de twaalfde week uit in een miskraam, en als dit misgaat wil ik niet het gevoel hebben dat ik weer een kind ben kwijtgeraakt.'

'Je moet Ray niet veroordelen, Fliss,' zegt Wendy. 'Ik weet zeker dat als jij in haar schoenen stond, je niets meer te maken wilde hebben met de man die je had verraden, maar je kunt dat nooit zeker weten – misschien zou je jezelf verbazen.'

Ik zou wassen beeldjes hebben van Angus Hines, Judith Duffy en iedereen die ooit tegen me had gezegd dat inenten een goed idee was, en daar zou ik naalden insteken. En dan zou ik ook nog de moeite nemen om die naalden eerst in een badje van cyaankali te marineren. Maar dat zeg ik niet tegen Lance en Wendy.

'Ray geeft Duffy niet de schuld dat zij werd veroordeeld,' zegt Lance. 'Ze geeft zichzelf de schuld, en dat is wel zo eerlijk.'

Zei hij dat nu werkelijk?

Aan wiens kant staat hij eigenlijk?

'Dat vensterbankincident waar u het net over had, wat Laurie

Nattrass gebruikte als aanleiding om over mij te liegen in een of ander artikel...'

'Laurie heeft zo zijn gebreken, maar hij liegt nooit.'

Julian Lance houdt zijn hoofd schuin en staart me aan vanonder zijn witte wenkbrauwen alsof ik de domste gans ben die hij ooit tegenover zich heeft gehad. 'Ik heb nooit tegen Ray gezegd dat ze haar verhaal moest aanpassen. Tot we in de rechtbank stonden, heb ik altijd maar één versie van het verhaal gehoord: dat zij negen dagen van huis was omdat Angus haar alles liet doen voor Marcella en haar het hele huishouden liet opknappen. Toen kwam ze terug en trof zijn moeder bij hen thuis, en toen is ze uit het raam geklommen omdat ze aan haar bazige schoonmoeder wilde ontsnappen. En ze had zin in een sigaret, en ze wilde niet dat Marcella de rook in zou ademen.' Lance gebaart naar de ober dat hij de rekening wil. 'Ik maakte me zorgen over hoe dat verhaal bij de jury zou vallen, maar ik kon er niet omheen – we wisten dat de aanklager ermee zou komen. Ik kreeg bijna een hartaanval toen Ray in de getuigenbank stond en ineens een heel ander verhaal vertelde over postnatale trances en geheugenverlies. Dat was niet alleen een leugen, het was ook nog een leugen die ervoor zorgde dat ze precies klonk als het type vrouw dat in staat is haar twee baby's te vermoorden.'

'Hoe wist u dat het een leugen was?' vraag ik. 'En als nou de eerste versie juist gelogen was? Zo klinkt het in elk geval wel.' Waarom kwam ik daar niet op toen ik Lauries artikel las? Zou een liefhebbende moeder werkelijk haar pasgeboren dochter negen dagen in de steek laten om een punt te maken over de gelijke verdeling van huishoudelijke taken en zorg voor het kind?

Julian Lance en Wendy Whitehead wisselen een blik. 'Ik ken Angus Hines,' zegt Lance. 'Wendy ook. Hij zou zijn deel van het huishouden echt wel op zich hebben genomen. Hij *zegt* dat hij dat ook deed, dat Ray niets had om over te klagen.'

'Nou...?'

'Dat was niet het enige waar ze over had gelogen,' zegt Wendy. 'Ze zei tegen de politie en Julian dat ze meteen een ambulance heeft gebeld toen ze merkte dat Marcella niet meer ademde, maar in de rechtbank zei ze dat ze eerst Angus heeft gebeld, en toen pas met het alarmnummer. Het probleem is dat er nergens bewijs te vinden was voor dat telefoontje aan Angus.'

'Ze heeft namelijk nooit gebeld,' zegt Lance om het punt te onderstrepen. Ik snap het. Hoe dom denkt hij dat ik ben? Ik moet het transcript van het proces nog eens heel goed doornemen. Tot dusverre heb ik het alleen even gescand.

'Over Nathaniel heeft ze ook gelogen,' zegt Wendy. 'Er kwam een wijkverpleegkundige langs, en dat was vlak nadat Ray Nathaniel had gevonden en de ambulance had gebeld – we hebben het over enige seconden, niet minuten – en Ray wilde haar niet binnenlaten, maar staarde haar wezenloos aan door het raam. Los van het feit dat die vrouw geen enkele reden had om daarover te liegen, waren er getuigen: buren die de arme vrouw hebben horen smeken om binnen te mogen komen en of alles wel goed ging met Ray.

'In de rechtbank zei Ray dat ze die wijkverpleegkundige meteen binnenliet,' gaat Lance verder. 'We weten dat dat niet waar is. Het heeft tien tot vijftien minuten geduurd voor ze de deur opendeed.'

Ik voel hun ogen branden. 'Ik begrijp het niet,' zeg ik terwijl ik opkijk van mijn thee.

'Wij ook niet.' Wendy glimlacht.

'Er zit een verhaal achter. Een verhaal dat Ray niet aan ons wil vertellen,' zegt Lance. 'En dat verhaal is voor een deel de reden waarom ze zo duidelijk en zo vaak heeft gelogen tijdens haar proces. Ze heeft dat een paar keer bijna toegegeven.'

'Ze heeft niemand verteld waarom,' zegt Wendy. 'Niet aan Judith Duffy, niet aan Julian of aan mij, niet aan haar familie. Ik denk zelfs niet dat ze het aan Angus heeft verteld, nog steeds niet. Ik heb me er al bij neergelegd dat ik het nooit zal weten. Dat hebben we allemaal.'

'Ik denk dat ze het aan jou wil vertellen, Fliss,' zegt Lance. De ernst in zijn toon is onmiskenbaar. 'Jij bent degene die ze heeft uitgekozen om de waarheid aan te vertellen, de hele waarheid. Ik hoop dat je dat aankunt. Ik weet niet of ik dat zelf zou kunnen.'

Pas als hij me aan ziet komen en naar me zwaait besef ik dat de man die buiten mijn appartement staat, op mij stond te wachten. Mijn eerste gedachte is dat hij van de politie is. Twee mensen van de politie uit Culver Valley hebben boodschappen voor me ingesproken toen ik met Lance en Wendy zat te praten: een inspecteur Sam Kombothekra en een rechercheur die Colin Sellers heet. Beiden eisten dat ik onmiddellijk contact met hen opnam, en inspecteur Kombothekra zei dat ik met niemand mocht praten en niets mocht doen wat met de documentaire te maken had: twee bevelen voor de prijs van één. Tamsin had ook ingesproken, en droeg me op haar te bellen zodra ik de kans had, en voor ik ook maar iets anders zou doen. Ik negeerde hen alle drie. Ik wil niet praten met iemand die me wil afhouden van wat ik moet doen.

Ik vertraag mijn pas als de man mijn kant op loopt, en ik graaf in mijn gedachten naar een paar basale feiten over mijn rechten. Kan hij me dwingen om te stoppen met mijn werk als ik door wil werken? Kan hij me tegen mijn wil vasthouden? Laurie zou het wel weten. *Jij ook, als je eens iets anders las dan roddelbladen* – zou Tamsin zeggen. Je kunt trouwens vaak van tevoren al weten wat de ander zal zeggen. Daarom ben ik ook zo dol op Laurie. Er mankeert van alles aan hem, maar hij is in elk geval onvoorspelbaar. Niet zoals Maya, die altijd zegt: 'Hoe bedoel je, die stank? Rook? Iemand zal wel bezig zijn iets te verbranden, ergens buiten.' Of Raffi: 'Ik weet het, ik weet het – een vochtvreter. Ik zal ernaar kijken, Fliss, echt, ik beloof het.'

Daarom wil ik niet dat iemand me tegenhoudt voor ik de kans krijg om met Ray Hines te praten: ik weet niet wat ze me te zeggen heeft, en ik wil het graag horen. Ja, ik loop gevaar, maar niet zoals de politie denkt dat ik gevaar loop, vanwege een paar kaartjes en een foto. Ik loop het gevaar dat ik nooit deel zal uitmaken van iets belangrijks, en dat ik mijn hele saaie leven moet uitzitten zonder dat iemand me ooit opmerkt of om me geeft. Dit is mijn kans om ervoor te zorgen dat dat niet zal gebeuren.

Als ik dichterbij ben, begint het gezicht van de man me bekend voor te komen. Een paar seconden voor hij me een hand geeft, weet ik al wie hij is: Angus Hines. Ik herken hem van de foto's uit Lauries dossiers. 'Ik vroeg me al af hoelang ik bij je op de stoep zou moeten bivakkeren,' zegt hij. Hij is bijna knap te noemen, maar zijn hoofd mocht wel wat driedimensionaler zijn. Hij heeft een plat, vierkant gezicht dat me doet denken aan een buikspreekpop. Als hij zijn mond weer opendoet, verwacht ik half en half dat ik een klik ga horen van het mondscharnier. 'Ray zei dat je met Julian Lance hebt gesproken. Hoe was dat? Heeft hij je kunnen helpen?' Het komt niet bij hem op om zich aan me voor te stellen. Hij denkt duidelijk dat ik behoor te weten wie hij is, en hoe belangrijk zijn mening is.

Ik wil me omdraaien en weglopen, en niet alleen om wat ik al van hem weet. Het heeft niets te maken met het wassen beeld dat ik van hem zou maken en waar ik naalden in zou steken. Hij praat alsof hij iets over mij te zeggen heeft, kortaf en aanmatigend.

Als hij ziet dat ik niet van plan ben om hem antwoord te geven, zegt hij: 'Fliss, laat ik eerlijk zijn. Ik ben niet helemaal gelukkig met jouw... inmenging in Ray's leven, dus ik zeg jou nu wat ik haar ook heb gezegd: deze documentaire gaat niet alleen over haar. Het gaat over mij, over mijn familie. Het is echt heel belangrijk voor mij, en voor Ray – het eerste publieke relaas over ons leven, dat door miljoenen mensen in het land zal worden bekeken – over de hele wereld misschien. Laurie Nattrass was misschien niet de juiste man om die documentaire te maken, maar dat wil niet zeggen dat jij dat wel bent. Het baart me zorgen dat mijn vrouw jou vertrouwt terwijl ze je precies één keer heeft gesproken.'

'Ik ben geen man, en zij is jouw *ex*-vrouw.'

'Wat me nog veel meer zorgen baart is dat zij jou omschrijft als "objectief". Want jij bent verre van objectief, of niet soms? Ray heeft me verteld van je vader.'

Misschien werkt een verzoenende aanpak. Of misschien wordt die wel ondermijnd door mijn heimelijke en zeer heftige weerzin.

'Heb je iemand anders in gedachten om de film te maken?' vraag ik.

'Nee. Dat is het punt niet. En het is ook helemaal niet jouw schuld. Ray had nooit...'

'Het is juist vanwege mijn vader dat ik objectiever zal zijn dan een ander ooit zou kunnen zijn,' zeg ik tegen hem.

'Hoezo?'

Ik heb geen trek om er hier op straat over te praten, maar het alternatief zou zijn Angus Hines bij mij binnen te laten, en dat wil ik zeker niet. 'Mijn vader heeft een slordige fout gemaakt die aan een kind het leven heeft gekost. Dat heeft hem uiteindelijk ook het leven gekost, en het mijne is er ook niet bepaald op vooruitgegaan. Als ik ineens een film moet maken over dode kinderen, denk jij dan niet dat ik er alles aan zal doen om de feiten boven tafel te krijgen?'

'Nee, dat denk ik niet,' zegt Hines, die er blijkbaar ineens geen moeite meer mee heeft mij tegen de haren in te strijken. 'Het probleem met dat soort psychologisch geleuter is dat je het elke kant op kunt buigen die je maar wilt. Jouw vader wilde niet dat Ray in beroep zou gaan – hij dacht dat als zij vrij zou komen, babymoordenaars voortaan ongestraft hun gang konden gaan. Maar Ray ging wel in beroep en ze won. Ze werd gerehabiliteerd, terwijl hij een schandelijke dood stierf. En dan wil jij beweren dat je jouw documentaire niet gaat gebruiken om te bewijzen dat Ray wel degelijk schuldig was?'

'Dat beweer ik, inderdaad.'

'Kom nou toch, Fliss.' Hij glimlacht bedroefd, alsof hij om me geeft en vreest voor mijn geestelijke gezondheid. Ik word er eng van. 'Je denkt misschien dat je objectief bent, maar...'

'Jij denkt dat je mij beter kent dan ik zelf?'

Wat kan ik anders aandragen om mezelf te verdedigen? Want dat doe ik: me verdedigen. Ik word op klaarlichte dag voor mijn eigen huis aangevallen. Dat hij daar alleen woorden voor gebruikt wil nog niet zeggen dat hij me niet aanvalt. Ik raap mijn laatste restje zelfvertrouwen bij elkaar en zeg: 'Ik wil niet zijn zoals mijn vader. Toen hij dat zei over Ray, haatte ik hem. Hij wilde dat ze in de gevangenis zou blijven vanwege het effect dat haar vrijlating zou hebben op andere mensen – het had niets met Ray zelf te maken.' Ik heb het koud. Ik wil naar binnen. Ik heb het gevoel alsof al mijn buren meegenieten door de muren heen, en dat ze bij zichzelf knikken omdat ze altijd al hebben geweten dat ik eruitzag als iemand die iets had om zich voor te schamen, en ze nu dan eindelijk weten wat dat is. 'Hij heeft nooit gezegd of hij dacht dat ze schuldig was of niet – ik denk dat hij daarvoor niet genoeg af wist van de dood van haar... van jullie kinderen. Het was dezelfde fout die hij ook had gemaakt bij Jaycee Herridge – hij nam dingen klakkeloos aan en keek niet naar details. Als ik deze documentaire maak, dan zal ik me alleen maar met de details bezighouden, wat voor film daar ook uit mag rollen, omdat ik *beter* ben dan mijn vader. Ik moet mezelf bewijzen dat ik totaal niet op hem lijk, en het kan me niet schelen dat ik daarmee niet loyaal overkom!'

'Veel mensen denken dat loyaliteit betekent dat je je kritische vermogen uitschakelt en niet meer zelf nadenkt,' zegt Angus Hines. Hij haalt een zakdoek uit zijn jaszak en biedt die mij aan.

Huil ik? Ja, kennelijk. *Geweldig.* 'Nee, dank je,' zeg ik. *Liever een kletsnat gezicht dan dat ik van jou iets aanneem.*

'Een paar minuten geleden zei je dat je *ineens een film moest maken* over dode kinderen. Was het niet jouw eigen keuze?'

'Nee, eerst niet. Ik wilde er niets mee te maken hebben. Laurie Nattrass riep me maandag bij zich op kantoor om te vertellen dat hij ontslag nam en hij dumpte zijn wiegendoodfilm bij mij zonder te vragen of ik dat wel wilde doen.'

Angus Hines stopt zijn zakdoek weer in zijn zak en schudt zijn hoofd. 'Ik weet niet of je jezelf een rad voor ogen draait of dat je tegen mij liegt, maar zo is het niet gebeurd. Dat kan niet.'

Hoe durft hij zo tegen mij te praten? 'Wat? Ik ben geen...'

'Jouw vader heeft in 2006 zelfmoord gepleegd. Je bent begin 2007 bij Binary Star in dienst getreden.' Hij lacht even zelfingenomen. 'Ik werk bij de krant. Ik ben heel goed in dingetjes uitzoeken.'

Je zou denken dat hij hoe-heet-hij is die het Watergateschandaal aan de kaak stelde. Ik weet niet eens precies waar het om ging bij dat Watergateschandaal, alleen dat het iets schokkends was waar Richard Nixon bij betrokken was, dus ik kan er maar beter niet over beginnen. 'Ik dacht dat jij maar een fotograaf was,' zeg ik, met de nadruk op 'maar'. Ik heb niets tegen fotografen, en ik weet heus wel dat Hines inmiddels een hogere functie bij *London on Sunday* heeft, maar ik zou alles zeggen om hem te raken.

Hij haalt zijn portemonnee tevoorschijn en geeft me zijn visitekaartje. 'Aangezien jij zo dol bent op details, heb je hier de mijne op een rijtje. De juiste.' Hoofd Fotoredactie. *Big deal.* 'Je wist dat Laurie Nattrass in de directie van Binary Star zat – dan moet je hebben geweten van zijn connecties met Helen Yardley, GOOV, mijn vrouw. Het is dus echt geen toeval dat je voor hem bent gaan werken, of wel?'

Ik trek dit niet. Ik duw hem aan de kant en loop naar mijn appartement, terwijl ik in mijn zak naar de sleutels zoek. Ik ga naar binnen en draai me om, om de deur dicht te doen. Angus Hines staat vlak achter me, zo dichtbij dat we elkaar bijna raken. 'Ik ben klaar met dit gesprek,' zeg ik tegen hem. Hoe durft hij zomaar mijn huis binnen te komen? Ik probeer tegen de deur te duwen om hem buiten te houden, maar hij is te zwaar. 'Goed dan,' zeg ik, en ik gebaar dat hij door mag lopen. Hij glimlacht weer om me ervoor te belonen dat ik eindelijk verstandig word.

Hij loopt door naar de zitkamer en blijft onderweg even staan om te kijken naar wat ik in de gang aan de muur heb hangen. Zo stil mogelijk stap ik naar buiten, doe de voordeur dicht en draai hem op het dievenslot.

Ik ren harder dan ik ooit heb gerend in de richting van de hoofdweg. Ik hou een taxi aan en geef mijn werkadres op aan de chauffeur. Ik moet bij een computer zien te komen, en die op kantoor volstaat even goed als die bij me thuis. Het is zaterdag, dus hopelijk is er verder niemand.

*O, god, o, god, o, god.* Ik heb zojuist het Hoofd Fotoredactie van een grote krant in mijn huis opgesloten.

In de achteruitkijkspiegel kijkt de taxichauffeur me hoopvol aan. Ik zie alleen zijn ogen, maar dat is genoeg. Omdat ik zelf geen autorij, zit ik vaak in taxi's en mijn instinct is razend scherp. Ik heb het sterke gevoel dat deze man me iets dringends te vertellen heeft over de uitstekende biografie over de criminele tweelingbroers Kray die hij nu aan het lezen is. Verschillende andere Londense taxichauffeurs hebben me al verteld over de kerel die zijn glimlach met een mes had laten vergroten. Ik hoef het echt niet nog een keer te horen. Bij wijze van voorzorgsmaatregel, pak ik mijn telefoon en bel ik Tamsin.

'Fliss?' Ze klinkt alsof ze de hoop om ooit nog iets van me te horen al had opgegeven. 'Waar ben je?'

Ik heb zin om: 'Somalië' te zeggen. 'Onderweg naar kantoor. Relax. Er is niets aan de hand.'

'Ja, nu misschien, maar hoe langer je...'

'Je moet iets voor me doen,' val ik haar in de rede. 'Je hebt het toch niet druk, of wel?'

'Dat hangt er vanaf hoe je druk definieert. Ik heb net een test ge-download van de website van MI6.'

'*Wat?*'

'Die ga ik dadelijk doen, onder examenomstandigheden. Als ik slaag dan ben ik een stap dichter bij een baan als operationeel me-dewerker – zo noemen ze dat daar.'

'Je bedoelt spion?' Ik schiet in de lach en als ik eenmaal ben be-gonnen, kan ik niet meer ophouden. *Ik heb een Hoofd Fotoredactie in mijn huis opgesloten en mijn beste vriendin wil spion worden.*

'Dat moet je dus wel voor je houden, goed? Op de website staat dat je het tegen niemand mag zeggen.' Ze maakt een smalend geluid. 'Lijkt me wel een beetje onrealistisch. Ze kunnen toch niet bedoelen dat je het echt tegen *helemaal* niemand mag zeggen?'

'Nee, vast niet. Ik denk dat ze bedoelen dat je het mag vertellen aan wie je maar wilt, zolang ze maar geen Al Qaida T-shirt dragen.'

'Huil je?'

'Ik ben geloof ik aan het lachen, maar daar moet je verder niets achter zoeken.'

'Ik meen dit bloedserieus, Fliss. Ik heb met een rechercheur ge-sproken en die zei dat ik een goede inspecteur zou zijn, en dat heeft me aan het denken gezet...'

'Waarom sprak je met een rechercheur?'

Tamsin kreunt. 'Ik weet dat het tegen jouw principes is, maar wil je misschien toch eens een krant kopen en lezen? En als je dat hebt gedaan, kom je hierheen zodat ik je niet meer uit het oog kan verliezen.'

'Tam, je moet naar mijn huis toe. Heb je de sleutels nog die ik je heb gegeven?'

'Die liggen wel ergens. Hoezo?'

'Nou... ga er nu maar gewoon heen en doe de deur open. Laat Angus Hines eruit en sluit de boel dan weer af – dat was het. Zo veel tijd kost dat niet. Ik betaal alle kosten – benzine, taxi, metro, whatever – en als je wil mag je ook nog naar een restaurant naar keuze om een hapje te eten. Als je het maar doet, alsjeblieft.'

'Kunnen we even terugspoelen naar "Laat Angus Hines eruit"? Wat doet Angus Hines in jouw huis?'

'Hij liep naar binnen. Ik wilde hem daar helemaal niet hebben, maar hij ging niet weg, dus toen ben ik zelf maar vertrokken. Ik moest hem opsluiten, anders was hij me achterna gekomen, en ik wilde niet met hem praten. Het is een verschrikkelijke zelfingenomen bullebak. Ik werd helemaal naar van hem.'

'Je hebt Angus Hines *opgesloten* in jouw huis? O, mijn god! Is dat geen... wederrechtelijke vrijheidsberoving of zoiets? Ontvoering? Fliss, je kunt in de gevangenis komen als je mensen tegen hun zin opsluit. Ben je wel bij je verstand?'

Ik druk het gesprek weg en zet mijn telefoon uit. Als zij hem wil vrijlaten, kan ze dat gaan doen. Zo niet, dan blijven ze allebei maar mooi zitten waar ze zitten en dan wens ik ze veel plezier met het mij verwensen.

Misschien zou ik mijn taxichauffeur moeten vragen of de broertjes Kray weleens een Hoofd Fotoredactie in hun huis hebben opgesloten, en zo ja, wat er toen met hen gebeurde. Alleen is hij nu zelf in gesprek met iemand aan zijn telefoon, dus rest mij niets anders dan na te denken.

Ja, ik wist dat Laurie bij Binary Star werkte toen ik er solliciteerde. Ja, ik wist van zijn banden met Helen Yardley en GOOV. Ik weet dat hij probeerde om Ray Hines uit de gevangenis te krijgen. Nee, ik heb geen minuut gedacht dat ik uiteindelijk door hem gedwongen zou worden om een film over rechterlijke dwalingen en wiegendoodmoeders te maken. Als ik dat had geweten, was ik hard weggerend. Mijn vader was dan wel dood toen ik bij Binary Star kwam werken, maar mijn moeder niet.

En dat is ze nog steeds niet. Haar hart zal breken als ik een documentaire maak waarin Ray Hines als onschuldig wordt neergezet. Zelfs al had papa het bij het verkeerde eind toen hij zei wat hij toen in dat restaurant over haar zei, dan nog zal mijn moeder het zo zien. Ze zal het verschrikkelijk vinden.

Dat was vroeger al genoeg reden voor mij om zoiets zeker niet te willen.

*Maar waarom ging ik dan bij Binary Star werken, naast Laurie Nattrass?*

Of hoopte ik in januari 2007 al dat ik ooit in de positie zou komen waar ik me nu in bevind?

Als ik mijn nummer thuis bel en dit allemaal aan Angus Hines vertel, is hij dan eindelijk tevreden en zal hij me dan de documentaire laten maken? Ik sla mijn handen voor mijn gezicht. O, god. Wat heb ik gedaan? Ik moet de taxichauffeur opdracht geven om rechtsomkeert te maken naar Kilburn, maar dat trek ik niet. Ik wil Angus Hines nooit meer in mijn buurt hebben.

De taxi blijft staan voor het kantoor van Binary Star. Ik betaal en stap uit. De buitendeur is open, dus moet er iemand binnen zijn. Ik duw de dubbele glazen deur open en bots regelrecht tegen Raffi op. 'Een Felicity op zaterdag?' zegt hij met zijn handen op zijn heupen, en met een gespeeld ongelovige blik. 'Ik hallucineer, geloof ik.'

'En jij... werk jij soms altijd op zaterdag?'

'Yep.' Hij leunt naar voren en fluistert in mijn oor: 'Soms werk ik zelfs op de dag des Heren. Niet aan Hem vertellen.' Ik vraag me af of er iets is waar Raffi bang voor is, iets waarvan hij zichzelf probeert voor te houden dat er niets aan de hand is. Waarom zou een mens anders in het weekend op kantoor zitten? Ik ben vast aan het projecteren. Er lijkt niets met Raffi aan de hand.

'Ik werk vanaf nu alle weekends,' zeg ik tegen hem, en ik probeer druk en professioneel te klinken. Hij knijpt zijn lippen samen. *Dat zou ik wel denken, gezien het bedrag dat we jou binnenkort gaan betalen.* Straalt hij die woorden direct naar mijn hersenen, of ben ik echt paranoïde?

'Er wacht je een verrassing in je kantoor,' zegt Raffi. 'Trouwens, toen ik daar laatst kwam stonden er in Maya's kantoor zelfs een paar verrassingen voor je.' Voor ik de kans krijg hem te vragen wat hij bedoelt, knalt de deur achter hem dicht.

De deur van Maya's kantoor is dicht en haar bordje met 'In bespreking' hangt aan de deurklink. Ik hoor haar en een paar andere mensen praten. Eng stelletje workaholics. Weten ze soms niet waar de zaterdag voor bedoeld is? Waarom liggen ze niet in hun pyjama op de bank naar de buis te staren?

Iemand met een harde stem zegt: 'Dat begrijp ik.' Ik vraag me af wat 'dat' is. En is dat sigarettenrook? Is dit soms een geheime vergadering van de vereniging Nicotine Op Het Werk Moet Mogen? De verrassing die Maya voor me in petto heeft, moet maar even wachten, besluit ik.

In het kantoor dat van mij is, van Laurie of van weer iemand anders, hoe je het maar wil zien, zie ik midden in de kamer iets staan wat lijkt op een kleine zilveren robot. Het duurt even voor ik het etiket zie en erachter ben wat het is: een vochtregelaar. Mijn maag krimpt in elkaar. Een week geleden zou ik door het dolle zijn geweest, maar nu niet. Alles is een kwestie van timing. Raffi weet dat dit nu mijn kantoor is en hij weet ook dat hier geen condensprobleem is. Is die vochtregelaar soms een manier om mij te laten weten dat ik binnenkort weer in mijn oude, klamme kamertje zit, waar ik thuishoor?

Ik draai de deur op slot en zet mijn computer aan. Laurie heeft me een e-mail gestuurd waarin staat: 'Herzien artikel in bijlage', en daaronder staat 'Verstuurd via mijn BlackBerry'. De automatische melding telt meer letters dan Lauries bericht aan mij, terwijl ik met dat ding nooit seks heb gehad. Als ik niet zo gespannen was, zou ik dat misschien nog geestig vinden ook.

Er zit helemaal geen artikel in de bijlage. Gelukkig heeft Laurie nog een mailtje gestuurd – waarschijnlijk via zijn laptop, zodra hij zich realiseerde dat hij het bestand in kwestie helemaal niet kon versturen via zijn BlackBerry – deze keer staan er helemaal geen woorden, alleen de bijlage. Ik open het artikel en klik op 'printen'. Dan graaf ik in mijn tas op zoek naar het visitekaartje van Angus Hines. Ik stuur hem een e-mail waarin ik de laatste vraag die hij me stelde zo eerlijk en volledig mogelijk beantwoord, en waarin ik uitleg dat ik ben weggelopen omdat ik het te moeilijk vond om hem in zijn gezicht te antwoorden. Ik vertel hem hoe pijnlijk het is om aan mijn vader te denken, en dat ik meestal al het mogelijke doe om dat te vermijden. Ik verontschuldig me niet dat ik hem heb opgesloten, en ik vraag ook niet of hij daar nog zit of dat hij misschien kon ontsnappen.

Los van de twee mailtjes van Laurie is het enige interessante bericht in mijn inbox er eentje van dr. Russell Meredew. 'Fliss, hoi,' begint het. Wat is dat nu voor begroeting? Die man heeft toch een adellijke titel? Ik sla het dossier erop na: ja, inderdaad. Enfin, het kon erger: *Yo, Fliss, alles chill?* Ik lees de rest van de e-mail. 'Ik heb Laurie gesproken en die vertelde me dat jij van plan bent om ook interviews met Judith Duffy in de film op te nemen. Hij vindt dat een slecht idee, net als ik. Als je me even zou willen bellen, leg ik uit waarom. Ik wil je niet vertellen hoe jij je werk moet doen – dat moet je echt niet denken – maar het is gevaarlijk om te proberen neutraal te doen als je te maken hebt met vogeltjes die gebekt zijn als pathologische leugenaars, als je begrijpt wat ik bedoel. Ik denk dat we even moeten bellen voor het interview dat we laatst hebben ingepland. Mijn bereidheid om deel te blijven nemen aan het project hangt deels af van de uiteindelijke aard van dat project. Ik neem aan dat je dat zult begrijpen. Hartelijks, Russell Meredew.'

Met andere woorden, luister niet naar het standpunt van de vijand – neem nu maar van mij aan dat ze verdorven is.

Ik druk op 'delete', trek een oorwurmgezicht naar de computer en bel Judith Duffy's thuisnummer nog maar eens en smeek haar zo ongeveer om een afspraak. Ik zeg haar dat ik niet voor haar ben en ook niet tegen haar – dat ik gewoon wil horen wat ze me te zeggen heeft.

Ik wil net de nieuwe versie van Lauries artikel pakken en weggaan van kantoor, als ik op de gang stemmen hoor, die dichterbij lijken te komen.

'...als een van hen contact opneemt, probeert u hen dan te doordringen van het belang dat zij zich bij ons melden.'

'Zal ik doen.' Dat is Maya.

'Voor hun eigen veiligheid moeten zij inzien dat alle activiteiten rond deze documentaire moeten stoppen tot nader order. Dat zal niet eeuwig duren.'

'En als u het adres in Twickenham vindt dat Rachel Hines u heeft gegeven...'

'Ik heb u toch al gezegd dat ik dat niet meer heb,' zegt Maya. 'Ik heb het aan Fliss gegeven.'

'...of als u het zich herinnert...'

'De kans dat ik het me herinner is niet groot, aangezien ik het nooit heb gekend. Ik zat waarschijnlijk ergens anders met mijn gedachten toen ik het noteerde, en ik heb het aan haar gegeven zonder er verder naar te kijken. Als u wilt geeft u me maar een lijst met alle straatnamen in Twickenham, en dan zie ik wel of er een belletje gaat rinkelen, maar behalve dat...'

'Goed,' zegt de man met de hardere stem van de twee, met een sterk Yorkshire-accent. Ik herken deze stem van het bericht dat hij bij me heeft ingesproken: rechercheur Colin Sellers. 'Dus als we even snel rond mogen kijken in het kantoor van Fliss Benson voor we gaan?'

'Welk?'

'Heeft ze er dan meer dan één?'

'Ze is min of meer in Lauries oude kantoortje getrokken, maar ik weet niet zeker of ze al haar spullen daar al naartoe heeft verhuisd. En Laurie is nog niet langs geweest om zijn troep op te halen.'

'Dan moeten we ze allebei zien.'

'Lauries oude kantoortje is deze kant op. Volg mij maar.'

*Zeg, hebben ze daar geen huiszoekingsbevel voor nodig?* wil ik uit-schreeuwen. Ik spring van mijn stoel en duik achter het bureau. Pas dan zie ik dat de achterkant niet helemaal tot de grond doorloopt. Dat wist ik ook best. *Shit, shit, shit.*

De voetstappen komen dichterbij. Ik spring door de kamer naar de vochtregelaar, die ik omvergooi. Ik hou hem tegen en draai hem zodat hij met het breedste gedeelte naar de deur staat en ik ga er met mijn rug tegenaan zitten, met mijn knieën opgetrokken tot mijn kin en mijn armen om mijn benen geslagen. Ik weiger te luisteren naar het stemmetje in mijn hoofd dat zegt: *Wat heeft dit voor zin? Dus dan zien ze je niet als ze door het glas in de deur naar binnen kijken – nou en? Maya laat ze dadelijk binnen en dan zien ze jou hier zitten, en dan is het ze heus wel duidelijk dat jij je voor hen probeerde te verstoppen.*

Kan ik niet net doen of ik hier zit omdat ik me vandaag nog voch-tig voel? Ik zweet als een otter; misschien dat mijn leugen daardoor wat overtuigender klinkt.

Ik hoor de kalmere van de twee mannenstemmen zeggen: 'Wat is dat? Een elektrische kachel?'

'Zo'n grote heb ik nog nooit gezien,' zegt Sellers.

Ik trek mijn kin tegen mijn borst. Ik had geen idee dat ik dit kon: een bal van mijn lichaam maken terwijl ik zit. Misschien moet ik toch eens aan yoga denken. *Wat ga je zeggen als ze de deur opendoen, binnen lopen en jou hier zien zitten?*

'Sorry, jongens, maar willen jullie eerst met Fliss' oude kantoortje beginnen? Het duurt wel even voor ik een reservesleutel van Lauries kantoor heb gevonden. Hij vergat zijn eigen sleutels altijd, dus hij moest steeds een reservesleutel gebruiken en die legde hij dan op de vreemdste plekken.'

Goddank. Mijn opluchting duurt ongeveer een halve seconde, en dan dringt het tot me door dat het enige wat leuk was aan mijn oude kamer het uitzicht op Lauries kantoortje was, aan de overkant van het binnenplaatsje. Ik kan op de grond onder het raam gaan liggen, en dan ziet de politie me misschien niet, maar Maya wel als ze langsloopt. Die ziet me dan door het glas in de deur. Met veel gevloek tussen opeengeklemde kaken draai ik de vochtregelaar om, zodat de brede kant naar het raam staat, en ik trek hem een dikke meter door de kamer. Zullen de rechercheurs zien dat hij verplaatst is, of denken ze dat hij aan alle vier de zijden gelijk is?

Dit is de enige plek waar ik kan zitten zonder dat iemand mij kan zien. Ik maak weer een bal van mezelf en wacht af, het lijkt wel of het jaren duurt, en ik luister of ik de rechercheurs weer deze kant op hoor komen. *En als ik ze inderdaad hoor, wat ben ik dan precies van plan?* De vragen dansen door mijn hoofd als te veel motten rond een lamp. Ze verduisteren het licht, maken het donker. Waarom doe ik net alsof ik hiermee weg kan komen, en trouwens, wat heeft dat eigenlijk voor nut? Waarom zei Tamsin dat ik de krant moest lezen? Waarom hou ik zo van Laurie als ik hem niet eens aardig zou mogen vinden? Waarom kan ik de gedachte niet verdragen dat rechercheur Sellers mij zou verbieden om Ray te spreken en dat het pas weer mag als hij dat zegt? Waarom is de politie eigenlijk naar haar op zoek? Denken ze dat zij Helen Yardley heeft vermoord?

*Is dat het verhaal dat ze mij wil vertellen?*

Voetstappen. En die schallende stem van rechercheur Sellers, eerst vaag, maar steeds dichterbij. Ik kruip over de vloer naar het raam en probeer het open te wrikken. Het voelt alsof het dicht geschilderd is. Heb ik ooit weleens gezien dat Laurie dit raam open had? Heb ik überhaupt ooit ergens anders op gelet dan elk detail van de man zelf – de haartjes op zijn arm, zijn in zwarte sokken gestoken enkels – in al die uren dat ik door het raam naar hem heb zitten staren? *Domme vraag.*

Ik duw en ik trek, en ik leun met mijn hele gewicht tegen het raam. 'Ja, bedankt, bedankt', alsof het al heeft meegegeven – een trucje dat soms in andere situaties werkt. Dan hoor ik gekraak en – de hemel zij geprezen – gaat het open. Ik klim naar buiten en wil net naast de muur gaan liggen als ik me herinner dat mijn tas nog binnen staat. *Shit.*

Ik duw mezelf weer terug door het raam. Waarom is het zo nauw?

Ik ben toch niet dikker geworden sinds drie minuten geleden? Het is eerder verbazingwekkend dat ik niet een derde van mijn lichaamsgewicht kwijt ben, zo veel zweet ik. Als ik weer in de kamer sta, bevries ik, en de paniek raast door mijn aderen. De politie en Maya staan voor de deur, ze zijn nog maar seconden bij me vandaan. Ik hoor het rinkelen van metaal: een sleutelbos. Ik grijp mijn tas en ga het raam door, half vallend. Er klinkt een hard scheurend geluid als ik op de stenen binnenplaats val. Shit, dat doet pijn. Ik kniel en haal een stuk stof dat vroeger aan mijn bloes vastzat van een stuk hout dat uit het raamkozijn steekt.

Ik hoor de sleutel in het slot. Geen tijd meer. Ik duw het hout dat los is gekomen terug in het kozijn en geef het raam een duw. Het gaat bijna dicht. Ik kan de hendel natuurlijk onmogelijk van buitenaf te pakken krijgen, dus doe ik het enige wat mij nu nog rest: ik ga op mijn zij liggen, met mijn pijnlijke lichaam vlak tegen de muur onder het raam. Ik scan de kamers aan de andere kant van de binnenplaats. Ik zit safe – nergens is iemand te zien.

'Het is een vochtregelaar, inspecteur,' zegt rechercheur Sellers. Dus die stillere man is de baas.

'Wat vind je van Maya Jacques?' vraagt hij.

Maya is dus niet meer bij hen? Hoe haalt ze het in haar hoofd om twee agenten zonder toezicht in mijn kantoor te laten?

'Lekker lijf, goed haar, foute kop,' zegt Sellers. Slecht karakter, wil ik roepen vanuit mijn huidige verblijfplaats, zoals ik het eufemistisch noem. Tussen de stenen schiet onkruid omhoog. Een plantje raakt mijn neus bijna. De blaadjes zitten onder het zand en een wit poeder. verfstof van het raam. Ik heb het nu al koud. Dadelijk bevries ik nog.

'Ik denk dat zij best weet wat dat adres in Twickenham is. Ze protesteerde me iets te veel.'

'Waarom zou ze het ons niet willen vertellen?'

'Laurie Nattrass heeft niets dan minachting voor de politie – dat zegt hij minstens twee keer per week in allerlei kranten. Denk je dat hij ons zou vertellen waar we Ray Hines kunnen vinden?'

'Waarschijnlijk niet,' zegt Sellers.

'Nee, zeker niet. Hij zou haar beschermen – zo ziet hij dat in elk geval. Ik denk dat we ervan uit moeten gaan dat iedereen hier bij Binary Star er precies zo over denkt. Hier, moet je dit eens zien.'

Wat? Waar kijken ze naar?

'Een nieuw bericht van Angus Hines.'

*Nee, nee, nee.* Ik jammer het bijna uit. Ik heb mijn inbox open laten staan. Nu komt de politie er dus achter dat ik een man heb opgesloten in mijn appartement. Dit is dus het begin van mijn aftocht naar de gevangenis.

'Interessant.'

'Heb je het geopend, inspecteur? Oei, gaan we riskant doen? Privacywetgeving en zo?'

'Ik denk dat ik per ongeluk op de muis heb geleund. "Beste Fliss, er zijn twee lijstjes die jij misschien interessant vindt. Een is een lijstje van alle vrouwen, en een paar mannen, tegen wie Judith Duffy heeft getuigd in strafzaken. Het andere lijstje bestaat uit alle mensen tegen wie ze heeft getuigd in familierechtelijke zaken. Alle mensen, op beide lijsten, werden ervan beschuldigd dat zij een of meerdere kinderen hadden mishandeld en in veel gevallen hadden gedood. Het zal je wellicht interesseren dat Judith Duffy in nog drieëntwintig andere zaken heeft getuigd voor de ouder of ouders en dat ze in die gevallen heeft gezegd dat er naar haar mening geen sprake was van mishandeling."'

'En?'

'Dat was het. "Hartelijke groet, Angus Hines".'

Dat was het? Niets over zijn illegale gevangenschap in mijn souterrain? Ik slik een zucht in. Het moest natuurlijk uitgerekend een souterrain zijn. Als je een medemens opsluit is dat nooit ideaal, maar als het dan ook nog in een soort kelder gebeurt, weet je meteen dat je met een monster te maken hebt. *Geweldig. Echt fantastisch.*

'Tweeëndertig op de lijst met strafzaken, zevenenvijftig op de andere lijst,' zegt Sellers. Ik hoor een fluitje dat ik interpreteer als: 'Jeetje, wat een hoop mensen.'

'De familierechtelijke processen zijn niet openbaar. Dus hoe komt hij aan die namen?'

Goeie vraag, maar niet de eerste die bij me opkwam. Waarom heeft hij mij die twee lijsten gemaild, zonder verdere uitleg? Is dat zijn manier om mij te zeggen dat hij wil dat ik de documentaire ga maken, wat hem betreft? Misschien vindt hij wel dat ik flair heb door hem in mijn huis op te sluiten, en dat ik initiatiefrijk ben. *Ja, hoor.*

Misschien heeft hij de namen wel van Judith Duffy zelf. Het kan goed zijn dat ze een lijst heeft bijgehouden van alle mensen tegen wie ze heeft getuigd. Zij en Ray zijn nu vriendinnen. Ray en Angus zijn meer dan goede vrienden... ik knijp mijn ogen dicht, uit frustratie. Ik vergaar steeds maar meer informatie, maar ik boek totaal geen vooruitgang. Elk nieuw feit is als een draad die nergens naar leidt.

'Allejezus,' zegt Sellers.

Wat? *Wat?*

'Er kwam weer een nieuwe mail binnen. Ik heb hem geopend en...'

'Je bedoelt dat je per ongeluk op de muis hebt geleund. En?'

'Moet je deze foto eens zien?'

'Is dat?'

'Dat is de hand van Helen Yardley. Dat zijn haar trouw- en verlovingsringen.'

'Ze heeft een kaart met zestien getallen vast en... wat is dat achter die kaart? Een boek?'

Ik voel mijn hartslag in mijn oren en mijn keel. Blij dat zij die mail vonden en niet ik. Ik hoop dat ze hem deleten, zodat ik hem niet hoef te zien.

'*Niets dan liefde,*' zegt Sellers. 'Haar eigen boek. Heb je het adres van de afzender gezien? hilairious@yahoo.co.uk. Hij heeft "hilarious" verkeerd gespeld.'

'Stuur hem door naar je eigen e-mail en sluit dan af.'

'Denk je dat hij het is, baas?'

'Ja, dat denk ik,' zegt de stillere. 'Die foto is genomen in de zitkamer van Helen Yardley – zie je het behang op de achtergrond? Ik denk dat hij hem maandag heeft gemaakt, voor hij haar neerschoot. Wie hij ook mag zijn, hij wil dat Fliss Benson weet dat hij het heeft gedaan. Het lijkt net of hij... ik weet niet of hij erover opschept, zoiets.'

Ik weet niet of ik dit een opluchting moet vinden of juist niet. Het idee dat een moordenaar aan mij denkt en nu al vier keer van zich heeft laten horen maakt dat ik in een kokend hete douche wil stappen en daar heel lang wil blijven staan. Maar als hij opschept tegen mij, als ik dus zijn publiek ben, dan is het misschien minder waarschijnlijk dat hij mij iets aan wil doen. Ik wil dit wanhopig graag geloven.

Ik hoor papier ritselen. *Mijn dossiers.*

'Baas, dit staat allemaal vol met dingen over Yardley, Jaggard en Hines. We moeten dit allemaal meenemen, en Bensons computer ook. En die van Nattrass, al moeten we bij hem inbreken om hem te halen.'

'Je kunt gedachten lezen. Ik bel Proust wel.'

Ik neem aan dat ze het niet hebben over de dode Franse romanschrijver.

'We hebben huiszoekingsbevelen nodig, en wel zo snel mogelijk. Ik zou niet weten welke rechter ons die niet zou geven. Helen Yardley is dood, Sarah Jaggard is aangevallen en Ray Hines wordt vermist – en we mogen aannemen dat zij risico loopt tot we haar hebben gevonden. Het belangrijkste wat die drie vrouwen verbindt is de documentaire.'

'Weten we waar Benson maandag was?'

Maandag? Er trekt een kilte door me heen die niets te maken heeft met het weer als ik besef wat ze bedoelen. Helen Yardley is maandag vermoord. Ik spring nog net niet op om te gillen: 'Ik was hier, op kantoor. Ik ben de hele dag hier geweest!'

'Laat die dossiers precies zo liggen als je ze hebt gevonden,' zegt de stille inspecteur. 'Ik zeg tegen Maya Jacques dat ze het kantoor afgesloten moet houden en dat ze ervoor moet zorgen dat niemand hier iets aanraakt.'

Eindelijk gaan ze weg. Een paar minuten later hoor ik het klikklakken van Maya's hoge hakken en het geluid van een sleutel die in het slot wordt omgedraaid. Dat was het. Iedereen is voorlopig even klaar in mijn kantoor – iedereen, behalve ik. Ik blijf zitten waar ik zit en dwing mezelf tot honderd te tellen voor ik in beweging kom. Dan klim ik weer naar binnen en doe het raam achter me dicht. Ik veeg het stof en de viezigheid van mijn kleren.

Mijn hand trilt, ik delete de e-mail van 'hilairious' zonder hem te openen; de politie heeft hem inmiddels in bezit, en dat vind ik prima. Ik print de mail van Angus Hines uit en stop hem in mijn tas, met Lauries herziene artikel. Stom genoeg ben ik alweer vergeten dat ik net heb gehoord hoe de sleutel in het slot werd gedraaid, dus als ik de deur open wil doen, merk ik dat dat niet gaat. Hoe ironisch: ik zit opgesloten. Al die irritante mensen die altijd zeggen 'wie kaatst kan de bal verwachten' hebben dus nog gelijk ook.

Ik maak de deur open en sluit hem achter me. Ik neem de toeristische route om het kantoor te verlaten: de route waarbij ik niet bij Maya in de buurt kom, en ik hou alweer een taxi aan. Ik geef de chauffeur het adres van mijn huis. Als ik een vreemde auto voor de deur zie staan die best eens van de politie zou kunnen zijn, geef ik de chauffeur opdracht om door te rijden, maar als die er niet staat, zou ik graag even willen controleren of thuis alles nog heel is – geen gebroken ramen, of stapels glas op het kleed, geen afgekrabde muren. *Geen laaiende Tamsin die op de bank zit te wachten tot ze me een stevige preek kan geven.*

Morgen moet ik terug naar kantoor om kopietjes te maken van alles wat er in die dozen zit, voor de politie ze meeneemt. Maya is er dan toch niet – op zondag gaat ze altijd naar de nagelstudio voor een manicure en een pedicure. Raffi is er misschien wel op de dag des Heren, zoals hij het noemt, maar de kans dat het hem boeit wat ik kom doen is gering. Als ik efficiënt te werk ga, moet ik het hele zwikje in een uur of vijf, zes kunnen kopiëren. Bij de gedachte alleen al voel ik me slap van uitputting.

*En als je alles hebt gekopieerd, waar ga je dat dan allemaal laten? Waar ga je het verstoppen? Bij Tamsin en Joe thuis? Bij mij thuis? Dat* zijn allebei plekken waar de politie geheid nog eens terugkomt, als ze me echt zo graag willen vinden.

Ik denk dat ik het besluit al een poos geleden heb genomen, maar pas nu wil ik het toegeven. Marchington House. Daar ga ik heen. Ray vindt het vast niet erg. Ik ken haar nog geen week, maar ik weet zeker dat ze het niet erg vindt. Er zijn daar vast meer dan genoeg logeerkamers, genoeg ruimte voor mij en de inhoud van een aantal grote dozen vol dossiers. Genoeg tijd om me door al dat papier heen te werken dat Laurie en Tamsin hebben verzameld, op zoek naar... wat eigenlijk? Iets wat Laurie heeft gemist omdat hij door het bos de bomen niet kon zien?

Ik ben kapot, maar ik ben te moe om te slapen, of zelfs maar uit het raam te staren. Ik moet iets productiefs doen. Ik trek Lauries artikel uit mijn tas en begin te lezen. Ik stop als ik bij een zin kom die niet goed klinkt:

> Dr. Duffy heeft weliswaar niemand vermoord, maar zij was wel verantwoordelijk voor het ruïneren van de levens van tientallen onschuldige vrouwen, wier enige misdaad was dat zij op het verkeerde moment op de verkeerde plek waren toen een kind stierf: Helen Yardley, Sarah Jaggard, Dorne Llewellyn... en de lijst gaat maar door.

Drie namen vormen nog geen lijst. Waarom heeft Laurie niet meer namen opgenomen om zijn punt kracht bij te zetten? In de oorspronkelijke versie *stonden* ook meer namen. Ik weet het zeker. Ik blader door naar de laatste bladzijde. Laurie is zo verstandig geweest – of misschien lieten de redacteuren bij de krant hem geen keuze – om zijn insinuatie te schrappen dat Rhiannon Evans haar zoon wel vermoord moet hebben omdat ze een prostituee is uit een laag milieu en dat die dit soort dingen nu eenmaal doen. Het is ook logisch om dat te schrappen, maar waarom heeft hij die namen van het lijstje van slachtoffers van Judith Duffy gehaald – een lijst waarvan hij beweert dat hij maar doorgaat?

Ik zoek in mijn tas naar het oorspronkelijke artikel, maar het zit er niet meer in. Ik moet het thuis hebben laten liggen. Dan heb ik nog een idee: de e-mail van Angus Hines. Ik haal hem tevoorschijn en begin de lijst te scannen. Twee namen doen een belletje rinkelen: Lorna Keast en Joanne Bew. Die namen kan ik anders helemaal niet kennen. Ze zeggen me niets. Ik heb ze voor het eerst gezien in Lauries artikel, naast de namen van Helen Yardley en Sarah Jaggard. Ik weet het *zeker*; ik beeld het me niet in.

In de eerste versie stonden Lorna Keast en Joanne Bew op die lijst. Dus waarom nu niet meer?

# Uit *Niets dan liefde*

door Helen Yardley en Gaynor Mundy

## 5 november 1996

Geen van de dagen van mijn proces waren prettig te noemen, maar de allerergste dag was 5 november. Dat was de dag waarop ik voor het eerst oog in oog kwam te staan met dr. Judith Duffy, toen die optrad als getuige à charge, wat betekent dat zij vragen beantwoordde voor de openbare aanklager. Ongelofelijk genoeg had ik haar van tevoren nooit eerder gezien of gesproken, ook al beweerde ze dat ze veel over mij en mijn gezin wist. Maar ik wist wat voor iemand zij was. Ned en Gillian hadden me gewaarschuwd. Zij is het soort vrouw die haar hand er niet voor omdraait te beweren dat een intens verdrietige moeder twee moorden heeft gepleegd zonder zelfs maar de moeite te nemen met haar te praten of haar eerst te leren kennen. Dr. Russell Meredew daarentegen, een van de vele helden van dit verhaal en de belangrijkste getuige-deskundige à decharge, had dagen doorgebracht met Paul en mij, en ons allebei uitvoerig ondervraagd, en uiterst zorgvuldig zijn 'dossier' samengesteld, zoals hij dat noemde. Hij grapte nog dat dat dossier een hele encyclopedie zou beslaan tegen de tijd dat hij ermee klaar was! Overigens heeft dr. Meredew geprobeerd om het dossier tijdens de zitting aan rechter Wilson te overhandigen, en de schokkende reactie van Wilson was: 'U verwacht toch zeker niet dat ik dat allemaal ga lezen?'

Ik heb dr. Duffy goed bestudeerd toen zij in de getuigenbank zat en ik voelde voor het eerst sinds het begin van het proces oprechte, hartverscheurende angst. Er was iets aan haar dat me deed rillen. Tot dat moment had ik aangenomen dat ik aan het eind van deze krankzinnige vertoning gewoon weer met Paul naar huis zou gaan. We zouden Paige weer terugkrijgen en nog lang en gelukkig leven. Ik twijfelde daar geen seconde aan, want ik was onschuldig. Ik wist het, Paul wist het en de jury zou het ook wel weten. Ned had me verzekerd dat ik onmogelijk voor moord veroordeeld kon worden zodra Russell Meredew hun zijn verhaal had gedaan, en op zijn vriendelijke maar gezaghebbende manier had uitgelegd dat het zeer wel mogelijk was dat zowel Morgan als Rowan een natuurlijke dood gestorven was.

Maar toen Judith Duffy mij voor het eerst in de ogen keek, had ik het gevoel of iemand mij in de maag had gestompt. Ik zag geen enkel medeleven in die blik. Haar houding was hooghartig en arrogant. Ze zag eruit als iemand die zou proberen om mij de rest van mijn leven achter de tralies te krijgen omdat ze daar toevallig de macht toe had, en omdat ze zelf zo graag gelijk kreeg. Ik wist het toen nog niet, maar later hoorde ik van Paul dat hij precies hetzelfde had gevoeld, net als Ned en Gillian.

Ik had echt het gevoel dat ik werd gemarteld toen ik daar zat, en hulpeloos moest aanhoren hoe zij beschreef wat ik met mijn geliefde Morgan en Rowan gedaan moest hebben gezien de verwondingen die zij volgens haar hadden opgelopen. Ik hoorde haar zeggen tegen de jury, waarvan velen in tranen waren, dat ik mijn kinderen met zout had vergiftigd, dat ik hen herhaaldelijk had gesmoord met als doel om met hen naar het ziekenhuis te kunnen, zodat ik zelf in het centrum van de belangstelling zou staan. Ik had nog nooit van mijn leven zoiets belachelijks gehoord. Als ik zo graag aandacht wilde, dacht ik, zou ik toch gewoon in een Minnie Mouse-pakje over straat gaan lopen, of was ik naakt de cancan gaan dansen in mijn voortuin – iets grappigs en onschadelijks. Maar ik zou *nooit maar dan ook nooit* mijn baby's vermoorden.

Toen ik dr. Duffy hoorde zeggen dat Rowans schedeltje gebroken was, wilde ik uitschreeuwen: 'Je liegt! Ik heb mijn kindjes nooit iets aangedaan! Ik aanbad hen, ik voelde niets dan liefde voor hen!'

Ik zal nooit vergeten hoe het getuigenverhoor van dr. Duffy eindigde. Het is voor eeuwig pijnlijk in mijn geheugen gegrift. Toen ik het transcript van het proces erop nasloeg, bleek dat bijna woordelijk overeen te komen met hoe ik het me herinnerde:

Rudgard: Mevrouw Yardley is van mening dat zowel Morgan als Rowan slachtoffer is geworden van wiegendood, ofwel SIDS. Wat hebt u daarop te zeggen?

Duffy: Ervan afgezien dat het hoogst ongebruikelijk is dat in hetzelfde gezin tweemaal een geval van wiegendood voorkomt...

Rudgard: Neem me niet kwalijk dat ik u onderbreek, dokter – ik wil mij graag beperken tot de familie Yardley, en ik wil het niet hebben over andere gezinnen die u in uw carrière bent tegengekomen. Laten we hier nu geen statistische spelletjes spelen. We weten allemaal hoe notoir onbetrouwbaar statistiek is als we die toepassen op afzonderlijke gevallen – dat is zinloos. Kan het zo zijn, naar uw mening, dat Morgan en Rowan allebei slachtoffer zijn van wiegendood?

Duffy: Ik zou zeggen dat dat zo onwaarschijnlijk is dat het grenst aan het onmogelijke. Het is uiterst waarschijnlijk dat beide sterfgevallen een gemeenschappelijke onderliggende oorzaak hadden en dat dat een forensische oorzaak was, niet een medische.

Rudgard: Zegt u daarmee dat u van mening bent dat zowel Morgan als Rowan is vermoord?

Duffy: Het is mijn overtuiging dat beide baby's zijn overleden aan verwondingen die niet per ongeluk zijn toegebracht, ja.

Ik barstte in tranen uit terwijl Judith Duffy deze leugens over mij doodgemoedereerd opdiste, maar hoewel ik zo gebroken was, had Paul noch ikzelf enig idee hoeveel schade zij had aangericht met de zinsnede 'zo onwaarschijnlijk is dat het grenst aan het onmogelijke'. Ned, die immers al een jarenlange ervaring had met processen, wist echter precies hoe gevaarlijk het was dat de jury die woorden te horen had gekregen. Het deed er niet meer toe dat zij de grote mr. Ivor Rudgard nog maar een paar seconden ervoor hadden horen zeggen dat de statistiek geen betrouwbare bron was in zaken als de mijne – dat gedeelte zouden zij zich niet meer herinneren. Het was lang niet zo interessant of indrukwekkend als de magische formule van dr. Duffy voor het toewijzen van schuld aan de onschuldigen: 'zo onwaarschijnlijk is dat het grenst aan het onmogelijke'.

Toen Reuben Merrills opstond voor het kruisverhoor van dr. Duffy, schonk Ned mij zijn fantastische hoopvolle glimlach: *Maak je geen zorgen, Merrills is de beste verdediger van het land – hij zal geen spaan van haar heel laten.* En hij heeft ook zeker zijn best gedaan:

Merrills: Laten we hier duidelijk over zijn: u beweert dat het niet mogelijk is dat dezelfde twee ouders meer dan één baby krijgen die overlijdt door natuurlijke oorzaken?

Duffy: Ik zei niet dat...

Merrills: Want ik kan u verschillende zaken opnoemen van gezinnen waarin meer dan één kind is overleden aan wiegendood, waarbij die kinderen niet de minste verwonding hadden.

Duffy: U gebruikt de verkeerde terminologie. Natuurlijke oorzaken en wiegendood zijn geen synoniemen. In een gezin waar sprake is van het hemofilie-gen is het uiteraard meer waarschijnlijk dat meer dan één gezinslid zal overlijden aan een aan hemofilie gerelateerde ziekte – dat noemen wij een natuurlijke oorzaak. In het geval van wiegendood kunnen wij geen oorzaak vinden voor het overlijden.

Merrills: Goed, laten we het dan houden op wiegendood. Is het naar uw mening mogelijk dat er meer dan een geval van wiegendood voorkomt in een gezin?

Duffy:  Natuurlijk.

Merrills: Ter verduidelijking: u zegt dat het *natuurlijk* mogelijk is
dat er binnen een gezin meer dan één kind slachtoffer
wordt van SIDS?

Duffy:  Ja, dat is mogelijk.

Merrills: Toch zei u zojuist nog precies het tegenovergestelde,
of niet?

Duffy:  Nee, dat zei ik niet. Ik zei dat...

Merrills: U zei dat het 'zo onwaarschijnlijk is dat het grenst aan
het onmogelijke' dat Morgan en Rowan beiden aan
wiegendood waren overleden.

Duffy:  Ik bedoelde dat...

Merrills: U zei, en de jury herinnert zich dat u dit zei, dat het 'zo
onwaarschijnlijk is dat het grenst aan het onmogelijke'
dat er binnen één gezin twee gevallen van SIDS
voorkomen.

Duffy:  Nee, dat zei ik niet.

Merrills: Nou, dr. Duffy, ik weet zeker dat de jury net als ik het
spoor bijster is, want we hebben het u allemaal horen
zeggen. Geen vragen meer.

Mijn hart klopte als de hoeven van een opgewonden paard toen ik
dit hoorde. Goddank, dacht ik. Nu zal de jury inzien wat voor
monsterlijke leugenaar Judith Duffy is. Hoe kan iemand haar mening serieus nemen nu Reuben Merrills haar op zo'n overduidelij-
ke leugen heeft betrapt? Maar mijn goede moed werd al snel overschaduwd toen ik naar Paul en Ned keek en hen allebei zag
fronsen. Later hoorde ik dat zij zich ernstig zorgen maakten over
het effect dat de herhaling van die woorden op de jury zou hebben. Ook al had Merrills korte metten gemaakt met Duffy, hij had
haar oorspronkelijke bewering tweemaal herhaald: dat het zo onwaarschijnlijk is dat het grenst aan het onmogelijke dat Morgan
en Rowan allebei aan SIDS waren overleden. Ned zei later dat iets
steeds herhalen een uiterst effectieve manier is om het mensen te

doen geloven. 'De context van de herhaling is minder van belang dan de herhaling op zich,' zei hij. Hij heeft gelijk. Ik was naïef. Tijdens mijn proces heeft de jury die zinsnede talloze malen te horen gekregen: 'zo onwaarschijnlijk is dat het grenst aan het onmogelijke.' Op 5 november wist ik het nog niet, maar ik zou negen jaar van mijn leven in de gevangenis zitten als gevolg van die negen woorden van dr. Duffy, een vrouw die mij nog nooit één woord had horen zeggen.

## 24 oktober 2004

Op 24 oktober kwam een journalist van de *Daily Telegraph* mij in de gevangenis interviewen. Paul grapte dat hij nauwelijks nog gaatjes kon vinden in mijn agenda voor zijn bezoekjes, nu ik zo'n celebrity was. Het personeel in de gevangenis noemde me ook al zo: 'onze huiscelebrity'. Iedereen in Geddham Hall heeft me geweldig gesteund. Ze wisten allemaal dat ik onschuldig was, en dat was een welkome verandering na Durham, waar men mij haatte en waar ik aangevallen werd. Ik wist dat ik het aan Laurie te danken had dat de houding van de mensen zo omsloeg. Hij had zo fantastisch actie gevoerd voor mijn zaak, en zelfs mijn schattige, voorzichtige Ned liet zich nu weleens zachtjes ontvallen dat mijn hoger beroep in februari misschien wel een succes kon worden. Laurie had wonderen verricht in de buitenwereld, en GOOV boekte het ene succes na het andere.

Ik voelde me zo gefrustreerd omdat ik daarbinnen maar zo weinig kon doen, maar Laurie stelde mij steeds heldhaftig gerust, en bleef maar zeggen dat iedereen wist dat GOOV net zozeer mijn kindje was als het zijne. Ik kon niet wachten tot ik vrij was en veel meer kon doen voor vrouwen die in even gruwelijke omstandigheden verkeerden als ik, vrouwen die door het rechtssysteem verraden waren en in de steek gelaten. Er waren zo veel van zulke vrouwen en ik voelde zo veel liefde en medelijden voor hen. Ik hoorde dat Rachel Hines binnenkort ook naar Geddham

Hall zou komen. Haar zaak was bijna identiek aan de mijne: een onschuldige moeder die ten onrechte was veroordeeld voor de moord op haar twee kinderen. Haar verzoek om in hoger beroep te mogen was onlangs afgewezen, en mijn hart brak toen ik dat hoorde.

Eén ding dat ik wel kon doen vanuit de gevangenis was schrijven, en ik merkte dat ik dat heerlijk vond om te doen. Eerst stemde ik in een dagboek bij te houden omdat Laurie dat had gevraagd, maar toen ik er eenmaal aan begonnen was, zou ik het zonder mijn dagboek nooit hebben volgehouden. Ik vertelde de journaliste van de *Daily Telegraph* dat ik hoopte op een dag een boek uit te geven over mijn leven en alles wat ik heb meegemaakt. Zij knikte, alsof dat de normaalste zaak van de wereld zou zijn, en dat het te verwachten viel. Ik denk niet dat zij begreep hoeveel het voor mij betekende. Zij schreef waarschijnlijk altijd al vanwege haar baan, maar ik had sinds ik van school kwam nooit meer geschreven. Ze leek me aardig, dus liet ik haar mijn werk zien. 'Mijn schrijfstijl is zeker vreselijk, hè?' grapte ik.

'Dit gedicht is briljant,' zei ze. 'Echt heel erg goed.' Ik moest lachen. Ze had net zo goed kunnen zeggen: 'Ja, Helen, je schrijfstijl is verschrikkelijk.' Het gedicht, het enige wat ik had opgeschreven dat aan haar een compliment ontlokte, was juist het enige in mijn dagboek dat niet van mij was! Het was een gedicht dat ik had gevonden in een bloemlezing uit de bibliotheek in Geddham, en dat ik zo mooi vond dat ik het voor in mijn dagboek had geschreven. Het is van een vrouw genaamd Fiona Sampson, en het heet *Ankerplaats*:

> *Die vastende vrouwen in hun cellen*
> *hun hersenen een honingraat, ontdaan*
> *van de laatste suikeren druppel verstand;*
> *van de schedel maakten zij een zilveren schaal*
> *waar liefde kon wonen, als een koekoeksjong...*

*Zou de vraag wat zij heeft gedaan*
*om zich van ons leven te scheiden bestaan*
*als zulke toewijding niet bestond?*
*Die bonte wereld achter zich latend, zich te voegen*
*zoals een jaloerse geliefde dat graag ziet?*

*Wat rest is een vogel op stille wieken:*
*per ongeluk binnen geblazen, of volgens lukraak plan*
*of genade, de smaak van iets zoets...*
*De lege zelf een lege kamer.*

Ik wist niet precies wat het gedicht betekende, maar ik wist wel meteen toen ik het las dat het ontzettend veel voor me betekende en het werd een van mijn meest geliefde bezittingen. Ik had bijna het gevoel dat het over mij ging! Het ging over vrouwen in een cel, en dat was ik – tenminste, voorlopig. De laatste strofe vond ik het mooist, omdat het me zo hoopvol in de oren klonk. Ik dacht dat de schijfster dat ermee bedoelde: dat zelfs als je bent opgesloten en alles van je is afgepakt je toch nog hoop hebt. Hoop is die vogel op stille wieken 'per ongeluk binnen geblazen, of volgens lukraak plan of genade, de smaak van iets zoets'. En omdat je alles kwijt bent, in je lege leven dat nu een 'lege kamer' is, lijkt de hoop die anders maar zo klein zou zijn nu iets enorms en moois en krachtigs, omdat dat het enige is wat je nog hebt in die lege kamer.

Elke nacht in mijn cel lag ik in bed te huilen om mijn kindjes en stelde ik mij voor dat die vleugels van hoop stil naast mij wiekten in het donker.

# 14

## 10/10/2009

'Mijn royement is een uitgemaakte zaak,' zei Judith Duffy. 'Het gaat hoe dan ook gebeuren, of ik mij nu verdedig of niet, en aangezien ik mij niet ga verdedigen...'

'Helemaal niet? Er gaat zelfs niemand namens u het woord doen?' Charlie zorgde ervoor dat ze eerder nieuwsgierig klonk dan afkeurend. Ze was pas een minuut of tien met Duffy in gesprek, maar ze was zich er nu al van bewust hoe snel ze haar oordeel gewoonlijk klaar had, en hoe ze zich trachtte te vermaken met het bekritiseren van de kleding, de maniertjes en de stompzinnigheid terwijl de ander aan het woord was – alles in haar eigen hoofd, uiteraard, dus ze deed er waarschijnlijk niemand kwaad mee, alleen merkte ze nu wel dat ze beschamend weinig ervaring had met naar een ander luisteren zoals dat idealiter hoorde (dacht ze) – zonder de heimelijke hoop dat haar krengerige trekjes in no time iets zouden vinden om hun tanden in te zetten.

Over kleding gesproken: die van Judith Duffy was wel een beetje vreemd. Op zich was elk kledingstuk wel oké, maar alles bij elkaar klopte er niets van: een bloes met wit kant, een vormeloos paars vest, een grijze rok tot op de knie die waarschijnlijk deel van een mantelpakje was, zwarte panty en platte zwarte schoenen met enorme strikken erop, die beter bij een jongere vrouw zouden passen. Charlie kon niet zeggen of Duffy dacht dat ze zich vanochtend netjes had gekleed, of juist casual. Want het was geen van beide.

Charlie had zich bij Duffy binnen weten te kletsen door een beroep te doen op wat zij samen gemeen hadden. Dat vergde meer eerlijkheid dat ze had gedacht, en ze had zichzelf er bijna van weten te overtuigen dat deze onopvallende, keurige arts een verstoten zielsverwant was, zozeer zelfs dat ze het gevoel had dat als ze Duffy zou veroordelen zij ook zichzelf zou veroordelen. En daar had Charlie inmiddels genoeg van. Daar was ze ongeveer een jaar geleden al mee gestopt.

'Tot consternatie van mijn advocaat, nee – geen enkele vorm van verdediging,' zei Duffy. 'En geen hoger beroep. Ik wil met niemand in discussie, over niets – niet met de RVG, niet met Russell Meredew. En al helemaal niet met Laurie Nattrass. Die man heeft een onverzadigbare behoefte om gelijk te krijgen. Als je met hem de degens kruist sta je er gegarandeerd over twintig jaar nog.' Ze glimlachte. Zij en Charlie zaten op kale rieten stoelen in haar groen betegelde serre met groene muren. Voor zover Charlie tot nu toe iets van het huis had kunnen zien, voerden diverse tinten groen de hoofdtoon. De serre bood uitzicht op een lange, keurige, geheel plantvrije tuin – alleen een grasveld en lege borders – en achter een laag hek was een even grote tuin maar dan met struiken en bloemen die leidde naar een serre die een exacte replica leek van die van Duffy.

'Toen ik pas impopulair was, probeerde ik mijn standpunt te verdedigen tegen iedereen die het maar horen wilde. Het kostte me ruim twee jaar voor ik doorkreeg dat ik me eerder slechter voelde door voor mezelf op te komen dan beter.'

'Het is inderdaad niet goed voor de ziel om steeds te proberen anderen ervan te overtuigen dat je niet zo verdorven bent als zij denken,' zei Charlie instemmend. 'Zelf heb ik altijd eerder de neiging gehad om te zeggen. "Fuck you – ik ben nog veel erger!"' Ze verontschuldigde zich niet voor haar taalgebruik.

'Ik ben precies even goed en even slecht als ik ben.' Duffy trok haar vestje om zich heen. 'Net als ieder ander. We voelen allemaal pijn, we helpen allemaal anderen die pijn hebben, en we veroorzaken allemaal pijn bij een ander. De meesten van ons doen dat op zeker moment zelfs weleens opzettelijk.'

'Ik wil niet vervelend zijn, hoor... Maar u zou ook voor uw baan en uw reputatie kunnen vechten tijdens die zitting voor de tuchtraad van de RVG, en dan gaat dat allemaal nog steeds op.'

'Het oordeel van de tuchtraad verandert niet wie ik ben,' zei Duffy. 'En ongelukkig zijn ook niet. Dat is de reden waarom ik de strijd heb opgegeven.'

'Dus het kan u niet meer schelen wat mensen van u denken?'

Duffy keek omhoog naar het glas boven haar hoofd. 'Als ik zeg van niet, dan klinkt dat net of ik vind dat mijn medemensen er niet toe doen, en dat klopt helemaal niet. Maar... de meeste mensen zijn niet in staat zich een zinvolle mening over mij te vormen. Ze kunnen niet door de uitspraken en daden waar ik beroemd om ben geworden heen kijken.'

'Maar is dat niet precies wat een mens is?' vroeg Charlie. 'De som van alles wat hij zegt en doet?'

'Dat geloof je toch zeker zelf niet?' Judith Duffy klonk als een bezorgde arts. Charlie verwachtte half en half dat ze nu een pen en een receptenboekje tevoorschijn zou halen en een krachtig medicijn zou voorschrijven dat haar op andere gedachten zou brengen. *Voor je eigen bestwil, kindje.*

'Eerlijk gezegd ben ik te oppervlakkig om daar ooit bij stil te staan, dus ik zal maar niet net doen of ik antwoord heb op die vraag.'

'Wat is het allerbeste wat jij ooit hebt gedaan?'

'Verleden jaar heb ik... enfin, ik geloof dat ik toen het leven van drie mensen heb gered, of zoiets.'

'Dat "of zoiets" heb ik niet gehoord, want dat is je bescheidenheid,' zei Duffy kortaf. 'Jij hebt drie levens gered.'

'Dat moet ik misschien een beetje bijstellen.' Charlie zuchtte. Het was niet iets waar ze graag aan terugdacht. 'Een collega en ik hebben *twee* mensen het leven gered, maar degene die hen zou vermoorden heeft uiteindelijk...'

'Niet bijstellen.' Duffy glimlachte. 'Je hebt levens gered.'

'Ja, zoiets.'

'Ik ook. Tientallen. Het precieze aantal weet ik niet, maar er zijn genoeg kinderen die nooit volwassen waren geworden als ik de rechter er niet van had weten te overtuigen dat ze bij hun gezin weggehaald moesten worden omdat ze daar anders vermoord zouden worden. En is er een groter geschenk dat je iemand kunt geven dan de rest van zijn leven, als iemand bedreigd wordt met de dood? Nee, dat is er niet. Jij en ik hebben dat geschenk allebei gegeven, meer dan eens. Maakt dat ons tot de geweldigste mensen die ooit op deze aarde hebben rondgelopen?'

'Mijn god, ik mag hopen van niet,' lachte Charlie. 'Als ik het beste ben wat deze aarde te bieden heeft, dan zal ik echt eens naar een andere planeet op vakantie moeten.'

'We worden net zomin gekenschetst door onze prestaties als door onze fouten,' zei Duffy. 'We zijn gewoon wie we zijn, en wie weet nu eigenlijk precies wat dat inhoudt?'

'Je zou dat ook over Helen Yardley kunnen zeggen. U dacht dat zij haar kinderen had vermoord.'

'Dat denk ik nog steeds.'

'Maar volgens uw theorie was dat niet alles was ze was. Het was het slechtste wat ze ooit heeft gedaan, maar het was niet wie zij was.'

'Nee, dat klopt.' Duffy's stem krijgt nieuwe energie. 'En ik zou willen dat meer mensen dat begrepen. Moeders die hun kinderen vermoorden zijn niet verdorven, het zijn geen monsters. Meestal zitten ze gevangen in de kleine hel van hun gedachten – een hel waar ze niet aan kunnen ontsnappen en waar ze met niemand over kunnen praten. Vaak verbergen ze die hel zo geraffineerd, dat ze de wereld ervan weten te overtuigen dat ze gelukkig en normaal zijn, zelfs voor de mensen die hen het meest nabij zijn.' Ze ging verzitten in haar stoel. 'Ik neem aan dat je Helen Yardley's autobiografie, *Niets dan liefde*, nooit hebt gelezen?'

'Ik zit er middenin.'

'Is het je opgevallen hoeveel mensen zij afschrijft als blind en dom omdat ze bij de eerste blik niet meteen *weten* dat zij haar twee jongens niet heeft vermoord omdat ze zo kapot van verdriet was en een babymoordenaar dat toch nooit zou zijn?'

Charlie knikte. *Ze was zelf ook meteen al niet onder de indruk van dat argument. Je had toch ook kunnen veinzen dat je kapot was van verdriet?* was de tegenwerping die onmiddellijk bij haar boven was gekomen.

'Moeders die hun kinderen smoren houden doorgaans inderdaad wel van ze – heel veel, evenveel als elke moeder die het niet in haar hoofd zou halen om haar kind iets aan te doen, ook al begrijp ik dat het moeilijk te bevatten is. En ze zijn over het algemeen ook kapot van verdriet – oprecht. Ze zijn intens verdrietig, hun leven ligt in puin – precies zoals dat van onschuldige moeders die een kind verliezen aan meningitis. Vergeet de controversiële gevallen – ik heb het over de vele vrouwen die ik in mijn werk heb ontmoet en die hebben toegegeven dat ze zo wanhopig waren dat ze een kussen over het hoofdje van hun baby hebben gelegd, of hem onder een trein hebben gegooid, of van een balkon. Bijna zonder uitzondering zijn deze vrouwen helemaal kapot door het verlies van hun kind. Ze willen daarna zelf ook dood, want het leven heeft voor hen geen zin meer.'

'Maar...' Miste Charlie soms iets? 'Ze hebben dat verlies toch zelf veroorzaakt?'

'Dat maakt het alleen nog erger.'

'Maar... Waarom hebben ze het dan gewoon niet gelaten? Of dachten ze dat ze wilden dat het kind dood was, en beseften ze pas later dat het niet zo was?'

Judith Duffy glimlachte verdrietig. 'Je dicht deze vrouwen een mate van rationaliteit toe die zij gewoon niet hebben. Ze doen het omdat ze vreselijk lijden en ze weten niet wat ze anders moeten doen. Het gedrag *kwam uit hen voort*, uit hun pijn, en ze hadden niet de innerlijke kracht om het te stoppen. Als je geestesziek bent, is het niet altijd mogelijk om te denken: "Als ik dit doe, dan gebeurt er dat." Geestesziek is trouwens niet hetzelfde als gek.'

'Nee,' zei Charlie, die niet al te naïef over wilde komen. Maar bij zichzelf dacht ze: *Soms wel. In beide gevallen kun je in je nakie naar de winkel gaan en gillen dat buitenaardse wezens er met je organen vandoor zijn.*

'Moeders die hun baby's doden verdienen onze compassie, net zoals moeders van wie de baby's aan een natuurlijke doodsoorzaak sterven,' zei Duffy. 'Ik kon wel juichen toen rechter Elizabeth Gei-low zich in haar slotoverweging afvroeg of vrouwen als Ray Hines en Helen Yardley wel in het strafrechtelijk systeem thuishoorden. In mijn optiek is dat niet het geval. In feite is hun daad een schreeuw om aandacht en medeleven.'

'En toch hebt u tegen hen getuigd. U speelde een cruciale rol bij de geslaagde vervolging waardoor zij uiteindelijk toch in de gevan-genis terecht zijn gekomen,' zei Charlie.

'Ik heb niet *tegen* Ray of Helen getuigd, of tegen wie dan ook,' ver-beterde Duffy haar. 'Als getuige-deskundige in een strafzaak wordt mij gevraagd naar mijn mening over wat heeft geleid tot de dood van kinderen. Als ik denk dat de dood is veroorzaakt door geweld van de kant van de ouder of verzorger, dan zeg ik dat, maar ik ben niet *tegen* iemand als ik dat zeg. Door de waarheid te vertellen zoals ik die zie probeer ik iedereen recht te doen. Niemand koopt iets voor leugens. Ik sta aan de kant van elke in staat van beschuldiging gestelde vrouw, net zoals ik aan de kant van ieder bedreigd of vermoord kind sta.'

'Ik denk niet dat die vrouwen dat ook zo zullen zien,' zei Charlie geërgerd. *Die eet ook lekker van twee walletjes, zeg.*

'Natuurlijk niet.' Duffy veegde haar ijzerkleurige haar achter haar oren. 'Maar ik moet ook om de kinderen denken – die zijn weerloos en hebben evenzeer recht op compassie.'

'Zou je niet zeggen dat die daar zelfs *meer* recht op hebben?'

'Nee. Hoewel, als je zou vragen waarom ik vind dat ik daar zit, dan is het wel omdat ik kinderen wil redden en beschermen. Dat heeft mijn prioriteit. Hoeveel medeleven ik ook voel voor een vrouw als Helen Yardley, als het enigszins mogelijk is zal ik ervoor zorgen dat ze niet nog een derde kind om het leven kan brengen.'

'Paige?'

Duffy stond op. 'Waarom heb ik het gevoel dat ik mezelf aan het verdedigen ben?'

'Het spijt me, het was niet mijn bedoeling...'

'Nee, dat ligt niet aan jou. Wil je nog een kop thee?'

Dat wilde Charlie niet, maar ze had het gevoel dat de dokter wat tijd nodig had om haar hoofd leeg te maken, dus knikte ze. Had ze te bot geklonken? Simon zou lachen en zeggen: 'Je klinkt altijd te bot.'

Terwijl Duffy in de keuken aan het scharrelen was, keek Charlie naar de boeken op het kleine plankje in de hoek van de serre. Een biografie van Daphne du Maurier, een paar romans van Iris Murdoch, negen of tien boeken van de hand van ene Jill McGown, van wie Charlie nog nooit had gehoord, veel Russische klassieken, drie vegetarische kookboeken, *Forever...* Nee, dat meen je niet. Charlie sloop de kamer door om te controleren of ze het niet verzon. Nee, ze verzon het niet. Judith Duffy had een exemplaar van *Forever in my Heart*, van Jade Goody, de kandidaat uit *Big Brother* die zo beroemd was geworden. De dokter had duidelijk een eclectische smaak.

'De inventiviteit van de Yardleys wat namen betreft is een van de vele redenen waarom ik nu in de problemen zit,' zei Duffy, die weer terug was met voor elk een beker thee in haar handen. 'Ik heb aan hun jongste zoon Rowan gerefereerd als "zij" in een rapport dat ik heb geschreven. Ik kende voordien maar twee Rowans, en die waren allebei vrouwelijk, dus ik nam aan dat de Rowan van Helen dat ook was. Laurie Nattrass heeft daar een veel te groot punt van gemaakt, zoals hij überhaupt een te groot punt maakte van mijn gebrek aan betrokkenheid bij de Yardleys. In tegenstelling tot Russell Meredith, die op een gegeven moment praktisch bij hen introk. Ik heb Helen of Paul nooit zelf gesproken, en ik heb hen nooit ondervraagd.'

'Hebt u daar spijt van?' vroeg Charlie.

'Het spijt me dat ik nooit tijd heb voor persoonlijk contact, maar de realiteit is nu eenmaal dat...' Duffy zweeg. 'Ben ik mezelf weer aan het verdedigen.'

'Dat kan niet, want ik val u helemaal niet aan.'

De dokter trok haar mond tot een streep. 'De realiteit is nu eenmaal,' zei ze iets minder strijdlustig, 'dat ik de meest gevraagde getuige-deskundige van het land was voordat Laurie Nattrass mij uitriep tot bron van alle kwaad, en ik had helemaal geen tijd om al die gezinnen te leren kennen. Ik moest het overlaten aan anderen die naar ik hoop goed getraind zijn om ouders als Helen en Paul Yardley en Ray en Angus Hines de steun te verlenen die zij nodig hadden. Het was als getuige-deskundige niet mijn taak om de families te ontmoeten en te leren kennen – het was mijn taak om monsters te bekijken onder de microscoop, om te kijken naar de röntgenfoto's die ik aangeleverd kreeg, en om te begrijpen wat ik zag. In het geval van Rowan Yardley zag ik longweefsel en een schedelfractuur – dat was wat de patholoog-anatoom die de autopsie had verricht aan mij had doorgespeeld. Mij is nooit gevraagd de genitaliën van het kind te bestuderen, vandaar de vergissing wat betreft het geslacht.'

Duffy veegde het haar uit haar gezicht. 'Ik had moeten weten dat het een jongetje was. Ik had het moeten controleren, en het spijt me verschrikkelijk dat ik dat niet heb gedaan, maar...' Ze haalde haar schouders op. 'Het doet helaas niets af aan wat ik onder de microscoop heb gezien: duidelijk bewijs dat Rowan Yardley tijdens zijn korte leven bij herhaling onderworpen werd aan pogingen tot verstikking. Het had niet uitgemaakt hoe vaak ik bij de Yardleys in de keuken had zitten kletsen; dat had het bewijs van niet-natuurlijke obstructie van de luchtwegen niet ongedaan gemaakt. En de schedelfractuur ook niet.'

Charlie nipte van haar thee, en vroeg zich af of er een analogie was met politiewerk. Als zij door Winstanley liep en een tiener zag met een capuchon over zijn hoofd die een oud dametje op de grond gooide, haar uitschold en ervandoor holde met haar tas, en zij dus ontegenzeglijk ooggetuige was geweest van een misdaad... Was Judith Duffy op diezelfde manier overtuigd van de schuld van Helen Yardley? Zeiden artsen die optraden voor de verdediging zoiets als: 'Hij beroofde haar niet, hij repeteerde voor zijn rol in een toneelstuk over boeven'?

'Voor wat het waard is – en aangezien ik de vrouw nooit heb gesproken kun je zeggen dat het niets waard is – geloof ik dat Helen Yardley aan haar kleine hel heeft weten te ontsnappen voor ze stierf,' zei Duffy. 'Wat zij had doorgemaakt gaf haar leven zin. Haar werk als actievoerder voor andere vrouwen – dat was, denk ik, oprecht. Ze geloofde vurig in hun onschuld – die van Sarah Jaggard,

Ray Hines, allemaal. Het paste haar om beroemd te zijn, de perfecte martelaar die heldin werd. Dat bood haar wat ze nodig had: aandacht, erkenning. Ik denk dat ze werkelijk iets goeds wilde doen. Daarom was ze ook zo effectief als boegbeeld van GOOV.'

Charlie hoorde trots en bewondering in de stem van de dokter. Het gaf haar een ongemakkelijk gevoel.

'Het is altijd moeilijk om iemands persoonlijke motivaties te ontrafelen,' zei Duffy, 'maar als ik een gok mag doen, dan zou ik zeggen dat Helens wens om zelf werkelijk onschuldig te zijn haar vastberadenheid sterkte om te geloven dat andere vrouwen zoals zij dat werkelijk waren. De ironie is zelfs dat als die allemaal wel echt schuldig waren, zij toch enorm van Helens steun hebben geprofiteerd. Door te geloven dat zij in essentie goede mensen waren, heeft zij hen waarschijnlijk geholpen zichzelf te vergeven voor wat zij hebben gedaan.'

'Zegt u nou...?'

'Dat ze allemaal schuldig zijn? Nee. Wat ik zeg, en wat mensen als Laurie Nattrass maar niet tot zich door willen laten dringen, is dat de kans dat een onverklaarbare en onverwachte kinderdood het gevolg is van moord nu in verhouding vele malen groter is dan vroeger. Vijftig jaar geleden waren er in ons land drieduizend gevallen van wiegendood per jaar. Naarmate mensen betere behuizing kregen, is dat aantal gedaald tot duizend per jaar. En toen er minder werd gerookt in huis, kinderen minder vaak bij de ouders in bed sliepen en na de campagne waarbij ouders werd verteld dat het gevaarlijk was om een baby op zijn buik te laten slapen, daalde het aantal gevallen van wiegendood naar vierhonderd per jaar. Maar die kleine hel in het hoofd van vrouwen...' Duffy keek even naar haar keuken, alsof haar eigen kleine hel daar ergens lag. 'Waarschijnlijk komt dat nog altijd even vaak voor, zo niet vaker – en dat betekent dat nog steeds evenveel volwassenen de drang voelen om kinderen iets aan te doen.'

'Dus de niet-natuurlijke doodsoorzaken vormen tegenwoordig een groter deel van het totale aantal,' zei Charlie. Dat klonk logisch.

'Dat zou ik wel zeggen, ja. Maar omdat ik geen statisticus ben weet ik niet zeker of dat hetzelfde is of toch net iets anders dan te stellen dat een geval van wiegendood nu *eerder* een geval van moord is dan vijftig jaar geleden. Statistiek is weliswaar nuttig als je een hele populatie bekijkt, maar het kan de zaak vreselijk vertekenen als je die loslaat op individuele gevallen. Ik ben altijd heel precies als ik het over dit soort zaken heb, en daarom is het zo frustrerend als dwazen mij verkeerd citeren.' Duffy klonk eerder berustend dan kwaad. 'Je zult mijn beroemde citaat wel gehoord hebben: "zo onwaarschijnlijk is dat het grenst aan het onmogelijke"?'

Charlie knikte.

'Als er straks iets mijn lot gaat bezegelen voor de tuchtcommissie dan is het dat wel,' zei Duffy. 'Hoe kon ik toch zoiets onnauwkeurigs en bevooroordeelds zeggen over de kans dat twee kinderen uit hetzelfde gezin aan wiegendood sterven zonder stevig statistisch bewijs? Simpel: ik heb het niet gezegd. Ik probeerde uit te leggen wat ik bedoelde, maar de advocaat van Helen Yardley liet mij niet uitpraten. De vraag die mij gesteld was luidde om precies te zijn: "Is het mogelijk dat Morgan en Rowan allebei slachtoffer zijn van wiegendood?" Het was die vraag waarop ik antwoordde met de woorden die nu alom gehaat zijn, maar ik had het helemaal niet over het aspect "twee gevallen van wiegendood binnen één gezin". Als mij die vraag was gesteld, dan had ik geantwoord dat het weliswaar ongebruikelijk is dat binnen hetzelfde gezin meerdere gevallen van sids voorkomen, maar dat het wel mogelijk is als er een bepaalde erfelijke aandoening in de familie zit – een genetisch defect, of hartritmestoornissen.'

Judith Duffy leunde voorover in haar stoel. 'Toen ik dat zei: zo onwaarschijnlijk is dat het grenst aan het onmogelijke, bedoelde ik *gegeven wat ik onder de microscoop heb gezien* – dat had dus niets te maken met het aantal wiegendoden per gezin. Ik heb de dossiers van beide jongetjes tot in detail bestudeerd en ik heb in beide gevallen naar mijn mening onomstotelijk bewijs gevonden voor een niet-natuurlijke dood – herhaaldelijke pogingen tot verstikking, zoutvergiftiging, een bilaterale schedelfractuur... Russell Meredew beweert dat een baby al een fractuur op kan lopen als hij van de bank valt;

daarover verschillen wij van mening. De schade die Morgan en Rowan hadden opgelopen was dusdanig dat als die hun niet was toegebracht...' Ze fronste en lachte tegelijk, alsof ze het opnieuw probeerde te begrijpen. 'Dat is bijna even waarschijnlijk als iemand met een bot dat dwars door de huid van zijn arm steekt geen gebroken arm heeft – inderdaad, zo onwaarschijnlijk is dat het grenst aan het onmogelijke.'

Charlie vroeg zich automatisch af of er niet een of ander raar syndroom was waarbij een bot door de huid steekt zonder dat het gebroken is. Acute huidkrimp? Gatenkaasvlees?

'Dat je iets zeker weet, wil uiteraard nog niet zeggen dat ik gelijk heb,' voegde Duffy eraan toe. 'In mijn werk is nederigheid even belangrijk als compassie. Ik heb een aantal vreselijke fouten gemaakt: in het geval van Rowan Yardley zei ik oorspronkelijk dat je niet kon vertrouwen op de bloedwaarden. Maar toen ik er later achter kwam hoe het met Morgan zat, die ook een ongelofelijk hoge zoutspiegel had, en ik naar het gehele beeld van symptomen keek, ben ik van gedachte veranderd. Op zichzelf is een hoog natriumgehalte misschien nog te verklaren, maar... Ook wist ik op het moment dat ik het zei nog niet precies hoe hoog de natriumspiegel was. Nog een fout was dat ik me door een bevriende rechter van instructie liet vertellen dat Marcella Hines wel een natuurlijke dood gestorven moest zijn omdat de familie Hines zo'n "geweldig gezin" was.'

Charlie merkte dat Duffy minder moeite had om over de dingen te praten die ze fout had gedaan dan over de dingen die men haar had aangedaan.

'Toen Nathaniel Hines vier jaar later bij mij op de snijtafel terechtkwam, raakte ik in paniek. Ik had mijn gebruikelijke waakzaamheid laten vieren en ik had Desmond... het woord van die rechter voor waar aangenomen, wat ik niet had mogen doen. Dus was er nu nog een baby vermoord omdat ik Ray Hines en Desmond het voordeel van de twijfel had gegeven? Het was mijn grootste angst, en ik geloof dat ik daardoor juist sterker geneigd was te denken dat dat ook inderdaad was gebeurd. Ik ben overmatig beschermend te werk gegaan, overmatig voorzichtig, en daardoor...' Ze maakte haar zin niet af, en staarde langs Charlie in de verte.

'En daardoor?' vroeg Charlie voorzichtig door.

'Ik heb een vreselijke fout gemaakt in het geval van Ray. Zij heeft geen van beide kinderen vermoord, maar ik heb in de rechtbank gezegd dat ze dat wel had gedaan. Dat is voor een deel te wijten aan mijn defensieve houding.' Duffy glimlachte. 'Ik was vroeger heel erg defensief. Tegen de tijd dat Nathaniel overleed was ik een hele poos witheet vanwege de aanval die Laurie Nattrass in de media op mij deed. Ik was vastbesloten om me door hem niet te laten intimideren. Het voelde als een nederlaag als ik zou zeggen dat Nathaniel Hines een geval van wiegendood was. Ik denk dat ik de wereld wilde laten zien dat moeders een reëel gevaar kunnen vormen voor baby's, en dat het niet iets was wat ik zomaar even had verzonnen omdat ik zo verdorven ben en er lol in heb om de levens van andere mensen te verwoesten. En ik *had* ook twijfels – ik had uit betrouwbare bron vernomen dat Ray een postnatale depressie had en dat ze bijna uit het raam was gesprongen. Stel dat ik had gezegd dat er sprake was van een natuurlijke doodsoorzaak en Ray en Angus hadden weer een kind gekregen en dat zou ook weer doodgaan?'

'U hebt maandag geluncht met Ray,' zei Charlie. Toen ze Duffy's verbazing zag, zei ze: 'Dat is een van de redenen waarom ik hier ben. De hoofdinspecteur die leiding geeft aan de moordzaak op Helen Yardley vindt het vreemd dat jullie in elkaars gezelschap verkeren.'

'Dat is alleen vreemd als je een heel beperkt en beperkend wereldbeeld hebt,' antwoordde Duffy.

'Yep, dat is wel een goede omschrijving van onze hoofdinspecteur.'

'Geloof het of niet, maar Ray en ik zijn inmiddels goede vriendinnen. Ik heb contact met haar gezocht toen ze uit de gevangenis kwam, via haar advocaat.'

'Waarom?' wilde Charlie weten.

'Om mijn verontschuldigingen aan te bieden. Om toe te geven dat ik niet objectief ben geweest tijdens haar proces. Zij heeft toen zelf voorgesteld om elkaar te ontmoeten. Ze wilde me de waarheid vertellen over waar haar kinderen aan zijn overleden. Ze geloofde dat het in beide gevallen kwam door de dktp-prik. Toen ik haar een halfuur had aangehoord, was ik zelf ook geneigd dat te geloven.'

'Maar...'

'Haar advocaten hebben dat niet ingebracht omdat al hun getuigen-deskundigen dreigden het te ontkennen, en zonder medicus die bereid is te zeggen dat het een plausibele doodsoorzaak is, zouden ze voor gek staan. Ironisch genoeg zou ik me, als ze naar mij toe gekomen waren, onmiddellijk hebben afgevraagd of de dood van Marcella en Nathaniel wel echt moord was geweest. Tenminste, dat hoop ik,' verbeterde Duffy zichzelf. 'Ik zou graag geloven dat ik dan toch wakker geschud was.'

'Maar Ray's advocaten kwamen niet bij u, want u was de kwade genius omdat u getuigde voor de wederpartij.'

Duffy knikte. 'De moeder van Angus Hines had lupus. In zijn familie waren meer gevallen van wiegendood. Dat duidt op een erfelijke auto-immuunaandoening. Bovendien heeft een betrouwbare getuige gezien dat zowel Marcella als Nathaniel een stuip kreeg, bijna direct na de inenting. Vaccinschade – en met name stuipen – zouden alles wat ik ben tegengekomen verklaren: gezwollen hersenweefsel, bloedingen in de hersenen.'

'Dat had toch ter sprake gebracht moeten worden tijdens het proces? Zelfs als ze dachten dat alle artsen het daar niet mee eens zouden zijn.'

'O, ik weet zeker dat Julian Lance het goed gezien had – dat is Ray's advocaat. Iedereen geeft toe dat in theorie een klein percentage baby's slecht zal reageren op een vaccin en dat sommige eraan zullen overlijden – er is zelfs een orgaan dat de betalingen van schadeclaims in dit soort gevallen afhandelt – maar als het daadwerkelijk gebeurt sluit men in mijn ervaring de rijen en zegt: "Het kwam niet door het vaccin – dat is namelijk volkomen veilig en uitgebreid getest."'

Duffy glimlachte ineens. 'Weet je, toen ik Ray voor het eerst ontmoette na haar vrijlating bedankte ze me dat ik zo veel om haar kinderen gaf dat ik niet toegaf aan de druk – die van Laurie Nattrass – en dat ik niet wilde zeggen dat ze een natuurlijke dood gestorven waren terwijl ik dat zelf niet geloofde. Dat zei ze tegen me, ook al moest zij dankzij mijn getuigenis de gevangenis in.'

'Weet u waar Ray momenteel is?' vroeg Charlie.

'Het adres weet ik niet,' zei ze. Ze klopte op haar knieën. Charlie dacht heel even dat ze bedoelde dat Charlie op schoot moest komen zitten. Toen zei Duffy: 'Ik vind dat ik het nu al heel lang over mezelf heb gehad. Ik zou nu graag eens wat van jou horen.'

'Ik heb u verteld over mijn genadeval.'

'Het spijt me dat je de details daarover door mijn brievenbus moest gillen,' zei Duffy. 'Wil je erover praten? *Heb* je er ooit weleens over gepraat? Ik bedoel niet de naakte feiten, maar de emotionele impact...'

'Nee,' onderbrak Charlie haar.

'Dat zou je toch eens moeten doen.'

'Zelfs als ik daar geen zin in heb?'

'Juist omdat je daar geen zin in hebt.' Duffy keek ongerust, alsof het niet willen praten over trauma's uit het verleden een symptoom van een of andere fatale ziekte was. 'Het is een grote fout om emotionele schade, wat het ook precies mag zijn, voor je te houden. Pijn moet zijn uitweg krijgen. Je moet het echt *voelen* anders gaat het niet weg. Duffy stond half op uit haar stoel en zette die dichter bij Charlies stoel voor ze weer ging zitten. 'Het heeft twee jaar geduurd voor ik kon praten over Sarah Jaggards proces,' zei ze. 'Ik moest in een gepantserde wagen naar de rechtszaal worden gebracht, en ik liep onder politiebegeleiding van en naar de achterdeur. Ik wist toen al dat er geen schijn van kans was dat ze zou worden veroordeeld. Tegen 2005 was ik dankzij Laurie Nattrass een bekende naam geworden, en niet in positieve zin. Mijn aanwezigheid als getuige-deskundige à charge was genoeg voor Jaggard om winst zeker te stellen. De mensen scholden me uit in de rechtbank, en de jury staarde me aan alsof ze me met hun blikken wilden doden...'

Een hard gerinkel viel haar in de rede: de deurbel.

'Laat maar bellen. Ik verwacht niemand. Ik praat liever met jou; en ik luister liever naar jou.'

Charlie aarzelde. Kon ze deze vrouw, die ze niet kende, vertellen hoe ze zich de afgelopen drie jaar had gevoeld? Moest ze dat wel doen? 'Nee, doe maar open,' zei ze.

Duffy keek teleurgesteld, maar ze sputterde niet tegen. Toen ze weg was, stond Charlie op en trok snel haar jas aan, voor ze op andere gedachten zou komen. Ze pakte haar tas en liep in de richting van de keuken. Ze hoorde Duffy in de hal beleefd maar stellig zeggen: 'Nee, bedankt', en: 'Ja, ik weet het zeker, bedankt'.

Charlie stapte de hal in op precies hetzelfde moment dat ze het schot hoorde, het pistool zag en Duffy achterover zag vallen, waarbij haar hoofd tegen de houten traptreden terechtkwam.

De man in de deuropening draaide zich om en richtte zijn pistool op Charlie. 'Ga op de grond liggen! Beweeg je niet!'


'Ik kan het toch helemaal niet gezien hebben, of wel? Ze was al die tijd onschuldig.' Leah Gould verhief haar stem om boven het lawaai in de cafetaria uit te komen. Ze had daar met Simon afgesproken – het was aan de overkant van haar kantoor. Gould werkte al zeven jaar niet meer voor Jeugdzorg. Ze was met zwangerschapsverlof gegaan en toen haar dochter naar school ging, had ze een baan als receptioniste bij een houtbedrijf genomen, waar ze nog steeds werkte.

'Jij bent de enige die weet wat je hebt gezien,' zei Simon.

'Maar waarom zou ze geprobeerd hebben haar dochter te verstikken als ze haar twee zoontjes niet had vermoord? Dat klopt toch niet? Ze is een moordenaar of ze is het niet, en ze zou nooit zijn vrijgesproken of hoe je dat noemt als ze schuldig was.'

'Waarom zeg je dat?'

Leah Gould nam een hapje van haar tosti met kaas en uien, terwijl ze nadacht over die vraag. Simon stierf van de honger. Als hij straks alleen was zou hij zelf ook iets te eten halen. Hij haatte het om te eten waar vreemden bij waren.

'Het is zoals Laurie Nattrass zegt: de rechtbank doet alles om niet te hoeven zeggen dat ze een fout hebben gemaakt. Ze zullen het pas toegeven als ze daartoe gedwongen worden, als het zo'n blunder is dat ze er niet meer omheen kunnen.'

'Dus omdat Helen Yardley haar zaak in hoger beroep heeft gewonnen, moet zij wel onschuldig zijn?'

Leah Gould knikte.

'Vóór dat hoger beroep – wat dacht je toen?'

'O, toen dacht ik dat ze het had gedaan. Absoluut.'

'Hoezo dan?'

'Doordat ik zag wat ze deed.' Meer gekauw op de tosti.

'Dat wat je nu dus niet hebt gezien, bedoel je?'

'Ja. Maar ik dacht dat ik het had gezien. Pas later realiseerde ik me dat ik het niet gezien kon hebben.'

Simons honger maakte hem nog ongeduldiger dan hij normaal al was. 'Weet jij iets van de drie rechters die Helens zaak in hoger beroep hebben behandeld?'

Leah Gould keek hem aan of hij gek was. 'Wat zou ik over een rechter moeten weten?'

'Weet je überhaupt hoe ze heten?'

'Waarom zou ik?'

'En toch heb je meer vertrouwen in hen dan in je eigen ogen.'

Leah Gould keek hem aan met knipperende ogen. 'Hoe bedoel je?'

Simon had met liefde de tosti uit haar hand getrokken om hem door de cafetaria te schoppen. 'De veroordeling van Helen Yardley werd nietig verklaard omdat hij niet deugdelijk geacht werd. Dat is niet hetzelfde als zeggen dat ze onschuldig is. De rechters vonden niet per se dat ze onschuldig was aan moord. Kon zijn, maar hoefde niet. Misschien was er eentje die dat vond, of twee, of alle drie – ze deelden misschien dezelfde mening, maar voor hetzelfde geld zagen ze het alle drie anders.' Dit had geen enkele zin. 'Wat mij interesseert is wat *jij* gelooft, op basis van wat je hebt gezien.'

'Ik denk dat ze haar baby knuffelde, zoals ze zelf zei.'

Er ontbrak hier iets. Leah Gould had op geen enkele manier spijt betuigd. 'In de rechtbank heb jij getuigd en dat was een belangrijk onderdeel van de bewijsvoering,' zei Simon. 'Je beweerde dat je hebt gezien dat Helen Yardley probeerde haar dochter te verstikken. Ze hebben je gevraagd of het een knuffel geweest kon zijn – een moeder die helemaal in de war was omdat ze gescheiden werd van haar enige nog in leven zijnde kind, en die zich daaraan vastklampte – en jij zei nee.'

'Omdat ik dat toen ook dacht.'

Was schuldgevoel een emotie die was voorbehouden aan intelligente mensen?'

'Ik was niet de enige. Die ene politieagent was er ook. Hij heeft het ook gezien.'

'Giles Proust?'

'Ik weet niet meer hoe hij heette.'

'Hij heette Giles Proust. Hij was het niet met je eens tijdens het proces. Hij vertelde dat hij alleen een gewone knuffel had gezien.'

Leah Gould schudde haar hoofd. 'Ik keek eerst naar hem, niet naar Helen Yardley. Hij keek naar haar en Paige. Daarom wist ik dat er iets mis was. Ik zag zijn blik veranderen, en toen keek hij mij aan, alsof hij niets kon doen en wilde dat ik er een eind aan zou maken. Toen keek ik pas naar Helen en de baby, en... toen zag ik wat ik heb gezien. En toen heb ik er een eind aan gemaakt.'

'Je hebt een eind gemaakt aan een poging tot verstikking? Door Paige bij haar moeder weg te halen?'

Leah Goulds lippen trokken misprijzend strak. 'Zit je me er nu bij te luizen? Ik heb je toch gezegd dat ik dat nu niet meer geloof. Ik vertel je alleen wat ik *toen* dacht.'

'En *toen* dacht je dat inspecteur Proust zag wat jij ook zag?'

'Ja.'

'Waarom zei hij dan precies het tegenovergestelde tegen de rechter? Waarom zei hij dat hij alleen een knuffel heeft gezien?'

'Dat moet je aan hem vragen.' Geen enkele nieuwsgierigheid in haar blik; nog geen sprankje interesse.

'Maar als je verkeerd hebt gezien wat Helen Yardley deed, dan kun je net zo goed verkeerd hebben gezien hoe Giles Proust keek, toch? Misschien heb jij die blik van hem wel verkeerd geïnterpreteerd. Misschien stond hij wel alleen te denken aan wat hij die avond zou eten.'

'Nee, want hij keek doodsbenauwd. Ik dacht nog: wat is dat voor politieagent dat hij zo snel bang is?' Ze schudde haar hoofd, en haar mond nam weer een misprijzende vorm aan. 'Ik bedoel, hij had toch ook kunnen ingrijpen? Hij was toch niet van mij afhankelijk?'

'Hoewel je nu denkt dat er helemaal niets was om op in te grijpen,' bracht Simon haar in herinnering.

'Nee,' zei ze instemmend en ze leek even onzeker. Ze duwde het laatste hoekje tosti in haar mond.

'Waarom denk je dat Proust zo bang keek, in dat geval?'

'Dat moet je echt aan hem vragen.' *Kauw, kauw, kauw.*

Simon bedankte haar en vertrok, hij kon niet wachten om daar weg te komen. Hij zette zijn mobiel aan. Sam Kombothekra had een boodschap ingesproken. 'Hoe was het met Leah Gould?' vroeg Sam.

'Wat een dom rund is dat.'

'Dus daar is niets zinvols uitgekomen?'

'Niet echt,' loog Simon. Hij had het gevoel of er een enorme last van zijn schouders was gevallen. Hij had precies datgene gehoord waar hij op hoopte. Leah Gould was van gedachte veranderd omdat het niet langer in de mode was om te geloven dat Helen Yardley een moordenaar was – zo simpel was het. Simon wist zeker dat Gould wel degelijk had gezien dat Helen Paige probeerde te smoren en dat Proust dat ook had gezien.

Proust moest gevallen zijn voor Helens rouwende-moeder-act, en voor *haar*, op het eerste gezicht al. Hij geloofde dat ze onschuldig was, en hij had altijd gelijk – dat stond voor hem als een paal boven water. En dat gelijk moest overeind blijven, ook al was hij getuige van de poging tot moord op Helens derde kind. Zijn vooropgezette ideeën maakten het hem onmogelijk om in actie te komen toen dat moest; hij was machteloos – even machteloos als hij daarna iedereen om zich heen wilde laten voelen. Met een wanhopige blik legde hij de verantwoordelijkheid om het leven van Paige Yardley te redden bij Leah Gould neer, om vervolgens door te gaan met de schijnvertoning: Helens onschuld, zijn gelijk. Hij loog tijdens het proces, maar hij maakte zichzelf wijs dat hij het tegenovergestelde deed.

Diep in zijn hart moet hij geweten hebben wat de waarheid was. Als hij Helen niet één keer had bezocht in de gevangenis, zoals Laurie Nattrass beweerde...

Diep in zijn hart moest de Sneeuwman weten dat hij er gruwelijk naast zat. Was hij soms bang dat het weer zou gebeuren, in een situatie die even ernstig was? Was dat de reden waarom hij wilde dat iedereen deed alsof zijn oordeel vlekkeloos was?

Nu hij dit allemaal wist – en wetende dat de Sneeuwman niet wist dat hij het wist – was in Simons hoofd het machtsevenwicht tussen hen verschoven. Hij voelde zich niet langer bedreigd door de uitnodiging voor het etentje. Charlie had gelijk: hij kon best zeggen dat hij geen zin had om bij Proust te eten. Of hij kon de uitnodiging aannemen, op de stoep staan met een fles wijn en Lizzie Proust de waarheid vertellen over de man met wie ze getrouwd was.

Hij had nu de macht – hij had munitie. Het maakte niet uit dat hij het niet kon bewijzen; hij wist dat hij de Sneeuwman te gronde kon richten als hij dat zou willen.

'Dus je komt nu weer hiernaartoe?' vroeg Sam, waarmee hij Simon uit zijn overwinningsroes haalde.

'Nadat ik een broodje heb gescoord, ja.'

'Gibbs heeft met Paul Yardley gepraat.'

'Arme vent.'

'Gibbs?'

'Yardley. Eerst raakt hij drie kinderen kwijt, dan legt iemand zijn vrouw om, en dan moet hij ook nog eens met Gibbs praten.'

'Hij geeft inmiddels toe dat hij Laurie Nattrass heeft gebeld voor hij de ambulance belde. Nattrass heeft hem opgedragen te zeggen dat hij eerst de ambulance heeft gebeld.'

'O ja?' zei Simon bedachtzaam.

'Het is nooit een beste beurt om niet meteen een ambulance te bellen, heeft hij gezegd. Hij zei tegen Yardley dat wij alles zouden doen om hem de schuld van Helens moord in de schoenen te schuiven. "De smerissen geven altijd de schuld aan de echtgenoot, en in jouw geval zullen ze dat al helemaal graag willen."'

'Godsammelazarus!'

'Gibbs dacht dat Yardley de waarheid sprak,' zei Sam. 'Nattrass is niet dom – hij moet geweten hebben dat wij de telefoontjes van Yardley zouden controleren.'

'Denk jij dat hij Paul Yardley heeft opgedragen te liegen omdat hij wilde dat wij hem zouden verdenken? Hij zegt tegen Yardley: "Zeg dit en dan zullen ze je niet verdenken", terwijl hij stiekem denkt: zeg dit en dan zullen ze je *juist* verdenken?'

'Ik weet het niet.' Sam klonk doodvermoeid. 'Wat ik wel weet is dat Yardley in de loop van hun gesprek heeft verteld over de vreemde kaart die hij op Helens lichaam had gevonden. Die uit haar zak stak. En wacht maar tot je dit hoort: Sellers heeft met Tamsin Waddington gesproken, de vriendin van Fliss Benson, en die vertelde dat Nattrass ook zo'n kaart met zestien getallen heeft ontvangen – ze heeft hem op 2 september op zijn bureau zien liggen, een maand voordat Helen Yardley werd doodgeschoten. Hij zei dat hij geen idee had wie hem had gestuurd.'

'Wat?' Simon leunde voorover in zijn autostoel, waarbij hij per ongeluk de claxon indrukte. Hij gebaarde 'sorry' naar twee dames die zich omdraaiden en hem woedend aankeken. 'Dus Paul Yardley belde Nattrass en vertelde hem van de kaart in de zak van zijn vrouw...?'

'Nattrass had meteen met ons aan de telefoon moeten hangen, omdat hij bang was dat hij het volgende slachtoffer van de moordenaar zou zijn, ja. En zelfs al was hij niet bang voor zichzelf, dan nog wist hij dat Fliss Benson ook zo'n kaart had gekregen, dus zou hij...'

'Ik heb Benson gesproken over die kaart,' zei Simon. 'Ze is ermee naar Nattrass gegaan in diens kantoor en ze heeft hem de kaart laten zien, en gevraagd wat het volgens hem te betekenen had. Hij kan haar niet hebben verteld over de kaart die Paul Yardley op het lichaam van Helen heeft gevonden – Benson zei daar niets over tegen mij, en ik denk dat ze dat anders wel had gedaan. Trouwens, Nattrass kan haar ook nooit hebben verteld over de kaart die hij *zelf* had ontvangen – dat zou ze ook zeker tegen mij hebben gezegd.'

'O ja?' zei Sam terneergeslagen. 'Fliss Bensons agenda in deze zaak begint mij een beetje zorgen te baren. We kunnen haar niet vinden en we hebben geen alibi van haar voor maandag...'

'Als Benson een moordenaar is, dan ben ik Barack Obama.'

'Ik was vanochtend met Sellers in haar kantoor. Ze had haar inbox open laten staan op het scherm. Terwijl wij daar waren, stuurde iemand haar een foto van Helen Yardley's hand, met daarin een kaart, precies zoals die andere kaarten – zelfde getallen, zelfde opmaak – en een exemplaar van *Niets dan liefde*.'

'Wat?' Eerst een kaart, dan een foto van een kaart...

'Je zei dat Benson raar deed,' zei Sam. 'Is er een kans, denk je, dat zij die dingen aan zichzelf heeft gestuurd?'

Simon dacht hier even over na: 'Nee.'

'Ik hang net op met Tamsin Waddington,' zei Sam tegen hem. 'Ze is bang dat Benson haar grip op de werkelijkheid kwijtraakt – zo zei ze het. Benson belde haar met het verhaal dat ze Angus Hines had opgesloten in haar appartement, en of Tamsin even met de reservesleutel langs wilde gaan om hem te bevrijden. Toen Tamsin daar een halfuur later aankwam was er niemand in het appartement – geen spoor te bekennen van Angus Hines, geen gebroken ramen, alles was precies zoals altijd. Hines kan onmogelijk een raam hebben geopend en naar buiten zijn geklommen – Tamsin heeft ze gecontroleerd en alles zat op slot, en dat kan alleen van binnenuit. Benson heeft kennelijk ook beweerd dat ze naar het huis van de ouders van Rachel Hines in Twickenham is geweest.'

'Heeft ze die ook opgesloten?'

'De ouders van Rachel Hines wonen niet in Twickenham, en daar hebben ze ook nooit gewoond. Ze wonen in Winchester.'

'Dus Laurie Nattrass en Fliss Benson komen op de lijst bij de compositietekening van een skinhead onder het kopje "gezocht". Gaan we ons nu intensiever op de opsporing richten?'

'Ja, *ik* wel.'

'Ik moet nog één dingetje doen, en dan kom ik meteen terug,' zei Simon tegen hem.

'Een broodje, toch?' Sam klonk achterdochtig. 'Zeg alsjeblieft dat je het over een broodje hebt.'

'Twee dingetjes dan,' zei Simon en hij drukte het gesprek weg.

Tien minuten later zat hij op een bank die gemaakt was van twee zitzakken op Bengeo Street nummer 16, en dronk hij vreemde gele limonade en keek hij met de vierjarige Dillon White naar de paardenrennen. Tot dusverre was het hem niet gelukt om in gesprek te raken met de jongen. Simon bedacht dat hij één ding nog niet had geprobeerd, en dat was over paarden beginnen. 'Je hebt deze race al eens gezien, of niet?' vroeg hij. Dillon knikte. Zijn moeder had gezegd dat het een opname was; Dillons lievelingsrace uit een enorme verzameling. 'Omdat zijn lievelingspaard altijd wint,' had ze er lachend aan toegevoegd.

'Ik ben benieuwd wie er gaat winnen,' zei Simon.

'Definite Article.'

'Zou je denken? Misschien niet.'

'Hij wint deze altijd.'

'Maar misschien is het deze keer toch anders.'

Het jongetje schudde zijn hoofd. Hij was niet geïnteresseerd in Simon en zijn rare ideeën, en zijn blik week niet van het scherm.

'Wat vind je eigenlijk zo leuk aan Definite Article?' Wat zei Proust ook weer altijd: *Blijven proberen, Waterhouse.* 'Waarom is hij jouw lievelingspaard?'

'Hij is vegetariër.'

Simon wist niet wat voor antwoord hij had verwacht, maar dit zeker niet. 'Ben jij zelf ook vegetariër?'

Dillon White schudde zijn hoofd, zijn blik nog altijd op het scherm gericht. 'Ik ben gewoon.'

Gewoon? Maar alle renpaarden zitten toch op hetzelfde dieet, min of meer? En zijn het trouwens niet allemaal herbivoren?

Stella White verscheen met een enorme kartonnen doos, die ze bij

Simons voeten neerzette. 'Dit is mijn doos met knipsels,' zei ze. 'Er zit heel veel in over GOOV en Helen – ik hoop dat het helpt. Snoetje, ik heb je al zo vaak gezegd dat jij niet gewoon bent – dat is het verkeerde woord. Jij bent wit. Of roze, als je pedant wil doen.'

'Hij zei dat Definite Article vegetariër was,' fluisterde Simon naar haar over het hoofd van haar zoon heen, en hij voelde zich een klikspaan.

Stella rolde met haar ogen. Ze ging op haar knieën zitten zodat ze op dezelfde hoogte was als Dillon. 'Snoetje? Wat betekent dat, vegetariër? Jij weet best wat het betekent, hè?'

'Zwarte huid.'

'Nee, dat betekent het niet. Weet je nog wat mama heeft gezegd? Vegetariër betekent dat je geen vlees eet.'

'Ejike is vegetariër en die heeft een zwarte huid,' zei Dillon op effen toon.

'Hij heeft een heel donkerbruine huid, en hij is inderdaad vegetariër – hij eet geen vlees – maar dat betekent niet dat alle bruine mensen geen vlees eten.' Stella keek Simon aan. 'Als het niet over paarden gaat, luistert hij gewoon niet,' zei ze terwijl ze opstond. 'Ik laat jullie weer alleen, als je het niet erg vindt. Geef maar een gil als je een tolk nodig hebt.'

Simon besloot de jongen met rust te laten, en hem een paar minuten naar de race te laten kijken. Hij pakte een handvol krantenknipsels uit de doos die Stella hem had gegeven en begon te lezen. Het duurde niet lang voor hij haar verhaal bij elkaar had gepuzzeld: toen ze achtentwintig was kreeg ze te horen dat ze terminale kanker had. In plaats van medelijden met zichzelf te hebben en te gaan zitten wachten op haar dood, ging ze onmiddellijk aan de slag om een atleet van wereldklasse van zichzelf te maken. Ze liep marathons, langeafstandswedstrijden en triatlons. Ze stelde zichzelf de ene na de andere fysieke uitdaging; haalde een paar honderdduizend pond op voor goede doelen, waaronder GOOV.

Halverwege de stapel vond Simon een artikel over Stella's relatie met Helen Yardley: hoe ze elkaar hadden ontmoet, hoezeer ze op hun wederzijdse vriendschap bouwden. Er stond een foto bij van de twee vrouwen: Helen zat op de grond aan Stella's voeten en Stella leunde over haar schouder naar voren. De kop was: 'Twee uitzonderlijke vrouwen'. Onder de foto stond een citaat van Helen in een apart kadertje, los van de hoofdtekst: 'De wetenschap dat Stella er niet altijd zal zijn maakt dat ik haar des te meer waardeer. Ik weet dat ze altijd bij me zal zijn, zelfs als ze er niet meer is.' Er stond ook een citaat van Stella in een kadertje, verderop op de pagina: 'Ik heb van Helen zo veel geleerd over liefde en moed. Ik heb het gevoel dat mijn geest in haar verder zal leven.'

Alleen was Stella White nu niet dood. En Helen Yardley wel.

'Dus jij vindt Definite Article leuk omdat hij een zwarte huid heeft?'

'Ik vind een zwarte huid mooi. Ik wou dat ik ook een zwarte huid had.'

'Hé, die man die jij bij Helens huis zag, maandag, toen je op weg was naar school? Weet je nog wel?'

'Die man met de toverparaplu?' vroeg Dillon, nog altijd met zijn blik op de paarden gericht.

Dus nu was het een toverparaplu. 'Wat is een paraplu, Dillon?' Als vegetariërs mensen met een zwarte huid waren, en witte mensen waren gewoon...

'Dat is een ding dat je boven je hoofd houdt als het regent.'

'Hé, en die man, hè, met die toverparaplu, had die ook een zwarte huid?'

'Nee. Gewoon.'

'En je hebt hem maandagochtend gezien voor het huis van Helen Yardley, toch?'

Dillon knikte. 'En daar voorbij. In de zitkamer.'

Simon leunde naar voren. 'Wat betekent dat, daar voorbij?'

'Groter dan oneindig,' zei Dillon zonder aarzeling. 'Een, twee, drie, vier, vijf, zes, zeven, acht, negen, tien, elf, twaalf, dertien, veertien, vijftien, zestien, zeventien, achttien, negentien, negenennegentig, honderd, duizend, tot aan de sterren en daar voorbij. Tot aan de sterren en daar voorbij!' Dat laatste klonk als een citaat. Dillon deed duidelijk iemand na.

'Wat is tot aan de sterren?' vroeg Simon.

'Het allerverste in de hele wereld.'

'En wat is dan daar voorbij?

'Dat is een nog veel groter aantal dagen.'

*Dagen.*

'Definite Article gaat winnen.' Dillons gezicht klaarde op. 'Kijk maar.'

Simon deed wat hem werd opgedragen. Toen de race voorbij was, pakte Dillon de afstandsbediening. 'Nog een keer, vanaf het begin,' zei hij.

'Dillon? Wanneer heeft Definite Article de race gewonnen die we net hebben gezien? Heeft hij die vandaag gewonnen?'

'Nee, daar voorbij.'

'Bedoel je lang geleden?' vroeg Simon. Hij baalde dat Dillon pas vier was; anders was hij een biertje met hem gaan drinken. Voorzichtig pakte hij de afstandsbediening van het jongetje over. Voor de eerste keer sinds Simon er was, keek Dillon hem aan. 'De man die je maandagochtend bij het huis van Helen Yardley zag – dat was niet de eerste keer dat je hem bij Helen zag, hè? Je hebt hem eerder gezien, heel lang geleden. Daar voorbij. De eerste keer dat je hem zag regende het, of niet? En die keer had hij zijn toverparaplu bij zich. Maar niet maandag.'

Dillon knikte hevig: duidelijke instemming.

'Je hebt hem in de zitkamer gezien. Was er toen nog iemand anders bij, in de zitkamer?'

Nog meer bevestigend geknik.

'Wie?'

'Tante Helen.'

'Goed zo, Dillon, je helpt me heel goed. Geweldig. Jij bent even goed in helpen als Definite Article in hard rennen in die race van net.'

Het jongetje begon te stralen en zei: 'Ik hou van Definite Article. Als ik later groot ben, ga ik bij hem wonen.'

'Was tante Helen alleen met die man, in de zitkamer?'

'Nee.'

'Wie waren er nog meer, dan?'

'Oom Paul. Die andere man, en nog een mevrouw. En mama en ik.'

'Hoeveel mensen in totaal?'

'Wij allemaal.' Dillon knikte ernstig.

Simon keek de kamer door, in de hoop dat hij iets zag wat hem kon helpen. Toen had hij een idee. 'Een: tante Helen,' zei hij. 'Twee: de man met de paraplu...'

'Drie: de andere man,' ging Dillon verder, en hij sprak snel. 'Hij had ook een paraplu, maar dat was geen toverparaplu, dus hij had hem buiten laten staan. Vier: oom Paul. Vijf: de mevrouw. Zes: mama. Zeven: ik.'

'Die andere man en vrouw – kun je me wat over hen vertellen, hoe zagen ze eruit?'

'Gewoon.'

'Waarom was het een toverparaplu? Wat was er toverachtig aan?'

'Omdat hij uit de ruimte kwam, en als je hem openklapte kon je een wens doen en dan kwam die wens ook echt uit. En toen de regendruppels op het kleed vielen, werd dat een toverkleed en daar kon je op vliegen naar de ruimte als je daar zin in had en dan kon je ook terugkomen als je daar zin in had.'

'Is dat de man over wie je me vertelde?'

Dillon knikte.

'Die man, had die... had die haar op zijn hoofd?'

'Vegetarisch.'

'Bruin haar? Had hij rare tanden?'

Dillon begon te knikken, maar hield daar weer mee op en schudde zijn hoofd.

'Je mag ook nee zeggen als nee het goede antwoord is,' zei Simon tegen hem.

'Ik wil de race nog een keer zien.'

Simon gaf hem de afstandsbediening terug en ging op zoek naar

Stella. Hij vond haar in een kleine bijkeuken, achter in het huis, waar ze zachtjes zingend stond te strijken. Ze was mager, maar ze zag er niet ziek uit – niet als iemand met terminale kanker. 'Kun jij je herinneren dat je met Dillon bij de Yardleys thuis bent geweest, een poos geleden?' vroeg hij haar. 'Helen en Paul waren er, en jij en Dillon, en nog twee andere mannen en een vrouw. Het regende die dag. De twee mannen hadden allebei een paraplu bij zich.'

'We kwamen daar zo vaak.' Stella fronste. 'Het zat er altijd vol met mensen. Iedereen wilde bij Helen zijn, ze kwamen als vliegen op de stroop af.'

'Altijd?'

'Minstens twee keer per week nodigde ze ons uit, meestal met andere mensen erbij – haar familie, vrienden, andere buren. Het was er net de zoete inval.'

Simon probeerde niet teleurgesteld te kijken. Hij nam aan dat de gelegenheid die Dillon beschreef ook Stella wel was bijgebleven; hij had moeten weten dat niet iedereen zo'n beperkt sociaal leven had als hij. Simon had nog nooit zeven mensen tegelijk in zijn zitkamer gehad; nog nooit. Drie was het maximum: hij en zijn ouders. Het idee dat zijn buren bij hem over de vloer zouden komen, zou hem slapeloze nachten bezorgen, vermoedde hij. Hij vond het geen probleem om met mensen in de pub af te spreken; maar dat was anders. 'Kun je je herinneren dat je ooit iemand hebt ontmoet bij Helen thuis die Dillon vertelde dat zijn paraplu een toverparaplu was?'

'Nee,' zei Stella. 'Maar het zou goed kunnen dat Dillon dat zelf heeft verzonnen. Het klinkt als iets wat een vierjarige bedenkt – niet iets wat een volwassen man zou zeggen.'

'Hij heeft het niet verzonnen,' zei Simon ongeduldig. 'Een man heeft dat tegen hem gezegd, dezelfde man die jij maandagochtend bij Helen hebt gezien, de man die Helen heeft vermoord. Ik wil dat je dat strijkijzer neerzet en dat je een lijst maakt van iedereen die je ooit hebt ontmoet bij de Yardleys thuis – iedereen, al ken je ze alleen maar bij hun voornaam, en ik wil ook een omschrijving van hun uiterlijk, hoe vaag ook.'

'In de laatste hoeveel tijd?' vroeg Stella.

Hoeveel dagen geleden was 'daar voorbij'?

'Ooit,' zei Simon tegen haar.

Charlie wist niet hoelang ze al met haar gezicht op de grond van Judith Duffy's keukenvloer lag. Het kon tien minuten zijn, of een halfuur, een uur. Als ze probeerde te speculeren over tijd, leek die te vervormen, en zich te herhalen. Duffy's moordenaar zat in kleermakerszit voor haar, en hield het pistool tegen haar hoofd. Ze was in orde – dat bleef ze zichzelf steeds maar voorhouden – ze was niet gewond, niet dood. Als hij haar dood wilde schieten, had hij dat allang gedaan. Het enige wat zij hoefde te doen was niet naar hem kijken. Dat was ook het enige wat hij tegen haar had gezegd: 'Kijk me niet aan. Hou je hoofd naar beneden, als je tenminste wil blijven leven.'

Hij had haar niet gezegd dat ze niet mocht praten. Charlie vroeg zich af of ze dat moest wagen.

Ze hoorde een reeks piepjes. Hij belde met iemand. Ze wachtte tot hij ging praten.

Niets. Toen weer die piepjes. 'Neem op, goddomme,' mompelde hij. Er klonk gekletter en Charlie maakte daaruit op dat de man zijn telefoon tegen de muur had gesmeten. Ze kon hem vanuit haar ooghoeken zien: de telefoon was gevallen en lag naast de plint. Ze hoorde dat hij begon te huilen, en de knoop in haar maag werd nog strakker aangetrokken. Als hij zijn zelfbeheersing verloor, was dat slecht nieuws voor haar – dan was de kans groter dat hij haar zou vermoorden, per ongeluk of expres.

'Blijf kalm,' zei ze zo vriendelijk mogelijk. Ze stond op het punt om zelf haar zelfbeheersing te verliezen. Hoelang kon dit nog doorgaan? Hoelang was het al aan de gang?

'Ik had niet mogen doen wat ik heb gedaan,' zei hij. Een cockneyaccent. 'Ze had het niet verdiend.'

'Judith Duffy verdiende het niet om te worden doodgeschoten?' Misschien had hij het wel over Helen Yardley. *Check.* Simon zou check zeggen.

'Je zit er te diep in en dan kun je er niet meer uit,' zei hij snuffend. 'Ze heeft haar best gedaan. Net als jij.'

Charlies maag keerde zich om. Wanneer had zij haar best dan gedaan? Ze begreep het niet, en ze moest het begrijpen – begrip zou haar leven kunnen redden.

Hij mompelde een verontschuldiging. Charlie slikte een mondvol gal door en ze dacht dat dit het was, dat dit het moment was waarop hij haar zou doodschieten.

Dat deed hij niet. Hij stond op en liep weg. Charlie tilde haar hoofd op en zag hem op de trap naast Judith Duffy zitten. Los van zijn geschoren kop leek hij maar een klein beetje op de compositietekening die ze in de krant had zien staan – zijn gezicht had een heel andere vorm. Toch wist Charlie zeker dat hij het was.

'Hoofd omlaag,' zei hij toonloos. Hij was niet met zijn gedachten bij Charlie. Ze had het gevoel dat het hem niet meer kon schelen wat zij deed. Ze liet haar hoofd maar een fractie zakken en keek toe terwijl hij een kaart uit de zak van zijn spijkerbroek trok die hij op het gezicht van Judith Duffy legde.

*De getallen.*

Ze zag hoe hij weer op haar af liep, en draaide zich van hem weg, maar hij wilde alleen zijn telefoon pakken. Zodra hij dat had gedaan, liep hij naar de voordeur. Charlie kneep haar ogen stijf dicht. Het was nauwelijks te verdragen om zo dicht bij de vrijheid en veiligheid te zijn. Als het nu nog fout liep, als hij toch nog terugkwam...

De voordeur klapte dicht. Ze keek op en hij was weg.

# Deel drie

# 15

## Maandag 12 oktober 2009

'Als ik had geweten dat Marcella zou sterven met acht weken, had ik haar nooit alleen gelaten, nog geen seconde,' zegt Ray. 'Ik dacht dat ik haar de rest van mijn leven nog zou hebben, dat we jaren en jaren hadden, samen. In plaats daarvan had ik haar maar acht weken. Vijfenzestig dagen – zo klinkt het nog veel korter. En negen van die vijfenzestig dagen was ik er niet eens. Ik heb mijn eigen dochter in de steek gelaten toen ze nog maar twee weken oud was. Daar heb ik mezelf jarenlang om gehaat. Sorry, moet ik naar jou kijken of naar de camera?'

'Naar de camera,' zeg ik tegen haar.

Ze inspecteert haar nagels. 'Je vindt altijd wel een reden om jezelf te haten als je zo in elkaar zit. Ik dacht dat ik beter was in mezelf vergeven, maar... Ik haatte mijzelf gisteren, toen ik hoorde wat er met Judith was gebeurd. En vandaag ben ik ook niet overdreven dol op mezelf.' Ze probeert te glimlachen.

'Heb jij Judith Duffy vermoord?' vraag ik. 'Want als dat niet zo is, dan is het niet jouw schuld dat ze dood is.'

'O nee? Mensen haatten haar door mij. Oké, niet alleen door mij, maar... ik heb wel aan die haat bijgedragen, of niet soms?'

'Nee. Vertel me eens over het in de steek laten van Marcella.' Ik voel dat ze zit te traineren. Ze vindt het gemakkelijker om over Judith Duffy te praten.

Ze zucht. 'Ik ben bang dat je me zult veroordelen. Belachelijk, hè? Toen we elkaar voor het eerst ontmoetten en jij zei dat je dacht dat ik mijn kinderen waarschijnlijk wel had vermoord, was ik daar helemaal niet door van mijn stuk gebracht.'

'Omdat jij wist dat je het niet had gedaan, dus wat ik ervan vond deed er niet toe. Maar nu ga je me iets vertellen wat je wel hebt gedaan.'

'Ik had vroeger een eigen bedrijf: PhysioFit. Het was een heel succesvolle onderneming. Dat is het nog steeds, maar ik maak er niet langer deel van uit. We bedienden particuliere cliënten, en we boden ook fysiotherapie aan bedrijven. Neem bijvoorbeeld jouw bedrijf – Binary Star. Laten we zeggen dat jouw baas vindt dat jullie allemaal te lang over je beeldscherm gebogen zitten. Ze ziet hoe jullie houding verslechtert, en jullie klagen allemaal over pijn in je rug, en het kantoor is vergeven van de beklemde rugzenuwen. De baas besluit om alle medewerkers van Binary Star standaard naar fysiotherapie te laten gaan. Dan gaat ze eerst een aantal bedrijven uitnodigen om een offerte uit te brengen voor het contract.'

'Zoals PhysioFit?'

'Precies. Aangenomen dat dit jaren geleden was, toen ik er nog werkte, dan gingen mijn collega Fiona en ik naar het kantoor van Binary Star, en dan gaven we een presentatie die twee tot drie uur duurde. Fiona praatte dan over de zakelijke kant van het verhaal – de contractuele bepalingen – alle dingen die mij niet echt boeien. Als zij haar verhaal had gedaan, was het aan mij om het over de fysiotherapie zelf te hebben: wat er allemaal bij komt kijken, bij welke aandoeningen het vooral zin heeft, dat het niet alleen een laatste redmiddel is bij chronische pijn, maar dat het ook preventief ingezet kan worden. Ik vertelde iets over houdingstraining en craniosacraaltherapie – daar was ik in gespecialiseerd – en over hoe dom het was te denken dat een machine het werk van de fysiotherapeut even doeltreffend kan doen als een mens. Dat is natuurlijk onmogelijk. Als ik mijn handen in iemands nek leg, kan ik voelen...'

Ze breekt haar zin af en schenkt me een schaapachtige glimlach. 'Sorry, ik was vergeten dat ik hier niet echt mijn product aan het verkopen ben.' Ze wendt zich weer tot de camera. 'Enfin, je snapt het wel, denk ik.'

'Je vertelt er gepassioneerd over,' zeg ik tegen haar. 'Ik zou je zo in dienst nemen.'

'Ik hield van mijn werk. Ik zag niet in waarom ik het op moest geven omdat ik een kind had. Toen ik erachter kwam dat ik zwanger was van Marcella, heb ik haar direct ingeschreven bij een goed kinderdagverblijf bij ons in de buurt. Ze zou er naartoe gaan als ze zes... maanden was. Sorry.'

'Geeft niet. Neem de tijd.'

Ray maakt een tunnel van haar handen, en ademt daar doorheen. 'Het leek me een goed compromis: zes maanden thuis met mijn baby, en dan weer terug naar mijn kliniek.' Ze draait zich om en kijkt mij weer aan. 'Heel veel vrouwen gaan weer aan de slag als hun baby's een halfjaar oud zijn.'

Ik wijs naar de camera.

'De dag nadat Marcella werd geboren, kwam Fiona bij me op bezoek in het ziekenhuis. Ze had een doos koekjes meegenomen in de vorm van eendjes, met roze glazuur erop, en ze had ook goed nieuws over PhysioFit: we waren gevraagd om een presentatie te komen geven aan de bazen van een Zwitsers bedrijf met kantoren over de hele wereld, waaronder een aantal in ons land. Het ging om een gigantisch contract, en bovendien gaf het ons de kans om de sprong te maken naar internationaal werken, en we wilden het contract heel graag hebben. We hebben het trouwens ook gekregen. Ze hebben ons verkozen boven onze concurrenten. Sorry, ik loop op de zaken vooruit.'

'Geen punt. Ik ga toch nog knippen, dus over de chronologie hoef jij je niet druk te maken.'

'Ik wil het eindproduct wel zien voor het wordt uitgezonden,' zegt Ray meteen.

'Uiteraard.'

Ze lijkt zich wat te ontspannen. 'Het hoofdkantoor van dat bedrijf was in Genève. Fiona zou gaan, om die bazen te ontmoeten en indruk op ze te maken. "Het is zo zonde dat jij net nu met zwangerschapsverlof bent," zei ze. "Ik heb jouw verhaal al duizend keer gehoord, en ik kan het woordelijk oplepelen, maar het is toch niet hetzelfde, zonder jou erbij." Ze had gelijk. Het zou niet hetzelfde zijn zonder mij. Van ons tweeën was ik veel beter met mensen, en dit was zo'n belangrijke presentatie voor PhysioFit. Ik vond het een onverdraaglijk idee om er niet bij te zijn. Ik kon mezelf niet wijsmaken dat mijn aanwezigheid niet zou helpen om het contract binnen te halen.'

Ik denk dat ik weet wat er gaat komen. Ze ging. Natuurlijk ging ze. Maar vanwaar al die leugens? Waarom heeft ze dit verhaal nooit gewoon aan Julian Lance verteld? Of in de rechtszaal?

'Ik vroeg aan Fiona wanneer die presentatie zou zijn. Ze noemde de datum. Het was over drie weken. Marcella zou nog geen maand oud zijn als Fiona naar Zwitserland vloog. Ik... dit is wat jij misschien niet zult begrijpen. Jij denkt dat ik eerlijk had moeten zijn over wat ik wilde doen, en dat ik zou zeggen: "Sorry, mensen, ik weet dat ik net een kind heb gekregen, maar ik wil gewoon graag op het vliegtuig naar een zakelijke bespreking – toedeledokie, tot snel."'

'Daar zou Angus niet blij mee zijn geweest?'

Zou hij even ongelukkig zijn geweest als ik, toen ik erachter kwam hoe hij uit mijn huis was ontsnapt? Toen ik terugkwam vond ik een briefje op mijn koelkast: 'Angus Hines nergens te bekennen, tenzij je een geheime kamer hebt waar ik niet van af weet. BEL ME!'

Dat heb ik niet gedaan. Ik heb me er ook niet toe kunnen zetten om contact op te nemen met Angus zelf, om hem te vragen hoe hij was ontsnapt zonder glas te breken of een gat in de muur te boren. Het antwoord op deze vraag kreeg ik toen ik vanochtend stiekem even naar huis ging om wat dingen op te halen die ik nodig had, en Irina tegen het lijf liep. Zij is mijn schoonmaakster, en tevens promovenda aan King's. 'Hoe haal je het in je hoofd om die vriend van je in te sluiten?' wilde ze weten. 'Dat is niet aardig, Floo. Hij schaamde zich heel erg dat hij mij moest bellen om te vertellen wat er was gebeurd.'

Ik liep naar de la waar ik visitekaartjes bewaar en reservelampen, menukaarten van afhaalrestaurants en theedoeken (ik heb nu eenmaal niet veel ruimte in mijn huis, dus die dingen moeten een la delen). Irina's kaartje lag er ook in – 'Schoon Genoeg Huishoudelijke Services' – boven op een keurig stapeltje dat de laatste keer dat ik die la opende helemaal niet zo keurig was.

Ik belde Angus en sprak een boodschap in, waarin ik hem zei dat ik hem zo snel mogelijk moest spreken. Toen hij me terugbelde heb ik hem de huid vol gescholden omdat hij in mijn keukenladen had lopen neuzen, en ik vroeg hem op hoge toon waarom hij tegen Irina had gelogen. Waarom zei hij dat ik vergeten was dat hij er nog was, en dat ik per ongeluk de deur achter me op slot had gedaan? Waarom had hij niet gewoon een raam ingeslagen, zoals ieder normaal mens had gedaan? Hij zei dat hij me niet voor schut wilde zetten tegenover mijn schoonmaakster door de indruk te wekken dat ik het soort vrouw was dat een man opsloot in haar huis. 'Ik snap niet waarom jij nu zo kwaad bent,' zei hij. 'Het was vriendelijk bedoeld. Ik ging ervan uit dat je liever niet met een gebroken raam zat.' Ik zei dat het daar niet om ging, en ik nam het hem kwalijk dat hij impliceerde dat Irina meteen bij me weg zou zijn gegaan als hij niet zo galant was geweest om mijn ware aard voor haar verborgen te houden. Ik werd geagiteerd en paranoïde van het hele gesprek. Ik probeerde om niet voor me te zien hoe hij systematisch mijn visitekaartjes was nagelopen, net zo lang tot hij dat van Irina had gevonden.

Dit heb ik allemaal niet aan Ray verteld. Angus denk ik ook niet.

'Mijn plan was aanvankelijk om er eerlijk over te zijn,' zegt ze tegen de camera. 'Het was trouwens niet eens een plan – het lag voor de hand om het zo te doen. Die avond zijn Marcella en ik naar huis gegaan. Ik wilde het wel tien keer zeggen tegen Angus, maar het lukte me niet. Hij zou het verschrikkelijk hebben gevonden. Niet dat hij me niet steunde in mijn werk – dat deed hij wel degelijk. Hij was er ook helemaal voor dat ik weer aan de slag zou gaan als Marcella zes maanden was. Maar naar Zwitserland gaan als zij nog maar drie *weken* oud was, dat was een heel ander verhaal. Ik weet precies wat hij gezegd zou hebben. "Ray, we hebben net een kind gekregen. Ik heb een maand onbetaald verlof genomen omdat ik bij haar wil zijn. Ik dacht dat jij dat ook zou willen." En dan heb ik het nog niet over alle dingen die hij niet zei, maar die ik toch zou horen: "Wat is er mis met jou? Wat ben jij voor harteloze vrouw en moeder, dat je kostbare tijd met je gezin opoffert om op zakenreis te gaan? Zou je niet eens leren wat je prioriteiten horen te zijn?"'

Ray zuchtte. 'Die discussie heb ik zo ontzettend vaak afgespeeld in mijn hoofd: "Maar dit is echt heel belangrijk, Angus." "En mijn werk dan, ik neem toch ook een maand vrij. Maar mijn werk doet er zeker niet toe, hè?" "Nee, maar als we dit contract mislopen, is dat een ramp." "Laat Fiona het maar regelen – dat kan ze best alleen. En dan nog, als jullie het mislopen is dat helemaal geen drama. Het gaat hartstikke goed met PhysioFit – er komen wel andere klanten. Waarom is dit zo ontzettend belangrijk?" "Daarom! En ik wil per se gaan, ook al kan ik het niet rechtvaardigen." "En wat nu als er de week daarop weer zo'n ontzettend belangrijke potentiële klant voorbijkomt, en de week daarna nog eentje? Dan wil je zeker ook weer per se gaan?"'

'Had hij gelijk?' vraag ik.

Ze knikt. 'Ik was geobsedeerd door PhysioFit. Daarom was het ook zo'n succes, omdat elk detail belangrijk was voor mij. Mijn drive en passie waren zo niet-aflatend dat het bedrijf wel moest bloeien – het kon niet anders. Angus begrijpt niet wat dat voor gevoel is. Hij heeft nog nooit een eigen bedrijf gehad. Ja, hij heeft inderdaad een maand vrij genomen toen Marcella werd geboren, *so what*? Er zouden heus niet minder mensen de krant kopen omdat er geen foto's van Angus in stonden. Tuurlijk niet. Ach, weet ik veel, misschien ook wel,' spreekt ze zichzelf tegen. 'Het verschil is dat werk iets is waar je geld mee verdient, wat Angus betreft. Hij staat er niet mee op en hij gaat er niet mee naar bed, en dat deed ik wel. Ik was zijn passie. En Marcella en Nathaniel.' Ze valt stil.

'Dus je hebt hem nooit verteld over Zwitserland? Maar je bent wel gegaan, of niet?'

'Ja. Ik heb Fiona de volgende dag opgebeld en gezegd dat ik met haar meeging, maar dat ze er nooit iets over mocht zeggen tegen wie dan ook. Ze lachte me uit, en zei dat ik niet goed snik was. Misschien had ze daar wel gelijk in.'

Ik denk aan mezelf, en hoe ik me voor de politie heb verstopt zodat ik door kon gaan met mijn werk.

'Angus was niet de enige aan wie ik het niet durfde te vertellen. Mijn moeder en zijn moeder waren er ook nog, en dat waren allebei superbehulpzame en toegewijde oma's. Als ik eerlijk was geweest over mijn plan, dan zou ik met hen dezelfde discussie moeten voeren. De gedachte aan hun bezorgde gezichten, en de preken die ik zou moeten aanhoren over wat ik allemaal wel en niet moest doen – dan zou ik net zo lief onder de dekens kruipen en er nooit meer onder vandaan komen. Ik wilde van Marcella genieten, en geen tijd verspillen aan standjes over hoe fout en dom ik was, en ik had geen zin me te moeten verdedigen. Mijn moeder en die van Angus zijn echt heel schattig, maar ze scheppen er ook allebei veel genoegen in om te vertellen wat het beste is voor iedereen om wie ze geven. En als ze de handen ineenslaan, is het helemaal een nachtmerrie.'

Ik probeer te negeren hoe eenzaam ik me voel bij het aanhoren van dit verhaal. Mijn moeder doet juist verschrikkelijk haar best om nooit iets te zeggen over wat ik allemaal doe, want ze is als de dood dat ze me op mijn teentjes trapt. Ik kan haar vragen wat ze graag wil zien op televisie en dan wordt ze zo nerveus als een konijn dat ergens een schot heeft horen vallen, en dan piept ze: 'Wat jij wil, kies jij maar', alsof ik een fascistische dictator ben die haar hoofd afhakt als ze *Taggart* zegt in plaats van *Come Dine with Me*.

'Naarmate de dagen verstreken, besefte ik dat ik een plan moest maken, en snel ook,' zegt Ray tegen de camera. 'Fiona had mijn vliegticket al geboekt. Ik had al tegen iedereen gelogen dat ik borstvoeding toch zo pijnlijk vond. Het liep eigenlijk gesmeerd, zowel bij mij als voor Marcella, maar ik deed net of het een lijdensweg was, zodat ik haar gewoon de fles kon geven, in de wetenschap dat ik een poosje weg zou zijn. Ik moest een verhaal verzinnen waardoor ik zonder gezeur drie dagen van huis kon zijn. Ik peinsde me suf, maar ik kon letterlijk niets bedenken, tot ik op een dag inzag dat dat precies de oplossing was: niets.'

Ik wacht. Het is waanzin, maar ik ben in de verleiding om aan de camera te vragen wat die ervan vindt. *Hoe kan niets nou de oplossing zijn? Heb jij enig idee waar ze het over heeft?*

'Wil je weten wat mijn geniale plan was?' vraagt Ray. 'Stap één: je gaat je afwezig en warrig gedragen, zodat iedereen gaat speculeren over wat er toch met je aan de hand kan zijn. Stap twee: je pakt zo-maar ineens je koffer, en als ze je vragen waar je heen gaat zeg je steeds: "Het spijt me, ik moet weg. Ik kan het niet uitleggen – ik moet gewoon weg." Stap drie: weggaan. Eerst naar een hotel vlak bij Fiona's huis, want Angus gaat natuurlijk eerst bij Fiona langs om me te zoeken, dus daar kun je niet logeren. Een paar nachten in het hotel logeren, en regelmatig naar huis bellen om iedereen gerust te stellen dat je het goed maakt. Als ze vragen waar je bent, weiger je antwoord te geven. Je zegt dat je nog niet naar huis kunt komen. Stap... ik weet niet bij welk nummer ik ook alweer was.'

'Vier.'

'Stap vier: je gaat naar Genève. Je geeft de presentatie, samen met Fiona. Je sleept het contract in de wacht. Stap vijf: je gaat weer terug naar Londen, naar een ander hotel dit keer. Je belt naar huis en zegt dat je je al wat beter voelt. Je praat niet meer in eenlettergrepige woorden, maar gaat echt in gesprek met je echtgenoot. Je vraagt naar Marcella. Zegt dat je haar mist, dat je niet kunt wachten haar weer te zien. En dat klopt ook, je kunt ook echt niet wachten. Je zou het liefst meteen naar huis stormen, maar het moet allemaal gelei-delijk. Iedereen zou achterdochtig worden als je ineens weer hele-maal normaal was – enfin, voor zover je ooit normaal was, en als ik er zo eens over nadenk...' Ze glimlacht bedroefd.

'Stap zes: na een paar nachten – een geleidelijk herstel – ga je weer terug naar huis. Je zegt dat je niet wil praten over waarom je weg bent gegaan en waar je bent geweest. Dat je nu alleen nog maar bij je gezin wil zijn en dat je verder wil met je leven. Stap zeven: als je schoonmoeder je eindeloze donderpreken geeft en een "fatsoenlijke uitleg" eist, zoals zij dat noemt, klim je uit het raam en rook je op het randje van de vensterbank een sigaret, in de prettige wetenschap dat je niet meer bang voor haar bent. Je hebt jezelf bewezen dat je vrij bent, en van nu af aan doe je precies wat jij wil.' Ray kijkt me aan. 'Is dat egocentrisch of niet? Maar ik *was* egocentrisch toen Marcella pas geboren was – ik weet niet of het door de hormonen kwam, maar ik was ineens nog veel egocentrischer en nog meer met mezelf bezig dan ooit. Het voelde als... als een *noodgeval*, alsof ik wel moest doen wat ik wilde, of ik voor mezelf *moest* zorgen, omdat iemand me anders zou overnemen, of zoiets.'

'Als jij het gevoel had dat je echt naar Zwitserland moest, dan had Angus je moeten laten gaan,' zeg ik.

'Stap acht: nadat je je door een politieagent door het raam naar binnen hebt laten trekken, en je hem in de waan laat dat hij je leven heeft gered, en zodra je psychiater je moeder en schoonmoeder heeft verteld dat ze jou met rust moeten laten omdat het beter is voor jouw geestelijke gezondheid, heb je de kans om met flinke sprongen voor-uitgang te laten zien. Nog een paar dagen ben je helemaal gelukkig en vol energie. Je bent ermee weggekomen. Je bent weer wat gekal-meerd, en de postnatale paniek is weggeëbd, en nu wil je alleen nog maar genieten van je man en je prachtige, lieve dochter. Je man is dol-blij – hij was zo bezorgd om je geweest; hij dacht dat hij je kwijt was. En kijk nu eens: je bent weer thuis, weer helemaal de zijne. Het feest kan beginnen.' Ze kijkt allesbehalve vreugdevol.

'Zou het niet veel makkelijker zijn geweest als je gewoon de waar-heid had verteld en de hele stortvloed van kritiek over je heen had laten komen?'

Ray schudt haar hoofd. 'Dat zou je wel denken, hè? Maar dat was niet zo. Het was makkelijker om het te doen zoals ik het heb gedaan, veel makkelijker. Dat moet wel, want ik kon het, terwijl ik me er niet toe kon brengen om de waarheid te zeggen.' Ze kauwt op de binnen-kant van haar lip. 'Door het op deze manier aan te pakken hoefde ik geen verantwoordelijkheid te nemen. Een zombie die niet weet wat ze doet, wekt medelijden, terwijl een succesvolle zakenvrouw die haar pasgeboren opzijschuift om verder te bouwen aan haar za-kenimperium alleen weerzin wekt. Angus begrijpt het. Het is wel grappig, want toen zou hij het nooit begrepen hebben, maar nu wel.'

'Hij weet ervan?'

Ray knikt.

Interessant. Hij weet niet dat ze in Marchington House logeert en hij weet ook nog steeds niet dat ze zwanger is, maar ze heeft hem wel haar stappenplan uit de doeken gedaan waarmee ze hem halfgek van bezorgdheid heeft gemaakt. Wat hebben die twee eigenlijk precies voor een relatie?

'Ik mis Fiona,' zegt Ray zachtjes. 'Ze runt PhysioFit nog altijd. Ze heeft inmiddels een nieuwe zakenpartner. Voor mijn proces heb ik haar een brief geschreven waarin ik haar smeekte om tegen niemand iets te zeggen over Zwitserland, en dat heeft ze ook nooit gedaan. Ze dacht alleen wel dat ik het had gedaan – ze dacht dat ik schuldig was, zoals iedereen.'

'Wanneer heb je Angus verteld over Zwitserland?' vraag ik.

'Weet je nog dat hotel waar ik je over vertelde, waar ik was toen ik net uit de gevangenis kwam?'

'Dat hotel met die foto van een urn in elke kamer?'

'Toen ik dat niet meer trok, ben ik naar Angus gegaan, naar ons huis in Notting Hill. Toen hebben we alles uitgepraat. Ik... ik zou graag willen dat Angus erbij is als ik je daarover vertel,' zegt ze. 'Ik wil het graag samen vertellen, omdat alles toen eindelijk weer goed kwam tussen ons.'

Ik probeer te kijken alsof ik blij voor haar ben.

'Je moet niet boos op hem zijn omdat hij je heeft lastiggevallen, Fliss. Hij is heel erg beschermend wat mij betreft, en hij behandelt mensen niet altijd rechtvaardig.' Ray's toon suggereert dat het een legitieme manier van leven is in plaats van een karakterfout. 'Ik ook niet, geloof ik. We doen allemaal wat we moeten doen, toch? Ik heb tegen mijn advocaten gelogen, tegen Laurie Nattrass, tegen de rechter – was dat rechtvaardig?'

'Waarom heb je dat gedaan? Waarom heb je twee verschillende leugens opgehangen over waar je die negen dagen uithing? Waarom heb je gelogen over hoelang het duurde voor je de wijkverpleegkundige binnenliet en over wie je als eerste belde, Angus of de ambulance?'

Mijn telefoon zoemt. Een bericht. Ik grijp mijn tas in de zekere wetenschap dat het niet van Laurie kan zijn. Aangezien die mijn twintig telefoontjes in twee dagen heeft genegeerd, is het niet erg waarschijnlijk dat hij mijn eenentwintigste telefoontje ineens wel honoreert. *Laat het hem alsjeblieft niet zijn.*

'Ik heb tegen de rechter gelogen omdat...' begint Ray.

'Ik moet gaan,' zeg ik tegen haar terwijl ik naar mijn mobiel staar. Op dat kleine schermpje staat het bewijs dat ik nodig heb. Ik heb geen idee wat ik ermee moet doen. Met één druk op de knop zou ik het kunnen deleten, maar alleen uit mijn telefoon. Niet uit mijn geheugen.

'Zo te zien is dat een belangrijk iemand,' zegt Ray.

'Laurie Nattrass,' zeg ik neutraal, zoals ik elke willekeurige andere naam zou zeggen.

# 16

## 12/10/2009

Ze hadden een profiler.

Ze hadden ook zeven rechercheurs van Team 17, een afdeling in Londen die alleen grote zaken deed, en geen van hen zag eruit alsof ze het prettig vonden om in Spilling gedetacheerd te zijn. Simon voelde zich niet op zijn gemak bij hen. Zijn ervaring met rechercheurs van de Metropolitan Police, verleden jaar, was een uitermate negatieve.

De profiler – dr. Tina Ramsden BSc MSc; ze had bijna het hele alfabet aan titels – was klein van stuk, gespierd en bruin, en ze had blond haar tot op de schouder. Simon vond dat ze eruitzag als een proftennisster. Ze leek gespannen, en haar glimlach neeg naar het verontschuldigende. Zou ze nu soms opbiechten dat ze geen flauw benul had? Dan had Simon zelf wel een paar ideeën.

'Voor ik mijn profielen presenteer, leg ik eerst altijd uit dat er geen makkelijke oplossingen bestaan,' begon ze. 'In dit geval verdient die opmerking nog extra nadruk.' Ze wendde zich tot Proust, die tegen de gesloten deur geleund stond van een overvolle rechercheruimte en die eruitzag als een van de beren uit Goudlokje. *Wie heeft mijn plaatsje overgenomen?* 'Ik wil me daar meteen al voor verontschuldigen, want ik weet niet precies in hoeverre ik kan helpen bij het opsporen van deze persoon door uiterlijke kenmerken te geven. Ik zou niets met zekerheid durven zeggen over leeftijdscategorie, burgerlijke staat, etniciteit, sociale achtergrond, opleidingsniveau...'

'Laat mij dan maar iets met zekerheid stellen, in uw plaats,' zei Proust. 'Kaalmans is gezien door twee ooggetuigen: Sarah Jaggard en onze eigen agent Zailer. We weten dus dat hij tussen de dertig en de vijfendertig is, blank, en dat hij een kaalgeschoren hoofd heeft. Ook weten we dat hij een Cockney-accent heeft. Er is wat onenigheid wat betreft de vorm van zijn hoofd...'

'Ik heb de twee ooggetuigenverslagen niet meegenomen,' zei Ramsden tegen hem. 'Een profiel heeft geen zin als je dat opbouwt rond feiten. Je kijkt naar de misdaden – verder nergens naar.'

'Zou het misschien een blanke skinhead van negenendertig met een Cockney-accent *kunnen* zijn?' vroeg Proust.

'Zoals ik al zei, wat betreft leeftijd, werk, opleiding, of hij single is of in een langdurige relatie is verwikkeld – alle uiterlijke zaken –, wil ik me nergens op vastpinnen,' zei Ramsden. 'Wat zijn karakter betreft zou het oppervlakkig gezien zowel een einzelgänger als een sociaal dier kunnen zijn.'

'We hebben er inderdaad weinig aan u te horen zeggen dat het iedereen wel zou kunnen zijn, dokter Ramsden,' zei de Sneeuwman. 'We hebben ruim driehonderd namen doorgekregen sinds Kaalmans afgelopen zaterdag met zijn lelijke tronie in de krant heeft gestaan en nog eens een stuk of honderd wilde theorieën over de zestien getallen, de ene nog krankzinniger dan de andere.'

'U wilt weten wat ik u kan vertellen over deze man? Het meest opvallende aan hem zijn de kaarten die hij verstuurt en achterlaat op de plaats delict. Zestien getallen, steeds dezelfde en in dezelfde volgorde, in vier rijen van vier.' Ramsden draaide zich om en wees op het bord achter zich. 'Als we kijken naar de kaarten die we hebben aangetroffen bij de lichamen van Helen Yardley en Judith Duffy, en de kaart die Sarah Jaggard in haar zak vond nadat ze was aangevallen, zien we dat deze man graag netjes en consistent te werk gaat. Alle vieren zijn bijvoorbeeld op precies dezelfde manier geschreven. Dat geldt ook voor de zeven, en eigenlijk voor alle getallen. De afstand tussen de getallen is ook extreem regelmatig – het lijkt alsof ze met een liniaal zijn afgemeten zodat het er steeds precies gelijk uitziet. De opzet in rijen en kolommen zegt dat hij van orde en organisatie houdt. Hij vindt het vreselijk om iets lukraak aan te pakken, en hij is trots op het vakmanschap dat hij in zijn kaarten heeft gestoken – daarom gebruikt hij ook zo'n dikke kaart van goede kwaliteit, duur. Ook al is die, helaas voor jullie, wel overal verkrijgbaar.'

Er klonk gekreun van de arme kerels die dagenlang bezig waren geweest om vast te stellen wat 'overal' inhield.

'Een obsessie met orde kan duiden op een militaire achtergrond,' zei Chris Gibbs. 'Ook al omdat hij een pistool gebruikt van het Amerikaanse leger.'

'Het kan inderdaad duiden op een militaire achtergrond,' zei Ramsden instemmend. 'Maar het kan ook duiden op gevangenis, kostschool, of een willekeurig ander instituut. Ook kan het zijn dat het gaat om iemand die is opgegroeid in een chaotisch, instabiel gezin en die daarop reageert door alles in hoge mate onder controle te willen hebben. Dat is niet ongebruikelijk – het kind heeft dan een onvoorstelbaar keurig kamertje, terwijl de rest van het huis een puinhoop is: het serviesgoed vliegt in het rond, de ouders lopen tegen elkaar te schreeuwen... Maar, zoals ik al zei, ik wil het niet over dit soort kenmerken hebben, want ik ben er niet zeker van. Het enige waar ik in dit stadium wel specifiek iets over wil zeggen, is de *mindset*.'

'U zegt dat hij een enorme controlefreak is,' riep Simon van achter in de ruimte. 'Aangenomen dat hij familie en vrienden heeft, dan zullen die dat toch wel aan hem gemerkt hebben? Soms is de *mindset* toch zichtbaar in de uiterlijke kenmerken?'

'Aha! Dank u wel, rechercheur...?'

'Waterhouse.' Simon had aan veel dingen een hekel, maar boven aan de lijst stond het noemen van zijn naam in een grote groep mensen. Zijn enige troost was dat niemand wist hoe moeilijk hij dat vond.

'Ik heb niet gezegd dat hij een controlefreak is,' zei Ramsden, schijnbaar met zichzelf ingenomen. 'Ik zei dat hij mogelijk uit een gezin komt waar het zowel praktisch als emotioneel gezien een puinhoop was.'

'En het kan zijn dat hij daarop reageert door extreme controle uit te oefenen.' Simon wist best wat hij had gehoord.

'Ja,' zei ze, en ze maakte een soort handgebaar dat hij interpreteerde als 'even wachten'. 'Ik zou zeggen dat het waarschijnlijk zo is dat deze man *ooit* een controlefreak was die de touwtjes van zijn leven strak in handen had. Maar het is hem aan het ontglippen. Dat is het interessantste aan hem. Hij doet er alles aan om de zaak onder controle te houden, en hij klampt zich vast aan de illusie dat hij dat ook inderdaad heeft, maar het is niet zo. Hij verliest zijn grip op de werkelijkheid, en op zijn eigen positie in die werkelijkheid – mogelijk ook op zijn geestelijke gezondheid. Dezelfde kaarten die laten zien hoe nauwgezet hij is en hoe hij van orde houdt, laten tegelijkertijd zien hoe irrationeel en inconsistent hij is. Ga maar na: hij schiet Judith Duffy en Helen Yardley dood en laat een kaart achter op hun lichamen. Hij valt Sarah Jaggard aan met een mes, niet met een pistool, op klaarlichte dag in een drukke winkelstraat, niet bij haar thuis, en hij stopt een kaart in haar zak. Ook stuurt hij kaarten naar twee televisieproducenten die hij noch aanvalt noch vermoordt, en dan stuurt hij ook nog eens een van die producenten een foto van Helen Yardley's hand met daarin een kaart én een exemplaar van haar eigen boek.'

Ramsden keek de kamer rond om te zien of iedereen haar punt snapte. 'Hij denkt dus dat hij een uitgekiend plan heeft, maar *wij* zien dat hij maar wat aan rotzooit, dat hij geen idee heeft waar hij nu precies mee bezig is, en dat hij zich inbeeldt dat hij alles onder controle heeft, terwijl het in feite allemaal steeds ongecontroleerder wordt. Zijn geestelijke gesteldheid is als een boodschappenwagentje dat van een steile helling rijdt, en dat steeds meer vaart krijgt. De wieltjes schieten alle kanten op – en we weten allemaal hoe lastig die wieltjes te besturen zijn.'

Sommige mensen lachten. Simon niet. Hij was niet van plan de conclusies van Tina Ramsden te vertrouwen omdat zij nu toevallig weleens in de supermarkt kwam.

'Hij denkt dat het heel slim van hem is om met dat getallenvierkant te komen waar geen mens chocola van kan maken,' ging ze verder, 'maar het zou goed kunnen dat die getallen helemaal niets betekenen. Het kan zijn dat hij gestoord is of gewoon heel dom. Misschien heeft hij een nihilistisch trekje: wil hij de politie hun tijd laten verdoen door jullie te laten zoeken naar een betekenis die er helemaal niet is. Of – en ik weet dat ik jullie hier niet mee help, en ik weet dat het klinkt alsof ik zeg dat alles mogelijk is – misschien is hij juist wel zeer intelligent en heeft de volgorde van die getallen wel degelijk een bepaalde betekenis, en bevatten de kaarten een aanwijzing naar zijn bedoeling of zijn identiteit.' Ramsden zweeg om adem te halen. 'Maar zelfs al is dat het geval, de keuze van mensen aan wie hij de kaart heeft gestuurd, suggereert dat dat deel van zijn hersens dat weet waar het om gaat, wordt overschaduwd door het naar beneden denderende boodschappenkarretje.'

Simon deed zijn mond open om iets te zeggen, maar ze was nog lang niet klaar. 'Sarah Jaggard en Helen Yardley – goed, een duidelijk verband. Allebei berecht voor kindermoord. Judith Duffy? Die had niet alleen niets gemeen met Jaggard en Yardley, ze is hun absolute tegenpool: hun tegenstander in beroemde controversiële zaken. Het lijkt of hij niet kan kiezen aan wiens kant hij staat. Laurie Nattrass en Fliss Benson – die zijn via hun werk aan alle drie de vrouwen verbonden, maar verder hebben ze niets met hen gemeen. Nattrass en Benson zijn geen van beiden persoonlijk betrokken bij kindermoordzaken.'

'Hier wil ik u even onderbreken,' zei Proust. 'Het is gebleken dat juffrouw Benson wel degelijk persoonlijk betrokken is. We zijn er vanochtend achter gekomen dat haar vader zijn baan bij Jeugdzorg is kwijtgeraakt door een fout van dat bureau die heeft geleid tot de dood van een kind. Hij pleegde daarna zelfmoord.'

'O.' Ramsden leek wat uit het veld geslagen. 'Nou, goed dan, dus Benson is wel betrokken bij een kindermoord, zowel via haar werk als in haar privéleven. Dat is in feite alleen nog maar verder bewijs voor mijn punt. Er is in essentie geen patroon. Deze mensen hebben niets met elkaar gemeen.'

'Meent u dat nou?' vroeg Simon. 'Ik kan het patroon namelijk in één zin samenvatten: hij stuurt kaarten aan mensen die betrokken

zijn bij de documentaire van Binary Star en de drie zaken die daarin centraal staan: Yardley, Jaggard en Hines.'

'Ja, goed, in zekere zin hebt u natuurlijk gelijk,' gaf Ramsden toe.
'Die zaken spelen een prominente rol in zijn gedachten – dat zal ik
niet ontkennen. Sterker nog, ik zou zeggen dat hij iemand is met een
ernstig emotioneel trauma in verband met dit thema. Misschien
heeft hij zelf een kind verloren, of een broertje of zusje, of een klein-
kind, wellicht aan wiegendood, en dat kan hebben geleid tot een obsessie met mensen als Helen Yardley en Judith Duffy. Maar om hen
allebei te doden terwijl zij, zoals ik al zei, elkaars tegenpool zijn
– daar zit totaal geen eenduidig principe achter. En het meest ver-
ontrustende is nog dat moordenaar van het type "denderend boodschappenwagentje" de neiging heeft flink gas te geven voor hij zichzelf te pletter rijdt.'

'Neem me niet kwalijk dat ik u weer onderbreek, maar...' Simon
wilde zien of de Sneeuwman hem het zwijgen op zou leggen. Dat
deed hij niet. 'U doet nu net alsof het verband tussen de moordenaar
en Binary Star puur thematisch bepaald is – het is een ouder die een
zwaar verlies heeft geleden, en daarom is hij zo geobsedeerd met die
drie zaken.'

'Ik zei alleen dat het zo zou *kunnen* zijn...'

'Het verband moet sterker zijn en het moet iemand van dichterbij
zijn,' zei Simon. 'Ik weet niet hoe grondig of hoe recent u bent gebrieft,
maar Laurie Nattrass heeft op dinsdag een mail gestuurd naar iedereen die bij de documentaire betrokken was – artsen, verpleegkundi-
gen, advocaten, politiemensen, de vrouwen en hun familie, mensen bij
de BBC, en de mensen van GOOV. Om drie uur 's middags die dinsdag,
kregen een kleine honderd personen die e-mail van Nattrass, waarin
stond dat Fliss Benson zijn werk zou overnemen als uitvoerend producent van de film. Tot dat moment had zij helemaal niets met deze zaken
te maken. Een van de mensen die de e-mail heeft ontvangen moet de
kaart hebben gestuurd. Hij of zij heeft de boodschap van Nattrass gelezen en onmiddellijk een kaart gemaakt voor Benson en die aan haar
werkadres gestuurd, waar zij hem op woensdagochtend ontving.'

'Dokter Ramsden, alle mensen die die mail van Nattrass hebben ontvangen, hebben een alibi voor een of beide moorden,' zei Proust. Hij had net zo goed met zijn armen kunnen zwaaien onder het roepen van: 'Let maar niet op hem, luister maar naar mij.' 'Niemand uitgezonderd. En tenzij rechercheur Waterhouse van mening is dat Sarah Jaggard en agent Zailer samenzweren om ons te misleiden – en ik ben heus niet zo naïef dat ik dat uitsluit – dan hoeven we ons niet druk te maken over de "hij of zij"-vraag. We weten dat Kaalmans onze man is.'

'Ja,' zei Simon, 'en we weten dat hij Duffy heeft vermoord en Jaggard heeft aangevallen, maar we weten niet of hij de kaarten ook heeft verstuurd, en we weten niet of hij op Yardley heeft geschoten.'

'Maar we gaan er toch wel van uit dat hij de schutter is?' zei rechercheur Klair Williamson.

'Ja,' zei Proust stellig.

'Ik niet,' zei Simon tegen haar. 'Dillon White wierp één blik op de compositietekening en zei dat dat niet de man was met...'

'Mag ik u even waarschuwen: rechercheur Waterhouse gaat nu het woord "toverparaplu" in de mond nemen,' zei de Sneeuwman bits.

'Er zijn twee mensen bij deze moorden betrokken.' Simon presenteerde zijn theorie alsof het een feit was. Hij zou zich later wel afvragen of het klopte of niet. 'De ene is Kaalmans. De andere zou een man of een vrouw kunnen zijn, maar laten we hem voor het gemak een "hem" noemen. Dat is de leider van de twee, het brein achter de operatie: slim, bazig en *de baas.* Hij is ook degene die de kaarten verstuurt, die weet wat de zestien getallen betekenen en hij daagt ons uit – door ons te laten weten dat we hem alleen te pakken krijgen als wij even slim zijn als hij.'

'Dus we hebben Kaalmans en Breinmans,' lachte Colin Sellers.

'Het kan zijn dat het Brein Kaalmans betaalt om het vuile werk voor hem op te knappen,' zei Simon. 'Of misschien is Kaalmans wel om de een of andere reden loyaal aan hem, en is hij hem iets verschuldigd. Toen Kaalmans zei: "Je zit er te diep in en dan kun je er niet meer uit", had hij het over de grip die het Brein op hem had. Het

Brein, de kaartenschrijver en -verstuurder, is degene die Kaalmans probeerde te bellen bij Judith Duffy thuis, nadat hij Duffy had omgelegd. Hij wilde instructies, want hij wist niet wat hij met Charlie aan moest, of hij haar moest doden of niet.'

'Als je gelijk hebt, dan maakt het niet uit wie er wel of geen alibi had, want dan kan iedereen die op dinsdag die e-mail van Laurie Nattrass kreeg de kaart hebben verstuurd,' zei Sam Kombothekra. 'Of iedereen bij Binary Star, iedereen die door Nattrass of Benson was ingelicht dat Benson het als uitvoerend producent overnam van Nattrass.'

'Ik verwacht dat het Brein een degelijk alibi heeft voor zaterdag, toen Duffy werd vermoord, maar niet voor maandag,' zei Simon. 'En ik denk dat omdat Kaalmans er bij Sarah Jaggard een potje van had gemaakt, het Brein besloot om Helen Yardley zelf voor zijn rekening te nemen, En toen heeft hij Kaalmans nog een keer de kans gegeven bij Duffy. Misschien heeft hij hem in de tussentijd wat training gegeven.'

'Ik bied mijn nederige excuses aan voor rechercheur Waterhouse,' zei Proust. Tina Ramsden begon haar hoofd te schudden en wilde iets zeggen, maar de Sneeuwman overstemde haar omdat hij lekker op dreef begon te raken met zijn lievelingsonderwerp: Simons waardeloosheid. 'Er is absoluut geen reden om te denken dat er twee mensen betrokken zijn bij deze aanvallen. Een jongetje van vier dat onzin brabbelt en Kaalmans die iemand probeerde te bellen? Wie zegt mij dat hij geen contact zocht met zijn vriendinnetje om te zeggen dat hij die avond graag witlof wilde eten? Hij had willekeurig wie kunnen bellen, over willekeurig wat voor onderwerp. Toch, dokter Ramsden, dat is toch zo?'

Ramsden knikte. 'Als mensen zich in een dreigende situatie bevinden, willen ze geruststelling, dat is een normale impuls.'

'Dus hij zit daar in Judith Duffy's hal met een lijk voor zich en met Charlie onder schot, en dan neemt hij ineens even pauze om een vriend te bellen omdat hij graag een vertrouwde stem wil horen?' Simon schoot in de lach. 'Kom nou toch, dat kunt u toch niet menen?'

'Ik ben er niet van overtuigd dat er sprake was van controleverlies of irrationaliteit,' zei Chris Gibbs terwijl hij opstond. 'Of het er nu twee waren of maar eentje, hoe kunt u nu weten dat alles wat er tot nu toe is gebeurd niet precies volgens plan verloopt? Omdat Helen Yardley en Judith Duffy nu toevallig allebei zijn vermoord...'

'Wat er sterk op wijst dat de moordenaar niet weet aan welke kant hij staat, of misschien dat hij het punt heeft bereikt waarop hij zich alleen nog maar namen kan herinneren en niet meer weet bij welke partij die ook alweer hoorden,' zei Tina Ramsden. Haar bereidwilligheid deed Simon goed. Ze vatte het goed op dat ze steeds werd onderbroken en het leek haar niet te deren dat mensen het niet met haar eens waren.

'Dat hoeft niet per se,' zei Gibbs en hij keek om zich heen, op zoek naar steun. 'Laten we zeggen dat Paul Yardley de moordenaar is...'

'Is dat niet diezelfde Paul Yardley die zowel voor maandag als voor zaterdag een alibi heeft, die geen Cockney-accent heeft en wel een volle bos met haar?' vroeg Proust. 'En over volle bossen met haar gesproken, Gibbs, dat van jou zit er nog steeds. Had ik jou niet opgedragen om je kop kaal te scheren?'

Simon bad dat Gibbs doorging met zijn theorie, en dat deed hij ook. 'Laten we zeggen dat Yardley's geloof in Helens onschuld helemaal niet zo rotsvast was als hij voorwendde – misschien *had* hij wel zo zijn twijfels, ook al gaf hij daar nooit uitdrukking aan. Zoals de meeste mannen in zijn positie – want laten we eerlijk zijn, je kunt het ook niet weten. Niet met honderd procent zekerheid. Het enige wat Yardley zeker weet is dat zijn leven verwoest is – eerst raakt hij zijn twee zoons kwijt, dan gaat zijn vrouw naar de gevangenis en pakt Jeugdzorg hem zijn dochter af. 's Ochtends uit bed komen moet al een worsteling voor hem zijn geweest, maar zolang Helen nog vastzat had hij een doel, namelijk om haar vrij te krijgen. Toen ze eenmaal vrij was, had hij niets meer om na te streven. Zij had het druk met Laurie Nattrass en met GOOV. Waar zit Yardley dan dag in dag uit aan te denken terwijl hij bezig is andermans dak te repareren?'

'Gevels en daklijsten?' opperde Sellers grinnikend.

'Kom eens ter zake, Gibbs,' zei de Sneeuwman vermoeid.

'Stel dat Yardley een binnenvetter is? Stel dat hij vindt dat iemand moet boeten voor alle shi– alle ellende die hij heeft doorgemaakt? Wie had daar schuld aan? Helen, misschien, als zij haar zoontjes wel had vermoord. Duffy, omdat Yardley door haar zijn vrouw negen jaar kwijt was.'

'En Sarah Jaggard?' vroeg Simon.

'Sarah Jaggard is niet vermoord,' zei Gibbs. 'Ze is niet eens gewond geraakt. Dat was misschien ook nooit de bedoeling. Misschien was dat met haar alleen bedoeld om ons te misleiden, of om de aandacht af te leiden door het breder te trekken, naar soortgelijke zaken als die van Helen Yardley.'

'Dus als ik het goed begrijp,' zei Proust terwijl hij de revers van zijn jasje gladstreek, 'dan zeg jij dat Paul Yardley zijn vrouw en Judith Duffy heeft vermoord omdat hij iemand wilde straffen voor het verwoesten van zijn leven, maar dat hij niet precies wist op wie hij de schuld moest schuiven?'

Gibbs knikte. 'Zou kunnen, ja. Of het kan nog anders liggen: het was geen of-of, maar hij gaf hun allebei de schuld: Helen voor het verlies van zijn twee jongens, en Duffy voor het verlies van Helen en zijn dochter.'

Simon vond deze opties niet bijster geloofwaardig, maar toch was hij blij dat Gibbs ze opperde. Had hij tenminste één collega met wat fantasie.

Tina Ramsden glimlachte. 'U heeft kennelijk een heel team vol profilers,' zei ze tegen Proust. 'Weet u zeker dat u mij nog nodig hebt? Ik moet zeggen dat ik het niet eens ben met de theorie dat er twee daders zouden zijn.' Ze keek Simon aan en haalde verontschuldigend haar schouders op. 'En ik ben wel heel zeker over de escalerende irrationaliteit. Dat de kaartenstuurder de rationele baas is klopt niet, omdat de kaarten niet volgens een regelmatig patroon verstuurd of uitgedeeld worden – soms post hij ze, zonder geweld, soms verstuurt hij ze als foto per e-mail, en soms laat hij ze achter in de zak van moordslachtoffers.'

'Die getallen zouden ons helpen hem te identificeren, als we zouden weten wat ze betekenen,' zei Simon. 'Dat is een uitdaging. Hij stuurt kaarten naar mensen die hij als zijn intellectuele gelijke ziet, mensen die hij slim genoeg acht om zijn code te kraken.' Toen hij zag dat Sellers zijn mond opendeed, stak Simon een hand op om hem het zwijgen op te leggen. 'Wilde je soms zeggen dat Helen Yardley oppasmoeder was, en Sarah Jaggard kapster – allebei geen grote geesten, zoals het Brein zou denken, en dat ze toch allebei een kaart kregen?'

Sellers knikte.

'Maar dat is niet zo. Helen Yardley en Sarah Jaggard *hebben* niet allebei een kaart gekregen. Judith Duffy heeft geen kaart gekregen.' Simon luisterde naar hoe de ruimte zich vulde met het geluid van verwarring. 'Yardley, Jaggard en Duffy waren niet de beoogde ontvangers van die drie kaarten. En trouwens, Duffy was al dood toen zij de hare kreeg. Die drie kaarten waren voor ons: de politie. Het is onze taak immers om erachter te komen wat ze betekenen? Laurie Nattrass en Fliss Benson hebben tot taak om de waarheid te achterhalen achter die drie rechterlijke dwalingen.'

Hij had nu ieders onverdeelde aandacht. 'We moeten die zaken als afzonderlijke dingen zien, het geweld en de kaarten. In de eerste categorie hebben we te maken met twee vermoorde vrouwen en eentje die met een mes werd bedreigd, en alle drie die vrouwen waren betrokken bij gevallen van wiegendood. In de andere categorie werden vijf kaarten gestuurd, die aan de politie, al gebeurde dat indirect, en twee aan de documentairemakers – alle vijf aan mensen van wie het Brein vermoedt dat ze intelligent genoeg zijn om zijn code te kraken. Daar is helemaal niets irrationeels aan,' zei Simon tegen Tina Ramsden. 'Het is zelfs heel logisch, en het betekent dat Fliss Benson en Laurie Nattrass geen gevaar lopen, net zomin als wij.'

'De slachtoffers die hij uitkiest voor zijn gewelddadig gedrag zijn ook logisch: Helen Yardley en Sarah Jaggard werden om een bepaalde reden uitgekozen, al is het niet de meest voor de hand liggende reden. Het Brein wilde ons tonen dat we hem onderschatten.

Daarom was Judith Duffy het volgende slachtoffer, en niet Ray Hines.' Simon wist zeker dat hij hier gelijk in had. 'Wij hebben hem hiertoe gedwongen. Op zaterdag stelde Sam in alle landelijke dagbladen dat wij ervan uitgingen dat de moordenaar iemand was die het recht in eigen hand wilde nemen, en die vrouwen aanviel van wie hij vond dat ze onterecht wegkwamen met hun misdaden. Maar dat *is* zijn motief helemaal niet, en later die dag bewees hij dat door Judith Duffy te vermoorden – ik zeg "hij" maar ik bedoel "hij of zij", voor de duidelijkheid.'

'Seksist,' mompelde een vrouwenstem.

'Hij had misschien geen enkele andere reden om Duffy te vermoorden dan aan ons te bewijzen dat wij het bij het verkeerde eind hadden wat zijn motief betrof,' zei Simon. 'Hij is niet alleen uiterst nauwgezet – en schrijft zijn vieren en zevens telkens op precies dezelfde wijze – maar hij is ook objectief, althans, dat vindt hij zelf: hij vindt zichzelf fair en hij vindt dat hij helder nadenkt. Hij wil graag dat ons dat opvalt. Hij is waarschijnlijk iemand die eigenrichting uiterst dom vindt – dat het iets is voor ongewassen proleten die foute kranten lezen. Die symboliek spreekt hem totaal niet aan, want hij is slim en als ik een gok moest doen, zou ik zeggen dat hij uit de betere kringen komt. Hij wil dat wij inzien dat eventuele gerechtigheid die door hem of Kaalmans wordt bewerkstelligd niet meer is dan dat: nobele gerechtigheid, en geen morsige wraak. Door de leiders van twee vechtende legers te vermoorden – Helen Yardley en Judith Duffy – toont hij ons dat hij rechtvaardig en onpartijdig is.'

Iedereen staarde hem aan. Niemand wilde als eerste reageren. Proust stond met zijn armen over elkaar gevouwen naar het plafond te staren, met zijn nek bijna in een hoek van negentig graden. Was hij soms aan het mediteren?

'Goed, als niemand hierop in wil gaan, dan doe ik het wel,' zei Tina Ramsden na bijna tien seconden stilte. Ze hield haar aantekeningen omhoog zodat iedereen ze kon zien, en scheurde ze doormidden en toen nog eens. 'Jullie hebben geen idee hoe irritant het is om dit te moeten doen nadat ik hier de halve nacht op heb zitten zwoegen, maar ik moet eerlijk zeggen dat ik helemaal niets zinnigs voor jullie kan doen,' zei ze. 'Ik verwijs jullie naar de superieure analyse van rechercheur Waterhouse.'

'Zijn wat?' vroeg Proust.

Ramsden keek Simon aan. 'Ik vind uw profiel beter dan het mijne.'

'Dus jij denkt dat hij van plan is om je in zijn armen te nemen en je eens een flinke beurt te geven?' vroeg Olivia Zailer enthousiast. Ze had alles laten vallen en was naar Spilling gekomen om voor haar zusje te zorgen na haar akelige ervaring, nadat ze eerst had gevraagd of Charlie geen wonden had waardoor zij met zware dingen zou moeten sjouwen of met volle po's.

'Geen idee,' zei Charlie. 'Het enige wat ik weet, is dat hij me een liefdesbrief heeft gestuurd – of nou ja, een stukje papier met lieve dingen erop – en dat hij me heeft opgedragen om zaterdag zo vroeg mogelijk naar huis te komen.'

'Maar toen hij je weer zag, deed hij helemaal niets.' Olivia trok haar neus teleurgesteld op.

'Toen hij me weer zag had de moordenaar van Judith Duffy net een pistool tegen mijn hoofd gehouden. Ik stond zo te trillen op mijn benen dat ik me niet eens meer herinnerde dat we die avond misschien seks zouden hebben, en Simon had meer behoefte om me te ondervragen over die man die ze Kaalmans noemen.'

Liv snoof. 'Zijn werk-privébalans is net een wipwap met aan het ene eind een betonnen neushoorn. Maar goed, hij heeft je in elk geval een lief briefje gestuurd – dat is toch al een enorme stap voor-uit!'

Charlie knikte. Zij en Olivia zaten aan haar keukentafel thee te drinken, ook al had Liv een fles roze champagne meegebracht. 'Om te vieren dat je niet bent doodgeschoten,' verklaarde ze.

De zon scheen alsof hij het verschil tussen zomer en winter niet kende; Charlie moest het rolgordijn in de keuken naar beneden laten. Sinds Simon die paar woorden voor haar had opgeschreven, had de zon bijna constant geschenen, ook al zei het nieuws steeds dat er zware bewolking boven Culver Valley hing. Charlie vertrouwde op haar eigen waarneming; die lui op tv hadden het mis.

'Ik had het je bijna niet verteld, van die liefdesbrief,' zei ze.

'*Wat?*' Als Olivia iets erg vond, dan was het wel dat men informatie voor haar achterhield.

'Ik dacht dat jij het misschien pathetisch zou vinden – omdat het niet eens een behoorlijk vel papier was, en omdat er niet stond dat hij van me houdt...'

'Kom op, zeg! Hoe hardvochtig denk je dat ik ben?'

'We hebben een soort vete over de huwelijksreis,' zei Charlie tegen haar. Was ze soms zo gewend aan ruzie met Olivia dat ze per se iets moest zeggen waar haar zus haar op aan kon vallen, zodat zij haar vertrouwde plaats aan de verdedigingslinie weer kon innemen? 'Simons ouders hebben vliegangst, dus hij zei meteen al dat het ergens in Engeland moest worden.'

'Je gaat me toch niet vertellen dat Simons ouders met jullie meegaan op huwelijksreis?'

'Doe even leuk, zeg. Ik krijg al hartkloppingen als ze met me mee naar de andere kant van de tuin lopen. Nee, ze vinden het eng als *Simon* vliegt. Zijn moeder heeft gezegd dat ze twee weken niet kan slapen of eten als hij "in zo'n vliegmachine" stapt, zoals zij dat noemt.'

'Wat een dom wijf,' zei Olivia boos.

'Het probleem is, ze meent het nog ook. Simon weet zeker dat ze echt niet slaapt of eet tot hij weer veilig thuis is, en het zou zijn pret bederven als hij wist dat zijn moeder zich had doodgehongerd als we weer terugkomen. Hoewel ik eerlijk moet zeggen dat het een marginaal verschil is.' Charlie zweeg om te voelen hoe hoog haar schuldmeter uitsloeg: nul. 'Ik had geen zin om mijn huwelijksreis hier in het motel om de hoek door te brengen, wat overigens een bloedserieuze suggestie van mijn aanstaande schoonvader was...'

'Dat geloof je toch niet!'

'...dus toen hebben we een compromis gesloten. Simon gaat akkoord met elke bestemming op minder dan drie uur vliegen hiervandaan, en ik heb toegezegd tegen zijn ouders te liegen en net te doen of we naar Torquay gaan – dat klinkt lekker veilig en dichtbij, maar het is toch ver genoeg zodat Simon met recht tegen zijn moeder kan zegen dat hij niet even langs kan komen voor de lunch op zondag.'

'Ik neem toch aan dat Kathleen en Michael wel weten dat je je met een auto ook dood kunt rijden?'

'O, maar we gaan met de trein naar Torquay.' Charlie schoot onwillekeurig in de lach. 'Mensen gaan namelijk inderdaad dood op de grote weg. Het is zo belachelijk – Simon zit elke dag in zijn auto, maar omdat hij dit keer buiten het gebied treedt dat zijn mama veilig acht...'

'Mensen gaan ook dood bij treinongelukken,' merkte Olivia op.

'Wil je dat alsjeblieft niet tegen Kathleen zeggen, anders moeten we onze huwelijksreis nog in haar voorkamer doorbrengen.'

'Dus waar gaan jullie nu naartoe?'

'Marbella – dat is een vlucht van net geen drie uur. Twee uur en vijfenvijftig minuten.'

'Maar...' Olivia kneep haar ogen samen. 'Als je toch tegen Kathleen en Michael liegt, kun je overal heen: Mauritius, St.-Lucia...'

'Dat heb ik ook allemaal tegen Simon gezegd, en weet je wat die zei? Kom op, raad maar.'

Liv sloot haar ogen en balde haar handen tot vuisten. 'Wacht even, hoor, niks zeggen, niks zeggen...' Ze leek wel zes. Charlie was jaloers op het ongecompliceerde plezier dat haar zusje had in alles wat het leven te bieden had. 'Dan zit hij te ver weg voor het geval zijn moeder ziek wordt en hij op stel en sprong terug moet vliegen? Tot zulke lage listen zie ik haar best in staat.'

'Da's een goeie, maar het is zelfs nog belachelijker: hoe minder tijd Simon in de lucht zit, des te kleiner de kans dat hij doodgaat bij een vliegtuigcrash, en dus is de kans dat zijn ouders hem op een leugen betrappen ook kleiner.'

'Ja, want dat is natuurlijk het allerergste van doodgaan bij een vliegtuigcrash,' giechelde Liv.

'Zo is dat. Hij heeft niet op de statistieken gelet en negeert het gegeven dat de meeste crashes bij het opstijgen en de landing gebeuren en hij is van mening dat korte vluchten minder gevaarlijk zijn dan lange.'

'Kun je niet proberen om hem te overtuigen? Ik bedoel, *Marbella*?'

'Ik heb een waanzinnig huisje gevonden op internet. Het is...'

'Maar dan vlieg je op Malaga. Dat vliegtuig zit vol met mensen die *love* en *hate* op hun knokkels hebben getatoeëerd, en die foute liedjes zingen.' Liv huiverde. 'En als het dan toch minder dan drie uur moet duren, waarom ga je dan niet naar de Italiaanse meren? Dan vlieg je op Milaan...'

'Is dat dan beter?'

'God, nou, en of dat beter is,' zei Liv. 'Geen tatoeages, veel linnengoed.'

Charlie was vergeten dat haar zusje een ongehoorde snob was. 'Ik dacht dat jij het liegen afkeurde, en niet zozeer de bestemming,' zei ze. 'Ik heb ergens zin om het allemaal te laten zitten en te doen wat we hebben gelogen. Ik vind Torquay namelijk echt heerlijk, en ik wil niet dat mijn huwelijksreis een negatief of moeilijk randje krijgt. En idealiter kan ik er gewoon eerlijk over zijn.'

'Dat kan toch ook, tegen iedereen, behalve Kathleen en Michael. En de kans dat die iemand spreken of tegen het lijf lopen is heel klein.' Olivia ritste haar tas open en trok daar vier boeken met gerimpelde ruggen uit. 'Deze heb ik voor je meegebracht. Ik mag hopen dat je dankbaar bent, want deze tas is een echte Orla Kiely en nu is hij helemaal uit model.' Ze prikte met haar wijsvinger in de tas. 'Ik wist niet zeker hoelang je vrij had genomen van je werk, maar ik heb er genoeg bij me...'

'Ik ga morgen weer aan de slag.' Toen ze de beteuterde blik van haar zusje zag, zei Charlie vlug: 'Maar dan heb ik ze vast, fijn. Kan ik ze in Marbella lezen.'

Olivia zette haar strenge schooljuffenblik op. 'Je bent toch niet van plan om pas in juli weer eens een boek te lezen?'

'Zijn ze goed? Zijn dit boeken die jij hebt gerecenseerd?' vroeg Charlie. Ze pakte er eentje op. De foto op het omslag toonde een bange vrouw die wegrende van iets vaags en donkers achter haar. Liv nam meestal boeken mee over vrouwen die aan het eind van het boek hun nutteloze en vaak psychotische mannen verlieten aan wie ze hun leven hadden vergooid, en die vervolgens de ochtendzon tegemoet liepen met betere mannen.

'Ik heb ook een boek waarvan ik graag wil dat jij het leest,' zei Charlie. Ze knikte naar *Niets dan liefde*, dat op tafel lag.

'Is dat zo'n ellendige autobiografie?' Olivia gleed wat dichterbij en veegde toen met veel misbaar haar vingers aan haar broek af. 'Heb je dat gekocht toen je je vlucht naar Malaga had geboekt?'

'Je mag niet weigeren,' zei Charlie tegen haar. 'Ik was bijna vermoord – dus je moet lief zijn voor mij. Ik wil graag weten hoe Helen Yardley op jou overkomt – als een echt slachtoffer van een rechterlijke dwaling of als iemand die een rol speelt.'

'Hoezo, denk jij dat ze haar kinderen toch heeft vermoord? Ik dacht dat het uiteindelijk toch allemaal goed kwam.

*Dat het uiteindelijk toch allemaal goed kwam.* Liv las te veel romans. Ze sloeg het boek ergens in het midden open en bracht het dicht bij haar gezicht. Dat zag er gek uit, alsof ze de achterkant van *Niets dan liefde* als masker droeg. *Hallo, mijn naam is Olivia en ik ben verkleed als klaagboek.*

'Er staan allemaal uitroeptekens in – niet binnen de aanhalingstekens, maar in de lopende tekst,' zei ze ontzet. Ze sloeg een andere bladzijde op. 'Moet ik dit nu echt...'

Charlie pakte het boek van haar af. Haar handen trilden en dat trillen verspreidde zich over de rest van haar lichaam. 'O, mijn god. Niet te geloven.' Ze bladerde zo snel ze kon door het boek. 'Kom op, kom op,' mompelde ze zachtjes.

'Zeg, ik zat te lezen,' protesteerde Liv.

De adrenaline pompte door Charlies lijf, waardoor haar vingers te stijf en tegelijkertijd te beverig werden. Ze wilden niet meewerken, zodat ze steeds te veel bladzijden tegelijk omsloegen. Ze bladerde weer terug en vond de bladzijde die ze zocht. Dit was het. Dat kon niet anders.

Ze stond op, en gooide haar stoel omver. Terwijl ze 'sorry' over haar schouder riep, pakte ze haar autosleutels en rende ze het huis uit. Terwijl ze de voordeur achter zich dichtsloeg bedacht ze dat ze er waarschijnlijk net zo uitzag als die bange vrouw op het omslag van het boek dat Liv voor haar had meegebracht. De titel was haar alweer ontschoten. In haar hoofd was nu alleen nog maar plaats voor één boektitel.

*Niets dan liefde. Niets dan liefde. Niets dan liefde.*

# 17

## Maandag 12 oktober 2009

Anderhalf uur nadat ik bij Marchington House vertrokken ben, sta ik zoals mij is opgedragen bij het Planetarium. Ik weet niet of Laurie laat is, of dat hij zich bedacht heeft en mij toch niet wilde ontmoeten, maar niet de moeite heeft genomen om mij daarvan op de hoogte te brengen. Ik weet alleen dat hij er niet is. Na twintig minuten begin ik me af te vragen of hij misschien dacht dat we elkaar binnen zouden ontmoeten. Ik controleer het sms'je dat hij me stuurde, even warm en intiem als altijd: 'Planetarium, 14.00 uur, LN.'

Ik wil net binnen naar hem op zoek gaan als ik hem op me af zie lopen, hoofd omlaag, handen in de zakken. Hij kijkt pas op als dat niet anders kan. 'Sorry,' mompelt hij.

'Omdat je te laat bent of omdat je niet op mijn telefoontjes reageert?'

'Allebei.'

Hij draagt een roze overhemd dat er nieuw uitziet. Voor zover ik weet heeft Laurie nog nooit iets van roze aangehad. Ik wil mijn gezicht in zijn hals begraven en de geur van zijn huid opsnuiven, maar daar ben ik niet voor gekomen. 'Waar hang jij uit?' vraag ik hom.

'Overal en nergens. Laten we een eindje lopen.' Hij knikt naar de weg voor ons, en loopt vast door.

Ik volg hem. 'Overal en nergens is geen antwoord.' Ik wapen mijn hart, en mijn stem. 'Ik heb vanochtend met het kantoor van GOOV gebeld – daar hebben ze ook al dagen niets van je gehoord. Ik ben al meer dan vijf keer naar je huis geweest – je bent er nooit. Waar hang je uit?'

'Waar hang *jij* uit?' kaatst hij terug. 'Jij bent toch ook niet thuis?'

'Ben je daar dan geweest?' *Nu niet inbinden, Fliss. Dit moet gebeuren.* 'Ik logeer bij Ray Hines in Twickenham, bij haar ouders.'

Laurie snoof minachtend. 'Heeft ze je dat wijsgemaakt? Ray's ouders wonen in Winchester.'

Ik denk terug aan onze gesprekken. Ik nam aan dat Marchington House van haar ouders was, vanwege de foto in de keuken, van haar twee broers in een boot op de rivier. Misschien was het huis wel van een van die broers.

'Ik kampeer bij Maya,' zegt Laurie.

'Maya?' Dus ik ben niet de enige die liegt tegen de politie. Ze heeft hun niet verteld dat Laurie bij haar was ingetrokken, toen ze haar vroegen of zij wist waar hij was.

En Maya is dol op roze.

'Hebben jullie iets?' vraag ik voor ik me kan inhouden.

'Is dat de dringende kwestie waar je me zo snel mogelijk over wilde spreken?' Laurie staat stil en trekt van leer: 'Fliss, moet je horen, ik ben jou niets verschuldigd. Ik heb jou de kans gegeven op het werk omdat ik vond dat je die verdiende. Klaar. En we hebben laatst geneukt, maar moeten we daar nu een punt van maken?'

'Van de seks? Nee, dat hoeft niet. Maar er zijn wel een paar andere dingen waar we een punt van moeten maken.'

'Wat dan?'

'Laten we doorlopen,' zeg ik, en ik loop in de richting van Regent's Park. Ik weet dat dit inhoudt dat ik daar na vandaag nooit meer kan komen. 'Lees je nog weleens een krant?' vraag ik aan Laurie. 'Die kaart die iemand mij heeft gestuurd – weet je nog dat ik die aan jou liet zien, die kaart met die getallen erop? Degene die Helen Yardley en Judith Duffy heeft vermoord, heeft precies dezelfde kaart op hun lichaam achtergelaten. Ik heb er met Tamsin over gesproken. Dus ik weet dat jij ook zo'n kaart hebt gekregen. Ze zag hem bij jou op je bureau liggen, lang voordat Helen Yardley werd vermoord.'

'En?'

'Waarom heb je daar niets over gezegd toen ik jou mijn kaart liet zien en ik je vroeg wat dat kon betekenen? Waarom zei je niet: "Ik heb er ook zo een gekregen"?'

'Weet ik veel,' zei Laurie ongeduldig.

'Ik weet het wel. Jij wist dat die kaart op het lichaam van Helen was gevonden, of niet soms? Dat moet wel – dat is de enige verklaring. Ik weet niet hoe je het wist, maar je wist het. Ik gok dat Paul Yardley het je heeft verteld, en dat je bang werd. Je dacht dat degene die de kaart had gestuurd nu aan het moorden was geslagen. En als ze Helen te pakken hadden, was jij misschien de volgende. Jij en Helen en GOOV hebben een trouwe aanhang, maar jullie hebben ook vijanden. Ik heb gisteren een aantal anti-GOOV-websites gevonden, en die stellen allemaal dat jullie een klimaat hebben geschapen van angst onder artsen en kinderartsen. Die zijn bijna allemaal als de dood om nog te getuigen in geval van kindermishandeling, omdat ze bang zijn dat jij hen te gronde zult richten, zoals je ook bij Judith Duffy hebt gedaan.'

Laurie zegt niets, blijft naast me lopen, met zijn hoofd omlaag. Ik ben blij dat ik zijn gezicht niet kan zien.

'Je raakte in paniek. Je kon natuurlijk onmogelijk door met je strijd om gerechtigheid als dat inhield dat het voor jou persoonlijk gevolgen zou hebben. Dat iemand je zou willen vermoorden, bijvoorbeeld. Want je geeft alleen om jezelf, en verder nergens om, toch? Je moest afstand nemen van die controversiële wiegendood-zaken, en snel ook, dus kondigde je je vertrek aan bij Binary Star en ging je naar Hammerhead. Overigens heb ik het over je gehad met de mensen van Hammerhead. Ik weet precies wanneer ze je dat aan bod hebben gedaan dat je onmogelijk kon weigeren: ruim een jaar geleden. Gek dat je ineens besluit om op dat aanbod in te gaan, de dag nadat Helen werd vermoord.'

Ik stop, zodat hij dit kan bevestigen of ontkennen. Hij zegt niets.

'Je hebt iedereen een mail gestuurd om te zeggen dat ik de film overnam. En je koos mij, omdat als je gelijk hebt en degene die de film maakt inderdaad het volgende doelwit van de moordenaar zal zijn, dat maar beter een wegwerpfiguur kan zijn zoals ik, iemand van wie verder toch niets terecht zal komen.'

Ik versnel mijn pas, vol ziedende energie. Nooit gedacht dat woede tot zulke gezonde lichaamsbeweging kon leiden.

'Je had natuurlijk ook naar de politie kunnen gaan. Je had hun kunnen vertellen over de kaart die je had ontvangen, en dat het dezelfde kaart was als die op Helens lichaam werd gevonden. En toen ik jou mijn kaart liet zien, had je mij ook kunnen waarschuwen dat ik gevaar liep. Dat heb je duidelijk allebei niet gedaan. Je kon het risico niet lopen dat ergens het kwartje zou vallen: dat de moordenaar jou dingen toestuurt, en dat je de wiegendoodfilm ineens uit je handen laat vallen. Dan zouden de mensen nog denken dat je bang was. De grote Laurie Nattrass – bang! Stel je eens voor dat dat uitlekt in de media. Daarom moest Tamsin weg. Zij was de enige die wist dat jij die getallen had ontvangen. Ze had de kaart op je bureau zien liggen.'

'Ik heb niets te maken met Tamsins ontslag,' zegt Laurie bits, en ik vraag me af of dit het enige is wat hij niet kan onderschrijven. 'Raffi zei dat we moesten bezuinigen...'

'En toen heb jij voorgesteld om Tamsin dan maar op te offeren,' maak ik zijn zin voor hem af. 'Mijn beste vriendin.'

We lopen inmiddels door Regent's Park. Ik zou het hier waarschijnlijk prachtig vinden als Laurie en ik niet het verschrikkelijkste gesprek ooit aan het voeren waren.

'Ik had ook een beste vriendin,' zegt hij monotoon. 'Haar naam was Helen Yardley. En ik heb jou niet aangewezen om de film over te nemen omdat ik je een wegwerpfiguur vind waar verder toch niets van terechtkomt – dat is je eigen paranoia.'

*Ik heb jou gekozen omdat ik van je hou. Ik heb jou gekozen omdat de film belangrijk voor me is, net als jij.*

'Ik dacht dat jij makkelijk aan te sturen zou zijn. Die film was heel belangrijk voor me, en ik dacht dat ik ervoor kon zorgen dat jij precies zou doen wat ik wilde.'

O. Aha.

'Jij hebt een minderwaardigheidscomplex.' Hij sprak het uit alsof het een walgelijke medische aandoening betrof, iets waar ik me voor zou moeten schamen. Mij lijkt het juist wel goed dat er ook mensen zijn die voortdurend aan zichzelf twijfelen. Dat zorgt voor balans, tegenover mensen zoals Laurie.

'Hoe haalde je het in je hoofd om dat niet tegen mij te zeggen?' vraag ik. 'Hoe haalde je het in je hoofd om mij niets te vertellen toen ik jou die kaart liet zien?'

'Ik wilde niet dat jij je zorgen zou maken.'

'Jij was anders *zelf* wel bezorgd dat je...'

'Moeten we nu echt alles dood analyseren?' onderbrak hij me. 'Je hebt nu gedaan wat je wilde doen: je morele gelijk halen.'

Ik haal de tweede versie van zijn artikel voor de *British Journalism Review* uit mijn tas. 'Ik heb dit gelezen.' Ik duw hem het artikel in zijn handen. Hij neemt het niet aan. De pagina's vallen op de grond. Geen van beiden bukken we ons om ze op te rapen. 'Ik vond het beter dan de eerste versie. Het was verstandig om die namen van de lijst te schrappen.'

Laurie fronst. 'Welke lijst?'

'Die eindeloze lijst van je.'

'Waar heb je het in godsnaam over?'

'"Dr. Duffy heeft weliswaar niemand vermoord, maar zij was wel verantwoordelijk voor het ruïneren van de levens van tiental-len onschuldige vrouwen, wier enige misdaad was dat zij op het verkeerde moment op de verkeerde plek waren toen een kind stierf: Helen Yardley, Lorna Keast, Joanne Bew, Sarah Jaggard, Dorne Llewellyn... en de lijst gaat maar door." Komt het je be-kend voor?'

Laurie draait zich van me weg.

'Er is alleen één probleempje. In deze laatste versie' – ik buk om de pagina's op te pakken – 'gaat de lijst helemaal niet "maar door". Deze lijst bestaat namelijk uit maar drie namen: Helen Yardley, Sarah Jaggard, Dorne Llewellyn. Ik ben geen krantenredacteur, maar ik denk dat de oorspronkelijke versie beter klopt. Als je de tal-loze onschuldige vrouwen wil aanhalen wier leven door Duffy is verwoest, dan werken vijf namen toch beter dan drie. Dus wat is er gebeurd? Was je gehouden aan een beperkt aantal woorden?'

Laurie loopt weg, in de richting van de roeivijver. 'Waarom vraag je dat als je het toch al weet?' De wind brengt zijn woorden bij me terug.

Ik hol om hem in te halen. 'Jij hebt Lorna Keast en Joanne Bew geschrapt. Keast was een alleenstaande moeder uit Carlisle met een borderlinestoornis. Ze heeft haar zoontje Thomas in 1997 verstikt, en haar zoontje George in 1999. Judith Duffy heeft tegen haar getuigd, en in 2001 werd ze schuldig bevonden. Tegen de tijd dat Helen Yardley's veroordeling nietig werd verklaard, had jij zo'n schandaal geschopt over Duffy dat de raad voor de kinderbescherming wel iets moest doen en een onderzoek startte naar soortgelijke zaken. In maart dit jaar – ik gok vlak nadat jij je eerste versie van "De dokter die loog" had geschreven – kreeg Lorna Keast toestemming om in beroep te gaan, terwijl die mogelijkheid haar eerst was ontzegd. De eerlijke kant van haar karakter had die dag kennelijk de overhand – ze was er kapot van toen haar advocaten haar vertelden dat er een kans op vrijlating was. Tot dat moment had ze altijd volgehouden dat ze onschuldig was, maar toen ze hoorde dat ze misschien binnenkort vrijkwam, heeft ze bekend dat ze haar zoontjes heeft verstikt. Ze zei dat ze in de gevangenis wilde blijven, en dat ze gestraft wilde worden voor haar daden. Ze wilde er niets van horen toen men opperde de tenlastelegging te veranderen in infanticide, wat een mogelijkheid was zodra ze had bekend, omdat ze dan een lichtere straf zou krijgen – ze wilde als moordenaar gestraft worden.'

'Wat dat Google-gezoek van jou er niet bij vertelt, is dat Lorna Keast niet alleen knettergek is, maar ook een van de domste vrouwen in de geschiedenis van de mensheid,' zegt Laurie. 'Zelfs al was ze onschuldig, ze was veroordeeld en in de gevangenis gezet en dat had haar ervan overtuigd dat ze een moordenaar was en dat ze het verdiende om achter de tralies te zitten.' Hij kijkt mij even minachtend aan. 'Of misschien vond ze het gevangenisleven wel lekker veilig omdat ze dan niet voor zichzelf hoefde te zorgen, zoals daarbuiten.'

'Of misschien was ze wel schuldig,' zeg ik.

'Nou en? Wil dat zeggen dat Judith Duffy minder gevaarlijk is? Natuurlijk heb ik Keasts naam van die lijst gehaald – ik wilde niet dat lezers van het artikel zouden denken dat Duffy gelijk had wat haar betrof, en dat ze daarom misschien ook gelijk had wat alle anderen betrof. Ze had namelijk geen gelijk wat Helen betrof. Sarah Jaggard, Ray Hines, Dorne Llewellyn...' Laurie grijpt mijn arm vast en trekt me voor zich zodat hij me aan kan kijken. 'Iemand moest haar een halt toeroepen, Fliss.'

Ik schud zijn hand van me af. 'En hoe zit het met Joanne Bew?'

'Bew kreeg toestemming om in beroep te gaan.'

'Wow, even terugspoelen. Waarom zat zij vast?'

Lauries mond vertrekt tot een dunne streep,

'Zal ik het verhaal anders even vertellen? Joanne Bew heeft haar zoon Brandon vermoord...'

'Laten we even een stukje vooruitspoelen,' zegt Laurie om mij te parodiëren. 'De zaak werd opnieuw behandeld, en ze werd vrijgesproken.'

'Maar waarom heb je haar naam uit dat artikel geschrapt? Zij is toch zeker een uitstekend voorbeeld van de schade die onverantwoordelijke deskundigen kunnen aanrichten: eerst wordt ze veroordeeld, en dat allemaal vanwege een getuige-deskundige die dingen zegt die niet waar zijn, dan wordt de zaak opnieuw behandeld en komt ze vrij zodra die arts door de geweldige Laurie Nattrass is ontmaskerd. Nou, als dat haar geen geweldig visitekaartje voor GOOV maakt, dan weet ik het ook niet meer. Of niet? Waarom niet, Laurie?'

Hij staart naar de vijver alsof er in de hele wereld geen fatsoenlijk render plas water bestaat.

'Joanne Bew, voormalig eigenares van wat nu bekendstaat als de Retreat, een pub in Bethnal Green, vermoordde haar zoontje Brandon in januari 2000,' zeg ik. 'Ze was stomdronken en ze was op een feestje toen ze dat deed. Er was een getuige: Carl Chappell, ook heel erg dronken. Chappell was op weg naar de plee, en hij liep langs de deur van de slaapkamer waar Joanne haar zoontje Brandon, zes weken oud, had neergelegd om te slapen. Hij wierp een blik in de kamer, en hij zag Joanne geknield bij het bed zitten met in de ene hand een sigaret en met haar andere hand over Brandons neus en mond. Hij zag hoe ze die hand daar een dikke vijf minuten hield. Dat ze kracht zette.'

'Zoals je zelf al zegt, hij was katlam. En hij had een strafblad: openlijke geweldpleging, toebrengen van zwaar lichamelijk letsel...'

'Tijdens Joannes eerste proces in april 2001 was Judith Duffy getuige à charge. Ze zei dat er duidelijke sporen van verstikking waren.'

'En dat was dan ook de enige reden waarom de jury Chappell geloofde,' zegt Laurie. 'Zijn ooggetuigenverslag correspondeerde met de deskundige mening van de dokter.'

'Er waren heel wat meer mensen die tegen Joanne getuigden. Vrienden en kennissen zeiden dat ze Brandon nooit bij naam noemde – ze noemde hem "De Grote Fout". Warren Gruff, Joannes vriendje en de vader van Brandon, vertelde dat ze de baby vanaf dag één had mishandeld – soms krijste hij van de honger, maar dan weigerde ze hem melk te geven en stopte ze frites of kipnuggets in zijn mond.'

'Ze was een slechte moeder.' Laurie haalt zijn schouders op en loopt weer door. 'Maar dat maakt haar nog geen moordenaar.'

'Dat is waar.' Ik haal hem weer in. Ik stel me voor dat ik nu mijn arm in de zijne zou haken en schiet bijna in de lach. Hij zou dodelijk beledigd zijn; ik zou dolgraag zijn reactie zien. Ik ben in de verleiding om het toch te doen, gewoon om mezelf te bewijzen dat ik het lef heb. 'Alleen Bew was al veroordeeld voor moord, hè?' zeg ik in plaats daarvan. Lauries gezicht toont geen verbazing. Hij wist dat ik het al wist, en hij denkt dat dit mijn enige troefkaart is. Daarom maakt hij zich niet druk. 'Zij en Warren Gruff hadden allebei gezeten voor doodslag op Bews zus, Zena. Ze hadden haar geslagen en doodgeschopt in de keuken van Gruffs appartement na een familieruzie, en ze gaven elkaar de schuld. Tijdens Bews eerste proces in 2001 werd Zena's dood niet ter sprake gebracht – iemand moet hebben gedacht dat de jury dan bevooroordeeld zou zijn. Ik zou niet weten waarom, jij wel? Ik bedoel, dat een vrouw nu toevallig haar zus doodschopt en dat ze een slechte moeder is – zoals jij al zei – wil toch nog niet zeggen dat ze haar kind vermoord heeft? En toch, zelfs zonder die niet zo gunstige anekdote over Zena, dachten de twaalf juryleden wel dat Joanne Bew een moordenaar was.'

'Ben jij ooit aanwezig geweest bij een strafproces?' zegt Laurie schamper.

'Nee, dat weet jij heel goed.'

'Moet je toch eens doen. En let dan vooral op hoe de juryleden de eed afleggen. De meesten van hen kunnen de tekst niet zonder haperen oplezen. Sommigen kunnen zelfs helemaal niet lezen.'

'En de juryleden die Joanne Bew vrijspraken tijdens haar tweede proces, in mei 2006? Hoe dom waren die? Die hadden wel te horen gekregen dat Bew in de gevangenis had gezeten voor doodslag op haar zus. Wat zij niet wisten was dat ze onlangs al was veroordeeld voor de moord op Brandon. Zij wisten niet dat het een nieuw proces betrof.'

'Dat is...'

'Standaard. Dat weet ik.' Ik loop zo dicht naast Laurie dat ik hem nog net niet aanraak. Hij doet een stap van me af, om meer afstand tussen ons te creëren. 'Judith Duffy heeft de tweede keer niet tegen Bew getuigd,' vertel ik verder. 'Tegen mei 2006 had jij ervoor gezorgd dat geen enkele openbare aanklager die verlegen zat om een getuige-deskundige haar ook maar met een stok zou aanraken. Ik vraag me af of de jury Carl Chappell zou hebben geloofd als hij weer had gezegd dat hij gezien had hoe Bew Brandon verstikte.'

'Ze kregen de kans niet om hem al dan niet te geloven,' zei Laurie. 'Chappell had zijn verklaring inmiddels bijgesteld en gezegd dat hij die avond zo dronken was dat hij niet eens meer wist hoe hij heette, laat staan dat hij nog wist wat hij haar al dan niet had zien doen.'

'Je kunt ook aan hem zien dat hij drinkt, hè?' Ik ben er bijna, ik ben bijna aan het eind van dit eindeloos durende ergste moment van mijn leven. 'Die dikke neus en die gesprongen adertjes. Hij is een uitermate geschikte kandidaat voor zo'n make-overprogramma, vind je niet? *Tien jaar jonger in tien dagen.*'

Laurie blijft stilstaan.

Ik ga door, en praat tegen mezelf. Het maakt me niet uit of hij nu wel of niet naar me luistert. 'Ik kijk nooit meer naar dat programma nu Nicky Hambleton-Jones het niet meer presenteert, jij? Zonder haar is het niet meer wat het was.'

'Jij hebt Chappell ontmoet?' Laurie loopt weer naast me. 'Wanneer?'

'Gisteren. Ik vond een artikel op het internet waarin werd gesuggereerd dat hij een stamgast is in de Retreat, of de Dog and Partridge, zoals het vroeger heette. Dus ben ik daar naartoe gegaan, en heb ik gevraagd of iemand hem kende. Best veel mensen bleken hem te kennen, en eentje vertelde in welk wedkantoor hij die ochtend zat. Daar trof ik hem. Heb jij hem zo ook gevonden, toen je hem opspoorde en hem tweeduizend pond bood in ruil voor een herziene verklaring, een verklaring boordevol leugens waardoor Joanne Bew onschuldig zou worden verklaard en jij weer een punt had in je strijd tegen Judith Duffy?'

'Luister, wat je ook...'

'Chappell was er niet toen jij daar binnenstapte, dus heb je een briefje achtergelaten bij iemand die zei dat hij het wel door zou geven. En dat heeft die persoon ook gedaan.'

'Dit kun je allemaal niet bewijzen,' zegt Laurie. 'Jij denkt zeker dat Carl Chappell briefjes van jaren geleden bewaart, voor het geval de British Library zijn archief ooit wil hebben?' Hij lacht, ingenomen met zijn grapje. Ik herinner me dat Tamsin me een paar maanden geleden vertelde dat de British Library een smerig hoog bedrag neertelde voor Lauries documenten. Ik vraag me af hoeveel ze overhebben voor een brief van mij aan hem, waarin ik precies opschrijf wat ik van hem vind. Misschien moet ik ze even bellen om het te vragen.

'Chappell heeft het briefje niet bewaard,' zeg ik, 'maar hij herinnert zich nog goed hoe dat toen is gegaan, en hij weet ook nog waar jij met hem had afgesproken. Wat jammer dat je niet voor Madame Tussauds had geopteerd, of de National Portrait Gallery, of hier, in Regent's Park, bij de bootjes.'

Laurie denkt waarschijnlijk dat ik hier lol in heb. Ik haat elke seconde.

'Wat stond er precies in die boodschap die je voor hem had achtergelaten? Leek het een beetje op wat je mij hebt gestuurd?' Ik trek mijn telefoon uit mijn tas en hou hem voor zijn gezicht. 'Was het "Planetarium, 14.00 uur, LN?" "Beste meneer Chappell, kom naar het Planetarium – u kunt er tweeduizend pond mee verdienen"?'

'Denk je nou echt dat ik hem die tweeduizend ballen heb gegeven om te *liegen*? Denk je nou echt dat ik zoiets zou doen – iemand geld geven om te doen alsof hij geen getuige was van een moord terwijl hij dat wel was?'

'Ik denk inderdaad echt dat je dat zou doen,' zeg ik tegen hem. 'Ik denk dat jij alles hebt gedaan wat je moest doen om het zo te draaien dat het net leek of Joanne Bew een van de vele onschuldige vrouwen was die dankzij Judith Duffy in de gevangenis belandden.'

'Nou, reuze bedankt voor het vertrouwen,' zegt Laurie. 'De waarheid, mocht je daarin geïnteresseerd zijn, is dat Carl Chappell helemaal nergens getuige van was, de nacht dat Brandon stierf. Hij was een vriend van Warren Gruff, de vader van Brandon. Gruff heeft hem aangezet om te liegen tijdens Joannes eerste proces. Hij had duidelijk gemaakt dat hij wilde dat Chappell ook tijdens het nieuwe proces zou liegen en dat was Chappell ook van plan, want die man kan zelf niet nadenken. Ik heb hem betaald voor de waarheid.'

Ik probeer me te herinneren wat Carl Chappell ook weer precies tegen mij zei. *Hij gaf me twee ruggen als ik zou zeggen dat ik niets had gezien.* Heb ik Laurie verkeerd ingeschat? Heb ik hem net aangedaan waar ik hem van beschuldig in verband met Judith Duffy: dat ik mijn verhaal zo buig dat ik hem kan veroordelen?

'Die tweeduizend pond waren genoeg om in zijn gokbehoefte te voorzien, maar van zijn angst voor Gruff komt Chappell niet af, want dat is een crimineel,' zegt Laurie. 'Die zou je eens op moeten sporen, en vragen hoeveel ik hem uit eigen zak heb betaald om Chappell niet verrot de slaan als die met een nieuwe verklaring zou komen.'

'Hoeveel dan?' vraag ik.

Laurie wenkt me om dichterbij te komen. Ik zet een stap in zijn richting. Hij pakt mijn hand, en sluit zijn vingers om mijn telefoon. Ik probeer hem uit alle macht vast te houden. Het lukt me niet.

'Wat heb je daar nu aan?' vraag ik. Hij kan de sms die hij me stuurde verwijderen, maar niet mijn herinnering eraan. Als ik dat wil kan ik iedereen vertellen dat Laurie met me wilde afspreken bij het Planetarium, net als toen met Carl Chappell, en waarschijnlijk ook met Warren Gruff.

'Niets,' zegt hij. 'Helemaal niets.' Dan rent hij naar de waterkant en gooit mijn telefoon in het water.

# 18

## 12/10/2009

'Olivia hield het boek opengeklapt omhoog.' Charlie gaf een demonstratie ten behoeve van Proust. Simon en Sam keken ook toe, ook al hadden zij de kortere versie van het verhaal al gehoord. 'Ik zat tegenover haar aan tafel – dus ik moest mijn blik op de achterkant gericht hebben gehad. Ik keek niet bewust – het ene moment zat ik nog te dagdromen, en toen ineens dacht ik: wacht even, die komen me bekend voor.'

'Elk boek heeft een ISBN-code van dertien cijfers op het achterplat en in het colofon,' ging Simon verder. 'Het ISBN van Helen Yardley's *Niets dan liefde* is 9780340980620. Op de foto die aan Fliss Benson is gestuurd staat niet alleen de kaart, maar ook het boek. Daardoor legde Charlie de link.'

'De eerste drie getallen op de kaart – 2, 1 en 4 – wij denken dat die verwijzen naar een paginanummer,' zei Sam tegen Proust.

'Dat moet wel,' zei Charlie instemmend. 'Wat kan het anders betekenen?' Ze legde *Niets dan liefde* open op het bureau, op pagina 214.

De Sneeuwman trok zijn hoofd naar achter alsof iemand hem een bord slakken had voorgezet. 'Dat is een gedicht,' zei hij.

'Lees het eens,' zei Simon. 'En de alinea's erboven en eronder. Lees de hele pagina maar.' Hoeveel tijd verspilden ze niet steeds weer, bij elke zaak, door Proust bij te moeten praten. Het probleem was dat hij zo rigide was: je moest je verhaal altijd op een bepaalde manier aan hem vertellen – formeel en gefaseerd, waarbij je elke logische stap duidelijk moest uitlichten. Geen wonder dat Charlie niet veel zin had om hierbij aanwezig te moeten zijn. 'Kun jij het hem niet vertellen?' had ze gekreund. 'Steeds als ik hem iets probeer duidelijk te maken, voel ik me net een kleuterjuf die de klas voorleest.'

Simon sloeg de Sneeuwman gade bij het lezen: in slow motion rimpelde zijn voorhoofd op, waarbij de frons steeds dieper werd. Binnen een paar seconden was het gezicht van de hoofdinspecteur een paar centimeter korter. '"Wat rest is een vogel op stille wieken: per ongeluk binnen geblazen, of uit wilde opzet of genade, de smaak van iets zoets – de lege zelf een lege kamer." Kan iemand mij misschien uitleggen wat daar staat?'

'Ik weet het zelf ook niet precies, vanuit ons standpunt bezien,' zei Charlie. 'Op dezelfde bladzijde wordt gerefereerd aan een journalist van de *Daily Telegraph*, die naar Geddham Hall kwam om Helen Yardley te interviewen. Wij denken dat dat een belangrijk gegeven is...'

'Opsporen, wie het ook is,' zei Proust.

'Dat hebben we al gedaan, meneer,' zei Sam. 'Geddham Hall houdt een bestand bij van...'

'Dat hebben jullie al gedaan? Waarom heb je mij niet ingelicht, inspecteur? Wat heeft het voor zin om mij een update te geven als je me niet van tevoren een update geeft?'

'Die journalist was ene Rahila Yunis, meneer. Ze werkt nog steeds voor de *Telegraph*. Ik heb haar aan de telefoon gehad, en ik heb haar pagina 214 van *Niets dan liefde* voorgelezen. Eerst wilde ze liever geen commentaar geven. Toen ik aandrong vertelde ze dat Helen zich het interview in Geddham Hall niet correct herinnerde. Helen had inderdaad een lievelingsgedicht voor in haar schrift, of dagboek, of wat het ook was, staan, maar Rahila Yunis zei dat het niet 'Een lege kamer' was. Ze gaat haar oude aantekeningen er nog eens op naslaan, maar volgens haar had Helen Yardley een ander gedicht overgenomen in haar schrift en beweerde ze dat ze daar juist zo dol op was. Het gedicht heet "De Microbe".'

'We konden maar één gedicht vinden met die titel,' zei Charlie. 'Het is van Hilaire Belloc.'

'Hilaire spel je h-i-l-a-i-r-e,' zei Simon. 'Precies zoals in hilairious@yahoo.co.uk.'

'Moet ik nu nog een gedicht lezen?' vroeg Proust.
'Ik lees het wel voor,' zei Charlie.

> *'De Microbe is zo ontzettend klein*
> *Dat hij er bijna niet lijkt te zijn*
> *Toch leeft er bij velen steeds de hoop*
> *Dat ze hem kunnen zien onder een microscoop*
> *Zijn gelede tong in kronkelstanden*
> *Onder vreemde rijen tanden*
> *Zijn zeven pluizige staartjes*
> *Met mooie roze en paarse haartjes*
> *En met elk een fraai patroon*
> *Van streepjes, bepaald niet ongewoon*
> *Zijn wenkbrauwen heel lichtgroen*
> *Zodat ze voor geen monster onderdoen*
> *Maar knappe koppen beweren onverstoord*
> *Zeggen dat het zo nu eenmaal hoort...*
> *Ach! Laat ons nooit, nee, nooit betwijfelen*
> *Waarover iedereen blijft weifelen!'*

Simon deed zijn best om niet te lachen. Charlie las het gedicht voor alsof ze te maken had met een kind van vijf. De Sneeuwman keek geschrokken. 'Geef dat eens hier,' zei hij.

Charlie gaf hem het vel papier. Terwijl hij ernaar staarde, vormden zijn lippen geluidloos de woorden 'nooit, nee nooit betwijfelen'. Uiteindelijk zei hij: 'Ik vind het mooi.' Hij klonk verbaasd.

'Helen Yardley ook, volgens Rahila Yunis,' zei Sam. 'En je snapt ook wel waarom. Als je "knappe koppen" leest als "artsen". Waarschijnlijk dacht ze aan Judith Duffy. Duffy kon niet zeker weten of Morgan en Rowan waren vermoord, omdat ze niet vermoord waren. En toch heeft ze dat nooit, nee nooit betwijfeld.'

'Ik vind het mooi.' Proust knikte en gaf het gedicht weer terug aan Charlie. 'Het is tenminste een echt gedicht. Dat andere rijmt niet eens.'

'Daar ben ik het niet mee eens,' zei Simon. 'Maar daar gaat het niet om. Het punt is, waarom wilde Rahila Yunis hier eerst liever niet over praten? Waarom zei ze niet meteen nadat Sam haar het fragment had voorgelezen dat Helen Yardley had gelogen? En waarom loog Yardley eigenlijk? Waarom deed ze net of "Ankerplaats" van Fiona Sampson zo veel voor haar betekende, en dat ze het daarover had gehad met Rahila Yunis, terwijl ze eigenlijk over Hilaire Bellocs "De Microbe" had gesproken?'

Er kwam geen antwoord van Proust. Zijn mond vormde weer in stilte de woorden *nooit, nee nooit betwijfelen.*

'Waarom zitten wij daar eigenlijk niet bij?' Colin Sellers probeerde te liplezen wat Simon, Sam, Charlie en Proust zeiden.

'Omdat wij hier zitten,' zei Chris Gibbs.

'Dat kan alleen Waterhouse: zijn vriendinnetje meenemen.'

Gibbs snoof. 'Hoezo, wil jij met al de jouwe op visite bij de Sneeuwman? Dat past nooit, zijn kantoortje is veel te klein voor al die vrouwen.'

'Hoe gaat het met je spelletje Wie-is-Kaalmans?' vroeg Sellers, ook al verwachtte hij niet dat het hem meteen zou lukken op een ander onderwerp over te stappen.

'Niet slecht,' zei Gibbs. 'Van alle namen die we binnen hebben gekregen, zijn er maar twee die allebei een keer of twintig voorkomen.' Hij stond op. 'Ik ga nu naar Valingers Road 131 in Bethnal Green om een van die twee te ondervragen: Warren Gruff, voormalig soldaat. Ik zei het toch de hele tijd al? Een militair uit het Britse leger.'

'En die ander?'

'Die ander?'

'Ja, die andere naam die meer dan twintig keer werd genoemd,' zei Sellers ongeduldig.

'O, die.' Gibbs grijnsde. 'Die is eigenlijk nog vaker genoemd dan Warren Gruff – zesendertig keer, terwijl Gruff maar drieëntwintig keer werd genoemd.'

'Maar waarom...'

'Waarom ik niet achter die eerste naam aanga? Omdat daar geen achternaam en adres bij horen. Dat is alleen maar een voornaam: Billy. Zesendertig mensen hebben me gebeld om te zeggen dat ze Kaalmans kennen als Billy, maar verder wisten ze niets over hem.'

'Weet de baas dit? We moeten...'

'Billy opsporen?' Gibbs viel Sellers alweer in de rede. 'Ga ik doen – op Valingers Road 131 in Bethnal Green.' Hij lachte toen hij Sellers' verwarring zag. 'Warren Gruff; Billy. Zie je het dan echt niet? Denk eens aan bijnamen. Ben jij nou een rechercheur?'

En toen viel het kwartje eindelijk: '*Billy Goat Gruff*, dat kinderverhaal over de drie geitjes die allemaal Gruff heetten,' zei hij.

# 19

## Maandag 12 oktober 2009

'Ray?' Het probleem met Marchington House is dat het zo groot is dat geen zin geeft om iemand te roepen. Mobiel bellen is beter, alleen is mijn mobieltje in de roeivijver gegooid, en nu heb ik haar nummer niet meer.

Ik kijk in de zitkamer, de salon, de keuken, de opkamer, de bijkeuken, allebei de studeerkamers, de biljartkamer, de muziekkamer en de hobbyruimte, maar er is nergens een spoor van haar te bekennen. Ik loop naar de trap. Verdeeld over de drie bovenste verdiepingen van het huis zijn veertien slaapkamers en tien badkamers. Ik begin met Ray's slaapkamer op de eerste verdieping. Daar is ze niet, maar Angus' jasje hangt er wel. Het is hetzelfde jasje dat hij droeg toen hij mij aansprak bij mijn huis. Er ligt ook een uitpuilende zwarte canvas tas op het bed waarop in kleine witte letters *London on Sunday* staat gedrukt.

Ik worstel een halve tel met mijn geweten, en rits dan de tas open. O, god: moet je dit allemaal eens zien: pyjama, tandenborstel, elektrisch scheerapparaat, flosdraad, minstens vier paar sokken, boxershorts... Vlug trek ik de rits weer dicht. Er zijn geen woorden die uitdrukken hoeveel weerzin ik voel bij het zien van de boxershorts van Angus Hines.

*Fijn.* Mijn gevangene komt ook logeren – de man die ik de huid vol gescholden heb omdat hij zo fatsoenlijk was mijn ruiten niet in te slaan. Ik moet hem dus weer onder ogen komen, en me doodschamen. Zo moeten de verspreiders van apartheid zich hebben gevoeld toen al dat verzoengedoe begon en ze urenlang tegen Nelson Mandela hebben moeten zeggen dat ze als mens geen knip voor de neus waard waren. Tenminste, ik denk dat dat zo is gegaan. Ik denk erover om mijn abonnement op het roddelblad op te zeggen, en om eens een wat serieuzer tijdschrift te gaan lezen, om mijn algemene kennis wat op te vijzelen: *The Economist*, of *National Geographic*.

Ik doe de rits van het zijvak van Angus' tas open, want ik neem aan dat dat ondergoedvrij is: hij gaat heus niet in alle vakjes boxers stoppen. Tot mijn verrassing zitten er twee dvd's in, allebei van Binary Star-programma's die ik heb geproduceerd: *Haat na de dood* en *Ik snij mijzelf*. Dus Angus doet nog steeds antecedentenonderzoek naar mij. *Haat na de dood* is eerlijk gezegd mijn beste productie, dus ik hoop dat hij die heeft bekeken. Het was een zesdelige serie over familievetes die al verscheidene generaties voortduurden. In sommige gevallen hadden ouders hun kinderen hen op hun sterfbed laten beloven dat hun vijandschap niet met hen het graf inging, en dat zij de kinderen en de kindskinderen van die vijanden zouden blijven haten.

*Ziek. Ziek dat je je woede en wrok op anderen wil overdragen, ziek ook om zelf vast te houden aan die gevoelens.*

Ik ben niet meer kwaad op Laurie. Ik haat hem niet, en ik wens hem ook geen nare dingen toe. Wat ik wel wens... ik sta mezelf niet toe om daaraan te denken. Het heeft geen zin.

Terwijl ik de dvd's terugstop in Angus' tas, hoor ik voetstappen. Ze lijken van de overloop te komen, maar als ik ga kijken zie ik niemand. 'Hallo?' roep ik uit. Ik controleer alle slaapkamers op de tweede en derde verdieping, maar ik zie nergens een teken van leven. Ik heb het me vast ingebeeld. Ik besluit om dan maar naar mijn eigen slaapkamer te gaan, in bed te gaan liggen, eens lekker hard te huilen en met mijn vuisten in mijn kussen te stompen, want daar verheug ik me al op sinds Regent's Park,

Ik doe de deur open en schreeuw het uit als ik een man naast mijn bed zie staan. Hij lijkt zelf totaal niet aangedaan. Hij glimlacht alsof ik had moeten weten dat ik hem hier zou treffen.

'Wie ben jij? Wat doe je in mijn kamer?' Ik weet wie hij is: Ray's broer, de donkere van die foto met de boot die in de keuken hangt.

Hij draagt een witte crickettrui met een V-hals en een broek die meer ritsen heeft dan stof. Dat heb ik nooit begrepen: waarom je je broek op verschillende tijdstippen van de dag zou willen inkorten of langer maken. Voor wie is dat soort broeken bedoeld: voor mensen met kuiten die parttime werken?

'Nee, het is precies andersom,' zegt Ray's broer, nog altijd met een grijns. 'Jij bent in mijn kamer.'

'Ray zei dat dit een logeerkamer was.'

'Dat is het ook. Het is mijn logeerkamer. Dit is mijn huis.'

'Is Marchington House van jou?' Ik weet dat Laurie zei dat Ray's ouders in Winchester wonen. 'Maar...'

'Zie jij dat anders?'

'Sorry, maar ik... Jij bent zo jong. Jij lijkt me van mijn leeftijd.'

'En dat is?'

'Eenendertig.'

'In dat geval ben ik dus jonger dan jij. Ik ben negenentwintig.'

Ik voel een aanval van tactloosheid opkomen. 'Wanneer heb jij dan de tijd gevonden om rijk genoeg te worden om zo'n huis als dit te kunnen kopen? Op school, tussen je lessen Latijn en croquet door? Of heb je je nablijftijd nuttig gebruikt?' Ik raaskal, want ik ben nog steeds niet over de schrik heen dat hij hier nu is. Waarom stond hij op me te wachten? Hoe durft hij eigenaar te zijn van Marchington House? Heeft hij in mijn koffer gesnuffeld? Heeft hij mijn ondergoed bekeken terwijl ik naar het ondergoed van Angus Hines keek?

'Croquet en Latijn?' Hij lacht. 'Had jij dat soort vakken op school?'

'Nee, wij kregen Bendeoorlogen en Apathie,' zeg ik vinnig. 'Ik zat namelijk op een gewone scholengemeenschap in de stad.'

'Ik ook.'

'Echt?'

'Echt. En los van dit huis ben ik niet rijk. Ik heb het verleden jaar van mijn opa geërfd. Ik heb een glazenwassersbedrijf. Ik woon hier ook niet – ik zit nog gewoon in mijn huurflat in Streatham. Dit huis is veel te groot voor mij, en de inrichting is me veel te... vrouwelijk. Mijn oma was binnenhuisarchitect.'

'Jij, in je eentje?' zeg ik. 'Jij hebt in je eentje dit hele huis geërfd?'

'Alle zes de kleinkinderen hebben onroerend goed geërfd,' zegt hij schaapachtig. 'Mijn opa was heel rijk. Hij deed iets met diamanten.'

'O, aha,' zeg ik. 'Ik heb mazzel. Allebei mijn opa's leven nog. Eentje doet iets met een volkstuintje en de ander doet iets met in een stoel zitten wachten tot hij de pijp uitgaat. Moet je horen, Ray zei dat ik hier kon logeren, en...'

'Wil je dat ik je kamer uitga? Mijn kamer? Onze kamer?'

Nu weet ik het zeker: hij heeft in mijn slipjes zitten graven. Dat was een wel heel doorzichtige toespeling.

'Ik moet je eruit schoppen,' zegt hij.

'Je moet me *eruit* schoppen?'

'Inderdaad. Geen zorgen, ik ga het niet doen. Ik zie niet in waarom ik *his lordship* zijn zin moet geven, jij wel?'

*His lordship...* Angus Hines. Ik had het kunnen weten.

Is dat waarom hij en Ray er niet waren? Te schijterig om zelf het vuile werk op te knappen? Of hebben ze *Haat na de dood* bekeken en vonden ze het hopeloos en zijn ze alle vertrouwen in mij kwijtgeraakt?

'Kom jij uit een rijke familie, als ik vragen mag?'

Dat mag hij niet, maar na wat ik hem heb gevraagd heb ik het recht niet dat tegen hem te zeggen. 'Nee. Arm. Enfin, gewoon, dus dat is in feite arm.'

'Hoe bedoel je?'

'Wat heeft het voor zin om een *beetje* geld te hebben?' zeg ik boos.

'Jij bent een vreemd type, Fliss Benson. Heeft iemand dat weleens tegen je gezegd?'

'Nee.'

'Ik vond school een verschrikking,' zegt hij, alsof dat een logische opmerking is in dit verband. 'Mijn ouders hadden ons makkelijk allemaal naar Eton kunnen sturen. Dan hadden we die croquet-en-Latijndroom van jou kunnen beleven, maar in plaats daarvan moesten we naar Cottham Chase, waar we dag in dag uit moesten vechten om de titel "Haan van de school".'

'En, lukte dat een beetje?' Eton is een jongensschool. Ray had dus nooit naar Eton gekund.

'Nee. Tot mijn opluchting overigens. Als je de Haan was rustte er een zware verantwoordelijkheid op je: dan moest je letterlijk iedereen die je op je pad tegenkwam lens slaan. Had je nooit meer vrije tijd.'

'Waarom hebben je ouders je niet naar een betere school gestuurd, als ze zich dat best konden veroorloven?'

'Ze dachten dat ze zouden bijdragen aan gelijkwaardigheid in de wereld als ze ons naar de plaatselijke rotschool stuurden.' Hij kijkt me weer glimlachend aan, alsof we de beste vrienden zijn. 'Je kent dat soort mensen wel.'

Ik heb geen idee waar hij het over heeft. 'Luister, over dat je mij eruit gaat schoppen...'

'Dat zei ik toch: dat ga ik niet doen.'

'Waarom schop je hen er niet uit?' flap ik eruit. 'Ik ben hier toch zeker niet de onruststoker? Als het publiek mocht stemmen, zoals in *Big Brother*, weet ik zeker dat ik mocht blijven.'

'Hen?' Hij kijkt verbaasd.

'Ray en Angus?'

'Wil je dat ik Ray vraag om weg te gaan?'

'Ik wil dat je Angus vraagt om weg te gaan.'

'Is Angus die ex van haar?'

Een man met te veel ritsen in zijn broek moet je nooit vertrouwen, zeg ik altijd. 'Doe nou maar niet net alsof je de ex van je bloedeigen zuster niet kent,' zeg ik boos. 'Hoewel ik er niet zo zeker van ben of hij nog wel haar ex is.'

'Mijn zuster?' Hij lacht. 'Sorry, maar heb je het nu over Ray Hines?'

Ik staar hem ongelovig aan. Over wie denkt hij dan dat ik het heb?

'Ray is mijn zus niet. Hoe kom je daar nou bij? Ray is iemand die ik tijdelijk onderdak bied in een leegstaand pand waar ik de eigenaar van ben.'

Ik begrijp er niets van. 'Er hangt een foto van jullie in de keuken, dat jullie aan het punteren zijn op de rivier.'

'Op de Cam, ja. Met mijn broer – mijn leuke broer, niet die eikel die allerlei beeldschone dames gebruikt en aan de kant schuift terwijl die toch echt beter verdienen.'

Over wie heeft hij het nou?

'Ik keek naar de foto en toen zei Ray: "'Totaal geen gelijkenis, vind je wel? Die twee zijn er met al het moois vandoor gegaan." Of zoiets. Maar als jij Ray's broer niet bent...'

Voor het eerst sinds we in gesprek zijn kijkt hij boos. 'Wie ben ik dan?' maakt hij mijn vraag voor me af. 'Als ik je dat vertel, haat je me meteen, en dat is dan *zijn* schuld, zoals altijd alles zijn schuld is.'

Voor ik de kans heb te reageren is hij weg. Ik ren achter hem aan en roep 'Wacht!' en 'Stop!' en alle andere domme, zinloze dingen die je roept als mensen je de rug toekeren en niet weten hoe snel ze bij je weg moeten komen. Als ik de laatste traptrede heb bereikt, hoor ik nog net hoe hij de deur achter zich dicht smijt. Door het raam zie ik hem wegrijden in een auto met een linnen dak, dat waarschijnlijk ook met een rits vastzit, net als de onderkant van zijn broek.

Ik storm de keuken in en haal de foto van de muur om die eens beter te bekijken, alsof die kan verklaren wat hier aan de hand is. Mijn vingers raken een stukje papier aan, dat op de achterkant van de lijst is geplakt, en ik draai de lijst om. Er zit een etiket op het papier; een hoekje is losgeraakt en opgekruld. Op dat etiket heeft iemand iets geschreven: 'Hugo en St.-John aan het punteren! Cambridge, 1999.' Mijn hart gedraagt zich als een stuiterbal. *Hugo. St.-John.*

*Laurence Hugo St.-John Fleet Nattrass. His lordship.*

Ik ren door het huis als iemand die de weg kwijt is, en ik trek hijgend laden open. Het kan me niet schelen hoelang het duurt – ik moet iets vinden, iets beters dan wat ik al heb, iets wat bewijst wat ik al weet.

Ik vind het in een kast in de hobbykamer. Fotoalbums. Op de eerste bladzijde staat een foto van een man met een dubbele kin en een pijp. Die trek ik uit het album en draai hem om. 'Fleet, 1973' staat op de achterkant geschreven. Meer niet. *Lauries vader.* Dan pak ik een foto van een lachende baby die in lotushouding voor een stoel zit. Ik draai hem om en lees in een piepklein handschrift: 'St.-John Hugo

Laurence Fleet Nattrass, oud acht maanden, 1971'. Dit moet de blonde broer zijn op de foto uit de keuken, jonger dan Laurie en ouder dan... Ritsenman moet dan wel Hugo heten.

Kende Fleet Nattrass maar drie jongensnamen, los van zijn eigen naam? Is het een gewoonte binnen chique families om alle kinderen dezelfde namen te geven, alleen in een andere volgorde?

*Totaal geen gelijkenis, vind je wel?* Ray ging ervan uit dat ik wel wist dat zij bij Lauries broer logeerde. Ze nam aan dat hij het mij had verteld.

Degene die wil dat ik eruit word gegooid is niet Angus Hines. Het is Laurie.

De huistelefoon gaat over. Ik kruip op handen en voeten naar de tafel en neem op, in de hoop dat het Ray is.

Het is Maya. 'Fliss,' zegt ze. Ze klinkt betrapt, alsof ze liever had gehad dat ik niet had opgenomen. Ik hoef haar niet te vragen hoe ze wist waar ze me kon vinden. Ik hoor hoe ze diep ademhaalt.

'Laat me je de moeite besparen,' zeg ik. 'Jij vreest dat je me moet ontslaan. Wilde je dat zo ongeveer zeggen?'

'Zo ongeveer, ja,' zegt ze, en ze hangt op.

Ik zit in kleermakerszit op de grond in de hal als de voordeur opengaat en Ray en Angus binnen komen lopen. Angus zegt afwezig: 'Hoi, Fliss.' Zo te zien denkt hij er niet aan dat ik hem in mijn appartement had opgesloten. Als hij al verbaasd is me hier aan zijn voeten te treffen, laat hij dat niet merken. Hij knijpt in Ray's arm en zegt: 'Ik kom zo beneden', en loopt dan naar de trap alsof hem iets belangwekkends te doen staat.

'Heb je hem verteld dat je zwanger bent?' vraag ik aan Ray. Zijn koffer boven kan maar één ding betekenen. Nog maar heel kort geleden wist hij niet eens waar ze logeerde. 'Is hij er gelukkig mee?'

'Gelukkig is voor ons allebei nog moeilijk, maar... ja, hij is er blij mee.'

'Zijn jullie dan weer bij elkaar? Ga je terug naar Notting Hill?' Het is kinderachtig maar het liefst zou ik horen dat zij weggaat omdat ze weet dat ik ook weg moet. Ik kan niet in het huis van Lauries broer blijven. *Wat dacht jij dan, idioot? Dat iemand zoals jij voor eeuwig in zo'n huis zou kunnen wonen?*

Ray's glimlach verdwijnt en ik zie hoe moe ze eruitziet. 'Nee. We gaan niet samenwonen.'

'Waarom niet?'

'Laten we de camera opstellen,' zegt ze. 'Het hoort allemaal bij het verhaal.'

'Heb je Angus soms verteld dat de baby misschien van Laurie is en niet van hem?' vraag ik, en ik doe geen moeite mijn stemvolume aan te passen. Ik neem aan dat Laurie ooit met Ray naar bed is geweest. Waarom ook niet. Hij heeft mij ook verleid in een poging me over te halen om Judith Duffy niet te interviewen voor de film. Hij is bij Maya ingetrokken om mij en de politie te ontlopen, of misschien zodat de kaartenstuurder hem niet kon vinden. Met Ray naar bed gaan maakte ongetwijfeld deel uit van zijn campagne om haar te overtuigen mee te werken aan de film: eerst bood hij haar zijn lichaam aan, en toen Marchington House, als toevluchtsoord. Hij moet woest geweest zijn dat het allebei niet mocht baten.

Vanuit Ray's standpunt bezien, waarom zou ze geen seks hebben met Laurie? Op tweeëndertigjarige leeftijd kon ze nog best een kind krijgen. Als ze Lauries kind kreeg in plaats van dat van Angus, was er tenminste geen erfelijk auto-immuunprobleem om zich zorgen over te maken.

Ze pakt me bij de arm en gaat me voor naar de hobbykamer. Als ze de deur achter ons dicht heeft gedaan, zegt ze: 'Noem het alsjeblieft geen baby. Dat is het niet. Nog niet. En het is geen kwestie van misschien. Het is van Laurie. Angus heeft zich laten steriliseren toen ik in de gevangenis zat. Hij wilde zeker weten dat hij nooit meer een kind zou kwijtraken.'

'Maar...'

'Ik heb hem de waarheid verteld,' zegt Ray. 'Dacht jij soms dat ik het liegen niet meer dan zat was? Dacht je nu echt dat ik zou proberen een nieuw leven te beginnen op basis van een leugen?'

'Dus je gaat het ook aan Laurie vertellen?'

'Laurie Nattrass betekent helemaal niets voor me, Fliss. Persoonlijk, bedoel ik.'

*Mazzelkont.*

'Ik kan best informatie voor hem achterhouden; dat is geen liegen, want hij is mijn echtgenoot niet.' Ze kijkt betrapt. 'Angus en ik gaan weer trouwen,' zegt ze.

Maar jullie gaan niet samenwonen? 'Voelt hij dan wel hetzelfde voor Lauries baby als voor zijn eigen kinderen?' vraag ik.

'Dat weet hij niet,' zegt Ray. 'Ik ook niet. Maar we hebben die keus niet, om "zijn eigen" kind te krijgen. Dit is alles wat we hebben, onze enige kans om nog... enfin, een gezin te hebben, ook al is het een wat ongebruikelijk gezin. Ga jij het tegen Laurie zeggen?'

'Nee.' Ik ga hem niets vertellen over Ray's zwangerschap en ik ga niemand iets vertellen over hoe hij Carl Chappell en Warren Gruff heeft omgekocht. Wat Laurie betreft ga ik helemaal niets doen. Ik wil niemands leven verwoesten – dat van Laurie niet, dat van Ray niet, dat van Angus niet.

'Mag ik je nog om één gunst vragen,' zegt Ray.

'Wat?' Ik heb haar nog helemaal geen gunsten verleend, als mijn geheugen me tenminste niet in de steek laat.

'Zeg niet tegen Angus dat jij het weet. Het is moeilijker voor hem als hij zou weten dat iemand anders het weet.'

*Ik dacht dat je zei dat je het liegen beu was?* Dat zeg ik niet, want dat zou belachelijk zijn, het is al belachelijk dat ik het denk. Als niemand ooit meer zou liegen, werd het leven al snel onmogelijk.

Ray knikt naar de camera. 'Zullen we maar beginnen?'

'Ik moet eerst nog even iemand bellen,' zeg ik tegen haar. 'Als jij dan wat te drinken voor ons maakt?'

Als ze weg is, gebruik ik de antieke telefoon op de tafel in de gang om Tamsin te bellen. Ze klinkt niet blij om iets van me te horen. 'Ik herinner je nog maar even aan de etiquette: je laat je vriendinnen barsten als je een vriendje hebt, niet als je doorgedraaid bent,' zegt ze. 'Wie doordraait mag zoveel tijd bij haar vriendinnen doorbrengen als ze maar wil, zolang ze er maar warrig bij kijkt en zolang ze hen maar aanspreekt met de namen van mensen die al jaren dood zijn.'

'Zeg alsjeblieft dat je nog geen nieuwe baan hebt,' zeg ik.

'Baan?' Ze klinkt alsof ze niet eens meer weet wat dat ook weer is.

'Hoe moeilijk zou het zijn voor ons tweeën om voor onszelf te beginnen?'

'Met wat?'

'Met wat we al deden: tv-programma's maken.'

'Je bedoelt onze eigen productiemaatschappij? Geen idee.'

'Ga dat eens uitzoeken.'

Ik hoor een lange, diepe zucht. 'Ik weet eerlijk gezegd niet hoe ik dat zou moeten uitzoeken.'

'Verzin maar iets,' zeg ik, en dan hang ik op, om haar te laten merken dat ik het meen. Ik weet zeker dat MI6 ook zo zou reageren op dat luie, tegenstribbelende gedoe van haar. Het komt allemaal goed, zeg ik bij mezelf. Het moet wel.

Het enige wat ik nu nog moet doen is tegen Ray en Angus zeggen dat Binary Star de film niet gaat maken.

# 20

## 12/10/2009

'Dus we weten zeker dat Warren Gruff Kaalmans is?' vroeg Simon aan Sellers.

'Ik wel.' Charlie staarde naar de korrelige foto op het computerscherm. 'Dit is de man die ik heb gezien.'

'Ik weet het ook zeker,' zei Sellers. 'Gruff is een ex-militair, die in de eerst Golfoorlog in Irak is geweest. En moet je dit zien.' Hij leunde over het bureau en pakte een artikel dat hij had uitgeprint, waarbij hij zijn blikje cola light omvergooide. 'Shit,' mompelde hij terwijl de cola over zijn toetsenbord bruiste.

'Dat ik dat nog mag meemaken,' zei Charlie. 'Colin Sellers op dieet.'

'Die komt uit de *Sun*, juni 2006,' zei Sellers. 'Hoezo, op dieet?'

Simon pakte het artikel en begon te lezen. 'Weleens van Joanne Bew gehoord?' vroeg hij aan Charlie.

'Nee. Wie is dat?'

'Ze werd veroordeeld voor de moord op haar zoontje, Brandon, en toen is het proces nog een keer overgedaan en werd ze vrijgesproken. Gruff was haar vriend, Brandons vader. Hij was bepaald niet blij met haar vrijspraak. Wat hem betrof heeft zij hun zoon verstikt, en het kan hem niet schelen als ze hem voor de rechter sleept omdat hij dat zegt. Ze heeft Brandon vanaf zijn geboorte mishandeld, als je dit zo leest.' Simon huiverde en liet het artikel op zijn bureau vallen. 'Al die deprimerende details hoef ik niet te weten.'

'Dus jij zegt dat ik te dik ben?' vroeg Sellers aan Charlie, en hij sloeg een beschermende hand voor zijn dikke pens. 'Dit is een en al spier, zal ik je zeggen. Tenminste, dat was het vroeger.'

'Sorry, ik dacht het alleen omdat je aan de cola light was...'

'Er zat niets anders meer in de automaat,' zei hij. 'Het smaakt smerig.'

'Zijn vriendin heeft zijn kind vermoord en kwam er nog mee weg ook,' zei Simon, eerder tegen zichzelf dan tegen Sellers en Charlie. 'Hij heeft in het leger gezeten – misschien heeft hij weleens eerder iemand gedood. Waarschijnlijk wel. Dus degene die de kaarten verstuurde, het Brein, hoefde niet veel moeite te doen om hem aan zijn kant te krijgen. En het was des te gemakkelijker omdat de doelwitten, Sarah Jaggard en Helen Yardley, allebei vrouwen waren die – net als Joanne Gruff, zal Gruff hebben gedacht – kinderen hebben vermoord en daar niet voor zijn gestraft. Maar waarom heeft het Brein dan besloten dat Judith Duffy het volgende slachtoffer moest zijn? Duffy had toch tegen Joanne Bew getuigd in het eerste proces – dat staat tenminste in het artikel. Dus zou Gruff eigenlijk positief tegenover Duffy moeten staan...'

'Dat verklaart wat hij tegen me zei,' zei Charlie om zijn zin af te maken. 'Dat Duffy het niet verdiende om te sterven, omdat ze haar best had gedaan. Hij bedoelde dat zij haar best had gedaan om Joanne Bew achter de tralies te krijgen, denk ik.'

'Hij zei ook dat jij je best hebt gedaan,' zei Simon ter herinnering. 'Hij bedoelde de politie in het algemeen.'

'Heeft het Brein hem dan op een bepaalde manier in zijn macht?' vroeg Charlie. 'Omdat Gruff Duffy niet wilde vermoorden, maar het toch heeft gedaan.'

'Gruff heeft Sarah Jaggard aangevallen, en hij heeft het pistool geleverd voor de moord op Helen Yardley. Wat hij tegen jou zei klopte precies: hij zat er tot zijn nek in en hij kon op dat moment niet meer terug – daar had het Brein wel voor gezorgd...' Simon stopte halverwege zijn zin, omdat hij zag dat Sam Kombothekra hun kant op kwam.

'Dat ik nu toevallig cola light drink en niet meer zo mager ben als vroeger wil nog niet zeggen dat ik op dieet ben,' mopperde Sellers tegen Charlie. Hij hield zijn hoofd schuin en inspecteerde zijn buik vanuit een andere hoek.

'Ik denk dat we een betrouwbare tip hebben wat betreft de verblijfplaats van Ray Hines.' Sam klonk opgewonden. 'Laurie Nattrass heeft een broer, Hugo, en die heeft een huis in Twickenham. Hij woont daar zelf niet – hij woont in Streatham – en daarom heeft het ook zo lang geduurd voor we dit boven water hadden, maar... Simon?'

Charlie knipte met haar vingers voor zijn gezicht. 'Wakker worden! Sam probeert je iets te vertellen.'

Simon wendde zich tot Sellers. 'Wat zei jij nou net? Over die cola light? Zeg het nog eens, wat het ook was?'

Sellers liet zijn buikspieren los. Hij slaakte een zucht. 'Dat ik nu toevallig cola light drink en niet meer zo mager ben als vroeger wil nog niet zeggen dat ik op dieet ben.'

'Dat is het.' Simon draaide zich razendsnel om naar Charlie. Hij staarde haar aan alsof hij was vergeten dat Sellers en Sam erbij waren. 'Dat *is* het. Een dun iemand die cola light drinkt doet dat misschien omdat hij het lekker vindt, maar een dik iemand met een lightdrankje...'

'Dik?' Sellers klonk hooglijk beledigd.

'Dus dat alibi is bullshit.'

'Welk alibi?' vroeg Sam.

'Ik moet nog een keer praten met Dillon White.' Simon struikelde over zijn woorden terwijl zijn gedachten steeds maar sneller gingen. 'En Rahila Yunis.'

'Is dat die journaliste die Helen Yardley in de gevangenis heeft geïnterviewd?' vroeg Charlie.

'Ik moet weten waarom ze het belangrijkste deel van het verhaal van haar bezoek aan Geddham Hall heeft achtergehouden. Ik weet wel waarom, maar ik wil het van haar horen. Sam, ik heb foto's nodig: Laurie Nattrass, Angus Hines, Glen Jaggard, Paul Yardley, Sebastian Brownlee.'

Sam knikte. Hij had er ook op kunnen wijzen dat hij, als de baas van het spul, degene was die de opdrachten behoorde te geven. Maar hij was zo wijs om dat niet te doen.

'Wiens alibi is bullshit?' vroeg Charlie, ook al wist ze dat de kans dat zij antwoord kreeg op die vraag nog veel kleiner was dan dat Colin Sellers antwoord kreeg.

'Sellers, ga jij naar dat adres in Twickenham,' zei Simon. Zijn ogen schoten heen en weer terwijl hij het verhaal in gedachten compleet maakte. 'Als Ray Hines daar is, moet je haar geen seconde meer uit het oog verliezen.'

# 21

## Maandag 21 oktober 2009

'Hij verdacht mij al vanaf de allereerste keer dat de politie aan de deur kwam,' zegt Ray tegen de camera. Ik knik en hoop vurig dat ze doorpraat, dat ze me zo veel mogelijk vertelt voordat Angus erbij komt. Ik ben bang dat ze niet meer zo openhartig zal zijn als hij mee-luistert. 'Zijn houding naar mij toe veranderde. Hij werd verschrik-kelijk kil en afstandelijk, maar tegelijkertijd verloor hij me geen se-conde uit het oog. Hij ging in een van de logeerkamers slapen waar we ooit kinderkamers van hoopten te maken...' Ze zwijgt. 'Wist je dat we heel veel kinderen wilden?'

'Nee.'

'Angus komt uit een gezin met zes kinderen. We wilden er min-stens vier.' Ze valt stil.

'Hij verloor je geen seconde meer uit het oog,' zeg ik ter aanmoe-diging.

'Hij... hij hield me in de gaten. Het was alsof iemand hem had op-gedragen om mij voortdurend te bespioneren en verslag te doen van alles wat ik deed. In mijn meest paranoïde momenten vroeg ik me af of dat soms echt het geval was. Maar dat was het natuurlijk niet. De politie zou immers aannemen – en dat deden ze trouwens ook echt – dat Angus en ik elkaar niet zouden afvallen. Hij hield me dus voor zichzelf zo scherp in de gaten, en voor niemand anders. Hij pro-beerde bewijs te verzamelen voor mijn schuld of onschuld.

'Geloofde hij niet dat Marcella en Nathaniel niet tegen het vaccin konden?'

Ray schudt haar hoofd. 'Ik nam het hem niet kwalijk. Alle deskundigen zeggen je dat vaccins veilig zijn, en hij was er niet bij toen de kinderen stuiptrekkingen kregen. Alleen Wendy en ik hebben gezien wat er gebeurde. Wat Angus betrof kon ik net zo goed een moordenaar zijn die Wendy had overgehaald voor me te liegen.'

'Jij was zijn vrouw,' breng ik haar in herinnering. 'Hij had moeten weten dat jij je kinderen niet zou vermoorden.'

'Misschien was dat ook zo gelopen als ik niet net had gedaan alsof ik een zombie was van depressiviteit om met Fiona naar Zwitserland te kunnen. Daardoor twijfelde hij aan alles, ook of hij me daarvoor wel goed genoeg kende. Dat kan ik hem ook niet kwalijk nemen – het was mijn schuld. Zelfs op dat moment heb ik het hem niet kwalijk genomen, maar...' Ze breekt haar zin af en kijkt naar het plafond alsof ze bang is dat hij daar elk moment door zou kunnen zakken. *Ze kan toch niet bang voor hem zijn als ze van plan is om weer met hem te trouwen?*

'Binnen de kortste keren was ik doodsbang voor hem,' zegt ze. 'Hij wilde niet meer met me praten – dat was nog het engste. Ik bleef vragen of hij dacht dat ik Marcella en Nathaniel had vermoord, maar hij gaf nooit antwoord. Het enige wat hij zei was: "Alleen jij weet wat je hebt gedaan, Ray." Hij was zo uitdrukkingsloos, zo gruwelijk... *kalm*. Ik kon niet geloven dat hij zo doodgemoedereerd kon toezien hoe ons leven uit elkaar spatte – doordat ik van moord werd beschuldigd en misschien naar de gevangenis zou moeten. Achteraf gezien denk ik dat hij toen juist ingestort is. Ik weet het wel zeker. Je hoort er nooit iets over, maar het is wel degelijk mogelijk dat mensen gek worden op een stille, ordentelijke manier. Dat is wat er met Angus gebeurde. Hij vond zelf helemaal niet dat hij kapot was van verdriet, hij vond dat hij ze juist allemaal heel goed op een rijtje had, en dat hij puur rationeel reageerde: ik word van moord beschuldigd, dus is het zijn taak om mij in de gaten te houden en mijn gedrag te registreren om zeker te zijn dat er een feitelijke basis is voor de beschuldiging – zo zou hij dat zelf ongetwijfeld hebben gesteld.'

'Je zegt "registreren"... Bedoel je daarmee dat hij het opschreef?'

'Uiteindelijk werd ik wanhopig omdat hij ronduit weigerde om met me te communiceren. Ik heb de kamer doorzocht waar hij sliep en toen vond ik allerlei... verschrikkelijke dingen in een van de laden: een schrift waarin hij precies beschreef hoe ik me gedroeg, en eindeloos veel artikelen die hij van internet had gedownload over het belang van vaccinatie en de corrupte eigenpijpers die beweren dat inenten gevaarlijk is...'

'Wat schreef hij over jou in dat schrift?' vraag ik.

'O, niets interessants. "Ontbijt, 8.00 uur: 1 Weetabix. Zit op de bank te huilen, 1 uur lang." Dat soort dingen. Ik deed toen niet zo veel, behalve huilen, eindeloos veel vragen beantwoorden van de politie en proberen om met Angus in gesprek te raken. Op een dag trok ik zijn starende stilte niet meer en toen zei ik tegen hem: "Als een jury mij onschuldig acht, ben je dan eindelijk overtuigd dat ik je de waarheid vertel?" Hij begon zo akelig te lachen...' Ze huivert. 'Die lach zal ik nooit vergeten.'

*En toch ben je bereid nog een keer met hem te trouwen.*

'Hij zei: "Denk je nu werkelijk dat ik mijn mening baseer op die van twaalf vreemden, van wie de meesten niet eens een fatsoenlijke opleiding hebben genoten? Denk je nu werkelijk dat Marcella en Nathaniel zo weinig voor mij betekenden?" Toen ben ik echt door het lint gegaan. Ik heb geschreeuwd dat hij het in dat geval dus nooit zeker zou weten, als hij mij niet wilde geloven, en de jury niet. Hij zei heel kalm dat hij er wel achter zou komen. "Hoe dan?" vroeg ik, maar dat wilde hij niet zeggen. Hij liep weg. Telkens als ik hem die vraag stelde, keerde hij mij de rug toe.' Ray knijpt boven in haar neus en haalt haar hand dan weg alsof ze zich ineens herinnert dat de camera draait. 'Daarom heb ik gelogen tijdens mijn proces,' zegt ze. 'Daarom was ik zo inconsistent als ik maar kon zijn, en sprak ik mijzelf tegen als ik de kans kreeg. Ik wist niet wat Angus van plan was, maar ik wist wel dat hij een plan had, en dat ik aan hem moest ontsnappen en aan... wat hij me ook maar aan wilde doen.'

Ik knik. Daar weet ik alles van: de dringende noodzaak om aan Angus Hines te ontsnappen. *Je omdraaien en zien dat hij vlak achter je staat in de deuropening van je appartement...*

Waar is hij trouwens? Wat is hij boven aan het doen dat zo veel tijd kost?

'Ik wilde geen dag langer bij hem blijven,' zegt Ray. 'Hij was een doodeng... *ding* geworden, hij leek helemaal niet meer op mijn man, niet op de man van wie ik hield. De gevangenis zou niets zijn vergeleken met de angst om met dat *ding* te moeten leven – en in de gevangenis was er tenminste niemand die probeerde om mij te vermoorden, en ik was er steeds vaster van overtuigd geraakt dat Angus dat van plan was. Zo krankzinnig leek hij toen.'

'Je hebt gelogen zodat de jury jou onbetrouwbaar zou vinden.'

'Zodat ze mijn verhalen als leugens zouden beschouwen, ja. Ik wist dat ik zeker schuldig zou worden bevonden als ze dat eenmaal zouden doen. Begrijp me goed, het maakte mij niet uit waar ik zou moeten leven. Ik was alles al kwijt: mijn man, mijn twee kinderen. En mijn huis – dat was erger dan de hel. Ik kreeg er geen lucht meer, kon er niet slapen, en niet eten. De gevangenis zou een welkome opluchting zijn, dacht ik. En dat was het ook. Echt waar. Daar was ik niet meer de hele tijd bang, en ik stond er ook niet onder continue bewaking. Daar kon ik al mijn tijd besteden aan het enige waar ik behoefte aan had: in alle rust nadenken over Marcella en Nathaniel. Hen in alle rust missen.'

'Maar je deed de rest van de wereld geloven dat jij hen had vermoord. Vond je dat dan niet verschrikkelijk?'

Ray kijkt me vreemd aan, alsof ik iets heel raars heb gezegd. 'Waarom zou ik? Ik kende de waarheid. En de enige drie mensen met een mening die er wat mij betrof toe deed, waren er niet meer. Marcella en Nathaniel waren dood, en de Angus van wie ik hield... ik had het gevoel alsof die met hen was gestorven.'

'Dus toen je Nathaniel had gevonden en je zei dat je de wijkverpleegkundige direct had binnengelaten...'

'Ik wist heel goed dat ik dat niet had gedaan. Ik heb haar minstens tien minuten voor de deur laten staan, precies zoals zij tegen de rechter heeft verklaard.'

'Waarom?'

Ze geeft niet meteen antwoord. Dan fluistert ze: 'Nathaniel was dood. Ik wist dat de wijkverpleegkundige dat meteen zou zien. Ik wist dat ze het hardop zou zeggen. Ik wilde niet dat hij dood was. Hoe langer zij buiten bleef wachten, hoe langer ik kon doen of het niet zo was.'

'Wil je even pauzeren?' vraag ik.

'Nee, dank je wel, ik wil doorgaan.' Ze leunt voorover naar de camera. 'Angus kan elk moment beneden komen. Ik denk dat hij door hierover te praten, kan beginnen aan zijn herstel. Ik heb therapie gehad in de gevangenis, maar Angus heeft nog nooit iets gedeeld met anderen. Daar was hij nooit aan toe, maar nu wel. Daarom is deze documentaire zo belangrijk – niet alleen omdat we zo ons verhaal kunnen doen en dingen kunnen uitleggen...' Ze bedekt haar buik met haar handen.

*De baby*. Daarom wil Ray er nu over praten – niet voor mij, niet voor het publiek. Voor haar kind. De film is haar geschenk aan de baby: de familiegeschiedenis.

'Angus heeft ook gelogen,' zei Ray. 'Toen ik werd veroordeeld, heeft hij tegen de pers gezegd dat hij voor de uitspraak een beslissing had genomen: dat hij zou geloven wat de jury besloot, schuldig of onschuldig. Ik wist dat dat een leugen was, en Angus wist dat ik het wist. Hij dreef de spot met me van een afstand; hij deed het om mij te herinneren aan zijn minachting voor de slecht opgeleide juryleden en zijn belofte dat hij er op een dag zelf achter zou komen of ik al dan niet schuldig was. Hij wist dat ik die verborgen boodschap in zijn verklaring zou lezen. Maar zolang ik in de gevangenis zat, kon hij me niet te pakken nemen.'

'Kwam hij op bezoek?'

'Ik weigerde hem te zien. Ik was zo bang voor hem dat ik liever met rust gelaten wilde worden toen Laurie Nattrass en Helen Yardley interesse in mij begonnen te tonen. Het heeft heel wat therapie gekost om mij ervan te overtuigen dat ik waarschijnlijk niet thuishoorde in de gevangenis als ik geen moordenaar was.'

'Maar als je zeker wilde weten dat je de gevangenis in ging en dat je daar zou blijven, waarom heb je dan niet schuld bekend?'

'Omdat ik onschuldig was.' Ze zucht. 'Zolang ik duidelijk zei dat ik Marcella en Nathaniel niet had vermoord, stelde ik hen niet teleur. Mensen hadden de keuze om me al dan niet te geloven. Als ik zou zeggen dat ik het had gedaan, zou ik hun nagedachtenis verraden door te doen alsof er ooit een moment was geweest dat ik wilde dat zij zouden sterven. Ik vond het niet erg om over andere zaken te liegen, maar om voor de rechter te staan en onder ede te beweren dat ik mijn lieve kinderen dood wenste: dat kon ik niet. Bovendien zou het contraproductief hebben gewerkt als ik schuld bekend had. Dan had ik namelijk een lichtere straf gekregen, en misschien zelfs een mildere tenlastelegging – dood door schuld, in plaats van moord. Dan was ik misschien binnen vijf jaar al vrij geweest – minder misschien zelfs – en dan was ik aan Angus overgeleverd.'

'Maar toen je vrijkwam, en je uit dat hotel met die urnenfoto's was vertrokken, ben je toch naar hem teruggegaan. In Notting Hill. Was je toen niet meer bang voor hem?'

Ze knikt. 'Maar ik was nog veel banger om de rest van mijn leven in angst door te moeten brengen. Wat Angus ook maar voor me in petto had, moest meteen maar gebeuren. Toen hij me binnenliet, dacht ik werkelijk dat ik misschien nooit meer levend naar buiten zou komen.'

'Jij dacht dat hij je zou vermoorden, en je bent toch naar hem toe gegaan?'

'Ik hield van hem.' Ze haalt haar schouders op. 'Tenminste, ik had ooit van hem gehouden, en van de man die hij vroeger was geweest, hield ik nog steeds. En hij had mij nodig. Hij was gek geworden, zo gek dat hij niet besefte hoezeer hij mij nodig had, maar ik wist dat wel. Ik ben de enige in de wereld die evenveel van Marcella en Nathaniel hield als Angus – het was onmogelijk dat hij me niet nodig had. Maar, ja, ik dacht dat hij me zou vermoorden. Wat hij tegen me had gezegd, spookte nog altijd door mijn hoofd: dat hij er op een dag achter zou komen of ik schuldig was of niet. Hoe kon hij daarachter komen als hij mij en de jury niet geloofde? Het enige wat ik kon bedenken was dat hij me zou laten weten dat ik zou sterven, dat er geen uitweg mogelijk was. Misschien zou ik dan bekennen, als er iets te bekennen viel. Misschien was hij van plan me te martelen, of...' Ze schudt haar hoofd. 'Je denkt allerlei verschrikkelijke dingen, maar ik moest het weten. Ik moest weten wat hij met me van plan was.'

'En? Heeft hij geprobeerd je te vermoorden?'

De deur gaat open. 'Nee, dat heb ik niet geprobeerd,' zegt Angus.

'Dat heeft hij niet geprobeerd,' echoot Ray. 'En dat was een geluk voor mij, want als hij het had geprobeerd, was het hem gelukt.'

*Nee. Dat is het verkeerde antwoord. Hij heeft wel geprobeerd haar te vermoorden. Dat moet wel, want...* In mijn hoofd beginnen dingen op hun plek te vallen: de kaarten. De zestien getallen. En de foto's, Helen Yardley's hand...

Ik wend me tot Angus. 'Ga maar naast Ray zitten, en als je praat moet je in de camera kijken, niet naar mij,' zeg ik tegen hem. 'Waarom heb je mij die lijsten gemaild – van alle mensen tegen wie Judith Duffy heeft getuigd in strafzaken en in familierechtelijke zaken?'

Hij fronst, want hij is niet blij met de sprong naar een ander onderwerp. 'Ik dacht dat we het hadden over wat er gebeurde toen Ray thuiskwam?'

'Dat komt nog, maar eerst wil ik graag dat je uitlegt waarom je me die lijsten hebt gestuurd. In de camera, graag.'

Hij kijkt eerst Ray aan, die knikt. Ik zie dat ze gelijk heeft: hij heeft haar inderdaad nodig. 'Het leek me wel nuttig als je zou zien hoeveel mensen Judith Duffy ervan had beschuldigd dat zij hun kinderen opzettelijk mishandeld of vermoord hadden,' zegt hij.

'Waarom? Waarom was dat nuttig?'

Angus staart in de camera.

'Je wil het me niet zeggen. Je vindt dat ik zelf in staat moet zijn om daarachter te komen. Nou, het spijt me, dat ben ik niet.'

'Maar het ligt toch voor de hand?' vraagt hij.

'Nee.'

'Vertel het haar nou maar, Angus.'

'Ik neem aan dat je bekend bent met de zinsnede waar Judith Duffy beroemd mee is geworden: "zo onwaarschijnlijk is dat het grenst aan het onmogelijke"?'

Ik zeg dat ik die inderdaad ken.

'Weet je waar ze het over had toen ze dat zei?'

'Over de kans op twee gevallen van wiegendood binnen één gezin.'

'Nee, dat is een algemene misvatting.' Hij lijkt het prettig te vinden dat hij me kan tegenspreken. Mijn hart gaat zo tekeer dat het me verbaast dat de camera niet trilt. 'Mensen denken dat ze dat bedoelde, maar tegen Ray heeft ze gezegd dat het anders lag. Ze had het helemaal niet over algemene principes, maar over twee specifieke gevallen – over Morgan en Rowan Yardley – en de kans dat zij een natuurlijke dood gestorven waren, gegeven het fysieke bewijs in beide gevallen.'

'Ga je mij nu vertellen waarom je me die lijsten hebt gestuurd?' vraag ik.

'Ik heb zo mijn eigen waarschijnlijkheidsprincipe, en dat wil ik je best uitleggen,' zegt Angus. 'Als Judith Duffy getuigt dat Ray een moordenaar is en Ray ontkent het, wat is dan de kans dat Duffy gelijk heeft?'

Ik denk erover na. 'Ik heb geen idee,' zeg ik eerlijk. 'Als we aannemen dat Duffy een onbevooroordeelde getuige-deskundige is, en dat Ray een goed motief heeft om te beweren dat ze onschuldig was ook al was ze het niet...'

'Nee, laat dat erbuiten,' zegt Angus ongeduldig. 'Niet nadenken over motieven, onpartijdigheid, deskundigheid – dat kun je allemaal niet wetenschappelijk meten. Ik heb het over pure kansberekening. Weet je wat, laten we het niet eens over Ray en Duffy hebben – laten we het abstracter maken. Een arts beschuldigt een vrouw ervan dat ze haar kind heeft verstikt. De vrouw zegt dat ze het niet heeft gedaan. Er zijn geen getuigen. Wat is de kans dat de arts gelijk heeft?'

'Vijftig procent?'

'Precies. Dus in dat scenario kan de arts het volledig bij het juiste eind hebben, of er juist helemaal naast zitten. Ze kan niet maar een beetje gelijk of ongelijk hebben, toch?'

'Nee,' zeg ik. 'Die vrouw heeft haar kind wel of niet vermoord.'

'Goed.' Angus knikt. 'Laten we nu eens naar wat grotere aantallen kijken. Een arts – diezelfde arts – beschuldigt drie vrouwen ervan dat zij kinderen hebben vermoord. Alle drie de vrouwen zeggen dat ze onschuldig zijn.'

*Ray, Helen Yardley en Sarah Jaggard.*

'Wat is de kans dat ze alle drie schuldig zijn? Nog steeds vijftig procent?'

God, ik had op school al zo'n hekel aan wiskunde. Ik weet nog dat ik met mijn ogen rolde als we vierkantsvergelijkingen moesten doen: *ja hoor, dit zullen we echt nodig hebben als we later groot zijn.* Mijn lerares, mevrouw Gilpin, zei dan: 'Handigheid met getallen zal je van pas komen op momenten die jij je nu nog helemaal niet kunt voorstellen, Felicity.' Blijkbaar had ze gelijk. 'Als de kans dat de arts gelijk heeft in elk geval vijftig procent is, dan is de kans dat ze in alle drie de gevallen gelijk heeft... nog altijd vijftig procent, toch?'

'Nee,' zegt Angus, alsof hij niet kan geloven dat ik zo stom ben. 'De kans dat de arts gelijk heeft, of ongelijk, is in alle drie de gevallen één op de acht.' Ray en ik zien hoe hij een verkreukeld bonnetje en een pen uit zijn jaszak haalt en daarop begint te schrijven, met zijn knie als ondergrond. 'S staat voor Schuldig, O voor Onschuldig,' zegt hij, terwijl hij me het bonnetje overhandigt als hij klaar is.

Ik kijk naar wat hij heeft geschreven.

| | | | | | | | |
|---|---|---|---|---|---|---|---|
| Vrouw 1: | S | S | S | S | O | O | O | O |
| Vrouw 2: | S | S | O | O | O | O | S | S |
| Vrouw 3: | S | O | S | O | O | S | O | S |

'Snap je?' zegt hij. 'Er is maar een achtste kans dat de dokter in alle drie gevallen gelijk heeft, en een achtste kans dat ze ongelijk heeft in alle drie de gevallen. Laten we nu eens uitgaan van duizend gevallen...'

'Ik begrijp waar je naartoe wilt,' zeg ik. 'Hoe meer gevallen er zijn waarin Judith Duffy heeft gezegd dat de vrouwen schuldig waren terwijl ze zelf beweerden onschuldig te zijn, hoe groter de kans dat ze soms gelijk en soms ongelijk heeft.' *Daarom heb je me in die e-mail ook geschreven dat Judith in drieëntwintig zaken voor de ouders heeft getuigd. Soms is ze voor, soms is ze tegen – dat was jouw punt. Soms heeft ze gelijk, soms heeft ze ongelijk.* Met andere woorden, Laurie doet haar af als vervolger van onschuldige moeders, en dat is ronduit een leugen.

'Precies.' Angus beloont me met een glimlach. 'Hoe meer vals beschuldigde vrouwen Laurie Nattrass uit de hoge hoed tovert, zogenaamde slachtoffers van Duffy's zogenaamde verlangen om levens te verwoesten, hoe groter de kans dat daar vrouwen bij zitten die wel schuldig zijn. Ik geloof zonder meer in rechterlijke dwaling, en dat artsen het bij het verkeerde eind kunnen hebben. Maar je kunt niet verlangen dat mensen geloven dat er een eindeloze reeks slachtoffers van rechterlijke dwalingen is, en dat er een arts is die het in al die gevallen bij het verkeerde eind had...'

'En dat had ik moeten opmaken uit die lijsten die je me stuurde?'

'Ik noem dat het Kansprincipe van Hines: één vrouw die door Judith Duffy wordt beschuldigd van moord kan evengoed schuldig als onschuldig zijn. Van de honderd vrouwen die Judith Duffy van moord beschuldigde zijn er zowel veel schuldig als onschuldig.'

'En jij wilde dat ik dat wist, omdat Laurie dat niet begreep,' zeg ik zachtjes. 'Hij scheen te denken dat alle vrouwen die door Duffy werden beschuldigd van moord op een kind onschuldig moesten zijn. Hij wilde niet inzien dat er ook schuldige vrouwen tussen zaten, verstopt tussen de schuldlozen.'

'Hij zag door het bos de bomen niet meer,' zegt Ray knikkend.

Er wordt aan de deur gebeld.

'Zal ik opendoen?' vraagt ze.

'Nee, ik ga wel. Wie het ook is, ik zorg wel dat ze opduvelen.' Ik dwing mezelf te glimlachen en zeg: 'Blijf zitten, ik ben zo terug.'

In de hal raak ik in paniek en als ik bijna bij de deur ben bevries ik, en ben ik niet meer in staat de volgende stap te zetten. Judith Duffy deed haar voordeur open en toen schoot iemand haar neer, een man met een kaalgeschoren hoofd.

De brievenbus gaat open en ik zie een paar bruine ogen en een stukje neus. 'Fliss?' Ik herken de stem: het is Lauries ritsbroekbroer. Hugo. Waarom belt die aan? Het is zijn eigen huis, godbetert.

Ik doe de deur open. 'Wat moet je?' Zonder toestemming van mijn hersens maakt mijn hand een gebaar van: *kom op, en snel een beetje.*

'Ik wilde mijn excuses aanbieden voor de manier waarop ik...'

'Laat maar,' zeg ik, en ik fluister: 'Je moet iets voor me doen.' Ik trek hem naar binnen en neem hem mee naar de dichtstbijzijnde kamer, de muziekkamer. Ik wijs naar de pianokruk en hij gaat gehoorzaam zitten. 'Wacht hier,' fluister ik 'Blijf zitten. Verder niets doen, alleen hier zitten. In stilte. Zet je mobieltje uit, en doe net of je er niet bent. En niet pianospelen, nog geen noot. Zelf geen Vlooienmars.'

'Ik kan de Vlooienmars helemaal niet spelen.'

'Echt niet? Ik dacht dat iedereen dat kon.'

'Wat ik wel kan is hier zitten en helemaal niets doen behalve zitten. Dat is een talent dat al velen van mijn dierbaren is opgevallen.'

'Goed,' zeg ik. 'Wacht hier, en niet weggaan. Beloof me dat je niet weggaat.'

'Dat beloof ik. Vind je het erg als ik vraag –?'

'Ja.'

'Maar wat –?'

'Misschien moet je me straks een lift geven,' zeg ik tegen hem.

'Waar is je eigen auto dan?' vraagt hij, ook fluisterend.

'Die staat nog altijd in de showroom van Rolls-Royce te wachten tot ik de loterij win, of een rijke echtgenoot vind. Blijf hier nou maar stil zitten tot ik terugkom.' Ik keer me om, en wil weer naar de hobbykamer gaan.

'Fliss?'

'Ik moet gaan. Wat is er?'

'Als ik nu eens je rijke echtgenoot word?'

Ik krimp ineen. 'Doe niet zo stom. Ik ben met je broer naar bed geweest.'

'En zou dat voor jou een probleem zijn?'

'Ik begrijp niet waarom je een voorwaardelijke constructie gebruikt,' sis ik tegen hem. 'Het *is* een probleem voor mij, een enorm probleem.'

'Voor mij is het ook een groot probleem,' zegt Hugo Nattrass, die als een idioot zit te stralen. 'Dus we hebben al heel wat gemeen, vind je ook niet?'

# 22

## 12/10/2009

Simon gaf zijn telefoon weer aan Charlie. 'Je gaat me vast niet zeggen wie dat was en wat die te melden had,' voorspelde ze.

'Als ik zover ben.' Hij deed weer eens aan gymnastiek, zoals Charlie dat noemde. Maar in tegenstelling tot andere mensen kwam daar geen loopband of roeimachine aan te pas; er was niets anders voor nodig dan Simon en zijn hersens. Iedereen die met hem mee wilde werd al snel duidelijk gemaakt hoe onbelangrijk zij waren.

'Dat is al het derde geheime telefoontje sinds we zijn vertrokken. Was dit het of komen er nog meer?'

Geen antwoord.

'Het is ook een kwestie van veiligheid, nog los van andere zaken,' zei Charlie gepikeerd. 'Als jij mij niet zo graag in het ongewisse zou houden, dan kon je de telefoon gewoon op de speaker zetten en allebei je handen aan het stuur houden.'

'Dat je toevallig een blikje cola light drinkt en dik bent, wil nog niet zeggen dat je op dieet bent,' zei Simon, en ze sloegen Bengeo Street in.

'Nee, hè, niet dit weer!' Charlie bonkte met haar hoofd tegen het raampje aan de bijrijderskant.

'Je hebt een paraplu bij je, en het regent. Maar dat wil nog niet zeggen dat je die paraplu bij je hebt *omdat* het regent.'

'En dat betekent?'

Simon parkeerde de auto voor het huis van Stella White. 'Dillon White heeft tegen Gibbs gezegd dat hij de man met de paraplu in de zitkamer van Helen Yardley heeft gezien. Dat namen we eerst niet serieus, omdat het die maandag niet regende, en omdat er voor die dag ook geen regen was voorspeld. En omdat Stella White, onze andere getuige, geen paraplu had gezien. Ze zei ook dat haar zoon de man die ochtend onmogelijk in Helens zitkamer kon zien zitten. Dan komen we erachter dat Dillon de man bij een eerdere gelegenheid heeft gezien – in Helens zitkamer, waar hij, Dillon, toen ook aanwezig was. Net als Stella, Helen en Paul Yardley, en nog een andere man en vrouw die Dillon niet bij naam kon noemen. Dat was de dag waarop het wel regende, en de regen van de paraplu van die man drupte op de grond.' Een lange stilte. Toen zei Simon: 'Wil je me misschien iets vragen?'

'Ja,' zei Charlie. 'Wil je me alsjeblieft vertellen waar je aan zit te denken?'

'Je wil me niet vragen of de Yardleys een hal hebben?'

'Niet speciaal.'

'Nou, dat zou je toch moeten doen. Ze hebben namelijk een hal, met een laminaatvloer. Die leidt naar de zitkamer. Waarom zou je een druipend natte paraplu meenemen naar een zitkamer waar vloerbedekking op de grond ligt? Waarom laat je die niet in de hal staan, vooral als er in die hal geen vloerbedekking ligt?'

'Omdat je een hork bent?' opperde Charlie. 'Omdat je andere dingen aan je hoofd hebt?'

'Stel dat je geen hork bent?' zei Simon. 'Stel nu dat je aardig genoeg bent om een leuk verhaaltje te verzinnen voor een klein jongetje over ruimtevaart en magie? En toch neem je expres je paraplu mee naar de zitkamer en laat je hem uitdruipen op de vloerbedekking. Waarom zou je dat doen?'

'Is die paraplu een cruciaal element in het toververhaal?'

Simon schudde zijn hoofd. Hij waagde het ook nog om teleurgesteld te kijken. Was hij even vergeten dat zij niet aan deze zaak werkte? Ze hoorde helemaal niet met hem in een auto naar Bengeo Street te gaan; zij hoorde zich op haar eigen werk te storten.

'Dillon zei dat die andere man die er ook bij was, de man die niet Paul Yardley was en ook niet de toverparapluman – dat die ook een paraplu bij zich had, maar dat hij die buiten had laten staan omdat die niet magisch was.' Simon keek weg van de weg om Charlie aan te kijken. 'Toen Stella tegen Gibbs zei dat het afgelopen maandag een zonnige, heldere dag was, zei Dillon: "Het was niet helder. Er was niet genoeg zon voor helder." Dat had hij die man horen zeggen – hij papegaaide hem woord voor woord na.'

'Hij bedoelde alleen niet afgelopen maandag,' zei Charlie. 'Hij had het over "daaraan voorbij", lang geleden dus, toen het regende en waarschijnlijk betrokken was.'

*'Toen er niet genoeg zon was voor helder,'* zei Simon met klem.

'Nu vertel je me binnen vijf seconden hoe het zit of ik zeg tegen je moeder dat we tegen haar liegen over de huwelijksreis,' dreigde Charlie.

'In zekere zin had die man gelijk over de magie. Die paraplu had minstens één bijzondere eigenschap: hij kon licht maken. Dat was het namelijk: een lichtparaplu zoals fotografen die gebruiken, zwart vanbuiten, glimmend zilverspul vanbinnen. Die paraplu was van Angus Hines. Hij is nu hoofd Fotoredactie bij *London on Sunday*, maar dat is hij niet altijd geweest. Vroeger was hij fotograaf, en werkte hij voor allerlei dagbladen, ook voor een krant waar een artikel in heeft gestaan over twee uitzonderlijke vrouwen – Helen Yardley en Stella White.'

'Dus die andere man en vrouw over wie Dillon het had...'

'Ik gok dat het een verslaggever van de krant was, en een visagiste,' zei Simon.

'Hoe vaak zien we die dingen niet op persconferenties, omdat daar nooit daglicht is?' zei Charlie, die boos was omdat ze het niet had geraden. Hoeveel fotografen hadden haar eigen ongelukkige gezicht niet bijgelicht met een lichtparaplu, in 2006, toen alle kranten foto's wilden van de uit de gratie gevallen inspecteur, en de hoofdinspecteur haar had opgedragen om alle medewerking te verlenen als haar baan haar lief was?

'Angus Hines moest die druipende paraplu wel op de vloerbedekking in de zitkamer neerzetten,' zei Simon. 'Dat was de meest fotogenieke ruimte in het huis, en hij wilde daar foto's nemen. Toen Stella White mij de lijst gaf van alle mensen die ze weleens had ontmoet tijdens bijeenkomsten bij Helen Yardley thuis, stond de naam van Angus Hines daar natuurlijk niet op. Stella was al honderden keren op de foto gezet – de vrouw die marathons liep omdat ze vastbesloten was haar kanker te verslaan. Die onthoudt natuurlijk niet de namen van al die individuele fotografen. Toen ik haar vroeg naar de man met de toverparaplu die Dillon had gezien, legde zij niet de link met een lichtparaplu omdat ik haar al had verteld dat het die dag regende – door die vraag te stellen, had ik al een reden voor de aanwezigheid van de paraplu gegeven, dus heeft zij daar verder niet meer over nagedacht.'

'Maar... Helen Yardley maakte deel uit van GOOV,' zei Charlie fronsend. 'Ze heeft toch actie gevoerd voor de vrijlating van Ray Hines? Dan moet ze hebben geweten wie Angus Hines was toen hij bij haar op de stoep stond, en als Stella White daar toen ook was...'

'Helen deed of haar neus bloedde, en begroette hem zoals je een vreemde begroet,' zei Simon. 'Het eerste van de drie telefoontjes die ik net heb geleegd was met Sam. Hij heeft Paul Yardley gesproken. Yardley herinnert zich die dag "van daar voorbij" maar al te goed. Angus Hines is wat Yardley betreft een foute baas – hij bleef niet achter zijn vrouw staan zoals Yardley zelf achter Helen is blijven staan, en zoals Glen Jaggard altijd achter Sarah stond. Toen er een verslaggever bij de Yardleys thuis kwam met Angus Hines in zijn kielzog, had Yardley verwacht dat zijn vrouw een scène zou maken en hem eruit zou gooien.'

'En dat deed ze niet?' gokte Charlie.

'Volgens Yardley, gunde Helen Hines het plezier niet dat hij haar zo kon raken. Yardley zag wel dat ze het verschrikkelijk vond om Hines over de vloer te hebben, maar ze schudde hem de hand en zei: "Aangenaam kennis te maken."' Simon kauwde op zijn onderlip. 'Alsof ze hem nooit eerder had ontmoet. En hij speelde het spelletje mee.'

'En daarom heeft Hines geen indruk op Stella White gemaakt,' redeneerde Charlie hardop. 'Omdat Helen hem behandelde als een gemiddelde persfotograaf.'

'Precies,' knikte Simon.

'En toen kwam hij afgelopen maandag voor de tweede keer naar Helens huis, en Dillon White ving een glimp van hem op en herkende hem als de man van die dag "daaraan voorbij",' vulde Charlie Simons vermoedelijke hypothese verder in. 'Hij bleef de hele dag en heeft Helen uiteindelijk doodgeschoten. Maar wacht even, zei jij niet dat Angus Hines een alibi had?'

Simon glimlachte. 'Dat heeft hij ook, of liever: dat had hij. Een man genaamd Carl Chappell zei dat hij met Hines had zitten drinken in de Retreat pub in Bethnal Green tussen drie en zeven, afgelopen maandag. Toen Sellers ons het artikel uit de *Sun* liet zien, over Warren Gruff, begon er bij mij een belletje te rinkelen wat betreft Bethnal Green. Gruff woont er, en zijn ex-vriendin Joanne Bew heeft er zijn zoon Brandon vermoord... Maar ik kon niet bedenken waar ik onlangs nog eens over Bethnal Green had gehoord. En toen wist ik het ineens: het alibi van Angus Hines. Voor we weggingen heb ik Sam gevraagd daar nog wat op door te vragen. Het duurde niet lang voor hij erachter kwam dat Brandon Bew werd vermoord in een appartement boven de pub in Bethnal Green die vroeger de Dog and Partridge heette, en die nu de Retreat wordt genoemd...'

'Ongelofelijk,' stamelde Charlie.

'...en dat Carl Chappell getuige à charge was tijdens Joanne Bews eerste proces, en toen heeft beweerd dat hij had gezien hoe zij Brandon verstikte. Sam heeft met Chappell gesproken – Angus Hines had hem Chappells mobiele nummer gegeven toen hij Chappell aandroeg als zijn alibi. Toen Sam hem doorzaagde over zijn verhaal dat hij afgelopen maandag met Hines had doorgebracht, was Chappell dronken en stom genoeg om op te scheppen dat hij toch zo veel mazzel had met geld, en dat Angus Hines hem duizend pond in contanten had geboden voor het valse alibi. Hij zei ook nog dat een andere man – een kerel die hij een paar keer op de buis had gezien, een man die hij omschreef als groot en met blond haar en een dikke nek – hem tweeduizend pond had geboden om niet te getuigen tijdens

Joannes tweede proces, door te zeggen dat hij helemaal niets had gezien, de nacht dat Brandon stierf – dat hij te dronken was geweest.'

'Laurie Nattrass?' vroeg Charlie zich hardop af. Wie kon het anders zijn?

'Ja. Nattrass.' Simon klonk kwaad. 'Meneer Gerechtigheid-Voor-Iedereen. Hij wilde dat Joanne Bew vrijgesproken zou worden omdat hij wist dat dat slecht was voor Duffy – alweer een onschuldige vrouw tegen wie zij had getuigd. En Chappell was niet de enige die door Nattrass werd omgekocht – hij heeft ook Warren Gruff betaald om te zorgen dat die Chappell niet de benen brak toen Chappell zei dat hij niet meer tegen Joanne wilde getuigen.'

'Hoe weet je dat nou weer?' vroeg Charlie.

'Dat tweede telefoontje was van Gibbs,' zei Simon. 'Gruff heeft bekend dat hij Jaggard heeft aangevallen en dat hij Duffy heeft vermoord. Hij is gearresteerd, en hij praat – tot op zekere hoogte tenminste. Ik dacht dat het Brein – dat is dus Angus Hines – ik dacht dat hij Gruff op de een of andere manier bij de kladden had, maar Gibbs zegt dat het eerder lijkt op misplaatste loyaliteit. Gruff dacht dat Hines de enige was die hem werkelijk begreep – Hines had twee kinderen verloren, hij had er zelf een verloren. Hines was in de pers door Nattrass en verscheidene andere commentatoren afgeschilderd als een schurk omdat hij had gezegd dat hij dacht dat zijn vrouw schuldig was, maar hij bleef bij zijn mening. Gruff keek tegen hem op. Daarom heeft hij Duffy ook vermoord – de vrouw die haar best had gedaan om de moordenaar van zijn zoon veroordeeld te krijgen – ook al wilde hij dat absoluut niet. Maar hij deed het omdat het paste in het grote plan van Hines. Gruff bewonderde Duffy, maar Hines is zijn held. Hij zou alles gedaan hebben wat Hines hem opdroeg. De foto van Gruff die Sellers ons liet zien, op de computer? Die werd door Angus Hines genomen voor de *Daily Express*, na het tweede proces van Joanne Bew, toen Gruff weer even in het nieuws was. Zo hebben Hines en Gruff elkaar ontmoet. Hines had misschien wel sympathie voor Gruff, wie zal het zeggen? Hoe dan ook, hij wist in elk geval heel goed hoe hij hem moest manipuleren.'

'Jij zei "het grote plan van Hines",' zei Charlie dwars door zijn verhaal heen. 'Wat was dat?'

'Gibbs zei dat Gruff het niet wil vertellen, en dat hij beweert dat hij niet intelligent genoeg is om het goed uit te leggen. Hij zegt dat Hines het hem nooit zou vergeven als hij voor zijn beurt sprak. Hines is degene die het moet uitleggen – want het is zijn plan.'

Charlie vond het een afschuwelijk idee dat Gruff bewondering had voor Duffy maar dat hij haar toch had vermoord, terwijl hij toen evengoed bij zijn positieven had kunnen komen, naar zijn instinct had geluisterd en had geweigerd. Waarom eindigde zijn heldenverering van Angus Hines niet meteen toen Hines hem vroeg iemand te vermoorden die dat naar zijn mening niet verdiende?

Charlie had niet tegen Simon gezegd dat Duffy liever niet had opengedaan toen Gruff voor de deur stond, maar dat zij, Charlie, daarop had aangedrongen, omdat ze zich te veel geneerde om open te zijn tegenover de dokter, terwijl die haar daartoe had uitgenodigd.

*Ik doe niet open.*

*Nee, ga maar.*

Charlie had verwacht dat ze zich schuldig zou voelen over Duffy's dood, maar gek genoeg deed ze dat niet. Ze kon zich indenken wat Duffy er zelf over gezegd zou hebben. *Dat jij niet in staat was een leven te redden, maakt jou nog niet tot een slecht mens, net zomin als het feit dat je eerder wel allerlei levens hebt gered jou een goed mens maken.* Zoiets, in elk geval.

'Weet je waarom Angus Hines Carl Chappell uitkoos om zich een alibi te verschaffen?' vroeg Simon terwijl hij even uit het raam keek naar Stella Whites huis. 'Omdat hij wist dat Nattrass Chappell had omgekocht.'

'Hoe wist hij dat?' vroeg Charlie.

'Chappell heeft het hem zelf verteld. Hines had Chappell opgespoord en tegen hem gezegd dat hij bezig was om de veronderstelde kindermoordzaken te onderzoeken waar Judith Duffy als deskundige bij betrokken was. Hij wilde weten waarom de ooggetuige van de moord op Brandon Bew ineens een ander verhaal vertelde. Voor de prijs van een fles whisky kreeg hij zijn antwoord. Chappell was stomdronken toen hij probeerde te reconstrueren wat Hines precies tegen hem had gezegd, maar voor zover Sam hem begreep, leek het erop dat Angus precies dezelfde mensen wilde gebruiken als Nattrass, alleen dan voor de tegenovergestelde richting – een richting die Nattrass zou haten als hij ervan af had geweten. Dat was een van zijn machtsspelletjes – bewijzen dat hij de baas was van alle schaakstukken, en niet Nattrass. Hij zei tegen Chappell: "Ik ben nu degene die jou bespeelt – onthou dat." Ik ga ervan uit dat hij Gruff om dezelfde reden heeft uitgekozen als zijn hulpmoordenaar: Nattrass was eerst degene die Gruffs touwtjes in handen had, dus moest Hines bewijzen dat hij dat nog effectiever kon. Tenminste, tot op zekere hoogte.'

'Dat zeg je steeds,' zei Charlie. 'Warren Gruff praat, *tot op zekere hoogte*, Angus Hines had de touwtjes van Gruff in handen, *tot op zekere hoogte...*'

'Ja,' zei Simon defensief. 'Tot het punt waarop wij laten doorschemeren dat we ze doorhebben, laat zowel Warren Gruff als Carl Chappell meteen Angus Hines vallen. Hines is slim: hij wist dat dat zou gebeuren, wist dat hij er niet op kon vertrouwen dat Gruff en Chappell hun mond zouden houden. Dat kan hem ook niet schelen. Hij wil dat wij weten dat hij het heeft gedaan – dat wilde hij al vanaf het begin. Vandaar ook de kaarten. Hij wilde onze aandacht trekken naar pagina 214 van *Niets dan liefde*, omdat hij wist dat dat ons naar hem zou leiden, want hij ging ervan uit dat wij die hints wel zouden oppikken, wat we aanvankelijk niet deden. Zoals ik al zei: hij is slim. Ik zat helemaal goed met die bijnaam: het Brein. Hij heeft een plan, en hij verheugt zich er al op dat hij daarover kan opscheppen – ik wou alleen dat ik wist wat voor plan dat was, en waarom dat ook behelst dat hij Ray gaat vermoorden. Als Sellers niet op tijd in Twickenham is, of als Hines Ray ergens anders naartoe heeft gebracht...'

'Sellers komt wel op tijd,' zei Charlie automatisch. Ze had geen idee of dat waar was.

Simon ging verzitten en wreef over zijn onderrug. 'Hines moet hebben geraden dat Gruff en/of Chappell zowel hem als Laurie Nattrass zou verraden. Ik denk dat hij het een prettig idee vindt dat Nattrass erbij wordt gelapt omdat hij heeft verhinderd dat het recht zijn loop kreeg – de ironie zou hem aanspreken. Nattrass heeft Ray gesteund toen Hines dat niet deed, en hij heeft Hines publiekelijk aangevallen omdat hij zijn vrouw niet terzijde stond.'

'Maar uiteindelijk is het zijn woord tegen dat van Gruff en Chappell,' zei Charlie. 'Dat wordt dus niets. Laurie Nattrass komt er wel mee weg – zijn soort komt altijd op hun pootjes terecht.' Er knaagde iets aan haar. Ze wist niet wat en wilde net ophouden met piekeren. 'Hoezo verwijst pagina 214 van *Niets dan liefde* naar Angus Hines?' vroeg ze.

'Het derde telefoontje was van Klair Williamson,' zei Simon.

'Wie?'

'Dat is een van de rechercheurs op de Yardley-Duffy-moorden. Ik heb haar gevraagd om met Rahila Yunis te gaan praten, de journaliste die Helen Yardley in de Geddham Hall-gevangenis heeft geïnterviewd, en die zegt dat Yardley loog over het gedicht.'

'Maar Sam zei toch dat Yunis aanvankelijk niet wilde praten?'

'Klopt.' Simon knikte. 'En nu weten we ook waarom: Yunis hield het belangrijkste deel van het verhaal achter. Angus Hines was er namelijk ook bij, in Geddham Hall. Dat was niet de bedoeling. De regels staan geen fotografen toe, maar Laurie Nattrass en Helen Yardley hadden Yunis en Hines verteld hoe ze die regels konden schenden, en met wie ze moesten praten in de gevangenis om dat voor elkaar te krijgen. Veel van de cipiers mochten Helen graag en geloofden in haar onschuld, dus die waren best bereid om wat voor haar door de vingers te zien – Hines en zijn camera mochten naar binnen. De hoge bazen bij de *Telegraph* maakten zich er zorgen over dat Hines de fotograaf was op deze specifieke klus, omdat hij toen beroemd was doordat hij had verklaard dat zijn vrouw schuldig was terwijl Helen even beroemd was doordat zij beweerde dat Ray Hines onschuldig was.'

'Begrijpelijk,' zei Charlie.

'Ja. Behalve dan dat Yunis tegen Klair Williamson zei dat Helen Yardley alleen instemde met het interview op voorwaarde dat er een fotograaf bij zou zijn. Een specifieke fotograaf – niemand minder dan Angus Hines. Hines was zelf ook al zo enthousiast. Helen Yardley en hij waren gebrand op een ontmoeting, naar het scheen. En toen het zover was, leken ze zo in elkaar op te gaan dat ze nauwelijks merkten dat Yunis er ook nog was, zei ze. Ze kreeg er bijna geen speld tussen.'

'Waar hadden ze het dan over?' vroeg Charlie.

'Ray Hines. Helen beschuldigde Hines van gebrek aan loyaliteit en probeerde hem te overtuigen van zijn dwalingen. Hines beschuldigde Helen ervan dat zij Ray alleen maar steunde om er zelf beter van te worden en om haar eigen onschuld met kracht te onderstrepen, en dat ze Ray als symbool voor zichzelf gebruikte, zoiets.'

'Interessant,' zei Charlie. 'En hoe zit het dan met die twee gedichten: "De Microbe" en "Een lege kamer?"'

'Toen Helen met "De Microbe" aankwam als haar lievelingsgedicht, barstte Hines in lachen uit en maakte haar uit voor stomkop. "Maar knappe koppen beweren onverstoord / Zeggen dat het zo nu eenmaal hoort... / Ach! Laat ons nooit, nee, nooit betwijfelen / Waarover iedereen blijft weifelen!'" reciteerde Simon. 'Voor Helen ging dat gedicht over de arrogantie van Judith Duffy omdat die haar schuldig had verklaard, maar Hines wees haar erop dat het evengoed kon verwijzen naar Russell Meredew en de andere artsen die voor Helen hadden getuigd. Die waren even overtuigd van hun monopolie op de waarheid als Duffy. De deskundigen aan beide zijden hadden tegen de jury gezegd dat die nooit, nee, nooit mochten betwijfelen waarover iedereen bleef weifelen. Volgens Rahila Yunis bedankte Hines Helen dat ze hem met het gedicht kennis had laten maken, en dat het nu ook zijn lievelingsgedicht was omdat het alle twijfels die hij ooit over Ray, Helen en Sarah Jaggard had gehad onderschreef – alle vrouwen die wiegendood riepen toen ze werden beschuldigd van moord. Yunis vertelde Klair Williamson dat Helen zichtbaar in de war raakte toen Hines dit zei, hoewel tot dan toe geen van zijn opmerkingen haar leek te raken. Vlak nadat hij haar gedicht had bespot, maakte zij een eind aan het interview. Een paar uur later hing Laurie Nattrass met Yunis aan de telefoon en zei: "Ik weet niet wat Angus Hines tegen Helen heeft gezegd, want dat wil ze niet tegen me zeggen, maar ik heb haar nog nooit zo boos meegemaakt." Het enige wat Helen tegen Nattrass had gezegd, was dat Hines haar voor schut had gezet, dat hij haar had vernederd. Er kwam geen artikel in de *Telegraph* – Nattrass had Yunis opgedragen om het verhaal terug te trekken, omdat ze anders haar baan op haar buik kon schrijven. Ze geloofde hem en dus deed ze wat haar werd opgedragen. Ze praat er niet graag over, omdat Nattrass *haar* vernederde – hij terroriseerde haar zodat zij een goed verhaal zou schrappen.'

'Dus in haar boek heeft Helen gelogen over het gedicht dat zogenaamd zo belangrijk voor haar was,' zei Charlie bedachtzaam.

'Ze heeft niet alleen gelogen,' zei Simon. 'Ze heeft gestolen. Tenminste, zo'n beetje. "Een lege kamer" was namelijk het lievelingsgedicht van Rahila Yunis. Dat had ze Helen verteld vóór Angus Hines tussenbeide kwam en erop wees dat "De Microbe" helemaal niet betekende wat Helen erin las. Shit.' Stella White verscheen in de voordeur van nummer 16 en staarde hen vragend aan. 'Ze vraagt zich vast af waarom wij hier geparkeerd staan en niet binnenkomen,' zei Simon. 'Heb jij de foto's?'

'Yep.' Charlie klom uit de auto en rekte zich uit. Haar knieën kraakten alsof ze zich al in geen jaren had bewogen. Ze liep naar Stella's huis, maar Simon trok haar terug. 'Als we hiermee klaar zijn, gaan jij en ik naar huis,' zei hij. 'Linea recta.'

'Oké. Mag ik vragen waarom?'

'Nee.' Hij draaide zich van haar af en riep een groet naar Stella.

'Is het iets naars?' zei Charlie die achter hem liep.

'Niet heel erg, hoop ik,' zei hij over zijn schouder.

En toen ging hij het huis binnen en kon ze hem verder niets vragen zonder dat Stella het zou horen.

Dillon zat ineengedoken op de bank, en schopte er met zijn hakken tegenaan. 'Ik heb hem bij zijn paardenrennen weggesleept,' zei

Stella. 'Ik dacht dat jullie zijn onverdeelde aandacht weleens ver-dienden, voor de verandering.' Haar zoon keek alsof hij daar heel anders over dacht, maar hij zei niets.

'Wat zie je er goed uit,' zei Simon tegen Stella. 'Beter dan de laat-ste keer toen ik je zag.'

'Ik ben genezen,' zei ze. 'Heb het vandaag pas gehoord. Kan het bijna niet geloven, maar enfin.'

'Geweldig,' zei Charlie stralend. *Linea recta naar huis*: dat kon maar één ding betekenen...

'Hoi, Dillon,' zei Simon wat ongemakkelijk.

'Hallo,' zei de jongen monotoon. Charlie kon niet zeggen wie van de twee de best ontwikkelde sociale vaardigheden had.

Simon hield zijn hand op voor de foto's en zij gaf die aan hem. 'Ik ga jou nu een paar foto's laten zien,' zei hij tegen Dillon. 'En ik wil graag dat jij me vertelt wie dit allemaal zijn.'

Dillon knikte. Simon toonde hem de foto's een voor een, te begin-nen met Glen Jaggard. 'Ken ik niet,' zei Dillon. Sebastian Brownlee kreeg ook een: 'Ken ik niet.'

'En deze dan?' Simon hield een foto op van Paul Yardley.

'Oom Paul.'

'En deze?' Laurie Nattrass,

'Die heb ik weleens gezien,' zei Dillon ineens heel levendig. 'Hij kwam heel vaak bij tante Helen. Een keertje speelde ik buiten en toen zei hij een heel lelijk woord tegen mij.'

'En deze?'

Dillons ogen lichtten op. 'Dat is hem,' zei hij, en hij schonk Simon een glimlach. 'Dat is de man met de toverparaplu.'

Het was de foto van Angus Hines.

# 23

## Maandag 12 oktober 2009

'Toen Ray bij mij op de stoep stond na haar vrijlating...'

'Het was ook mijn stoep,' valt ze hem in de rede.

'Onze stoep,' verbetert Angus zichzelf. 'Toen ze op de stoep stond wilde ik haar met alle plezier binnenlaten. Toen ze in de gevangenis zat, had ik een test ontwikkeld. Ik noem het de Schuldtest van Hines.' Ray's ogen smeken me: *luister naar hem, geef hem de kans. Hoe afschuwelijk het ook klinkt, loop niet weg.*

Ik herinner mezelf eraan dat Hugo in de andere kamer zit. Dat is weliswaar niet zo dichtbij als in de meeste huizen, maar het is dichtbij genoeg. Als ik schreeuw, kan hij me horen. En als ik het op enig moment niet meer trek, zal hij me hier weghalen, en bij Angus vandaan, want ik weet nu zeker dat hij een moordenaar is.

Angus Hines: die man die tabellen maakt van zijn kansberekeningen, en de man die getallen in vierkanten schikt. Hij heeft me die kaarten gestuurd. Ik had moeten raden wat die betekenden, net zoals ik had moeten raden wat hij bedoelde toen hij me de lijsten met namen stuurde van mensen tegen wie Judith Duffy had getuigd in strafrechtelijke en familierechtelijke zaken. Hij stuurde mij die twee foto's van Helen Yardley's handen. Heeft hij die genomen vlak voor hij haar doodschoot? Ik had meteen al een slecht gevoel over hem: zo slecht dat ik hem opsloot. Mijn instinct moet hebben uitgeschreeuwd dat hij gevaarlijk was. Ray was ook bang voor hem, vroeger. Waarom is ze dat nu niet meer?

'Ik nam Ray mee naar boven, naar wat ooit onze slaapkamer was geweest,' zegt hij. 'De kamer waar ze jaren ervoor uit het raam was gekropen om een sigaret te roken in de vensterbank. Ik deed het raam open, greep haar vast en sleurde haar naar het open raam. Ik duwde haar hoofd naar buiten en hield haar zo vast: half binnen, half buiten. Ze wist dat ik haar zo het raam uit had kunnen duwen als ik dat zou willen. En die val had ze nooit overleefd.'

'Jij zei tegen mij dat je niet hebt geprobeerd haar te vermoorden,' zeg ik, en ik probeer onbewogen te klinken.

'Dat is ook zo. Zoals Ray zei, als ik het had geprobeerd, dan was het me ook gelukt. Wat ik probeerde was om haar te doen geloven dat ik haar zou vermoorden als ze mij de waarheid niet zou zeggen. En dat zou ik ook hebben gedaan.'

'En toen vroeg je haar dus of zij Marcella en Nathaniel had vermoord.'

'De Schuldtest van Hines: je brengt een vrouw die wel of niet schuldig is aan de moord op haar kinderen in een levensbedreigende situatie. Je overtuigt haar ervan dat je haar vermoordt als ze niet de waarheid zegt, maar dat je haar zult laten leven als ze dat wel doet. Wat de waarheid ook mag zijn, dan zul je haar laten leven – dat zeg je. Dan vraag je haar of ze de moorden heeft gepleegd. Wat het eerste antwoord ook mag zijn: je accepteert het niet. Je blijft eisen dat ze de waarheid zegt, alsof je niet gelooft wat ze heeft gezegd. Als ze een ander antwoord geeft, doe je dat weer. En zo ga je door – je blijft steeds maar eisen dat ze je de waarheid vertelt en uiteindelijk is ze zo bang, dat ze niet meer weet wat het goede antwoord is, en dan krijg je de waarheid eruit. Op dat moment zal ze namelijk ophouden met heen en weer schieten tussen de verschillende antwoorden: dan zegt ze nog maar één ding, namelijk de waarheid over wat er is gebeurd. Als ze door blijft gaan met heen en weer schieten op een manier die het jou onmogelijk maakt om te bepalen wat de waarheid is, vermoord je haar zoals je ook hebt gedreigd te doen.'

Niet onderbreken. Niet tegen hem ingaan.

'Ray is met vlag en wimpel geslaagd.' Angus glimlacht naar haar, alsof dit allemaal volkomen normaal is. 'Ze schoot niet heen en weer, niet één keer. Ze geloofde oprecht dat ik haar zou vermoorden, en toch heeft ze niet één keer gezegd dat ze schuldig was. Dat was voor mij het bewijs dat ik het bij het verkeerde eind had, wat haar betrof.'

'Ik had nooit kunnen zeggen dat ik mijn kindjes heb vermoord als dat niet zo was,' zegt Ray zachtjes. 'Voor niets en niemand. Zelfs niet als Angus me zou vermoorden als ik dat niet zou zeggen.'

'Heb je de politie ingelicht over wat Angus jou heeft aangedaan?'

'Nee. Jij vindt het vast moeilijk te begrijpen, maar... Ik wist dat het niet Angus was die toen de deur voor me opendeed en... Het was niet dezelfde man. Het waren zijn pijn en zijn verdriet die dit hebben gedaan, niet de echte Angus, degene die hij was voor het verdriet. Ik... Dit zul je ook niet begrijpen, maar ik respecteerde dat hij aan mijn onschuld twijfelde. Zijn plicht als vader was om zijn uiterste best te doen voor Marcella en Nathaniel, zelfs toen zij er niet meer waren. *Vooral* toen ze er niet meer waren. Als zo veel intelligente mensen dachten dat ik hen had vermoord, hoe zou hij dat niet serieus kunnen nemen? Dan zou hij hen toch in de steek laten. En...'

'Wat?'

'Ik begreep precies wat hij over mij voelde, want zo stond ik zelf ook tegenover al die andere vrouwen: Helen Yardley, Sarah Jaggard...'

'Ik heb je eerder al eens gevraagd of jij dacht dat Helen schuldig was. Toen zei je van niet.'

'Ik heb nooit gedacht dat ze schuldig *was*.' Ray leunt voorover. 'Ik heb gedacht dat ze schuldig *zou kunnen zijn*. Net als Sarah Jaggard. Dat is een groot verschil. Ik ben het met Angus eens: hoe meer van dit soort zogenaamde slachtoffers van rechterlijke dwalingen er zijn, hoe groter de kans dat er ook vrouwen tussen zitten die wel schuldig zijn en die onschuldige vrouwen zoals ik gebruiken als camouflage.'

*Het Kansprincipe van Hines.* Ik denk aan Joanne Bew. Lorna Keast.

'Ik wilde niets te maken hebben met Helen of met Sarah, niet in het kader van een televisiedocumentaire en in geen enkel ander kader, omdat ik niet zeker wist of zij moordenaars waren,' zegt Ray.

*En je bent wel van plan om met Angus te trouwen, ook al weet je zeker dat hij een moordenaar is.*

'Je wilde het weten, hè?' vraag ik hem. 'Jouw Schuldtest had gewerkt bij Ray, dus toen besloot je hem ook op Helen los te laten.'

'Dat had niets met Ray te maken,' zegt Angus. 'Ik heb mijn Kansprincipe met haar besproken, maar ik heb haar niet verteld wat ik van plan was.'

'Je wilde iemand laten boeten voor jouw pijn en lijden, maar Ray bleek onschuldig, dus zij kon niet boeten. En ook al was je er inmiddels van overtuigd dat jouw kinderen aan een vaccin waren overleden, wie kon je daarvoor straffen? Wendy Whitehead? Nee, want die stond aan Ray's kant, *tegen* het vaccin. Het zou heel moeilijk zijn om een of meerdere individuen uit te kiezen om de schuld op te schuiven. Dan was het een stuk gemakkelijker om jouw schuldtest te gebruiken om een kindermoordenaar te vinden: Helen Yardley, of Sarah Jaggard. Misschien waren zij wel schuldig, ook al was Ray het niet – dan kon je hén laten boeten.'

'Ik heb Sarah Jaggard aan iemand anders gedelegeerd,' zegt Angus. 'Die heeft er een potje van gemaakt – deed het op klaarlichte dag op een openbare plek, en hij werd gestoord. Daarom heb ik de Test zelf op Helen losgelaten, hoewel ik dat waarschijnlijk toch wel had gedaan. Sarah Jaggard heeft een kind vermoord – of niet – dat niet haar eigen kind was. In haar was ik minder geïnteresseerd.'

'Jij hebt Helen Yardley vermoord,' zeg ik, en ik voel me niet lekker. 'Jij hebt haar door haar hoofd geschoten.'

'Ja, dat heb ik inderdaad gedaan.' *Hij heeft het gezegd. Hij heeft bekend voor de camera.*

'En toen heb je Judith Duffy vermoord.'

'Ja. De politie zag kennelijk een Duffy-aanhanger in mij. Dat moest ik rechtzetten. Ze moesten een lesje krijgen in waarheid en eerlijkheid. Onpartijdigheid. Want hoe kun je oordelen als je niet onpartijdig bent? Duffy heeft een paar ernstige fouten gemaakt – dat gaf ze zelf grif toe.'

Ray zit naast hem te huilen.

'Waarom ben je niet naar de politie gestapt?' vraag ik haar. 'Je moet toch hebben geweten dat toen Helen dood was...'

'Ik had geen bewijs.'

'Je wist wat hij jou had aangedaan.'

'Zijn woord tegen het mijne.' Ze veegt haar ogen af. 'Hij had mij ervan kunnen beschuldigen dat ik loog, en... Ik wilde hem niet nog meer kwetsen of beschadigen. Wat ik wilde was *dit*: dat hij zelf zijn eigen verhaal zou vertellen. Ik wist dat hij niet verder zijn gang mocht gaan, maar... ik wilde dat er op een goede manier een eind aan kwam, en ik dacht dat ik hem daar wel van kon overtuigen.'

'Een huwelijk en een nieuw kind in ruil voor een bekentenis en geen verdere moorden?' vraag ik. *Het kind van Laurie Nattrass.*

Ray krimpt ineen, nu ze mij de naakte waarheid hoort zeggen.

'Ray heeft gelijk,' zegt Angus, en hij pakt haar hand. Ze leunt naar hem toe. *Ze houdt nog steeds van hem.* 'Het is beter zo. Ik moest er klaar voor zijn om het verhaal te vertellen.'

Is dat wat hij boven deed, toen Ray en ik zaten te praten? Was hij zich aan het voorbereiden op zijn verhaal?

'Judith Duffy is gestorven terwijl jij afwachtte tot hij er klaar voor zou zijn,' zeg ik tegen haar.

'Dat weet ik, Fliss. Hoe denk je dat ik me daaronder voel?'

'Judith had het niet erg gevonden,' zegt Angus.

Ik staar hem vol ongeloof aan. 'Ze zou het niet erg gevonden hebben dat ze vermoord werd?'

'Nee. Haar kinderen hadden haar de rug toegekeerd, ze was haar professionele geloofwaardigheid kwijt – ze zou hoogstwaarschijnlijk geroyeerd worden. Ze had niets om voor te leven los van waar ze altijd voor had geleefd: het beschermen van kinderen, zorgen dat hun moordenaars veroordeeld werden. Ik denk dat de Schuldtest van Hines haar goedkeuring zou wegdragen.'

'Fliss, luister,' zegt Ray. Ik hoor de wanhoop in haar stem. 'Ik weet wat je denkt, maar het komt allemaal goed. Het is voorbij. Angus... zijn test is nu voorbij. Dat weet hij; hij accepteert het. Ik weet dat jij vindt dat ik hem in de steek moet laten en dat ik hem zou moeten haten, maar dan kan ik niet, *want dit is Angus niet.*'

'Ben jij het daarmee eens?' vraag ik hem.

'Ja,' zegt hij zonder aarzeling. 'Ik was vroeger niet zo. Vroeger was ik Angus Hines. Nu ben ik... iets anders, wat, weet ik niet.'

Er loopt een rilling langs mijn rug. Wat doodeng om te veranderen in iets waar je jezelf niet meer in herkent – iets oncontroleerbaars en verschrikkelijks – terwijl je toch niet in staat bent om dat ding te omschrijven of afschuw te voelen.

'Angus gaat naar de gevangenis, maar hij is niet helemaal alleen,' zegt Ray. 'Hij zal gestraft worden voor wat hij heeft gedaan, en dat moet ook, maar hij heeft ook hoop, en een doel om voor te leven – een nieuw kind om van te houden, en mij. Ook al kunnen we misschien jaren niet bij elkaar zijn, ik kan hem schrijven, hem bezoeken, ons kind meenemen...'

'Wat betekenen die zestien getallen?' vraag ik.

'Ze betekenen dat Helen Yardley een leugenaar is,' zegt Angus. 'En als zij een leugenaar kon zijn, dan kon Sarah Jaggard dat ook zijn. Dan konden ze het allemaal wel zijn. Zodra Laurie Nattrass daarachter kwam, hoopte ik dat hij iets selectiever zou zijn wat betreft zijn protegeetjes. Wat jou betreft hoopte ik hetzelfde, toen ik hoorde dat jij de film over zou nemen. Wat de politie betreft, ze kunnen me niet verwijten dat ik niet fair ben geweest. Telkens als ik een moord had gepleegd, heb ik een kaart achtergelaten. Ze hoefden alleen hun hersens maar te gebruiken en dan zouden ze weten dat ik de meest waarschijnlijke kandidaat was om hun aandacht op die getallen te vestigen. Ik heb hun alle informatie gegeven die ze nodig hadden om me te vinden.' Hij glimlacht.

*Hij is gek.*

*Maar dit is hij niet. Dit zijn de pijn en het verdriet, dit is niet de echte Angus Hines, de enige van wie Ray houdt en die zij wil helpen.*

'Wat is dan het verband tussen jou en die getallen?' vraag ik hem.

'Als je slim bent, kom je daar wel achter,' zegt hij.

'Het doet er niet toe,' fluistert Ray. 'Het enige wat ertoe doet is dat het nu voorbij is, Fliss, en dat jij een programma gaat maken waarin de waarheid wordt verteld over wat er is gebeurd. Dat wil je wel voor ons doen, toch? Voor ons, voor ons kind en... voor de goede orde?'

'Ja. Ja, dat zal ik doen.'

Er is nog één vraag die ik Angus Hines moet stellen. Ik heb het zo lang mogelijk uitgesteld, omdat ik het antwoord niet wil horen. 'Toen je Helen aan jouw Schuldtest onderwierp, wat zei ze toen?'

Hij glimlacht naar me.

'Dat heeft geen zin,' zegt Ray. 'Hij gaat het je toch niet vertellen.'

'Heeft ze aan jou bekend dat ze haar kinderen heeft vermoord? Heeft ze tijdens de hele marteling waar jíj haar aan hebt onderworpen, gezegd dat ze onschuldig was, net als Ray?'

'Dat zou je wel willen weten, hè?'

'Weet jij het?' vraag ik aan Ray.

Ze schudt haar hoofd.

'Vertel me eens over maandag 5 oktober,' zeg ik tegen Angus, alsof ik een heel andere vraag stel dan de vraag die ik al twee keer heb gesteld. 'Vertel me eens over Helen en de Schuldtest. En doe maar niet alsof je er niet over wil praten. Jij wil dat ik inzie hoe slim jij bent.'

'Nou goed,' zegt hij soepel. 'Ik zal het je vertellen.'

*Was het echt zo makkelijk?*

Er wordt aangebeld. 'Je hoeft niet te raden wie dat zal zijn,' zegt Angus. 'Je hebt degene die net aan de deur was gevraagd om de politie te bellen.'

'Nee, dat heb ik niet gedaan.' Ik hoor voetstappen en dan wordt de voordeur opengedaan. *Nee. Niet nu.*

'Is er nog iemand in huis?' Ray kijkt bezorgd.

'Maakt niet uit,' zeg ik. 'We filmen gewoon door.'

De deur van de hobbykamer gaat voorzichtig open en er komt een dikke, zweterige man met slonzig blond haar binnen, met de domme, ongehoorzame Hugo Nattrass in zijn kielzog. Sinds wanneer behelst stilzitten en nietsdoen dat je de deur opendoet om vreemden binnen te laten?

'Wacht in de andere kamer,' zeg ik bits tegen hen.

'Ik ben rechercheur Colin Sel–'

'Het kan me niet schelen wie u bent. Ga naar buiten, doe de deur dicht en wacht,' zeg ik snel, voor mijn vastberadenheid de kans krijgt te verslappen. 'We zijn hier bezig.' Sellers moet iets in mijn ogen hebben gezien wat hem overtuigt, want hij trekt zich zonder een woord terug.

'Dank je wel,' zegt Ray als hij weg is.

Ik zet de camera dichter op Angus zodat zijn gezicht het beeld vult. 'Begin maar als je er klaar voor bent,' zeg ik tegen hem.

# Onterecht veroordeelde babymoordenaar vrijgesproken

Dorne Llewellyn, 63, uit Port Talbot, verliet gisteren als vrij mens de rechtbank in Cardiff nadat zij niet schuldig werd bevonden in het nieuwe proces voor de moord op de negen maanden oude Benjamin Evans in 2000. De jury stemde unaniem voor vrijlating, zoals de jury tijdens het oorspronkelijke proces van mevrouw Llewellyn haar unaniem schuldig verklaarde. In april 2001, in diezelfde rechtszaal, wist de openbare aanklager de twaalf juryleden ervan te overtuigen dat mevrouw Llewellyn Benjamin had doodgeschud toen ze op hem paste. Ze heeft bijna negen jaar in de gevangenis gezeten.

Mevrouw Llewellyn was een van de vele vrouwen die werden veroordeeld op basis van de getuigenis van dr. Judith Duffy, die verleden jaar oktober werd vermoord. Ten tijde van haar overlijden liep er een onderzoek naar een ambtsovertreding van dr. Duffy. Zij beweerde dat Benjamin door elkaar geschud moest zijn omdat hij een bloeding in de hersenen had, maar ze had niet vermeld dat er ook aanwijzingen waren van eerdere bloedingen. De tweede jury werd door vijf onafhankelijke medisch deskundigen overtuigd dat er geen grond was om mevrouw Llewellyn voor moord te veroordelen, aangezien zij maar eenmaal op Benjamin had gepast, en er duidelijke sporen van eerdere hersenbloedingen waren dan van die ene keer. Mevrouw Llewellyn en haar vrienden huilden op de trap van de rechtbank na de uitspraak 'niet schuldig'.

GOOV-voorzitter Laurie Nattrass zei namens mevrouw Llewellyn: 'De jury heeft uiting gegeven aan haar diepe minachting voor deze krankzinnige en ongefundeerde tenlastelegging door slechts veertig minuten te besteden aan de overweging om terug te keren met het unanieme oordeel dat mevrouw Llewellyn onschuldig was. We moeten deze zege van het recht op zijn vijanden vieren.' De heer Nattrass voegde hieraan toe: 'Momenteel is de gevaarlijkste van die vijanden de crimineel gestoorde Tom Astrow.' Professional Astrow, voorzitter van de Commissie voor de Herziening van Strafzaken, heeft voorgesteld dat in bepaalde zaken waarin mogelijk sprake is van kindermishandeling, de jury en alle pers de rechtszaal uit moeten terwijl de rechter het complexe medische bewijs met twee deskundigen onderzoekt. Professor Astrow zei hierover afgelopen maandag tegen *The Times*: 'Een leek is eenvoudig niet in staat om de ongelofelijk complexe tegenstrijdige meningen van deskundigen te overzien wat betreft de medische finesses.'

De heer Nattrass is het hier niet mee eens. 'Astrows voorstel is per definitie gekte van de allerergste soort, en alweer een angstaanjagende bijwerking van de golf van valse beschuldigingen die in gang is gezet door Judith Duffy en haar paranoïde gevolg van vingerwijzende kinderartsen. Om juryleden buiten te sluiten op basis van de aanname dat zij te dom zijn om het medisch bewijs te begrijpen, is schokkend immoreel, naast dat het onjuist is. Dr. Russell Meredew OBE, auteur van een aantal van de meest briljante artikelen ooit geschreven over onverwachte dood bij kinderen, beschrijft de getuigenis van Judith Duffy tijdens Dorne Llewellyns eerste proces als "lariekoek". Zelfs een leek begrijpt dat. In plaats van juryleden af te doen als domkoppen en hen buiten te sluiten, zou men er beter aan doen om deskundigen buiten te sluiten die bevooroordeeld, door en door slecht en arrogant zijn. Wat is het voor een rechtssysteem dat van juryleden verwacht dat zij tot een oordeel komen nadat er bewijs bij hen is weggehouden omdat men bang is dat het hen maar in verwarring zou brengen? En wat betreft het weren van de pers uit de rechtszaal: ik kan nauwelijks geloven dat iemand in Astrows positie in de eenentwintigste eeuw voorstander is van zo'n stap terug, de duisternis in. GOOV zal er alles aan doen om te zorgen dat men inziet dat Astrows voorstellen rampzalig zijn en dat zij ronduit verworpen zullen worden.' Professor Astrow was niet beschikbaar voor commentaar.

# *Een lege kamer: een gezinstragedie*

## door Felicity Benson

Dit boek is opgedragen ter nagedachtenis aan mijn vader, Melvyn Benson.

### Dankwoord

Ik bedank Ray en Angus Hines dat ik hun verhaal mocht vertellen.

Dank ook aan alle mensen bij de recherche in Culver Valley, met name inspecteur Sam Kombothekra, wiens generositeit en geduld verbluffend waren.

Dank aan Julian Lance, Wendy Whitehead, Jackie Fletcher en de mensen bij GOOV, Paul Yardley, Glen en Sarah Jaggard, Ned Vento, Gillian Howard, dr. Russell Meredew, dr. Phil Dennison, dr. Jack Pelham, Rahila Yunis, Gaynor Mundy, Leah Gould, Stella White, Beryl Murie, Fiona Sharp, Antonia Duffy en Grace en Hannah Brownlee.

Laurie, ik dank je dat je me deze kans hebt geboden.

Dank aan Tamsin en onze mensen bij Better Brother Productions.

En last but not least dank ik jou, Hugo, voor je niet-aflatende steun, en je vooruitziende blik dat ik op een dag meer van jou zou houden dan van je huis. Dat doe ik, maar het scheelt weinig.

### Inleiding

Op maandag 5 oktober 2009 stond Angus Hines om 6 uur 's ochtends op en reed hij met een huurauto van zijn huis in Notting Hill,

Londen, naar Spilling in Culver Valley. Zijn bestemming was Bengeo Street nummer 9, het huis van Helen Yardley. Onderweg luisterde hij naar het programma *Today* op BBC Radio 4. Helens man Paul was al naar zijn werk, en dus was Helen alleen thuis toen Angus daar om 8.20 uur arriveerde. Het was een heldere, zonnige winterdag. Er was geen wolkje aan de lucht.

Hij moet aangebeld hebben. Helen moet hem binnengelaten hebben, ook al waren ze niet bevriend, en hadden ze zelfs ruzie gehad bij hun laatste ontmoeting. Angus bracht de hele dag met Helen door in haar huis. Op enig moment haalde Angus het pistool tevoorschijn dat hij van een kennis had gekregen. Een Beretta M9 9mm. Om vijf uur 's middags gebruikte hij dat om Helen dood te schieten omdat zij, volgens hem, niet geslaagd was voor een test die hij voor haar had bedacht – dat wil zeggen, niet speciaal voor haar, maar voor alle vrouwen die ervan werden beschuldigd dat zij baby's hadden vermoord maar die zelf onschuldig zeiden te zijn – vrouwen zoals Sarah Jaggard, Dorne Llewellyn en natuurlijk Angus' eigen vrouw, Ray. Het was die persoonlijke link met een dergelijke zaak die hem ertoe bracht om een test te bedenken die hij zonder spoor van ironie de 'Schuldtest van Hines' noemde. Wel heeft hij mij tot tweemaal toe gevraagd of ik dacht dat het beter was om de test de 'Waarheidstest van Hines' te noemen. Hij legde mij de regels van de test als volgt uit:

'Je brengt een vrouw die wel of niet schuldig is aan de moord op haar kinderen in een levensbedreigende situatie. Je overtuigt haar ervan dat je haar vermoordt als ze niet de waarheid zegt, maar dat je haar zult laten leven als ze dat wel doet. Wat de waarheid ook mag zijn, dan zul je haar laten leven – dat zeg je. Dan vraag je haar of ze de moorden heeft gepleegd. Wat het eerste antwoord ook mag zijn: je accepteert het niet. Je blijft eisen dat ze de waarheid zegt, alsof je niet gelooft wat ze heeft gezegd. Als ze een ander antwoord geeft, doe je dat weer. En zo ga je door – je blijft steeds maar eisen dat ze je de waarheid vertelt en uiteindelijk is ze zo bang, dat ze niet meer weet wat het goede antwoord is, en dan krijg je de waarheid eruit. Op dat moment zal ze namelijk ophouden met heen en weer schieten tussen de verschillende antwoorden: dan zegt ze nog maar één ding, namelijk de waarheid over wat er is gebeurd. Als ze door blijft gaan met heen en weer schieten op een manier die het jou onmogelijk maakt om te bepalen wat de waarheid is, vermoord je haar zoals je ook hebt gedreigd te doen.'

De eerste twee keer dat ik Angus vroeg wat er gebeurde toen hij Helen Yardley aan zijn Schuldtest onderwierp wilde hij me dat niet vertellen. Hij tergde me door te zeggen: 'Dat zou je wel willen weten, hè?' en hij leek te genieten van zijn superieure kennis en mijn gefrustreerde onwetendheid. Maar toen, plotseling en zonder duidelijke aanleiding, veranderde hij van gedachte en verkondigde hij dat hij bereid was om mij te vertellen wat er was gebeurd in Helens huis op maandag 5 oktober. Het vertellen van dat verhaal duurde in totaal bijna drie uur. Ik zal hier in het kort samenvatten wat Angus mij heeft verteld en ik zal u de meest beangstigende aspecten van zijn relaas besparen; ik zou willen dat ze mij ook bespaard waren gebleven.

Angus vertelde me dat Helen binnen heel korte tijd – minder dan een halfuur – omsloeg van onschuldig naar schuldig en vice versa voor ze uiteindelijk toegaf dat ze haar zoons had verstikt. Daarom heeft hij haar doodgeschoten: om haar te straffen, omdat ze een moordenaar was. Maar, vertelde hij me, voordat hij haar doodschoot heeft hij een paar uur geluisterd naar haar lange en uitvoerige biecht: wat ze had gedaan, waarom ze het had gedaan, en hoe ze zich daaronder voelde.

Dit boek vertelt het verhaal van de familie Hines – Ray, Angus, Marcella en Nathaniel – en van het politieonderzoek naar de moorden op Helen Yardley en Judith Duffy. De moord die Angus Hines pleegde op Helen Yardley is niet het begin van dit verhaal. Voor zover het al mogelijk is om precies te bepalen waar een verhaal begint, denk ik dat dit verhaal begon in 1998, toen Angus en Ray Hines hun eerste kindje kregen: Marcella. Ik ben begonnen met dit veel latere incident, de moord op Helen Yardley, in oktober 2009, niet omdat het zo gewelddadig en shockerend is en omdat het meteen de aandacht trekt – hoewel dat allemaal klopt – maar omdat ik het los wil zien van de rest van het boek, omdat ik geloof dat Angus' relaas hierover, en daarmee het mijne, een leugen is. Dat is de andere reden waarom ik heb ingekort en samengevat wat Angus mij vertelde over wat er zich die dag afspeelde tussen hem en Helen: ik wil niet meer ruimte spenderen dan nodig aan iets waarvan ik zeker weet dat het niet waar is.

Tegen het einde van dit boek zult u zich een mening hebben gevormd over Angus, en zult u zelf kunnen uitmaken of hij er de man naar is om de regels en voorwaarden van zijn eigen Waarheid- of Schuldtest in de wind te slaan – regels die bepalen dat alleen op liegen de doodstraf staat – en dat hij Helen Yardley heeft doodgeschoten ook al vertelde ze hem de waarheid over haar schuld. Misschien vindt u wel dat hij het risico niet kon lopen haar te laten leven omdat zij hem had gezien en naar de politie zou gaan. Maar voor wat het waard is: mijn indruk is dat Angus daar nooit bang voor is geweest – hij heeft overal sporen achtergelaten die volgens hem verwezen naar zijn schuld, zoals u later in dit boek zult lezen.

Angus' respect voor het rechtssysteem is beperkt tot een handjevol politiemensen: o.a. rechercheur Simon Waterhouse en agent Charlotte Zailer, en de reden daarvoor zal later duidelijk worden. Verder had hij weinig respect voor de politie en het rechtssysteem, en mijn theorie – hoewel ik wil benadrukken dat het niet meer dan een theorie is – is dat hij vindt dat behalve hij niemand het verdient om de waarheid te kennen over wat er op maandag 5 oktober 2009 is voorgevallen tussen hem en Helen Yardley. Ik denk dat hij vindt dat hij als bedenker van de Waarheid- of Schuldtest als enige recht heeft op de uitslag van die test.

Is dat waarom hij Helen doodschoot, zodat ze niemand haar versie van de gebeurtenissen van die dag zou kunnen vertellen? Om er zeker van te zijn dat hij altijd de enige eigenaar van die informatie zou zijn? Betekende het feit dat hij zich verkneukelde deze kennis te hebben en dat hij genoot van de macht die het hem gaf terwijl anderen niets wisten, dat het verhaal dat hij mij vertelde precies het tegenovergestelde is van wat er is gebeurd? Misschien krijgt hij er wel een kick van om mij zo veel mogelijk om de tuin te leiden, en als dat zo is, betekent dat dan dat zijn test juist Helens onschuld heeft aangetoond? Dat lijkt mij ook onwaarschijnlijk, want hij heeft haar hoe dan ook doodgeschoten; Angus' regels stellen duidelijk dat je mag blijven leven als je de waarheid spreekt.

Misschien heeft Helen niet één keer geaarzeld en bleef ze vasthouden aan haar onschuld, en misschien geloofde Angus haar desondanks niet – in dat geval zou hem zijn gebleken dat zijn test helemaal niet werkte. Zou dat hem ertoe hebben gebracht haar neer te schieten? Ik denk dat het mogelijk is. Ik denk ook, gezien het verleden van Angus en Helen – een verleden waar u waarschijnlijk over hebt gelezen – dat het goed mogelijk is dat zij heeft geweigerd om überhaupt iets te zeggen. Was ze vastbesloten om weerstand aan hem te bieden, ook al had hij een pistool? Haar stilzwijgen zou voor hem een nederlaag betekenen, en dat wist zij misschien. Of bleef ze inderdaad 'heen en weer schieten' tussen verschillende verklaringen, zoals Angus het noemde? Bleef ze steeds maar iets anders zeggen, in de hoop dat ze eindelijk iets zou zeggen waardoor hij zijn pistool in zijn zak zou stoppen en weg zou gaan? Of heeft hij haar vermoord omdat hij niet in staat was met zekerheid te bepalen wat de waarheid was?

Als Angus er die dag niet achter kwam dat zijn test niet deugde, heeft hij dan misschien ook ontdekt dat hij zelf niet deugde omdat hij niet in staat was zich aan zijn eigen regels en voorwaarden te houden? Voordat hij een moordenaar werd, was Angus een toegewijde vader die twee kinderen had verloren en wiens vrouw ten onrechte van moord op die kinderen werd beschuldigd. Heeft Helen bekend dat zij haar twee kinderen heeft verstikt, en schoot Angus toen zo vol woede en walging dat hij de verleiding niet kon weerstaan en de trekker heeft overgehaald? Als dat inderdaad is gebeurd, zal hij dat misschien nooit aan iemand vertellen – hij is er trots op dat hij een planner is, dat hij altijd alles onder controle heeft en dat hij vooruit kan denken. Hij zou nooit toegeven dat hij zo door emotie werd overmand dat hij tegen zijn eigen plan handelde.

Ik hoop, en Paul Yardley en Hannah Brownlee hopen dat met mij, dat Angus ons op een dag zal vertellen wat er werkelijk is gebeurd in het huis aan Bengeo Street nummer 9, op maandag 5 oktober. Het is een langdurig proces, maar ik zal mijn best doen om het beeld dat hij van zichzelf heeft, van een superrationele man die alles onder controle heeft, stukje bij beetje bij te stellen. Ik heb geprobeerd hem uit te leggen waarom zijn test zinloos is: mensen gedragen zich niet voorspelbaar als ze worden bedreigd met executie. Als zij worden gedwongen de waarheid te vertellen over de meest traumatische gebeurtenis in hun leven, zullen sommigen ervoor kiezen het verhaal te vertellen dat zij zelf graag willen geloven, zelfs als dit verhaal een leugen is. En ze houden vast aan deze leugen omdat hun leven toch niet meer de moeite waard zou zijn als ze de pijnlijke waarheid onder ogen zouden zien. Anderen zullen de waarheid vertellen en daaraan vasthouden. Weer anderen zullen heen en weer gaan, en steeds een andere versie van het verhaal vertellen. Angus kan nooit bewijzen hoe een schuldig of onschuldig mens zal reageren wanneer hij wordt gemarteld. Dat is voor mij een onmiskenbaar feit, maar hij houdt vol dat ik het verkeerd zie.

Hij slaat volkomen dicht als ik hem wijs op de belangrijkste tekortkoming van mijn test: dat het draait om het oordelen over, het veroordelen van en het terechtstellen van andere mensen – dat zijn drie dingen die je als individu nooit mag doen. Als dat wat u straks zult lezen al iets met zekerheid aantoont, dat is het wel de noodzaak van compassie en nederigheid, en het onweerlegbare feit dat er minder te vergeven zou zijn als mensen konden leren meer vergevingsgezind te zijn, zowel naar zichzelf als naar anderen. Als een poging om de ander te begrijpen en te helpen in de plaats zou kunnen treden van oordelen en veroordelen, ook al is er sprake van een gruwelijk misdrijf– *vooral* als er sprake is van een gruwelijk misdrijf – dan zouden er in de toekomst minder gruwelijke misdrijven worden gepleegd. Een wijdverbreid misverstand is het idee dat je een crimineel 'weg laat komen' met zijn misdaad als je hem probeert te begrijpen en te helpen. Dit is niet het geval, en ik hoop dat dit verhaal dat zal bewijzen. Persoonlijk geloof ik dat, wat voor juridische stappen ook volgen, niemand ooit ergens 'mee wegkomt': wat wij doen heeft een effect op ons waar wij niet aan kunnen ontsnappen.

Voor ik de definitieve versie van dit boek inleverde bij mijn redacteur, heb ik Angus in de gevangenis opgezocht, en ik heb het manuscript meegenomen. Ik heb hem deze inleiding laten lezen. Toen ik hem vroeg of er iets in stond waar hij bezwaar tegen had, schudde hij zijn hoofd en gaf me het manuscript weer terug. 'Geef het maar uit,' zei hij.

# Dankwoord

Ik ben de volgende mensen, die allemaal een grote bijdrage hebben geleverd aan de totstandkoming van dit boek, zeer dankbaar: Mark Fletcher, Sarah Shaper, Jackie Fletcher, Mark en Cal Pannone, Guy Martland, Dan, Phoebe en Guy Jones, Jenny, Adele en Norman Geras, Ken en Sue Hind, Anne Grey, Hannah Pescod, Ian Daley, Paula Cuddy, Clova McCallum, Peter Bean, David Allen, Dan Oxtoby (die mij per ongeluk inspireerde tot een wending in de plot) en Judith Gribble.

Een aantal medisch experts heeft mij geholpen door wat helderheid te verschaffen met betrekking tot de vele controverses rond wiegendood: vooral dr. Mike Green en twee anderen die liever niet bij naam genoemd willen worden. Alle drie, en nog een aantal anderen, zijn enorm gul geweest met hun tijd en kennis, en daar ben ik hun geweldig dankbaar voor.

Dank ook aan Fiona Sampson, de schrijfster van het briljante gedicht 'Ankerplaats' dat in deze roman is opgenomen. De titel van dit boek is een strofe uit het gedicht – en dank aan Carcanet Press dat ik het gedicht mocht gebruiken. Dank ook aan de erven Hilaire Belloc en PFD voor het mogen gebruiken van 'De Microbe'.

Val McDermid bedank ik ook, zij is de bedenkster van het Omgekeerde L'Oréalsyndroom.

Zeer veel dank aan mijn inspirerende agent Peter Straus, de geweldige Jenny Hewson en mijn fantastische uitgever Hodder & Stoughton, met name Carolyn Mays, Karen Geary en Francesca Best.

Ik had dit boek niet kunnen schrijven als ik de volgende drie boeken niet had gelezen: *Unexpected Death in Childhood* onder redactie van Peter Sidebotham en Peter Fleming, *Cherished* van Angela Cannings en Megan Lloyd Davies en *Stolen Innocence: the Sally Clark Story* van John Batt. De ervaringen van vrouwen als Sally Clark, Angela Cannings en Trupti Patel vormden deels de inspiratiebron voor *De lege kamer*, hoewel geen van de karakters of zaken in mijn boek zijn gebaseerd op echte mensen of zaken.